CLAUDIA LISBOA

ASTROS e PREVISÕES

Copyright da presente edição © 2021 by Editora Globo S.A.
Copyright © 2021 by Claudia Lisboa

Todos os direitos reservados.
Nenhuma parte desta edição pode ser utilizada ou reproduzida — em qualquer meio,
ou forma, seja mecânico ou eletrônico, fotocópia, gravação etc. — nem apropriada ou
estocada em sistema de banco de dados sem a expressa autorização da editora.

Texto fixado conforme as regras do acordo ortográfico da língua portuguesa (Decreto
Legislativo nº 54, de 1995).

Editor responsável: Guilherme Samora
Editoras assistentes: Fernanda Belo e Gabriele Fernandes
Projeto gráfico e capa: Guilherme Francini
Foto de capa: Guga Milet
Diagramação: Douglas Kenji Watanabe
Revisão: Ariadne Martins e Adriana Moreira Pedro

CIP-BRASIL. CATALOGAÇÃO NA FONTE
SINDICATO NACIONAL DOS EDITORES DE LIVROS, RJ

L75a

Lisboa, Claudia
Astros e previsões: como uma bússola, os movimentos do céu nos
orientam na jornada pessoal / Claudia Lisboa. — 1. ed. — São Paulo:
Principium, 2021.

ISBN 978-85-63083-01-2

1. Astrologia. 2. Previsão astrológica. I. Título.

20-67761

CDD: 133.5
CDU: 133.52

Leandra Felix da Cruz Candido — Bibliotecária — CRB-7/6135

1ª edição — abril/2021

Editora Globo S.A.
Rua Marquês de Pombal, 25
Rio de Janeiro, RJ — 20230-240
www.globolivros.com.br

CLAUDIA LISBOA

ASTROS e PREVISÕES

Como uma bússola, os movimentos do céu
nos orientam na jornada pessoal

Para Ana Clara, Beatriz, Bernardo e Clarice,
que acenderam o brilho da minha imaginação.

A compreensão dos acontecimentos no decorrer da nossa vida é uma ferramenta preciosa para entender por um lado o "porquê" do que nos acontece e, por outro, o "para quê" nos serve. Foi com esse objetivo que me debrucei na escrita dessa área tão importante do saber astrológico: as previsões.

O acesso a essas informações quase sempre era dado aos iniciados, e aqueles que queriam pesquisar suas previsões se deparavam com a barreira dos cálculos astrológicos, deixando-os exclusivamente nas mãos dos profissionais e estudiosos.

Com o advento da internet, essa barreira foi superada. De posse das interpretações dos Trânsitos, das Progressões e das Direções astrológicas, você poderá ter acesso aos cálculos e conhecer as previsões do dia a dia, de uma determinada época ou de um período maior.

Para isso, basta acessar o link e se cadastrar em: <astrologialuzesombra. com.br/transitos-gratis> e mãos à obra! Com os cálculos, você terá, neste livro, o acesso a todas as informações referentes aos períodos de vida que deseja pesquisar. Poderá entender o que já foi vivido, o que está acontecendo agora e se preparar para o que virá.

É com imensa alegria que lanço este projeto que dará autonomia para você acompanhar os momentos importantes da história da sua vida.

Sumário

Nota do Editor	23
Introdução	25
Trânsitos, Progressões e Direções	25
Diferenças e definições	26
Direções e Progressões	26
Trânsitos	26
Métodos de cálculo	27
Trânsitos	27
Progressões	27
Direções	28
Aspectos	28
Classificação dos Aspectos	28
Exemplos	29
Tempo de duração	30
Retrogradações	31
Intensidades	32

Trânsitos e Progressões dos Planetas pelas Casas Astrológicas ..   **35**

Sol em Trânsito pelas Casas 35

Sol em Trânsito pela Casa 1 36

Sol em Trânsito pela Casa 2 36

Sol em Trânsito pela Casa 3 37

Sol em Trânsito pela Casa 4 38

Sol em Trânsito pela Casa 5 39

Sol em Trânsito pela Casa 6 39

Sol em Trânsito pela Casa 7 40

Sol em Trânsito pela Casa 8 41

Sol em Trânsito pela Casa 9 42

Sol em Trânsito pela Casa 10 42

Sol em Trânsito pela Casa 11 43

Sol em Trânsito pela Casa 12 43

Trânsitos e Progressões da Lua pelas Casas 44

Lua em Trânsito e em Progressão pela Casa 1 45

Lua em Trânsito e em Progressão pela Casa 2 45

Lua em Trânsito e em Progressão pela Casa 3 46

Lua em Trânsito e em Progressão pela Casa 4 47

Lua em Trânsito e em Progressão pela Casa 5 47

Lua em Trânsito e em Progressão pela Casa 6 48

Lua em Trânsito e em Progressão pela Casa 7 48

Lua em Trânsito e em Progressão pela Casa 8 49

Lua em Trânsito e em Progressão pela Casa 9 50

Lua em Trânsito e em Progressão pela Casa 10 50

Lua em Trânsito e em Progressão pela Casa 11 51

Lua em Trânsito e em Progressão pela Casa 12 51

Mercúrio em Trânsito pelas Casas 52

Mercúrio em Trânsito pela Casa 1 52

Mercúrio em Trânsito pela Casa 2 53

Mercúrio em Trânsito pela Casa 3 54

Mercúrio em Trânsito pela Casa 4 54

Mercúrio em Trânsito pela Casa 5 55

Mercúrio em Trânsito pela Casa 6 56
Mercúrio em Trânsito pela Casa 7 57
Mercúrio em Trânsito pela Casa 8 57
Mercúrio em Trânsito pela Casa 9 58
Mercúrio em Trânsito pela Casa 10 59
Mercúrio em Trânsito pela Casa 11 59
Mercúrio em Trânsito pela Casa 12 60

Vênus em Trânsito pelas Casas 61
Vênus em Trânsito pela Casa 1 61
Vênus em Trânsito pela Casa 2 62
Vênus em Trânsito pela Casa 3 62
Vênus em Trânsito pela Casa 4 63
Vênus em Trânsito pela Casa 5 64
Vênus em Trânsito pela Casa 6 64
Vênus em Trânsito pela Casa 7 65
Vênus em Trânsito pela Casa 8 66
Vênus em Trânsito pela Casa 9 66
Vênus em Trânsito pela Casa 10 67
Vênus em Trânsito pela Casa 11 67
Vênus em Trânsito pela Casa 12 68

Marte em Trânsito pelas Casas 69
Marte em Trânsito pela Casa 1 69
Marte em Trânsito pela Casa 2 70
Marte em Trânsito pela Casa 3 70
Marte em Trânsito pela Casa 4 71
Marte em Trânsito pela Casa 5 72
Marte em Trânsito pela Casa 6 73
Marte em Trânsito pela Casa 7 73
Marte em Trânsito pela Casa 8 74
Marte em Trânsito pela Casa 9 75
Marte em Trânsito pela Casa 10 76
Marte em Trânsito pela Casa 11 77
Marte em Trânsito pela Casa 12 77

Júpiter em Trânsito pelas Casas 78
    Júpiter em Trânsito pela Casa 1 78
    Júpiter em Trânsito pela Casa 2 79
    Júpiter em Trânsito pela Casa 3 80
    Júpiter em Trânsito pela Casa 4 81
    Júpiter em Trânsito pela Casa 5 81
    Júpiter em Trânsito pela Casa 6 82
    Júpiter em Trânsito pela Casa 7 83
    Júpiter em Trânsito pela Casa 8 83
    Júpiter em Trânsito pela Casa 9 84
    Júpiter em Trânsito pela Casa 10 85
    Júpiter em Trânsito pela Casa 11 86
    Júpiter em Trânsito pela Casa 12 86

Saturno em Trânsito pelas Casas 87
    Saturno em Trânsito pela Casa 1 87
    Saturno em Trânsito pela Casa 2 88
    Saturno em Trânsito pela Casa 3 89
    Saturno em Trânsito pela Casa 4 90
    Saturno em Trânsito pela Casa 5 90
    Saturno em Trânsito pela Casa 6 91
    Saturno em Trânsito pela Casa 7 92
    Saturno em Trânsito pela Casa 8 93
    Saturno em Trânsito pela Casa 9 93
    Saturno em Trânsito pela Casa 10 94
    Saturno em Trânsito pela Casa 11 95
    Saturno em Trânsito pela Casa 12 96

Urano em Trânsito pelas Casas 96
    Urano em Trânsito pela Casa 1 97
    Urano em Trânsito pela Casa 2 97
    Urano em Trânsito pela Casa 3 98
    Urano em Trânsito pela Casa 4 99
    Urano em Trânsito pela Casa 5 99
    Urano em Trânsito pela Casa 6 100

Urano em Trânsito pela Casa 7 101
Urano em Trânsito pela Casa 8 101
Urano em Trânsito pela Casa 9 102
Urano em Trânsito pela Casa 10 103
Urano em Trânsito pela Casa 11 104
Urano em Trânsito pela Casa 12 104

Nodos Lunares Norte e Sul em Trânsito pelas Casas 105
Nodo Lunar Norte em Trânsito pela Casa 1 e Sul pela Casa 7..... 105
Nodo Lunar Norte em Trânsito pela Casa 2 e Sul pela Casa 8..... 106
Nodo Lunar Norte em Trânsito pela Casa 3 e Sul pela Casa 9..... 107
Nodo Lunar Norte em Trânsito pela Casa 4 e Sul pela Casa 10... 107
Nodo Lunar Norte em Trânsito pela Casa 5 e Sul pela Casa 11 ... 108
Nodo Lunar Norte em Trânsito pela Casa 6 e Sul pela Casa 12 ... 109
Nodo Lunar Norte em Trânsito pela Casa 7 e Sul pela Casa 1 109
Nodo Lunar Norte em Trânsito pela Casa 8 e Sul pela Casa 2 110
Nodo Lunar Norte em Trânsito pela Casa 9 e Sul pela Casa 3 111
Nodo Lunar Norte em Trânsito pela Casa 10 e Sul pela Casa 4 .. 112
Nodo Lunar Norte em Trânsito pela Casa 11 e Sul pela Casa 5 .. 112
Nodo Lunar Norte em Trânsito pela Casa 12 e Sul pela Casa 6 .. 113

Lilith em Trânsito pelas Casas.. 114
Lilith em Trânsito pela Casa 1.. 114
Lilith em Trânsito pela Casa 2.. 115
Lilith em Trânsito pela Casa 3.. 115
Lilith em Trânsito pela Casa 4.. 116
Lilith em Trânsito pela Casa 5.. 116
Lilith em Trânsito pela Casa 6.. 117
Lilith em Trânsito pela Casa 7.. 118
Lilith em Trânsito pela Casa 8.. 118
Lilith em Trânsito pela Casa 9.. 119
Lilith em Trânsito pela Casa 10.. 119
Lilith em Trânsito pela Casa 11.. 120
Lilith em Trânsito pela Casa 12.. 121

Quíron em Trânsito pelas Casas *121*
   Quíron em Trânsito pela Casa 1 121
   Quíron em Trânsito pela Casa 2 122
   Quíron em Trânsito pela Casa 3 122
   Quíron em Trânsito pela Casa 4 123
   Quíron em Trânsito pela Casa 5 123
   Quíron em Trânsito pela Casa 6 124
   Quíron em Trânsito pela Casa 7 125
   Quíron em Trânsito pela Casa 8 125
   Quíron em Trânsito pela Casa 9 126
   Quíron em Trânsito pela Casa 10 126
   Quíron em Trânsito pela Casa 11 127
   Quíron em Trânsito pela Casa 12 127

Aspectos em Trânsitos, Progressões e Direções **131**
  Trânsitos, Progressões e Direções da Lua *131*
   Lua em Aspecto com o Sol 131
   Lua em Aspecto com a Lua 133
   Lua em Aspecto com Mercúrio 134
   Lua em Aspecto com Vênus 135
   Lua em Aspecto com Marte 137
   Lua em Aspecto com Júpiter 138
   Lua em Aspecto com Saturno 140
   Lua em Aspecto com Urano 141
   Lua em Aspecto com Netuno 143
   Lua em Aspecto com Plutão 144
   Lua em Aspecto com o Ascendente e o Descendente 146
   Lua em Aspecto com o Meio e o Fundo do Céu 149
   Lua em Aspecto com os Nodos Lunares Norte e Sul 151
   Lua em Aspecto com a Roda da Fortuna 153
   Lua em Aspecto com Quíron 155
   Lua em Aspecto com Lilith 156

  Trânsitos, Progressões e Direções do Sol *158*
   Sol em Aspecto com o Sol 158

Sol em Aspecto com a Lua 160

Sol em Aspecto com Mercúrio 162

Sol em Aspecto com Vênus... 163

Sol em Aspecto com Marte 165

Sol em Aspecto com Júpiter 167

Sol em Aspecto com Saturno.. 169

Sol em Aspecto com Urano 171

Sol em Aspecto com Netuno... 172

Sol em Aspecto com Plutão.. 174

Sol em Aspecto com o Ascendente e o Descendente............... 176

Sol em Aspecto com o Meio e o Fundo do Céu 179

Sol em Aspecto com os Nodos Lunares Norte e Sul 182

Sol em Aspecto com a Roda da Fortuna 184

Sol em Aspecto com Quíron... 185

Sol em Aspecto com Lilith 186

Trânsitos, Progressões e Direções de Mercúrio 188

Mercúrio em Aspecto com o Sol... 188

Mercúrio em Aspecto com a Lua.. 190

Mercúrio em Aspecto com Mercúrio....................................... 192

Mercúrio em Aspecto com Vênus... 194

Mercúrio em Aspecto com Marte.. 197

Mercúrio em Aspecto com Júpiter... 199

Mercúrio em Aspecto com Saturno 201

Mercúrio em Aspecto com Urano... 203

Mercúrio em Aspecto com Netuno 206

Mercúrio em Aspecto com Plutão 208

Mercúrio em Aspecto com o Ascendente e
o Descendente 211

Mercúrio em Aspecto com o Meio e o Fundo do Céu............. 214

Mercúrio em Aspecto com os Nodos Lunares Norte e Sul....... 217

Mercúrio em Aspecto com a Roda da Fortuna........................ 220

Mercúrio em Aspecto com Quíron 222

Mercúrio em Aspecto com Lilith.. 224

Trânsitos, Progressões e Direções de Vênus 226

Vênus em Aspecto com o Sol 227

Vênus em Aspecto com a Lua 229

Vênus em Aspecto com Mercúrio 231

Vênus em Aspecto com Vênus 233

Vênus em Aspecto com Marte 235

Vênus em Aspecto com Júpiter 237

Vênus em Aspecto com Saturno 239

Vênus em Aspecto com Urano 241

Vênus em Aspecto com Netuno 243

Vênus em Aspecto com Plutão 245

Vênus em Aspecto com o Ascendente e o Descendente 247

Vênus em Aspecto com o Meio e o Fundo do Céu 250

Vênus em Aspecto com os Nodos Lunares Norte e Sul 253

Vênus em Aspecto com a Roda da Fortuna 255

Vênus em Aspecto com Quíron 257

Vênus em Aspecto com Lilith 258

Trânsitos, Progressões e Direções de Marte 260

Marte em Aspecto com o Sol 260

Marte em Aspecto com a Lua 262

Marte em Aspecto com Mercúrio 263

Marte em Aspecto com Vênus 265

Marte em Aspecto com Marte 267

Marte em Aspecto com Júpiter 269

Marte em Aspecto com Saturno 271

Marte em Aspecto com Urano 272

Marte em Aspecto com Netuno 274

Marte em Aspecto com Plutão 276

Marte em Aspecto com o Ascendente e o Descendente 278

Marte em Aspecto com o Meio e o Fundo do Céu 280

Marte em Aspecto com os Nodos Lunares Norte e Sul 283

Marte em Aspecto com a Roda da Fortuna 285

Marte em Aspecto com Quíron 286

Marte em Aspecto com Lilith 288

Trânsitos, Progressões e Direções de Júpiter 289

   Júpiter em Aspecto com o Sol 290

   Júpiter em Aspecto com a Lua 292

   Júpiter em Aspecto com Mercúrio 294

   Júpiter em Aspecto com Vênus 296

   Júpiter em Aspecto com Marte 299

   Júpiter em Aspecto com Júpiter 301

   Júpiter em Aspecto com Saturno 303

   Júpiter em Aspecto com Urano 306

   Júpiter em Aspecto com Netuno 309

   Júpiter em Aspecto com Plutão 311

   Júpiter em Aspecto com o Ascendente e

      o Descendente 313

   Júpiter em Aspecto com o Meio e o Fundo do Céu 317

   Júpiter em Aspecto com os Nodos Lunares Norte e Sul 320

   Júpiter em Aspecto com a Roda da Fortuna 323

   Júpiter em Aspecto com Quíron 325

   Júpiter em Aspecto com Lilith 327

Trânsitos, Progressões e Direções de Saturno 329

   Saturno em Aspecto com o Sol 330

   Saturno em Aspecto com a Lua 331

   Saturno em Aspecto com Mercúrio 334

   Saturno em Aspecto com Vênus 336

   Saturno em Aspecto com Marte 338

   Saturno em Aspecto com Júpiter 340

   Saturno em Aspecto com Saturno 343

   Saturno em Aspecto com Urano 345

   Saturno em Aspecto com Netuno 346

   Saturno em Aspecto com Plutão 348

   Saturno em Aspecto com o Ascendente e

      o Descendente 350

   Saturno em Aspecto com o Meio e o Fundo do Céu 354

   Saturno em Aspecto com os Nodos Lunares Norte e Sul 356

   Saturno em Aspecto com a Roda da Fortuna 358

Saturno em Aspecto com Quíron 360
Saturno em Aspecto com Lilith 361

Trânsitos, Progressões e Direções de Urano 363
Urano em Aspecto com o Sol 363
Urano em Aspecto com a Lua 365
Urano em Aspecto com Mercúrio 368
Urano em Aspecto com Vênus 370
Urano em Aspecto com Marte 373
Urano em Aspecto com Júpiter 375
Urano em Aspecto com Saturno 376
Urano em Aspecto com Urano 378
Urano em Aspecto com Netuno 380
Urano em Aspecto com Plutão 382
Urano em Aspecto com o Ascendente e
    o Descendente 383
Urano em Aspecto com o Meio e o Fundo do Céu 386
Urano em Aspecto com os Nodos Lunares Norte e Sul 388
Urano m Aspecto com a Roda da Fortuna 390
Urano em Aspecto com Quíron 391
Urano em Aspecto com Lilith 393

Trânsitos, Progressões e Direções de Netuno 395
Netuno em Aspecto com o Sol 395
Netuno em Aspecto com a Lua 397
Netuno em Aspecto com Mercúrio 400
Netuno em Aspecto com Vênus 402
Netuno em Aspecto com Marte 404
Netuno em Aspecto com Júpiter 407
Netuno em Aspecto com Saturno 409
Netuno em Aspecto com Urano 411
Netuno em Aspecto com Netuno 412
Netuno em Aspecto com Plutão 414
Netuno em Aspecto com o Ascendente e
    o Descendente 416

Netuno em Aspecto com o Meio e o Fundo do Céu 419

Netuno em Aspecto com os Nodos Lunares Norte e Sul 422

Netuno em Aspecto com a Roda da Fortuna 424

Netuno em Aspecto com Quíron 425

Netuno em Aspecto com Lilith 427

Trânsitos, Progressões e Direções de Plutão 429

Plutão em Aspecto com o Sol 429

Plutão em Aspecto com a Lua 431

Plutão em Aspecto com Mercúrio 434

Plutão em Aspecto com Vênus 436

Plutão em Aspecto com Marte 438

Plutão em Aspecto com Júpiter 440

Plutão em Aspecto com Saturno 442

Plutão em Aspecto com Urano 443

Plutão em Aspecto com Netuno 445

Plutão em Aspecto com Plutão 447

Plutão em Aspecto com o Ascendente e o Descendente 449

Plutão em Aspecto com o Meio e o Fundo do Céu 451

Plutão em Aspecto com os Nodos Lunares Norte e Sul 454

Plutão em Aspecto com a Roda da Fortuna 456

Plutão em Aspecto com Quíron 458

Plutão em Aspecto com Lilith 459

Trânsitos, Progressões e Direções dos Nodos Lunares 461

Nodos Lunares Norte e Sul em Aspecto com o Sol 462

Nodos Lunares Norte e Sul em Aspecto com a Lua 463

Nodos Lunares Norte e Sul em Aspecto com Mercúrio 464

Nodos Lunares Norte e Sul em Aspecto com Vênus 465

Nodos Lunares Norte e Sul em Aspecto com Marte 466

Nodos Lunares Norte e Sul em Aspecto com Júpiter 468

Nodos Lunares Norte e Sul em Aspecto com Saturno 469

Nodos Lunares Norte e Sul em Aspecto com Urano 470

Nodos Lunares Norte e Sul em Aspecto com Netuno 471

Nodos Lunares Norte e Sul em Aspecto com Plutão 473

Nodos Lunares Norte e Sul em Aspecto com o Ascendente e
o Descendente 474
Nodos Lunares Norte e Sul em Aspecto com o Meio e
o Fundo do Céu 475
Nodos Lunares Norte e Sul em Aspecto com os Nodos Lunares
Norte e Sul... 477
Nodos Lunares Norte e Sul em Aspecto com a Roda da
Fortuna... 478
Nodos Lunares Norte e Sul em Aspecto com Quíron 479
Nodos Lunares Norte e Sul em Aspecto com Lilith 481

Trânsitos, Progressões e Direções de Quíron 482
Quíron em Aspecto com o Sol... 482
Quíron em Aspecto com a Lua.. 483
Quíron em Aspecto com Mercúrio 484
Quíron em Aspecto com Vênus 485
Quíron em Aspecto com Marte 486
Quíron em Aspecto com Júpiter 487
Quíron em Aspecto com Saturno 488
Quíron em Aspecto com Urano... 489
Quíron em Aspecto com Netuno... 490
Quíron em Aspecto com Plutão... 491
Quíron em Aspecto com o Ascendente e o Descendente 492
Quíron em Aspecto com o Meio e o Fundo do Céu 493
Quíron em Aspecto com os Nodos Lunares Norte e Sul 494
Quíron em Aspecto com a Roda da Fortuna 495
Quíron em Aspecto com Quíron.. 496
Quíron em Aspecto com Lilith 497

Trânsitos, Progressões e Direções de Lilith....................................... 498
Lilith em Aspecto com o Sol.. 499
Lilith em Aspecto com a Lua... 500
Lilith em Aspecto com Mercúrio... 501
Lilith em Aspecto com Vênus.. 502
Lilith em Aspecto com Marte.. 503

Lilith em Aspecto com Júpiter 504

Lilith em Aspecto com Saturno 506

Lilith em Aspecto com Urano 507

Lilith em Aspecto com Netuno 508

Lilith em Aspecto com Plutão 509

Lilith em Aspecto com o Ascendente e o Descendente 510

Lilith em Aspecto com o Meio e o Fundo do Céu 511

Lilith em Aspecto com os Nodos Lunares Norte e Sul 512

Lilith em Aspecto com a Roda da Fortuna 513

Lilith em Aspecto com Quíron 514

Lilith em Aspecto com Lilith 515

Progressões e Direções do Ascendente e do Meio do Céu 516

O Ascendente e o Meio do Céu em Aspecto com o Sol 516

O Ascendente e o Meio do Céu em Aspecto com a Lua 517

O Ascendente e o Meio do Céu em Aspecto com Mercúrio..... 518

O Ascendente e o Meio do Céu em Aspecto com Vênus 519

O Ascendente e o Meio do Céu em Aspecto com Marte 520

O Ascendente e o Meio do Céu em Aspecto com Júpiter 521

O Ascendente e o Meio do Céu em Aspecto com Saturno 522

O Ascendente e o Meio do Céu em Aspecto com Urano 523

O Ascendente e o Meio do Céu em Aspecto com Netuno 524

O Ascendente e o Meio do Céu em Aspecto com Plutão 525

O Ascendente e o Meio do Céu em Aspecto com
o Ascendente e o Meio do Céu 526

O Ascendente e o Meio do Céu em Aspecto com
os Nodos Lunares Norte e Sul 526

O Ascendente e o Meio do Céu em Aspecto com
a Roda da Fortuna 527

O Ascendente e o Meio do Céu em Aspecto com Quíron 528

O Ascendente e o Meio do Céu em Aspecto com Lilith 529

Eclipses **531**

Trânsitos dos Eclipses 532

Eclipses em Aspecto com o Sol 532

Eclipses em Aspecto com a Lua 533

Eclipses em Aspecto com Mercúrio 534

Eclipses em Aspecto com Vênus 534

Eclipses em Aspecto com Marte 535

Eclipses em Aspecto com Júpiter 535

Eclipses em Aspecto com Saturno... 536

Eclipses em Aspecto com Urano 537

Eclipses em Aspecto com Netuno.. 538

Eclipses em Aspecto com Plutão.. 538

Eclipses em Aspecto com o Ascendente e o Descendente 539

Eclipses em Aspecto com o Meio e o Fundo do Céu 539

Eclipses em Aspecto com os Nodos Lunares Norte e Sul 540

Eclipses em Aspecto com a Roda da Fortuna 541

Eclipses em Aspecto com Quíron.. 541

Eclipses em Aspecto com Lilith 542

Planetas Retrógrados... **545**

Agradecimentos **549**

Nota do editor

Com Claudia Lisboa, entre tantas outras coisas, aprendi que o que pode parecer ruim nem sempre deve ser encarado dessa maneira. Que é importante analisar todos os lados de uma questão — e daquele momento — antes de dar um passo importante.

Por isso, sempre que preciso fazer algo considerável, me aconselho com ela. Imagine a minha alegria quando ela decidiu escrever este livro? É como ter a Claudia ao nosso lado, para dar aquele toque valioso — e para a vida toda! Sem contar do orgulho enorme ao editar uma obra tão completa e essencial para a Astrologia.

E senti mais orgulho ainda quando a Claudia me disse que gostaria de falar com todas as pessoas. E, para deixar isso bem claro, por exemplo, decidiu marcar os gêneros das palavras sempre com a/o quando necessário. Explicou que, mesmo que ainda não seja o mundo ideal, tornaria o livro mais inclusivo. Claudia é assim: estudar os Astros a fez muito mais atenta à humanidade ao seu redor.

Quer mais? Ela ainda nos explica sobre os tão comentados Planetas Retrógrados. Já percebi que este vai ser um daqueles livros cheios de marcadores, grifos, anotações... E quanto a você que está lendo: sorte, luz e sabedoria no seu caminho.

Guilherme Samora

Introdução

Trânsitos, Progressões e Direções

O Céu, assim como a vida, é movimento. Os Trânsitos, as Progressões e as Direções são técnicas de previsão que permitem o estudo desse fluxo em relação ao seu Mapa de Nascimento, que é soberano, é a matriz sobre a qual tudo vai se desenvolver e o esboço do desenho da história da sua vida. Ele é o ponto de partida e de chegada para toda e qualquer interpretação.

Enquanto o Mapa Natal é o modelo original de que você irá dispor desde a sua primeira respiração até a última, as técnicas de previsão analisam um recorte de tempo em que fatos, experiências e acontecimentos confirmam a promessa representada no Céu que assistiu ao seu nascimento.

Os Trânsitos, as Progressões e as Direções são mecanismos de previsão que, quando analisados em conjunto, funcionam como uma coreografia harmônica, ainda que apresentem contradições. Todos nós ocupamos um lugar especial no espetáculo que é viver cada momento. Desse modo, a arte de interpretar depende de um olhar livre do desejo de coerência, pois não é assim que somos, tampouco como experimentamos a vida.

Diferenças e definições

Direções e Progressões

As Direções e as Progressões são duas técnicas que, apesar de cada uma ter o próprio método de cálculo, apresentam a mesma dinâmica na maneira de se manifestar e, por conseguinte, de interpretar. Portanto, não importa se é uma Direção ou uma Progressão que está em jogo, pois ambas se revelarão de forma semelhante.

Para facilitar o entendimento acerca das Direções e das Progressões, costumo chamá-las genericamente de Direções, destacando o fato de que a palavra *Direção* é, em si, mais facilmente compreendida e representa com clareza a noção do que são as duas ferramentas.

As Direções podem ser comparadas a um rio que corre rumo ao seu destino. Qual é a direção desse rio? Para onde segue esse fluxo natural, o fluxo do seu próprio destino? Quais são as condições de navegabilidade desse rio? Ele tem águas calmas ou será necessário usar recursos que possibilitem a navegação? As respostas a essas perguntas estão na interpretação das Progressões e das Direções.

Trânsitos

Os Trânsitos são as circunstâncias encontradas ao longo do fluxo do seu rio, do fluxo das suas Direções. Haverá sempre trechos de maior facilidade e outros mais desafiadores.

De posse das interpretações dos Trânsitos, você poderá conhecer as condições da sua jornada para que possa chegar com mais tranquilidade ao seu destino e se preparar para fazer escolhas, seja aproveitando a leveza dos trechos mais fluidos, seja organizando a vida para superar obstáculos, o que certamente demanda mais energia.

Uma boa maneira de compreender a parceria entre as Direções e os Trânsitos é por meio da analogia com um GPS, que orienta da forma mais eficiente possível sobre o Trânsito que você enfrentará para chegar ao seu destino. Com o auxílio de ambas as técnicas, você poderá encontrar caminhos alternativos e resolver os contratempos, tornando sua trajetória bem-sucedida. Fato é que, enquanto as Direções se mantêm como seu norte, são os

Trânsitos, ou seja, as condições do caminho nessa jornada, que construirão e revelarão a qualidade de cada um dos processos por eles representados.

Uma técnica não é menos importante que outra. Todas funcionam juntas em perfeita sincronicidade. As informações trazidas pelos Trânsitos, pelas Progressões e pelas Direções se complementam, e, com essa interação, você terá acesso ao entendimento completo dos processos que estão sendo, foram ou serão vividos.

Dito isso, as interpretações que você encontrará nesta obra poderão ser utilizadas tanto para os Trânsitos quanto para as Progressões e as Direções. A diferença na análise será feita apontando a interpretação que essas ferramentas oferecem, a intensidade com a qual elas são vividas e o lugar onde cada uma opera.

Métodos de cálculo

Trânsitos

Um Trânsito é calculado em função de determinado recorte de tempo e se baseia na relação entre um Astro que transita no Céu e os Planetas, os Pontos Virtuais e as Casas Astrológicas do Mapa de Nascimento. Essa conexão poderá se dar por meio da formação de um Aspecto (ângulo formado entre o Astro em Trânsito e os demais elementos do Mapa Natal) ou pela passagem por uma Casa Astrológica.

Progressões

Nas Progressões, cada Planeta avança por ano o mesmo número de minutos de arco ou graus alcançado por dia após a data do seu nascimento. Semelhante a um Trânsito e uma Direção, o Astro em Progressão formará Aspectos com os Planetas e os Pontos Virtuais do Mapa Natal. Mas ATENÇÃO: como os Planetas lentos avançam muito devagar, não formarão novos Aspectos com os Astros do Mapa de Nascimento, somente poderão chegar ao grau exato dos Aspectos já existentes na Carta Natal. Portanto, serão considerados importantes os Aspectos de Progressão dos Planetas rápidos, ou seja, Lua, Sol, Mercúrio, Vênus e Marte.

Direções

O cálculo das Direções considera que, a cada ano, todos os Planetas do seu Mapa Natal avançam o mesmo número de minutos de arco que o Sol percorreu nas primeiras 24 horas após o seu nascimento. Como o Sol percorre aproximadamente um grau por dia, todos os Planetas do seu Mapa de Nascimento avançarão cerca de um grau por ano. Semelhante a um Trânsito, o Astro em Direção formará Aspectos com os Planetas e os Pontos Virtuais do Mapa Natal.

Reforçando: se no Mapa de Nascimento houver algum Planeta ou Ponto Virtual que esteja no mesmo grau que um Planeta em Trânsito, Progressão ou Direção, então haverá a formação de um Aspecto entre o Planeta em Trânsito, Progressão ou Direção e o Planeta do Mapa Natal.

Aspectos

Aqui serão considerados os Aspectos chamados clássicos. São eles: Conjunção, Sextil, Quadratura, Trígono e Oposição.

Conjunção: distância angular de 0°
Sextil: distância angular de 60°
Quadratura: distância angular de 90°
Trígono: distância angular de 120°
Oposição: distância angular de 180°

Classificação dos Aspectos

Os Aspectos serão classificados em favoráveis e desafiadores. Essa nomenclatura visa a deixar de lado a antiga noção de Aspectos positivos ou negativos, e a interpretação em ambos os casos propõe a tomada de consciência da força produzida por eles aliada à sabedoria das escolhas adequadas.

INTRODUÇÃO 29

Exemplos

Exemplos de Trânsitos:

Se você nasceu com o Sol a 8° de Sagitário e Marte a 16° de Escorpião, aos treze anos, quando Júpiter no Céu estiver a 8° de Leão, você passará por um Trígono de Júpiter com o Sol.

Aos 28 anos, quando Plutão no Céu estiver a 16° de Capricórnio, ocorrerá um Trânsito de Plutão em Sextil com Marte.

Exemplos de Progressões:

Se você nasceu com o Sol a 8° de Sagitário, Mercúrio a 19° de Sagitário e Marte a 16° de Escorpião, em dez dias o Sol estará a 18° de Sagitário, Mercúrio a 4° de Capricórnio e Marte a 24° de Escorpião, correspondendo ao que cada um avançou nesse período. Como eles se movem em velocidades diferentes, também avançarão graus distintos.

Dez anos após o seu nascimento, o Sol em Progressão estará novamente a 18° de Sagitário, Mercúrio em Progressão a 4° de Capricórnio e Marte em Progressão a 24° de Escorpião.

No caso desse Mapa Natal, estando o Nodo Lunar Norte a 18° de Aquário, então no décimo ano de vida você passará por uma Progressão de Sol em Sextil com o Nodo Lunar Norte.

No caso de um Planeta lento:

Se você nasceu com Saturno a 12° de Capricórnio e a Roda da Fortuna a 15° de Touro, primeiramente é sabido que há no seu Mapa Natal um Trígono de Saturno com a Roda.

Somente no 33º dia após o seu nascimento, Saturno alcançará a posição a 15° de Capricórnio. Portanto, será no 33º ano de vida que você passará pelo Aspecto exato de Saturno em Trígono com a Roda que já existe na Carta Natal.

Evidentemente, essa Progressão não terá o peso das que formam um Aspecto diferente dos já existentes e presentes no nascimento.

Exemplos de Direções:

Nas Direções, todos os Planetas andam na velocidade do Sol — aproximadamente um grau por dia. Assim, considerando as mesmas posições iniciais do exemplo anterior, em vez de Mercúrio percorrer 15° como ocorreu na Progressão, avançará 10° em Direção em dez dias. Marte, no lugar de avançar 8°, se deslocará também 10°. E, dez anos após o seu nascimento, novamente o Sol em Direção estará a 18° de Sagitário, Mercúrio a 29° de Sagitário e Marte em Direção a 26° de Escorpião.

Nesse caso, como não há nessa Carta Natal nenhum Astro nos graus 29 e 26, somente o Sol em Direção (equivalente à Progressão), formará um Sextil com o Nodo Lunar Norte do nascimento, que, conforme visto anteriormente, está a 18° de Aquário.

Para facilitar a compreensão de como essas técnicas operam, diz-se que o Planeta ou Ponto Virtual que está em Trânsito, Progressão ou Direção são as forças que atuam sobre o Planeta, o Ponto Virtual ou a Casa Astrológica do Mapa de Nascimento. Esses, por sua vez, determinam as áreas de atuação da experiência produzida pelas conexões entre eles.

Exemplo:

Trânsito de Sol em Trígono com Saturno.

FORÇAS ATUANTES: relacionadas ao simbolismo solar.

ÁREAS DE ATUAÇÃO: relacionadas ao simbolismo de Saturno.

Tempo de duração

O tempo de duração de um Trânsito, uma Progressão ou uma Direção é de um grau antes até um grau depois da formação do Aspecto exato com o Planeta ou Ponto Virtual do Mapa Natal. Configurando um software de cálculo das posições planetárias com esse parâmetro, tanto para Mapa Natal quanto para previsões, será possível obter o tempo de duração de cada um deles.

Exemplo da duração de um Trânsito pelas Casas Astrológicas:

Se no Mapa do seu nascimento você tiver a ponta da Casa 3 a 7° de Escorpião e a ponta da Casa 4 a 15° de Sagitário, um Astro que esteja transitando por esses graus percorrerá a Casa 3 desde o momento em que se encontrar no Céu, a 7° de Escorpião, até chegar a 15° de Sagitário. O tempo que levará para percorrer a Casa dependerá da velocidade com que esse Planeta se desloca na sua órbita.

Exemplo de duração dos Aspectos de Trânsito:

Se você nasceu com o Sol a 5° de Capricórnio e Júpiter em Trânsito está em Capricórnio, o Aspecto da Conjunção de Júpiter com o Sol será atuante desde o momento em que Júpiter entrar a 4° de Capricórnio até sair a 6° do mesmo Signo. O grau exato ocorrerá quando Júpiter passar a 5° de Capricórnio. Em geral, esse Trânsito costuma durar em torno de dez dias. O tempo de duração de cada Trânsito é proporcional à velocidade com a qual o Astro se desloca no seu plano de órbita. Quanto mais lenta é a velocidade orbital, mais longo será o Trânsito.

Exemplo de duração dos Aspectos de Progressões ou Direções:

Se você nasceu com Júpiter a 25° de Escorpião, um Trígono de Vênus, tanto em Progressão quanto em Direção, com Júpiter Natal durará desde o dia em que Vênus atingir 24° até sair a 26° de Escorpião. O auge do Aspecto acontecerá na data em que Vênus se posicionar a 25° de Escorpião. A média de duração é de dois anos.

Retrogradações

Quando um Astro entra em movimento de retrogradação, os períodos de atuação de um Aspecto também serão influenciados por ele. Nesse caso, haverá mais de uma passagem pelo grau exato e, dependendo do Planeta em questão, poderão ocorrer até cinco ciclos de um mesmo Aspecto, com duração total de aproximadamente dois anos.

Na prática, a influência dos Aspectos atingidos pelo movimento retrógrado de um Planeta durará por todo o período em que ocorrerem suas diversas passagens. Entretanto, os períodos em que o Astro obedecer à tolerância de um grau antes e um grau depois do grau exato serão sentidos com mais intensidade.

Exemplo de Trânsito de um Planeta retrógrado:

Se você tiver o Ascendente a 20° de Áries, quando Saturno do Céu estiver a 19° de Capricórnio, o Trânsito de Quadratura se iniciará. Saturno, ao chegar a 21°, terminará a fase de maior intensidade. O Planeta avançará alguns graus em Capricórnio e, num dado momento, começará a retrogradar.

Nesse caso, quando voltar a 21° de Capricórnio, outra fase de maior intensidade se iniciará, estendendo-se até 19°. Saturno então continuará a sua retrogradação, até ficar estacionário, e, quando retornar ao movimento direto, começará a terceira e última passagem pelo grau exato, iniciando o último período de maior intensidade a 19° e finalizando a 21°.

Exemplo de Progressão de um Planeta retrógrado:

Se você nasceu com Mercúrio retrógrado a 23° de Sagitário e no décimo dia ele se encontrava a 6° de Sagitário, isso significa que no décimo ano de vida você estará com Mercúrio nesse mesmo grau. Caso você tenha no Mapa de Nascimento a Lua a 6° de Gêmeos, no décimo ano ocorrerá uma Oposição de Mercúrio com sua Lua Natal, que atuará desde que Mercúrio ingressou a 5° até sua saída a 7° de Sagitário.

Intensidades

Visto que cada técnica apresenta qualidade própria e diferentes intensidades para tipos variados de combinação, para facilitar a análise, cada Trânsito, Progressão ou Direção será marcado com uma escala de intensidade que varia de 1 a 7 pontos.

Trânsitos e Progressões dos Planetas pelas Casas Astrológicas

A passagem de um Planeta pelas Casas Astrológicas do Mapa do seu nascimento marca um tempo em que determinada área da vida será estimulada pela qualidade por ele representada. Com exceção da Progressão da Lua, que atravessa uma Casa em aproximadamente dois anos e meio, somente os Trânsitos pelas Casas serão analisados, pois a duração de uma Direção ou uma Progressão de um Planeta por elas é tão longa que o seu efeito é pouco percebido.

ATENÇÃO: os Trânsitos de Netuno e Plutão nas Casas não serão interpretados devido ao longo tempo que levam para atravessá-las. Assim como no caso das Progressões e das Direções, seu efeito é irrelevante.

Sol em Trânsito pelas Casas

INTENSIDADE DO TRÂNSITO: 2

A passagem do Sol por uma Casa Astrológica anuncia um período de maior consciência em relação às questões representadas por ela. Essa área será vivida com mais disposição, alegria e poder de organização. Durante cada passagem, você encontrará um território adequado para o exercício da autonomia e para a afirmação da autoconfiança.

O Sol completa o ciclo de Trânsitos pelas doze Casas a cada ano, renovando as diferentes áreas da sua vida e criando mais condições de criatividade na nova fase.

Sol em Trânsito pela Casa 1

- FORÇAS ATUANTES: consciência, vontade, vitalidade, vigor e autoconfiança
- ÁREAS DE ATUAÇÃO: estilo, autoafirmação, decisões, autoimagem e bem-estar físico

Quando o Sol passa pelo ascendente, inicia-se um novo ciclo anual. A tendência é que, ao atravessar a Casa 1, o que estiver travado, sem evoluir, passe a fluir com desenvoltura. Será o momento de dar impulso a novos projetos, tomar decisões que foram adiadas e agarrar as oportunidades que estiverem ao seu alcance. A ideia é que você passe a acreditar mais na capacidade de resolver *sozinha/o* suas questões e não espere que o mundo as solucione, isto é, que explore sua singularidade e se volte mais para si *mesma/o*. A tendência é a de ficar no centro das atenções. Você valorizará a independência, a potência de viver por conta própria e a capacidade de não dar tanta importância ao que os outros pensam a seu respeito.

Tanto o Sol quanto a Casa 1 se referem às boas condições de saúde. Nesse período, você poderá se energizar, e haverá mais disposição para cuidar do seu bem-estar físico, que deverá ser aproveitado nas tomadas de decisão sobre o seu corpo. Você estará consciente do que ele é capaz de suportar, do seu vigor e das suas dificuldades.

Mas, veja bem, será bom ficar *atenta/o* se estará sendo *guiada/o* por coragem ou vaidade. Por desejar que as coisas saiam do seu jeito, é possível que haja certa desconsideração em relação às outras pessoas. A autoconfiança é muito bem-vinda, desde que não gere um fechamento em si *mesma/o*.

Sol em Trânsito pela Casa 2

- FORÇAS ATUANTES: consciência, vontade, vitalidade, vigor e autoconfiança
- ÁREAS DE ATUAÇÃO: valores, finanças e recursos

A passagem do Sol pela Casa 2 traz a consciência dos seus valores e da forma como você organiza os seus recursos materiais. Se puder fechar para balanço e colocar em ordem a vida financeira, essa será uma boa hora de fazer isso. Trata-se de olhar com objetividade e clareza o que é ou não importante sob o ponto de vista material. Será uma excelente época para tomar pé dos gastos e passar a ter maior controle sobre eles.

Existirá ainda o desejo de produzir mais e o aspecto de ficar mais *vaidosa/o* em relação ao que é seu, ao que é capaz de conceber, àquilo que tem valor e importância para você. Haverá mais cuidado com suas coisas, porém, em contrapartida, igualmente mais apego. Você poderá expor com melhor desenvoltura o produto do seu trabalho, investindo naquilo que agregará valor a ele, e, quem sabe, também ser *reconhecida/o, valorizada/o* e *recompensada/o* materialmente.

Um dos grandes ganhos no período será o aumento da sua confiança. Mas, se você estiver *insegura/o*, preste atenção à maneira como dispõe dos seus recursos.

Nesse momento a autoconfiança produzirá uma relação melhor com o dinheiro e a certeza de que, ao usar seus verdadeiros talentos, você obterá os meios necessários para viver bem.

Sol em Trânsito pela Casa 3

· FORÇAS ATUANTES: consciência, vontade, vitalidade, vigor e autoconfiança
· ÁREAS DE ATUAÇÃO: estudo básico, viagens curtas, trocas, negociações e relacionamento com pessoas próximas

Esse será um período mais movimentado, em que dará vontade de sair, de encontrar gente interessante, de se comunicar e haverá maior inclinação de se importar com os acontecimentos à volta. Estarão mais presentes o desejo e a alegria de respirar novos ares, de refrescar a mente, de alterar a rotina, mudar de bairro e, quem sabe, até de cidade. Se você pretende fazer alguma mudança, o momento será favorável, assim como será uma fase propícia para viajar, principalmente se for por perto, dentro do país.

Outra abordagem importante é em relação às capacidades mentais e ao desejo de aprendizado. A tendência é a de ser *reconhecida/o* pela inteligência e pelo poder de comunicação e de lidar com diferentes opiniões. Você estará mais *apta/o* a absorver as informações que chegarem às suas mãos. Fará bem iniciar algum estudo, investir em conhecimento, concentrar-se em uma leitura ou curtir as trocas culturais, como assistir a um bom espetáculo ou sair para bater um papo agradável com *as/os amigas/os*.

Será também uma época favorável para fazer conexões de trabalho e investir em divulgação para "vender o seu peixe". Suas ideias deverão ser expostas, e as chances de obter reconhecimento e prestígio serão grandes. A dica é aceitar todo e qualquer convite de participação em palestras, congressos ou reuniões para debater assuntos do seu interesse.

De outro modo, se você tiver algum tipo de problema com parentes próximos ou colegas de estudo ou de trabalho, será um momento propício para esclarecimentos e aproximações. Entretanto, caso haja bons relacionamentos, ofereça sua presença e divirta-se.

Sol em Trânsito pela Casa 4

· FORÇAS ATUANTES: consciência, vontade, vitalidade, vigor e autoconfiança
· ÁREAS DE ATUAÇÃO: família, raízes, passado e casa

A chegada do Sol ao Fundo do Céu significa uma espécie de sedimentação das informações adquiridas durante o período em que ele transitou pela Casa 3. Muita coisa que circulou e entrou na cabeça precisa então ser registrada na memória. A Casa 4 é o celeiro das suas recordações e, sempre que você precisar acessá-las, o arquivo estará lá.

Além disso, a grande importância desse momento é ter a chance de tornar mais clara a relação com seu passado, conhecer melhor suas origens e tomar para si a posse da sua história. Será aquela época em que você vai mexer no álbum de recordações familiares e se lembrar das experiências vividas no passado, o que trará maior consciência do que *a/o* nutriu para que se tornasse quem é hoje. A função do Sol, quando transita pela Casa 4, é atualizar o passado e reconhecer que você foi *acolhida/o* por quem cuidou do seu crescimento. Nutridas de alimento emocional nesse período, as raízes se fortalecerão para que você possa alcançar as realizações no mundo exterior.

Outra tendência que ocorre com o Sol nessa Casa é a vontade de ficar em casa, de se manter mais próximo das relações de intimidade. Você perceberá de forma bem racional a importância de se sentir protegido e de poder proteger as pessoas que quer bem. A quarta Casa representa aquilo que se chama de "lar", um espaço de acolhimento, aquele albergue onde podemos repousar depois de uma jornada cansativa. Trata-se de ter a confiança de que existe alguém para *pegá-la/o* no colo.

Esse Trânsito também será favorável para lidar com questões que envolvam moradia, como encontrar um bom lugar para morar e mudar, fazer melhorias ou reformas na casa.

Sol em Trânsito pela Casa 5

- FORÇAS ATUANTES: consciência, vontade, vitalidade, vigor e autoconfiança
- ÁREAS DE ATUAÇÃO: paixão, criatividade, autoestima e *filhas/os*

Sabe aquela sensação de coração pulsando forte no peito? Pois é assim que, em alguns momentos, você perceberá os efeitos do Sol quando esse Astro atravessar a Casa regida por ele. Você sentirá vibrar a força da paixão, do amor. Em primeiro lugar, o Astro iluminará o amor-próprio e o amor pela vida, que será tomada por cores vibrantes. Mas será o seu olhar apaixonado que fará tudo brilhar mais intensamente, aquele que verá as coisas como verdadeiramente deveriam ser vistas, com toda a força e vigor. A propósito, você se sentirá *revigorada/o* e *bem-disposta/o*, tudo isso embalado pela alegria de curtir a vida, de abrir o coração para ser um canal por onde as energias criativas poderão se expressar.

Esse será um dos meses mais criativos do ano, e o que for gerado nesse período terá a marca da sua singularidade. Será uma época de exposição, e quem estiver de bem consigo *mesma/o*, quem transmitir autoconfiança, emanará puro brilho. Aproveite o momento para ocupar a cena e ser protagonista da sua vida. Dê o melhor da sua criatividade, intensifique suas melhores características e, se quiser ainda dar um toque especial ao que já tem qualidade, faça-o sem pudores.

Além disso, você também estará mais presente nas suas relações amorosas. Participe mais da vida *das/os suas/seus filhas/os* e da pessoa que você ama, dedique-se ao trabalho que arrebata o seu coração. Viva intensamente as suas paixões e confie na sua capacidade de amar.

Sol em Trânsito pela Casa 6

- FORÇAS ATUANTES: consciência, vontade, vitalidade, vigor e autoconfiança
- ÁREAS DE ATUAÇÃO: rotina, produtividade, trabalho, qualidade de vida e saúde

Durante o período do Trânsito do Sol na Casa 6 você não só estará às voltas com os afazeres do dia a dia como também com a possibilidade de torná-lo uma fonte de satisfação e alegria. Imagine você curtindo o domingo e achando ótima a chegada da segunda-feira para recomeçar a trabalhar. A ideia é que você se organize de forma que sua rotina não seja maçante ou gere estresse, mas que, ao contrário, seja revigorante.

Ademais, o que também *a/o* ajudará a fazer do seu trabalho cotidiano uma fonte de prazer é identificar-se com suas atividades. Se houver insatisfação quanto ao bom aproveitamento das suas capacidades produtivas, será um bom momento para descobrir outras formas de trabalhar. Ao realizar algo que lhe dá prazer, estará investindo igualmente em boa qualidade de vida e no seu bem-estar físico. Aliás, viver sob pressão, seja por excesso de trabalho, seja por falta dele, não é saudável.

Assim, nesse período, você terá uma ótima oportunidade de conciliar o bom aproveitamento das suas aptidões com a manutenção da vitalidade e da resistência física. A propósito, será uma fase propícia para cuidar da saúde, consultar um bom médico, fazer terapia e melhorar os hábitos para que possa viver de forma saudável, sem ficar *estressada/o* todos os dias.

Sol em Trânsito pela Casa 7

· FORÇAS ATUANTES: consciência, vontade, vitalidade, vigor e autoconfiança
· ÁREAS DE ATUAÇÃO: parcerias, casamento e encontro amoroso

A passagem do Sol pelo Descendente marca o fim de um ciclo e o começo de um novo. Será um momento em que você começará a se afastar mais de si para dar atenção aos relacionamentos, percebendo melhor como *a/o parceira/o a/o* vê, o que *ela/ele* espera de você e, igualmente, como você enxerga quem está ao seu lado. Será o tempo de compreender o que você deseja da convivência a *duas/dois*.

É possível que venha a sentir uma necessidade maior de estar com alguém ou de melhorar a qualidade de seu relacionamento. A ideia é que você possa contar com a pessoa e que lhe dê a garantia de que ela também poderá desfrutar do seu apoio.

O Trânsito do Sol pela Casa 7 indica uma fase em que ocorrerão fatos importantes envolvendo parcerias, tanto as afetivas como as de trabalho, sendo favorável então para marcar um casamento ou começar uma sociedade. Você poderá celebrar o encontro e a alegria com alguém, participar de um momento significativo *da/o sua/seu companheira/o* e, mais do que tudo, conhecer a potência de um relacionamento. Se você tiver uma relação estável, será uma boa época para comemorar simbolicamente essa união, afirmando e investindo no que há de melhor nela.

O período favorece ainda o ato de lidar com questões de Justiça e assinar acordos e contratos.

Sol em Trânsito pela Casa 8

- FORÇAS ATUANTES: consciência, vontade, vitalidade, vigor e autoconfiança
- ÁREAS DE ATUAÇÃO: transformação, desapego, perdas, reservas de recurso, aposentadoria e heranças

Quando o Sol transitar na Casa 8, você mergulhará em um lugar de grande obscuridade com uma lanterna na mão que iluminará o que, em geral, você não consegue enxergar. Tudo que produz medo, angústia, ansiedade ou terror ficará intensificado pela luz da consciência. Você fará movimentar suas forças internas e, de posse da consciência dessas emoções, terá mais recursos para efetuar as transformações alquímicas que aliviarão a pressão produzida por esses sentimentos.

Você também navegará pelas águas da sexualidade, liberando o desejo e transmutando os tabus.

Transformações profundas costumam acontecer quando o Sol está passando pela Casa 8. Trata-se de mudanças cíclicas, faxinas necessárias para a renovação da vida. O segredo é jogar fora os excessos, entendendo que acumular demais é impedir a circulação de energia.

Você viverá experiências de desapego nessa fase, ainda que algumas sejam produzidas por perdas. A dificuldade será lidar com o vazio, e a vantagem poderá ser compreender o motivo que *a/o* faz sofrer quando perde algo.

O período será ainda propício para se organizar financeiramente. A Casa 8 diz respeito a reservas de recurso, bens produzidos em comum, aposentadoria, pensões e heranças. Qualquer um desses assuntos poderá, então, ficar em evidência.

Sol em Trânsito pela Casa 9

· FORÇAS ATUANTES: consciência, vontade, vitalidade, vigor e autoconfiança
· ÁREAS DE ATUAÇÃO: viagens longas, estudo superior e autoconhecimento

Esse período aumenta o desejo de viajar, de dar uma saída da cena cotidiana, de ir mais longe geográfica ou mentalmente. O Sol iluminará as passagens que dão acesso à travessia para além das fronteiras conhecidas, expandindo horizontes e ampliando seu conhecimento sobre as coisas e a vida. Além de ser uma fase favorável para viajar, nela você também poderá planejar uma viagem futura.

Outra forma de aproveitar a luminosidade do Sol nessa área é investindo o seu tempo em concursos, cursos, estudos ou pesquisas, pois você terá mais ânimo para estudar, enfrentar os testes ou apresentar algum trabalho que exija conhecimento específico.

Nessa fase você também estará mais *propensa/o* a se dedicar ao autoconhecimento, ao seu desenvolvimento espiritual e à potência do encontro com *suas/seus professoras/es* e *mestras/es*, já que o Sol iluminará igualmente os caminhos que apontam para saberes que alimentam a alma e que *a/o* levam a encontrar um propósito maior para a existência. Em suma, esse será um período de florescimento intelectual e espiritual e de viajar para mais longe.

Sol em Trânsito pela Casa 10

· FORÇAS ATUANTES: consciência, vontade, vitalidade, vigor e autoconfiança
· ÁREAS DE ATUAÇÃO: carreira, reconhecimento e autorrealização

Quando o Sol cruza o ponto mais alto do seu Mapa de Nascimento e inicia a jornada pela Casa 10, é chegada a hora de iluminar o topo da montanha das suas realizações. Você verá o resultado dos esforços empreendidos na escalada do crescimento profissional. O Meio do Céu trata essencialmente da construção da sua carreira. Entretanto, projetos para o futuro também estão incluídos entre os itens representados por ele. Nessa fase, a função do Sol é aquecer as ambições, o desejo de realização e a consciência de que há uma missão a cumprir nessa existência.

Será um período de maior exposição, de possibilidade de reconhecimento das competências no trabalho e de boa produtividade. É possível que durante essa passagem você inicie um novo ciclo profissional, assumindo novas responsabilidades.

Nessa época haverá mais exigência em relação a desempenho e resultados. Você renovará o pacto de se esforçar para dar o melhor de si, isto é, de fazer bem-feito o que se comprometeu a realizar. Fique de olho nas oportunidades desse momento, pois serão uma espécie de passaporte para ir mais longe na carreira e realizar os projetos e empreendimentos que você tem em mente.

Sol em Trânsito pela Casa 11

- FORÇAS ATUANTES: consciência, vontade, vitalidade, vigor e autoconfiança
- ÁREAS DE ATUAÇÃO: amizade, ações coletivas e ideais sociais

O Sol é o regente de Leão, Signo que se opõe aos valores da Casa 11. O poder solar é o de centralizar forças, ao passo que a Casa 11 trata das experiências de distribuição de energia, de compartilhamento e de solidariedade. Esse é, portanto, um período em que você terá a oportunidade de descentralizar o poder e dividir o palco com outras pessoas. Ao fazer isso, você expandirá a sua potência e a dos demais. Será o momento de encontrar *as/os amigas/os*, valorizar as atividades coletivas e fazer algo pelo bem comum.

Será uma época em que, além de investir na amizade e valorizar a confiança mútua, você poderá fazer conexões importantes e formar uma rede de relacionamento que aumentará as chances de realização do desejo de todos os envolvidos.

Além disso, você precisará mais da ajuda das pessoas e será igualmente mais *demandada/o* por elas. Você verá que não é possível dar conta de tudo *sozinha/o* e que, sem apoio, teria que desistir de fazer o que seria importante realizar nesse momento. Para quem trabalha em projetos sociais, essa será uma fase de bons resultados.

Sol em Trânsito pela Casa 12

- FORÇAS ATUANTES: consciência, vontade, vitalidade, vigor e autoconfiança
- ÁREAS DE ATUAÇÃO: espiritualidade, bem-estar psíquico e interiorização

A grande tarefa desse Trânsito é fechar para balanço o ciclo de um ano que, passado um mês, dará início a uma nova fase anual, quando o Sol ultrapassar a linha do Ascendente e ingressar na Casa 1. Haverá um momento de tensão que antecede a chegada da nova fase e será importante verificar se, em síntese, você está ou não de bem com a vida que escolheu para si.

Como é um período de conclusão, você aprenderá a finalizar o que foi iniciado, além de ser uma época ótima para fazer um retiro, ficar *reclusa/o* e entrar em contato com a interioridade para só então começar o novo ciclo. Você terá que conferir os erros e os acertos, se pulou etapas, se os passos dados foram seguros e corrigir o que for necessário ou possível. Em função de toda essa atividade, o melhor será recolher o time de campo, sair da cena do burburinho cotidiano e encontrar um cenário de paz e tranquilidade.

O outro lado da passagem do Sol na Casa 12 envolve conseguir iluminar o lugar onde habitam os seus fantasmas, as suas fantasias e os seus desejos mais profundos que então despertarão do sono do esquecimento. Iluminados, poderão ser acolhidos e libertos, trazendo paz e tranquilidade ao seu universo interior.

Trânsitos e Progressões da Lua pelas Casas

INTENSIDADE DO TRÂNSITO: 1

INTENSIDADE DA PROGRESSÃO: 4

Durante a passagem da Lua em Trânsito ou em Progressão por uma Casa, você terá a oportunidade de alimentar o setor da vida ao qual ela está associada. Essa área ficará fertilizada e pronta para o plantio de sementes que futuramente darão frutos. ATENÇÃO: o tempo de duração do Trânsito da Lua por uma Casa Astrológica é, em média, de dois dias e meio, ao passo que, numa Progressão, a Lua leva por volta de dois meses e meio em cada Casa. Dito isso, a Lua progredida tem muito mais peso em uma interpretação do que em Trânsito.

A Lua percorre as doze Casas Astrológicas a cada 27 dias aproximadamente, e sua trajetória envolve experiências referentes ao dia a dia e que vão levando você aos poucos a se relacionar intimamente com as diversas áreas da sua vida.

A Lua progredida leva em torno de 27 anos para completar um ciclo, isto é, voltar ao ponto em que estava exatamente no momento em que você nasceu. Ao concluir cada ciclo, você estará *nutrida/o* pelas experiências representadas nas doze Casas Astrológicas e, portanto, *madura/o* emocionalmente para iniciar uma nova fase de realizações.

Lua em Trânsito e em Progressão pela Casa 1

- FORÇAS ATUANTES: intuição, sensibilidade e afetividade
- ÁREAS DE ATUAÇÃO: estilo, autoafirmação, decisões, autoimagem e bem-estar físico

Esse será um período para cuidar de si, do bem-estar físico, da autoestima e da aparência. Haverá a sensação de estar renascendo, de olhar o mundo como se fosse pela primeira vez. Além disso, será o momento de se dar conta de que nem sempre você conseguirá resolver tudo individualmente e, assim como um recém-nascido depende dos cuidados dos pais, precisará de ajuda para aprender a andar *sozinha/o*.

Você ficará suscetível a ser *afetada/o* por outras pessoas e, ao mesmo tempo, desejará gerir sua vida ao seu modo, aprendendo a não depender o tempo todo de alguém para se sentir bem consigo. Esse é o paradoxo associado ao simbolismo lunar. Sempre que a Lua estiver presente em um Trânsito, haverá envolvimento emocional com alguém e, nesse caso, também com a Casa que promove independência.

Você deverá se nutrir e ser *nutrida/o*, envolver-se emocionalmente mais consigo *mesma/o* e com as pessoas que você possui laços de afetividade.

Ficará também mais *sujeita/o* a manifestar pelo corpo as alterações emocionais. A dica é observar os sinais que seu organismo apresentar e se cuidar para manter a saúde e o bem-estar físico em ordem.

Lua em Trânsito e em Progressão pela Casa 2

- FORÇAS ATUANTES: intuição, sensibilidade e afetividade
- ÁREAS DE ATUAÇÃO: valores, finanças e recursos

Será uma fase fértil para suas economias e para a produção de recursos. A terra na qual você cultiva seus talentos estará propícia para receber as sementes que gerarão uma boa colheita no futuro. Além disso, você poderá usufruir da generosa safra de semeaduras realizadas no passado. A ideia é que você invista nas suas aptidões e valorize o seu trabalho. O desejo de viver materialmente com conforto *a/o* estimulará a produzir mais e melhor.

Ficará ainda mais *sujeita/o* a ser *afetada/o* por qualquer alteração na vida financeira e, por sua vez, as mudanças de humor influenciarão o modo como você dispõe dos seus recursos. Diante de uma eventual carência, os gastos poderão aumentar, e haverá a possibilidade de perder o controle do equilíbrio material. A dica é nutrir-se bem emocionalmente para assim alimentar o poder de produzir com qualidade, do mesmo modo que se você se sentir *satisfeita/o* com o que produz, também se sentirá emocionalmente *nutrida/o*.

Serão dias/meses para se dedicar a analisar os bens da família e a realizar melhorias na casa, além de pensar um consumo que vise ao bem-estar no ambiente doméstico.

Lua em Trânsito e em Progressão pela Casa 3

· FORÇAS ATUANTES: intuição, sensibilidade e afetividade
· ÁREAS DE ATUAÇÃO: estudo básico, viagens curtas, trocas, negociações e relacionamento com pessoas próximas

Nesse período, qualquer cantinho fora do ambiente familiar, um boteco ou a padaria que você frequenta poderá virar seu refúgio. O que será alimentado é o desejo de ir e vir, de respirar ares diferentes, de encontrar pessoas e jogar conversa fora, de ir ao cinema, de ler um bom livro e de circular pela cidade. Você poderá aproveitar também para sair um pouco da atmosfera cotidiana e viajar por perto, levando consigo um caderno de anotações para não perder nada que vivenciar naquelas bandas.

Nessa fase, será preciso cuidar do que alimenta sua mente, do que nutre sua curiosidade. Dedique-se um pouco mais aos estudos, alimente-se das discussões, das trocas e da diversidade de ideias. Você estará mais *sujeita/o* a ser *afetada/o* pelo que escuta, pelas informações do momento e influenciará os outros com suas opiniões. A tendência nesses dias/meses será também a de se envolver com pessoas que, pelo menos momentaneamente, ocuparão um espaço no seu coração.

É possível que venha a cuidar de *uma/um vizinha/o*, de um irmão ou irmã ou de um parente próximo. Você dará guarida e alimentará alguém de fora do seu convívio, mas que se tornará muito próximo naquele momento.

Lua em Trânsito e em Progressão pela Casa 4

· FORÇAS ATUANTES: intuição, sensibilidade e afetividade
· ÁREAS DE ATUAÇÃO: família, raízes, passado e casa

Ao transitar pela Casa que ela rege, a Lua encontrará o ninho dela, e você se recolherá no seu canto. Serão dias/meses de acolhimento, em que a intimidade se tornará o lugar mais seguro do mundo e sua casa será seu verdadeiro abrigo.

Todavia, se você estiver sem casa ou longe da família, certamente sentirá com mais intensidade a falta de um espaço afetivo. Ainda nesse caso, tenha certeza de que encontrará algum lugar seguro para ficar ou pessoas que a/o acolherão.

Serão momentos importantes para os relacionamentos familiares e para cuidar da casa. Haverá resgate de histórias, lembranças do passado e muito envolvimento com sua ancestralidade. Será interessante saber o que você herdou dos seus antepassados e reconhecer como essas heranças se manifestam atualmente.

Além disso, você ficará mais suscetível a ser *afetada/o* por relações próximas e por algum tipo de carência ou melancolia. É o caso de quem está longe do seu país, da sua história ou distante de uma harmonia familiar. Entretanto, nessa fase será possível encontrar uma casa legal para morar ou conhecer pessoas que se tornarão a sua família.

Nessa época, a fertilidade baterá à sua porta.

Lua em Trânsito e em Progressão pela Casa 5

· FORÇAS ATUANTES: intuição, sensibilidade e afetividade
· ÁREAS DE ATUAÇÃO: paixão, criatividade, autoestima e *filhas/os*

Cheio de intensidade, esse será um período emocionante. Nutrindo a autoestima, enchendo-se de amor, tudo nesses dias/meses se tornará mais interessante. Você estará mais sensível a se apaixonar e a deixar a alegria tomar conta do seu momento. Muito do que você sentirá nessa época será fruto da consciência do seu próprio valor, de se saber ser alguém único. O melhor alimento será o reconhecimento dos seus talentos e o prazer de ser quem você verdadeiramente é. Aliás, esse será o modo mais adequado de convencer alguém de que vale a pena se entregar a você.

Também será uma temporada para curtir a vida, dar espaço para o lazer, praticar uma atividade física, ir ao teatro e namorar. Além disso, você poderá exercer melhor a criatividade, envolvendo-se mais com o processo de criação. Será uma fase fértil para quem atua nas áreas de arte e entretenimento.

Sendo a Lua um Astro que se encarrega do ato de cuidar, esse também será um momento de maior envolvimento com assuntos relacionados a *filhas/os*, crianças, maternidade e paternidade.

Lua em Trânsito e em Progressão pela Casa 6

- FORÇAS ATUANTES: intuição, sensibilidade e afetividade
- ÁREAS DE ATUAÇÃO: rotina, produtividade, trabalho, qualidade de vida e saúde

Durante os dias/meses em que a Lua transitar ou progredir pela Casa 6, você estará emocionalmente mais *envolvida/o* com os afazeres da rotina. A dica é organizar suas atividades de modo a se sentir *nutrida/o* com seu trabalho. Aproveite o momento para se tornar mais *íntima/o* das suas habilidades, aperfeiçoar-se profissionalmente e produzir com qualidade.

Também será um período em que você poderá ficar às voltas com as consequências da variação de humor e da instabilidade emocional na sua saúde. Você ficará mais sensível a reconhecer como funciona a sua rotina de acordo com seu estado psíquico. Será possível identificar, por exemplo, que nos dias em que estiver emocionalmente melhor, você produzirá com mais facilidade. Será necessário prezar uma boa qualidade de vida e, ao mesmo tempo, fazer da sua organização um meio de se sentir mais *segura/o* emocionalmente.

Lua em Trânsito e em Progressão pela Casa 7

- FORÇAS ATUANTES: intuição, sensibilidade e afetividade
- ÁREAS DE ATUAÇÃO: parcerias, casamento e encontro amoroso

Nos dias/meses em que a Lua estiver em Trânsito/Progressão pela Casa 7 você estará mais sensível a ser *afetada/o* pelo que acontece nos seus relacionamentos. A sua oscilação de humor provocará variação no estado de espírito *da/o parceira/o*, assim como a oscilação *dela/e* abalará a sua estabilidade emocional. No entanto, um estado de contentamento contagiará *as/os duas/dois*. Aproveite esse tempo para se equilibrar emocionalmente e proteger seu relacionamento de emoções que possam intoxicá-lo.

De um lado, esse momento inspira que você nutra suas relações de forma que cresçam com vigor, a começar por ficar mais *atenta/o* às necessidades da outra pessoa. De outro, você poderá observar uma maior tendência a ser *tratada/o* com cuidado. Essa mútua atenção gerará grandes chances de uma boa safra mais adiante.

Algumas sementes de afetividade plantadas no passado começarão a dar frutos. Celebre a colheita e, caso não seja satisfatória, verifique se o solo onde foram semeadas não está pobre de nutrientes. Se esse for o caso, comece então a nutri-lo com amor, compreensão e respeito pelas diferenças.

Lua em Trânsito e em Progressão pela Casa 8

- FORÇAS ATUANTES: intuição, sensibilidade e afetividade
- ÁREAS DE ATUAÇÃO: transformação, desapego, perdas, reservas de recurso, aposentadoria e heranças

A função da Lua ao transitar ou progredir pela Casa 8 é acolher o que é obscuro, aquilo que vem das profundezas da alma, e, especialmente, as forças capazes de efetuar as limpezas emocionais. A dica é reconhecer os sentimentos nocivos e deixar de alimentá-los.

Nesses dias/meses, você estará mais *sujeita/o* a ser *afetada/o* pelo medo da perda, pelo sentimento de falta ou por tendências destrutivas. A melhor maneira de aproveitar esse momento será compreendendo que tudo acaba e, por isso, no lugar do apego você deverá cultivar a arte de cuidar bem do que é seu enquanto durar.

Outra forma de vivenciar esse Trânsito e essa Progressão será reconhecendo e, principalmente, cultivando o desejo de se desvencilhar dos tabus, até mesmo dos que envolvem a sexualidade. A função da Lua é cuidar, acolher e nutrir. Portanto, aproveite esse tempo para exercer tais atributos direcionados a lidar melhor com a libido.

A dica é efetuar a alquimia de se transformar internamente, mudar o olhar, abandonar velhos valores e renovar os desejos.

No aspecto prático, a passagem da Lua pela Casa 8 indica uma época fértil para cuidar de assuntos que envolvam recursos materiais provindos de heranças, aposentadorias, pensões, patrocínios, bens comuns e investimentos financeiros.

Lua em Trânsito e em Progressão pela Casa 9

· FORÇAS ATUANTES: intuição, sensibilidade e afetividade
· ÁREAS DE ATUAÇÃO: viagens longas, estudo superior e autoconhecimento

Nos dias/meses em que a Lua estiver na Casa 9, você nutrirá o desejo de sair da rotina, de se aventurar a buscar novidades e conhecer terras estrangeiras. Será um período bom para planejar uma viagem e consultar pessoas que conheçam os lugares que você deseja visitar.

Além disso, você estará mais *sujeita/o* a encontrar pessoas diferentes, que falem outras línguas e que venham de lugares distantes. Mas, veja bem, não necessariamente isso se dará ao pé da letra. Falar outra língua e ser de uma cultura diferente da sua pode ser interpretado de forma simbólica. Encontros com pessoas que se diferenciam psicologicamente de você também serão prováveis.

Será o momento de alargar os horizontes fecundando a mente, de demonstrar o desejo de obter conhecimento e encontrar um sentido maior para a existência. Nesse intervalo de tempo, você estará emocionalmente mais *preparada/o* para aprofundar algum estudo, compreendendo *suas/seus professoras/es* e *mestras/es*. Você também estará mais *sujeita/o* a ser *afetada/o* por uma filosofia de vida ou por caminhos de autoconhecimento.

Lua em Trânsito e em Progressão pela Casa 10

· FORÇAS ATUANTES: intuição, sensibilidade e afetividade
· ÁREAS DE ATUAÇÃO: carreira, reconhecimento e autorrealização

Nos dias/meses em que a Lua passar pelo ponto mais alto do Mapa do seu nascimento, você ficará mais *atenta/o* a cuidar daquilo que deseja se tornar no futuro. Será tempo de nutrir as habilidades profissionais e semear o solo onde se desenvolverá a sua carreira. A ideia é que se envolva emocionalmente mais com o trabalho ou que invista no contato com pessoas que poderão abrir as portas de acesso às áreas em que você pretende atuar um dia.

Será também época de colheita, das boas safras profissionais devido ao bom plantio no passado. Os resultados normalmente estarão associados à qualidade do seu envolvimento com o ambiente de trabalho, principalmente com as pessoas que colaboraram para o sucesso dos seus empreendimentos.

Também será possível uma maior aproximação com seus superiores ou com alguém que você admira muito. Esse momento será favorável para absorver a influência de profissionais que alimentarão o que você tem de melhor a oferecer profissionalmente. Dependendo da fase em que você se encontrar, essa influência poderá ser também da família ou de *amigas/os próximas/os*. O único cuidado a ser tomado, em qualquer um dos casos, será o de não deixar os seus desejos de lado.

Lua em Trânsito e em Progressão pela Casa 11

- FORÇAS ATUANTES: intuição, sensibilidade e afetividade
- ÁREAS DE ATUAÇÃO: amizade, ações coletivas e ideais sociais

Ao atravessar a Casa 11, a Lua deixará o seu rastro afetivo nas relações sociais. A experiência nesses dias/meses será a de sentir o acolhimento da casa *das/os amigas/os* e de também *as/os* receber em casa, seja ela uma experiência física, seja emocional. Você se sentirá mais *afetada/o* por *elas/es* e, ao mesmo tempo, *as/os* afetará com suas ações e suas reações. Essa fase servirá para nutrir as amizades, o espírito de solidariedade, a colaboração e a consciência social. Haverá a chance de fortalecer a sua rede de amor e cuidar das pessoas, principalmente daquelas que estejam em situação de vulnerabilidade.

Outra característica desse Trânsito e dessa Progressão é a de fortalecer ideais, especialmente os ligados ao que você deseja para o futuro da humanidade. Você se sensibilizará mais com algumas causas e será mais *solicitada/o* a participar de algum tipo de serviço voluntário.

O importante será cultivar a arte de prezar as amizades, de saber dar e receber e de alimentar o bem comum.

Lua em Trânsito e em Progressão pela Casa 12

- FORÇAS ATUANTES: intuição, sensibilidade e afetividade
- ÁREAS DE ATUAÇÃO: espiritualidade, bem-estar psíquico e interiorização

Com a Lua atravessando a Casa 12, você mergulhará no seu oceano interior para cuidar melhor do seu bem-estar espiritual. Haverá maior necessidade de ficar *sozinha/o* ou, no mínimo, de aprender a extrair da solidão o que ela tem de melhor a oferecer. Você ficará mais sensível a ser *afetada/o* pelo burburinho externo, não gostará de ser *incomodada/o* e, caso haja muitas interferências, a solução será se recolher mais.

Os medos, os fantasmas e as fantasias ficarão mais aflorados e, por essa razão, o investimento na tranquilidade emocional se tornará ainda mais valioso. Será uma fase em que sentirá melhor os efeitos do autoconhecimento, dos tratamentos terapêuticos e das buscas por esclarecimento. A função da Lua é acolher e cuidar. Nesse período, quanto mais você acolher suas emoções mais profundas, menos pressão elas exercerão sobre você. Compreenda seus sentimentos, não se puna por sentir algo que não aprove e alimente o que admira e que lhe dá prazer.

Serão também dias/meses para respeitar e fazer respeitar seus segredos. Lembre-se de que eles são seus e que a chave para acessá-los será dada somente a quem você escolher.

Mercúrio em Trânsito pelas Casas

INTENSIDADE DO TRÂNSITO: 2

Com a passagem de Mercúrio por uma Casa, você encontrará nela grande movimentação, novidades e oportunidades de mudança. Haverá maior interesse em conhecer novos aspectos relacionados aos assuntos tratados por cada Casa. Também será necessário questionar as experiências que essa Casa representa, possibilitando a circulação de novas ideias.

Mercúrio completa um ciclo de Trânsito pelas Casas em aproximadamente um ano, renovando o seu olhar e enriquecendo o seu aprendizado de vida.

Mercúrio em Trânsito pela Casa 1

- FORÇAS ATUANTES: curiosidade, movimento, comunicação e questionamento
- ÁREAS DE ATUAÇÃO: estilo, autoafirmação, decisões, autoimagem e bem-estar físico

Toda vez que um Planeta cruza o Ascendente (começo da Casa 1) significa o fim de um ciclo e o começo de um novo. Quando o Planeta é Mercúrio, essa nova fase tem a ver com assuntos relacionados à informação, às atividades mentais e às oportunidades que a vida oferece. De um lado, pelo fato de a Casa 1 tratar da individualidade, o melhor investimento do momento será no autoconhecimento. Durante esse período, você porá em dúvida quem verdadeiramente é, questionará suas posições e poderá mudar diversas vezes a ideia que tem de si. De outro, terá a oportunidade de encontrar recursos que respondam aos seus questionamentos pessoais e que possibilitem um melhor entendimento do seu estilo de ser. A dica é tentar ser mais flexível consigo *mesma/o*, entender que ora deseja uma coisa, ora outra, e que num determinado momento pensa de um jeito, e noutro pode perceber que mudou de opinião. Lembre-se de que a função de Mercúrio é oferecer diversificação na área em que ele está atuando.

Depois, haverá inquietude por movimento e mudanças. Você será *tomada/o* pelo desejo de conhecer novas pessoas, de circular por onde houver chance de troca e, aproveitando a agitação do momento, expressar suas opiniões e aprender com o que as outras pessoas têm a dizer.

Outra atribuição relacionada à Casa 1 é a de consciência corporal, e a passagem de Mercúrio por ela trará oportunidades de experimentar práticas que *a/o* ajudem a conhecer melhor o seu corpo. Será benéfico aproveitar a tendência à agilidade representada por Mercúrio e variar o modo como você cuida do seu bem-estar físico. Experimente uma nova alimentação, uma atividade física diferente ou uma nova terapia corporal.

Mercúrio em Trânsito pela Casa 2

- FORÇAS ATUANTES: curiosidade, movimento, comunicação e questionamento
- ÁREAS DE ATUAÇÃO: valores, finanças e recursos

Com a passagem de Mercúrio pela Casa 2, você aprenderá a administrar melhor os seus recursos. Esse Planeta é negociante, inteligente e safo. Assim, são com essas habilidades que você deverá organizar suas finanças no momento. Você poderá aprender a negociar melhor e a diversificar os interesses materiais e os investimentos. Será uma época favorável para aproveitar possibilidades de compra e venda, fazer uma negociação salarial e encontrar meios para valorizar o seu trabalho. Além disso, sua vida financeira ficará mais movimentada, e você se sentirá *estimulada/o* a consumir e a querer substituir o que já não *a/o* interessa mais. A ideia é que você faça o dinheiro circular com habilidade e que suas negociações sejam vantajosas.

Outra possibilidade é a de que, se você não ficar *esperta/o*, poderá ser *passada/o* para trás. Por isso, observe com cuidado se as negociações são honestas, se há ética nos acordos que envolverem bens materiais. A dica é não ser *impulsiva/o* e avaliar com muito cuidado as condições oferecidas em uma transação.

Mercúrio em Trânsito pela Casa 3

- FORÇAS ATUANTES: curiosidade, movimento, comunicação e questionamento
- ÁREAS DE ATUAÇÃO: estudo básico, viagens curtas, trocas, negociações e relacionamento com pessoas próximas

Por ser o regente da Casa 3, Mercúrio trará muito movimento, e você não vai parar de circular por aí, será um entra e sai de casa incrível. Você perceberá que a vida ficará mais animada com a chegada de outras pessoas ou novos interesses. Será um período de muitas trocas, conversas e grande aprendizado. Não deixe nenhum objetivo de lado, ainda que a intensa movimentação possa vir a *deixá-la/o* um pouco *atrapalhada/o*. A função de Mercúrio é diversificar, agitar e arejar a mente. A dica é organizar os compromissos de modo que você consiga ter tempo para aproveitar tudo que esse momento oferecer.

Como ocorre uma intensificação das habilidades representadas por Mercúrio, haverá também muito mais chance de interação com pessoas do seu convívio. A chegada de *uma/um nova/o vizinha/o*, encontros com irmãs ou irmãos e parentes próximos e certa movimentação envolvendo colegas são algumas das possibilidades que você terá para experimentar a potência das relações sociais.

Esse tempo favorecerá ainda viagens e mudança de cidade ou de bairro. Tudo que puder trazer novidades ou um novo cenário será então bem-vindo.

Outra probabilidade é a de haver um aumento da sua produtividade intelectual. O segredo é aproveitar essa fase para iniciar algum curso, dedicar-se mais aos estudos e às leituras, escrever um livro ou apresentar um trabalho que exija bom raciocínio ou a habilidade de se comunicar bem.

Mercúrio em Trânsito pela Casa 4

- FORÇAS ATUANTES: curiosidade, movimento, comunicação e questionamento
- ÁREAS DE ATUAÇÃO: família, raízes, passado e casa

No período em que Mercúrio transitar pela Casa 4, o seu lar ficará mais movimentado, e, provavelmente, irão circular mais pessoas por ele. A vinda de alguém para passar uns dias, os encontros familiares, *amigas/os* que se aproximam serão exemplos de interação. O mais importante no momento será ter comunicação, poder trocar ideias e discutir opiniões com as pessoas do seu relacionamento íntimo. O interessante dessa posição é que a Casa 4 remete ao desejo de introspecção, enquanto Mercúrio está relacionado às conexões com o mundo externo. A solução ao associar o Planeta agitado ao recolhimento dessa área da vida será trazendo gente para dentro de casa. Uma outra maneira é aproveitando a oportunidade de refletir ou conversar sobre experiências que tragam à tona memórias do passado.

Um aspecto relevante dessa passagem é a questão do diálogo em família. Seja qual for o motivo, haverá mais necessidade de conversar. A ideia é, se existir algum ruído nas comunicações, chegar a um entendimento; ou ter muito assunto a falar, caso já exista espaço para boas discussões.

Você também poderá resolver mudar de quarto, trocar os móveis de lugar ou adquirir objetos que tragam novos ares para sua casa. A dica é não deixar a energia parada e movimentar o ambiente onde você repousa e se nutre emocionalmente.

Mercúrio em Trânsito pela Casa 5

- FORÇAS ATUANTES: curiosidade, movimento, comunicação e questionamento
- ÁREAS DE ATUAÇÃO: paixão, criatividade, autoestima e *filhas/os*

Mercúrio em Trânsito na Casa 5 dará vontade de fazer festas, encontrar bons motivos para se divertir e curtir a vida de diferentes maneiras. Será uma fase de euforia, de pôr em movimento o desejo de ser feliz. Ademais, surgirá a vontade de conversar sobre as emoções que tomarão conta desse momento. Haverá também a possibilidade de compreender melhor os sentimentos, o que a/o estimulará a se sentir *apaixonada/o*, seja por alguém, seja por algo que você esteja criando.

Outro aspecto significativo associado a esse Trânsito é o fato de ele ser um período importante para você conhecer melhor suas potências criativas, descobrindo maneiras de fazer de si uma pessoa autêntica. Existirá a possibilidade de encontrar caminhos diferentes e interessantes para melhorar a autoestima, ainda que você necessite passar por questionamentos quanto ao seu valor.

Você poderá experimentar novos estilos, de modo que não se fixe demais em um único jeito de se expressar. Aliás, haverá a chance de aprender a se exprimir sem inibições, deixando fluir o que você quer comunicar.

Como a Casa 5 trata de criação, para quem é mãe ou pai, será uma época importante de comunicação com *as/os filhas/os*, de mudança de olhar e de flexibilização da maneira de educar.

Mercúrio em Trânsito pela Casa 6

- FORÇAS ATUANTES: curiosidade, movimento, comunicação e questionamento
- ÁREAS DE ATUAÇÃO: rotina, produtividade, trabalho, qualidade de vida e saúde

Em primeiro lugar, deve-se lembrar que, por ser o regente da Casa 6, Mercúrio reforçará as experiências associadas a ela, qual seja, a sua relação com os afazeres do dia a dia. Será um momento de muita movimentação, de não parar *quieta/o* nem um instante e querer diversificar as atividades. A dica é aproveitar as novidades e a oportunidade de repensar a forma como você lida com o trabalho.

Em segundo, se sua tendência for a de ser *desorganizada/o*, você poderá se enrolar um pouco. Nesse caso, Mercúrio poderá *auxiliá-la/o* para que aprenda a simplificar o cotidiano, filtrando o que interessa de fato. De todo modo, essa será uma época produtiva e, se você se organizar, será melhor ainda. Você aprenderá a usar meios mais eficientes para produzir com qualidade, a fazer suas tarefas com agilidade e aperfeiçoará a maneira de trabalhar.

A chegada de Mercúrio à Casa 6, em geral, é sentida também com o aumento do estresse, principalmente pelo sentimento de querer fazer tudo ao mesmo tempo, rapidamente e de forma eficiente. A dica é que você fique mais *ligada/o* nos seus hábitos, modifique-os se não forem saudáveis, cuide de sua saúde e se interesse mais por ela e por uma boa qualidade de vida.

Mercúrio em Trânsito pela Casa 7

- FORÇAS ATUANTES: curiosidade, movimento, comunicação e questionamento
- ÁREAS DE ATUAÇÃO: parcerias, casamento e encontro amoroso

A entrada de Mercúrio em Trânsito na Casa 7 marca um momento crucial para um relacionamento, seja porque você teve a oportunidade de encontrar alguém, seja porque começou uma nova fase da vida de casal. Será importante ficar *atenta/o* aos questionamentos, tanto os seus quanto os *da/o parceira/o*. Os encontros serão marcados por comunicação, possibilidade de diálogo ou até falta dele. Havendo dificuldade de interação, essa será uma boa hora de abrir espaço para uma conversa e compreender por que o intercâmbio não está fluindo.

Haverá ainda boas chances de negociação, de tolerar as diferenças e de se adaptar ao jeito de ser da outra pessoa. Uma das funções de Mercúrio é a de movimentar e, quando está relacionada à Casa 7, novos ares animarão uma eventual perda de interesse de ambas as partes envolvidas.

Também será uma época de reafirmar os acordos de um namoro, um casamento ou uma sociedade de trabalho. O importante nesse momento será falar sobre as suas necessidades, dar opiniões, ouvir o que *a/o companheira/o* tem a dizer e, de forma flexível, reorganizar o modo de vocês se relacionarem.

Mercúrio em Trânsito pela Casa 8

- FORÇAS ATUANTES: curiosidade, movimento, comunicação e questionamento
- ÁREAS DE ATUAÇÃO: transformação, desapego, perdas, reservas de recurso, aposentadoria e heranças

Mercúrio é o Planeta responsável pela possibilidade de você respirar novos ares, enquanto a Casa 8 simboliza as forças interiores que *a/o* ajudarão a mudar os seus valores. O primeiro atua estimulando a curiosidade pelo que acontece no mundo externo, ao passo que as experiências relacionadas à Casa 8 *a/o* levam a mergulhar na profundidade do seu ser. Ainda que seja paradoxal, o deus mensageiro guiará seus passos até que você faça contato com seus medos e fantasmas, sentimentos reprimidos e toda sorte de emoções que, em geral, estão submersas na obscuridade do seu inconsciente. Apesar de ser uma época de incertezas, será uma ótima oportunidade de reconhecer a causa das suas angústias e de dar nome ao que não tem forma.

Quanto à comunicação, essa se dará muito mais pelo que não é dito, pela intensidade colocada nas palavras ou pelo que se esconde nas entrelinhas. Será um grande aprendizado descobrir novos caminhos de linguagem, talvez ainda mais poderosos do que aqueles já conhecidos.

O segredo então será aprender a não se apegar e a compreender melhor a finitude da vida e das coisas.

Assuntos relativos a heranças, aposentadoria, bens coletivos, patrocínios e investimentos financeiros ficarão mais propícios a serem negociados durante esse Trânsito. Então, informe-se acerca de seus direitos, saiba quais são as regras do jogo em um inventário, uma aplicação ou um empréstimo para que você possa fazer um bom negócio.

Mercúrio em Trânsito pela Casa 9

· FORÇAS ATUANTES: curiosidade, movimento, comunicação e questionamento
· ÁREAS DE ATUAÇÃO: viagens longas, estudo superior e autoconhecimento

Com a passagem de Mercúrio pela Casa 9, você terá a oportunidade de se interessar por assuntos que a/o ajudarão a se conhecer melhor, que servirão como guia para o seu desenvolvimento e para a sua evolução espiritual.

Haverá a possibilidade de diversificar seus interesses intelectuais ou de cunho filosófico. Você aprenderá a flexibilizar suas posições, escutando quem pensa diferente ou que possa trazer um novo saber que venha a lhe interessar.

Será um tempo para descobrir novos caminhos, até mesmo com chances de viajar. Tanto em estudos quanto em viagens, a mente estará aberta a assimilar informações, haverá interesse em experimentar novas fontes, abrindo espaço para chegar a lugares que normalmente passariam despercebidos.

Além de haver mais troca e comunicação com *suas/seus professoras/es, mestras/es* e *mentoras/es*, uma experiência muito interessante também será constatar que existem outras pessoas além daquelas que você admira devido ao alto grau de conhecimento. Você compreenderá que não existe apenas uma única religião, um único caminho espiritual, uma única universidade ou um único mestre. A função de Mercúrio ao transitar por essa Casa é a de flexibilizar dogmas e conceitos enrijecidos. A riqueza da diversidade baterá à porta do seu desejo por conhecimento.

Mercúrio em Trânsito pela Casa 10

- FORÇAS ATUANTES: curiosidade, movimento, comunicação e questionamento
- ÁREAS DE ATUAÇÃO: carreira, reconhecimento e autorrealização

A passagem de Mercúrio pela Casa 10 poderá trazer boas notícias para sua vida profissional. Um convite de trabalho, uma mudança de setor ou a chegada de novos profissionais movimentarão a sua carreira.

Para quem atua nas áreas de comunicação, comércio ou educação, essa fase será especialmente produtiva. Também será um tempo favorável para expor suas ideias, apresentar um trabalho ou publicar um livro. É possível que alguma proposta sua seja aceita no trabalho e, a partir daí, você tenha o devido reconhecimento. Será a certificação do que você tem de mais hábil, das suas capacidades intelectuais e do seu grau de conhecimento.

As conexões feitas nesse período servirão para que você amplie sua rede de relacionamento profissional e social. Haverá convívio com pessoas de posições hierárquicas diferentes da sua, além de bons diálogos profissionais.

Além disso, você ficará mais tolerante em relação à exigência de perfeição, adaptando-se às situações conforme elas forem se apresentando.

Não se esqueça de usar a palavra com responsabilidade e de forma adequada ao contexto. Um comentário impróprio poderá comprometer a sua imagem e afetar pessoas da sua convivência social.

Mercúrio em Trânsito pela Casa 11

- FORÇAS ATUANTES: curiosidade, movimento, comunicação e questionamento
- ÁREAS DE ATUAÇÃO: amizade, ações coletivas e ideais sociais

Durante o tempo em que Mercúrio estiver transitando pela Casa 11, você terá mais prontidão para agir com compaixão, participar de ações que visem ao bem comum e fazer algo por pessoas necessitadas.

Tanto Mercúrio quanto a Casa 11 têm relação com o Elemento Ar, assim, o que há em comum entre eles é a consciência da potência dos encontros e das conexões, sendo, portanto, um momento favorável para contar com sua rede de relações para *ajudá-la/o* nos seus empreendimentos.

Será ainda uma fase de *muitas/os amigas/os*, de querer estar com muita gente, conhecer novas pessoas, frequentar uma turma diferente da sua e trocar experiências.

Surgirão novos projetos, principalmente se envolverem pessoas com ideais semelhantes aos seus. A ideia é que você use a intuição para captar o que está no ar, o que é o anseio de muita gente, que ainda não foi realizado e que então poderá ser concebido.

Mercúrio em Trânsito pela Casa 12

- FORÇAS ATUANTES: curiosidade, movimento, comunicação e questionamento
- ÁREAS DE ATUAÇÃO: espiritualidade, bem-estar psíquico e interiorização

Quando Mercúrio ingressa na Casa 12, um ciclo está para ser concluído. O deus alado conduzirá ao seu templo sagrado e será dado início a uma fase de recolhimento. Será o momento de sair da cena do burburinho do mundo externo para fazer contato com o que acontece na sua interioridade. Sua mente estará focada no desejo de compreender o que foge ao âmbito da razão, o que é inominável ou não tem explicação. Você visitará aqueles cantinhos obscuros que ainda não foram acessados, seja por medo, seja por fazerem parte do seu inconsciente. Será uma fase de investigações profundas sobre si *mesma/o*.

Saiba que a passagem de um Planeta pela Casa 12 é sempre um ato revelador. Entretanto, por adentrar no domínio em que estão armazenadas as suas angústias e os seus fantasmas, é possível que esse contato gere incerteza e você se sinta *perdida/o*.

Na prática, você poderá descobrir tanto algo luminoso quanto coisas desagradáveis. Mas, veja bem, como Mercúrio na mitologia também está associado à mentira, você deverá investigar com muito cuidado suas intuições para não cometer um engano ou ser *ludibriada/o* por alguém.

A dica para esse momento é empregar seu tempo em atividades ou experiências que visem ao seu bem-estar espiritual. Você aprenderá nesse período a decodificar os mistérios da sua vida interior, aproveitará bem as terapias e poderá negociar melhor com seus medos, seus ressentimentos e suas mágoas.

Vênus em Trânsito pelas Casas

INTENSIDADE DO TRÂNSITO: 2

Você alimentará de afeto a Casa por onde Vênus estiver transitando, tornando essa relação uma experiência de equilíbrio e prazer. A área da vida representada por essa Casa ficará sujeita a escolhas impulsionadas pelo desejo de conforto e acolhimento, propiciando experiências que enriquecem o seu valor. Também será o território no qual sua autoestima se desenvolverá.

O ciclo completo do Trânsito de Vênus pelas Casas dura aproximadamente um ano, fertilizando e impregnando de amor cada um dos diversos âmbitos da vida.

Vênus em Trânsito pela Casa 1

- FORÇAS ATUANTES: afetividade, libido, cuidado, harmonia, beleza, manutenção e escolha
- ÁREAS DE ATUAÇÃO: estilo, autoafirmação, decisões, autoimagem e bem-estar físico

O ingresso de Vênus na Casa 1 marca o começo de um novo ciclo relacionado à afetividade, e nesse momento o primeiro olhar amoroso deverá ser para si *mesma/o*. Será o espelho de Vênus refletindo sua imagem para que você possa admirar quem é. Você estará mais *apta/o* a abrir o coração para compreender o quanto o amor-próprio é importante e valorizar aquilo que genuinamente se é. Então, com a autoestima elevada, você estará bem mais *segura/o* para receber o olhar e o amor de alguém.

Outra percepção importante será a que envolve a estética do seu corpo. Você terá à sua disposição ferramentas que *a/o* ajudarão a afirmar o seu próprio estilo. O toque de Vênus possibilitará o reconhecimento da beleza que lhe é inata, descartando os ideais estéticos que fogem da sua realidade.

O segredo é cuidar do seu corpo e escolher práticas que favoreçam o bem-estar físico. Nessa época, as habilidades femininas da delicadeza representadas por Vênus deverão ser cultivadas e colaborarão para que você compreenda a importância de zelar pela aparência e pela satisfação de estar bem consigo.

Vênus em Trânsito pela Casa 2

- FORÇAS ATUANTES: afetividade, libido, cuidado, harmonia, beleza, manutenção e escolha
- ÁREAS DE ATUAÇÃO: valores, finanças e recursos

Por Vênus ser o Planeta que rege a Casa 2, os valores a ele associados ficarão intensificados, a começar pelos cuidados com o que é seu. Será o tempo de valorizar o que lhe pertence — seus objetos, seus recursos, as coisas que você batalhou para ter. O segredo é reconhecer seus esforços para alcançar estabilidade material e para adquirir o que deseja. Entretanto, o mais importante será haver uma conexão entre o prazer e a forma como você se sustenta. Essa equação poderá ser melhor resolvida durante esse período em que o Planeta do amor e da beleza transitar pela Casa que representa a produção de recursos.

De outra maneira, você ficará mais *sujeita/o* a consumir, já que o objetivo associado a esse Trânsito é o de realizar seus desejos materiais. O grande aprendizado será a compreensão de que, mais importante do que ter, é o que você faz com o que tem. Essa lição talvez seja um dos maiores ganhos relacionados à passagem de Vênus pela Casa 2.

De todo modo, será uma época favorável para investir no que valoriza o seu trabalho, equilibrar a balança financeira, adquirir bens ou economizar com a intenção de realizar mais tarde um desejo material que nesse momento ainda não será possível concretizar.

Vênus em Trânsito pela Casa 3

- FORÇAS ATUANTES: afetividade, libido, cuidado, harmonia, beleza, manutenção e escolha
- ÁREAS DE ATUAÇÃO: estudo básico, viagens curtas, trocas, negociações e relacionamento com pessoas próximas

A Casa 3 é tradicionalmente associada às relações entre irmãs e irmãos, parentes e pessoas próximas. Com a passagem da deusa do amor, você terá a chance de harmonizar esses relacionamentos. Poderá ser a chegada de *uma/um vizinha/o* ou de *uma/um nova/o* colega de trabalho que trará equilíbrio para o entorno. Sabe aquela pessoa que, quando chega, traz uma aura de afetividade? Será um momento gregário e de convívio equilibrado. Você aprenderá um pouco mais sobre a arte de se relacionar com leveza, respeito, diplomacia e tolerância.

Como a Casa 3 também está relacionada à informação e aos estudos, logo você compreenderá o valor de ser uma pessoa bem informada. Haverá mais interesse por estudar, ler, acompanhar notícias e trocar ideias com quem você tem afinidade. O ideal nessa fase é poder compartilhar informações, seja estudando em grupo, em uma conversa descompromissada, ao longo de um bom espetáculo, seja discutindo o tema de um livro. Poderá haver ainda interesse por assuntos ligados ao simbolismo de Vênus, tais como mediação, arte, beleza, afetividade e sexualidade. Entretanto, o mais importante nesse período será valorizar o conhecimento.

A propósito, você também desejará conhecer novos lugares, respirar outros ares. E serão nesses diferentes ambientes que encontrará pessoas interessantes que despertarão a sua afetividade.

Vênus em Trânsito pela Casa 4

- FORÇAS ATUANTES: afetividade, libido, cuidado, harmonia, beleza, manutenção e escolha
- ÁREAS DE ATUAÇÃO: família, raízes, passado e casa

A entrada de Vênus no Fundo do Céu marcará o começo de um novo ciclo associado especialmente às relações familiares. A passagem da deusa do amor pela Casa que representa os alicerces sobre os quais está fundada a sua estrutura emocional proporcionará a você mais delicadeza para lidar com problemas de ordem íntima e a oportunidade de se harmonizar com a sua família. A sua casa ficará iluminada pela dinâmica feminina de cuidar e aprofundar o amor pelas pessoas com as quais você convive intimamente. A propósito, essa será uma excelente época para ajeitar o seu lar, deixando-o mais próximo da sua estética pessoal.

Você poderá olhar para trás, apreciar a sua história, reconhecer os ganhos vindos do passado e extrair valor das suas memórias. Também será possível reencontrar pessoas que fizeram parte da sua vida, será a deusa do amor abrindo as portas do seu celeiro emocional. Além disso, você poderá fazer contato com sentimentos relacionados à carência e a ressentimentos e mágoas trazidos do passado. A dica é acolhê-los, mas não alimentá-los.

Um conselho importante quanto aos relacionamentos familiares é que você se posicione como *mediadora/mediador* onde houver conflitos.

Vênus em Trânsito pela Casa 5

- FORÇAS ATUANTES: afetividade, libido, cuidado, harmonia, beleza, manutenção e escolha
- ÁREAS DE ATUAÇÃO: paixão, criatividade, autoestima e *filhas/os*

Nesse período, você ficará muito mais *propensa/o* a se apaixonar e a olhar a vida com amor. Entretanto, como essa Casa tem relação com a autoestima e Vênus potencializa o amor, você se sentirá mais à vontade sendo quem é, além de valorizar os frutos da sua criatividade. Um trabalho criativo ou a chegada de *uma/um filha/o* serão eventos mais encantadores quando vistos por esse olhar amoroso.

Para quem lida com arte, será uma temporada especial para o exercício criativo. Todavia, você também poderá ser artista de si *mesma/o*, construindo-se como alguém singular. Haverá uma boa pitada de valor no seu jeito de ser e a criação de uma assinatura que *a/o* distinguirá. Esse será o primeiro passo para gerar algo que será só seu. *Uma/Um* jornalista publicará sua melhor matéria, *uma/um autora/autor* escreverá um livro de sucesso, *uma/um executiva/o* criará um projeto especial...

Nessa fase, você imantará de beleza e harmonia tudo o que venha a criar. Por isso, o segredo desse Trânsito é pôr uma pitada de arte no que estiver fazendo, sem se esquecer de que esse será um período fértil em todos os níveis.

Vênus em Trânsito pela Casa 6

- FORÇAS ATUANTES: afetividade, libido, cuidado, harmonia, beleza, manutenção e escolha
- ÁREAS DE ATUAÇÃO: rotina, produtividade, trabalho, qualidade de vida e saúde

Esse será um período marcado por relações de afeto no ambiente de trabalho. Você se aproximará mais das pessoas com que tiver afinidade, mas também terá habilidade para lidar com aquelas que apresentam opiniões divergentes das suas. A ideia é que você torne o espaço cotidiano o mais agradável possível e que encontre meios para produzir com prazer.

Outro movimento importante nesse momento será organizar as tarefas diárias de modo que também tenha tempo para curtir o dia a dia, adicionando a ele mais arte, amor, cultura e lazer.

Além de tratar dos afazeres cotidianos, a Casa 6 se ocupa simbolicamente da saúde. Com a passagem do Trânsito de Vênus por essa área do Mapa do seu nascimento, será hora não só de se cuidar para ser saudável, mas também de cultivar hábitos prazerosos como meio para alcançar o equilíbrio do seu corpo.

Todavia, o grande aprendizado desse Trânsito será o de compreender que o amor pode se manifestar nos pequenos detalhes, nas experiências mais simples da vida. O segredo é não deixar que essas demonstrações passem despercebidas, inundar-se de amor e trazer beleza para a rotina.

Vênus em Trânsito pela Casa 7

· FORÇAS ATUANTES: afetividade, libido, cuidado, harmonia, beleza, manutenção e escolha
· ÁREAS DE ATUAÇÃO: parcerias, casamento e encontro amoroso

Toda vez que um Astro cruzar a linha do horizonte haverá o término de um ciclo e o começo de um novo. No caso, esse marco diz respeito ao amor, ao casamento e às parcerias. Cabe ao Trânsito de Vênus pela Casa 7, da qual é o Planeta regente, a função de equilibrar o modo como você se relaciona. Será a chance de obter reciprocidade em uma relação, compartilhar desejos e harmonizar as diferenças. Um dos grandes atributos de Vênus é o de colocar em equilíbrio os pratos da balança que representam a vida de cada *uma/ um das/os parceiras/os*.

Nessa fase, você se sentirá mais *atraída/o pela/o companheira/o*, mais *disposta/o* a se enamorar, a querer viver a dois. Você aprenderá a valorizar o fato de poder contar com alguém, de ter com quem dividir uma tarefa e não precisar resolver tudo *sozinha/o*.

As dificuldades naturais de um relacionamento poderão ser equilibradas durante esse período. Você aprenderá a ser mais flexível no amor e se conscientizará de que a outra pessoa não é apenas uma extensão do seu desejo. Você saberá amar e ser *amada/o*.

Vênus em Trânsito pela Casa 8

- FORÇAS ATUANTES: afetividade, libido, cuidado, harmonia, beleza, manutenção e escolha
- ÁREAS DE ATUAÇÃO: transformação, desapego, perdas, reservas de recurso, aposentadoria e heranças

Um dos assuntos afetados pela passagem de Vênus pela Casa 8 é o da sexualidade. Essa será uma excelente oportunidade para se harmonizar com seus desejos sexuais e, caso haja algum nível de dificuldade ou de repressão, você poderá seduzir *a/o guardiã/o* das portas dos seus desejos e se permitir experimentá-los sem reservas e mais profundamente.

Haverá igualmente mais chances de acolher mágoas ou raivas guarda-das — será a deusa do amor apaziguando sua alma com a promessa de que cuidará desses sentimentos e aliviará as dores que os causaram. De forma amorosa, a sua Vênus interior transformará o que provoca angústia em sen-sação de conforto e acolhimento.

Esse Trânsito também se refere aos resultados materiais das uniões, tra-zendo ares de prosperidade para uma sociedade, finanças de um casal ou a renda familiar. Em relação à organização financeira, a dica é economizar dinheiro, produzir reservas e investir na estabilidade material futura.

Vênus em Trânsito pela Casa 9

- FORÇAS ATUANTES: afetividade, libido, cuidado, harmonia, beleza, manutenção e escolha
- ÁREAS DE ATUAÇÃO: viagens longas, estudo superior e autoconhecimento

A passagem de Vênus pela Casa 9 traz à tona o desejo de autoconheci-mento e a confiança no seu desenvolvimento, na possibilidade de ser me-lhor do que você é. Será uma fase favorável para escolher um caminho de orientação espiritual ou filosófica que lhe sirva como guia para os passos que venha a dar nessa direção. A deusa do amor lhe deixará *apaixonada/o* por um saber, por *uma/um professora/professor* ou *uma/um mestra/e* que orientará seu crescimento intelectual. A propósito, se você tiver como prática a produção intelectual, será um momento propício para se aproximar de pessoas que venham a enriquecer o seu trabalho.

Como a Casa 9 tradicionalmente é a casa das viagens, a passagem de Vênus deixará nela um rastro de fertilidade. Viajar nessa época será prestar uma homenagem ao prazer, deliciar-se com os encontros e aproveitar a beleza que uma cidade ou a natureza podem oferecer.

Também será possível se apaixonar por alguém que vem de longe, que não é do seu mundo e que tem um universo novo para lhe oferecer. A bem da verdade, nessa época você estará bem mais *aberta/o* a amar as diferenças — será Vênus disseminando as boas sementes do amor e da harmonia.

Vênus em Trânsito pela Casa 10

- FORÇAS ATUANTES: afetividade, libido, cuidado, harmonia, beleza, manutenção e escolha
- ÁREAS DE ATUAÇÃO: carreira, reconhecimento e autorrealização

A passagem de Vênus pelo Meio do Céu marca o fim de um ciclo e o começo de um novo. Os dois assuntos que estarão em foco nesses novos tempos são o amor e a relação com os seus projetos de carreira. Nesse período em que a deusa do amor estiver atravessando a Casa 10 do Mapa do seu nascimento, você empreenderá mais energia nos seus relacionamentos, tanto os afetivos quanto os de trabalho. A ideia é que você se harmonize com as pessoas que fazem parte da sua vida e que você deseja que estejam com você no futuro.

Além disso, a Casa 10 é tradicionalmente associada ao trabalho e, por força de Vênus, você poderá planejar a carreira de modo a fazer o que lhe dá prazer ou algo pelo que seja *apaixonada/o*. Será uma excelente oportunidade de encontrar caminhos que se afinem com suas qualificações.

Os melhores investimentos nessa época serão atrair bons relacionamentos profissionais e aprender a interagir melhor com as pessoas do seu trabalho. Serão valores que, agregados às suas habilidades, darão mais chance de reconhecimento e sucesso na carreira.

Essa fase será especialmente favorável para quem trabalha com arte, mediações, justiça e diplomacia.

Vênus em Trânsito pela Casa 11

- FORÇAS ATUANTES: afetividade, libido, cuidado, harmonia, beleza, manutenção e escolha

- ÁREAS DE ATUAÇÃO: amizade, ações coletivas e ideais sociais

Será uma fase de construção de uma rede de amor, já que Vênus simboliza a harmonia e a Casa 11 trata da solidariedade, do amor ao próximo e das amizades. As conexões com seu cenário social, os ideais comuns e sua equipe de trabalho serão costuradas pela afetividade. As dicas são ficar perto *das/os suas/seus amigas/os*, criar um clima de equilíbrio com sua rede de relacionamento profissional e ser *uma/um mediadora/mediador* de conflitos. Será uma oportunidade de mostrar para cada pessoa o quanto é importante fazer bem a parte que lhe cabe no funcionamento do organismo social.

Durante a passagem desse Trânsito, haverá maior tendência de sair de casa, encontrar *as/os amigas/os* e se sentir *atraída/o* por pessoas que possam mudar o jeito de você pensar. O ganho será de todos, na medida em que o amor que será distribuído se irradiará para muito além do que o seu olhar é capaz de alcançar.

Será ainda um tempo de escolher o que fazer para colaborar com a construção de um futuro melhor, principalmente focando a coletividade. No entanto, o fato de semear o amor entre as pessoas já será um grande passo para tornar o mundo um lugar melhor para se viver.

Vênus em Trânsito pela Casa 12

- FORÇAS ATUANTES: afetividade, libido, cuidado, harmonia, beleza, manutenção e escolha
- ÁREAS DE ATUAÇÃO: espiritualidade, bem-estar psíquico e interiorização

Toda vez que um Astro ingressa na última Casa do Mapa do seu nascimento você vivencia a derradeira fase de um ciclo que teve início quando ele atravessou o seu Ascendente. No caso, esse encerramento de ciclo se refere às suas experiências amorosas e de relacionamento. Fechar uma etapa é fazer um balanço completo da forma como você encarou até então sua disponibilidade para amar e ser *amada/o* e lidou com os jogos de amor, as seduções e as rejeições. No começo, pode parecer muito confuso se ocupar com todas as emoções que carrega consigo, mas ao longo do período a ideia é que você obtenha um bom esclarecimento de como se encontra emocionalmente e, consequentemente, tome as providências necessárias para eliminar o que produz desconforto e fortalecer as conquistas que lhe fazem bem.

Por a Casa 12 ser a que representa a espiritualidade, você valorizará as práticas que equilibram a organização da sua subjetividade e que refazem suas conexões com as forças cósmicas. O grande ganho da passagem de Vênus por essa Casa será aprender a ficar bem consigo *mesma/o*, sem depender de alguém para preencher carências e/ou vazios. Por sua vez, os relacionamentos passarão a ser muito mais profundos, e você saberá respeitar a sua intimidade e a do outro.

Marte em Trânsito pelas Casas

INTENSIDADE DO TRÂNSITO: 2

Um Trânsito de Marte por uma Casa põe o setor da sua vida relacionado a ela sob sinal de alerta para que você não se acomode. A ideia é que conquiste a independência e lute pelo êxito das suas conquistas. Será por meio desse movimento que você experimentará sua impulsividade e agressividade, enfrentando situações que envolvem o espírito competitivo.

O ciclo de Marte pelas doze Casas Astrológicas dura aproximadamente dois anos e fortalece sua capacidade de superar os desafios em toda e qualquer experiência representada por cada uma delas.

Marte em Trânsito pela Casa 1

- FORÇAS ATUANTES: iniciativa, decisão, autonomia, coragem, impulso, vigor e disposição
- ÁREAS DE ATUAÇÃO: estilo, autoafirmação, decisões, autoimagem e bem-estar físico

A passagem de Marte pelo Ascendente marca o começo de um novo ciclo de luta pela conquista da sua independência e pela afirmação da sua identidade. Já que esse Planeta é o regente natural da Casa 1, a energia empregada para manter sua autonomia ficará ainda mais disponível.

Durante esse período, você ficará mais *animada/o* e se posicionará com mais vigor, além de não deixar que ninguém pise nos seus calos. Terá forças para fazer com que as coisas saiam ao seu modo, mas, devido à impulsividade e à precipitação presentes nesse momento, poderá exagerar em atitudes que venham a machucar quem estiver próximo a você. A dica é usar a firmeza acompanhada de ponderação e prudência. Em todo caso, a função desse Trânsito é facilitar para que se torne alguém com opiniões autênticas e *dona/o* do próprio nariz.

A fase será propícia para a tomada de decisões, desde que você não aja sob pressão ou com imprudência. Se agir com equilíbrio, as decisões serão assertivas e poderão resultar em algo bem construtivo.

Por estar *cheia/o* de energia, o período será favorável para praticar esportes e revigorar a energia física, o que, aliás, será um excelente meio para canalizar a força agressiva do Planeta guerreiro. O conselho é ficar *atenta/o* para controlar a raiva e a agressividade, pois sob descontrole você poderá machucar seu corpo.

Marte em Trânsito pela Casa 2

· FORÇAS ATUANTES: iniciativa, decisão, autonomia, coragem, impulso, vigor e disposição
· ÁREAS DE ATUAÇÃO: valores, finanças e recursos

Por onde Marte passa, deixa as marcas do seu espírito guerreiro que, na Casa 2, recairão sobre a área financeira, em que você sentirá a força do conquistador. Será a hora de ir à luta da sua independência material e brigar pelo que é seu. É possível que, durante esse período, você se sinta *pressionada/o* a sair da zona de acomodação e, no lugar de reclamações, tome decisões importantes para solucionar eventuais dificuldades de se sustentar com mais tranquilidade. Será o caso de fazer valer seus talentos e, se necessário, agregar valor ao que produz. Tais ações poderão se transformar em aumento de salário ou na oportunidade de encontrar um trabalho que *a/o* remunere à altura.

Você poderá atuar assertivamente em relação à sua organização material, mas isso dependerá — além da intuição, que é bem-vinda — de ter calma para não se precipitar e perder a mão.

Outra probabilidade é a de que você entre em conflito com situações financeiras. Ainda que você esteja com a razão, a dica é não provocar uma guerra e, com cautela e equilíbrio, evitar uma rota de colisão.

Marte em Trânsito pela Casa 3

· FORÇAS ATUANTES: iniciativa, decisão, autonomia, coragem, impulso, vigor e disposição

- ÁREAS DE ATUAÇÃO: estudo básico, viagens curtas, trocas, negociações e relacionamento com pessoas próximas

Será um momento em que você provavelmente não conseguirá parar *quieta/o*, pois a força vibrante e quente de Marte agitará uma Casa que tem relação com o Elemento Ar. Portanto, você ficará mais *ligada/o*, haverá mais entusiasmo e vontade de aproveitar a movimentação do ir e vir da rua. A Casa 3 representa a habilidade de se deslocar, estar em lugares diferentes e conhecer outras pessoas. A presença de Marte estimulará sua curiosidade por novidades e, caso tudo esteja muito parado, deverá *tirá-la/o* do estado de inércia. Será um estímulo ao desejo de se manter *informada/o*, estudar e não deixar passar nenhuma mensagem despercebida.

Como Marte é o deus guerreiro na mitologia, você também estará *sujeita/o* a entrar em conflitos e choques de opinião, principalmente com pessoas próximas, tais como parentes, *vizinhas/os* ou irmãs e irmãos. A tendência será a de impor suas ideias e entrar na pilha da competição, tentando convencer aos demais de que está com a razão.

Apesar de ser uma época importante para lutar por suas opiniões, a dica é saber respeitar o que os outros pensam, evitando uma rota de colisão, o que só trará mais dificuldade de ser *ouvida/o* e provocará reações agressivas. Entretanto, esse tempo poderá servir para passar a limpo alguma dúvida, incerteza ou desconfiança, algo que, passado esse momento tenso, você conseguirá superar com uma negociação bem-sucedida.

Marte em Trânsito pela Casa 4

- FORÇAS ATUANTES: iniciativa, decisão, autonomia, coragem, impulso, vigor e disposição
- ÁREAS DE ATUAÇÃO: família, raízes, passado e casa

Lembrando que a passagem de um Astro pelo Fundo do Céu marca o começo de um novo ciclo no cenário familiar, esse momento de transição poderá ser vivido de forma tensa, porque os ânimos ficarão mais exaltados e você estará *sujeita/o* a ter que lidar com conflitos, pois a passagem de Marte pela Casa 4 faz mexer o caldeirão de emoções da vida familiar. O lar ficará bem mais agitado, propiciando o aparecimento de divergências e pontos de tensão existentes em qualquer relacionamento íntimo. Se por um lado você terá a oportunidade de brigar pelo seu espaço; por outro, provocará o espírito competitivo das outras pessoas.

Ao usar o pulso firme para fazer valer os seus desejos, você correrá o risco de ferir a sensibilidade dos outros. De todo modo, você precisará ter um espaço seu dentro de casa, seja físico, seja afetivo. Se você estiver se sentindo *invadida/o* por *uma/um irmã/irmão*, pela sua mãe ou pelo seu pai, ou invadindo o espaço dos seus familiares, com certeza haverá guerra. O ideal é ser firme na determinação dos limites para que seja respeitada a individualidade de cada *uma/um*, porém sem agressividade.

Outra experiência importante relacionada a esse Trânsito é o enfrentamento corajoso do seu passado. O celeiro das suas recordações será mexido e remexido, os sentimentos lá guardados serão aquecidos pelo calor do Planeta guerreiro, dando-lhe a oportunidade de vencer as barreiras emocionais produzidas por eles.

Marte em Trânsito pela Casa 5

· FORÇAS ATUANTES: iniciativa, decisão, autonomia, coragem, impulso, vigor e disposição
· ÁREAS DE ATUAÇÃO: paixão, criatividade, autoestima e *filhas/os*

Será um momento para ficar cara a cara com a autoestima, enfrentar o desafio de ser o que verdadeiramente é e se sentir *vitoriosa/o* por não precisar corresponder aos ideais criados pela cultura e pela sociedade. Será uma fase para avançar algumas casas no jogo criativo da vida.

Nem sempre a passagem de Marte pela Casa do amor e da criatividade gerará mais segurança, força criativa, emoção, competitividade ou capacidade de agir por vontade própria. Por ser um Astro associado à impaciência e à agressividade, ele também poderá provocar uma guerra com a autoestima. O segredo é não fugir das inseguranças, mas também não forçar a barra para vencê-las a qualquer custo. Se o enfrentamento for feito com firmeza e paciência, você poderá curtir os louros da vitória. A ação atiçadora de Marte terá então cumprido com sua missão.

Quanto às paixões, a tendência é que seja um momento bastante movimentado. Você poderá se atirar de cabeça, correndo até mesmo o risco de quebrar a cara. No entanto, é assim que Marte se manifesta. Nada será muito tranquilo no reino do Astro guerreiro.

Entretanto, haverá a possibilidade de vencer os medos, superar os bloqueios e se libertar das inseguranças. E, veja bem, o melhor modo de obter bons resultados com sua ação será associar coragem com prudência para que, caso não seja *bem-sucedida/o*, não sejam criados traumas, o que dificultaria ainda mais lidar com as incertezas.

Marte em Trânsito pela Casa 6

- FORÇAS ATUANTES: iniciativa, decisão, autonomia, coragem, impulso, vigor e disposição
- ÁREAS DE ATUAÇÃO: rotina, produtividade, trabalho, qualidade de vida e saúde

Com a passagem de Marte pela Casa 6, a rotina ficará mais agitada, a vida pulsará com mais vigor e você se levantará da cama com a cabeça voltada para o sem-número de atividades programadas para o dia. Além disso, logo cedo você poderá se irritar e sair brigando com Deus e o mundo na hora do café da manhã. Será muita energia concentrada no desejo de produzir com qualidade e trabalhar com eficiência. A propósito, a ideia é que você se sinta *estimulada/o* a aumentar a produtividade, o que será excelente nesse momento, desde que não ultrapasse a linha de segurança que garante o bem-estar físico. Desse modo, você terá muito mais disposição para trabalhar e terá igualmente um bom rendimento.

Se houver algum tipo de problema de trabalho, caso estiver *desempregada/o* ou em conflito com o que faz, o período poderá ser um pouco mais difícil. O jeito será usar a força do guerreiro e ir à luta para resolver o que está trazendo estresse. Você poderá ainda sofrer algum tipo de disputa com pessoas do ambiente profissional ou ver as divergências ficarem mais acirradas. A dica é não agir com impaciência, prezando a política do respeito às diferenças.

Em relação à saúde, é importante agir com firmeza diante do que esteja desequilibrado. A tendência desse tempo será a de ficar *cansada/o*, sendo preciso ocasiões para relaxar e repor as energias gastas nas lutas do cotidiano. Será um ótimo momento para tomar decisões que visem a uma melhor qualidade de vida e que estimulem hábitos saudáveis.

Marte em Trânsito pela Casa 7

- FORÇAS ATUANTES: iniciativa, decisão, autonomia, coragem, impulso, vigor e disposição

· ÁREAS DE ATUAÇÃO: parcerias, casamento e encontro amoroso

Sempre que um Astro cruza o Descendente, você estará dando impulso a um novo ciclo que, nesse caso, diz respeito ao amor e aos relacionamentos. A missão de Marte ao atravessar a Casa 7 é atiçar a sua vontade de se relacionar, batalhar por alguém que deseja ao seu lado e lutar pelo bem-estar de *uma/um parceira/o*. Você também poderá ser *provocada/o* a se posicionar diante da alguma situação crítica de relacionamento, o que deverá ser feito com calma e firmeza. Se agir desse modo, as chances de solucionar o problema aumentam consideravelmente. Uma das funções do deus guerreiro é cutucar as divergências, e a solução é enfrentá-las e tentar resolvê-las. Nada que uma atitude segura e uma boa diplomacia não possam dar conta do recado.

Você ficará mais *impulsiva/o* e poderá entrar de cabeça em um relacionamento sem pensar muito nas consequências. Esse é o espírito de Marte, o de correr riscos e fazer movimentar o que não tem dado sinais de futuro. Até mesmo uma dificuldade que a outra pessoa esteja enfrentando irá *afetá-la/o* durante essa época, *levando-a/o* a agir para ajudar *a/o companheira/o* a solucionar o problema.

Marte em Trânsito pela Casa 8

· FORÇAS ATUANTES: iniciativa, decisão, autonomia, coragem, impulso, vigor e disposição
· ÁREAS DE ATUAÇÃO: transformação, desapego, perdas, reservas de recurso, aposentadoria e heranças

Devido ao fato de Marte ser um dos regentes da Casa 8, as funções a ela associadas estarão intensificadas durante a passagem desse Trânsito. Marte é o Planeta que simboliza a força do enfrentamento dos temores, enquanto a Casa 8 simbolicamente representa uma das grandes dificuldades humanas — lidar com a realidade da finitude da vida e das coisas.

A passagem de Marte por essa Casa poderá ser vivida como uma oportunidade de conseguir combater com coragem os medos relativos à morte e às perdas. Nesse período você se sentirá mais *afetada/o* por fatos que envolvam experiências de ruptura, separação ou perda. Sem desconsiderar que você as viva em outros momentos, nessa fase qualquer decisão que venha a tomar terá mais consciência da relação entre os ganhos e as perdas, o que, no fundo, valorizará bastante as suas escolhas.

Você poderá também reconhecer o que em seu interior é destrutivo e agir para modificar tais tendências. A dica é lutar para conseguir transformar o que considera nocivo em energia criativa para sua vida e para a dos demais.

Outra função de Marte em Trânsito pela Casa 8 é mergulhar profundamente nas regiões obscuras do seu psiquismo e cutucar os tabus que eventualmente possam estar reprimindo os seus desejos. Uma das mais significativas questões relacionadas à Casa 8 é a da sexualidade, que, nessa época, deverá ser enfrentada para o bem da sua liberdade sexual.

O grande aprendizado desse Trânsito será compreender que os medos estão aí para *ensiná-la/o*, serem grandes mestres na sua vida.

Marte em Trânsito pela Casa 9

· FORÇAS ATUANTES: iniciativa, decisão, autonomia, coragem, impulso, vigor e disposição
· ÁREAS DE ATUAÇÃO: viagens longas, estudo superior e autoconhecimento

O que há em comum entre Marte e a Casa 9 é o fato de serem associados à energia vibrante do Fogo, o que trará para esse período um desejo ardente de dilatar suas qualidades e se tornar maior e melhor do que é. Você batalhará para chegar mais perto do que alcançaram as pessoas que admira, que tem como referência de sabedoria e competência, como *mestras/es* e *professoras/es*.

O importante será lutar pelos seus ideais, pelo desejo de crescer, de ir mais longe e, especialmente, autoconhecer-se. Será um período extremamente ativo nos estudos e em decisões de viagem. Porém, lembre-se de que Marte é o Planeta da impulsividade. Você poderá, por exemplo, decidir de última uma hora ir para tal lugar e, ao chegar lá, mudar de ideia e viajar para outro. As melhores viagens realizadas durante esse Trânsito serão as que têm aventura, apresentam desafios e *a/o* fazem mais forte para enfrentar dificuldades em lugares desconhecidos, o que faz parte desse grande "mochilão" que Marte carrega quando está na Casa das viagens, dos estudos e *das/os mentoras/es*.

O Astro guerreiro incitará confrontos envolvendo ideias e ideais. Serão discussões e disputas com pessoas que têm opiniões extremamente diferentes das suas. No entanto, a imposição de uma ideologia feita a ferro e fogo não será bem-vinda. Será preciso respeitar as divergências e se fazer respeitar pelo que você pensa.

O segredo é que as discussões estimulem a criação de novas ideias, propiciando a sua evolução intelectual e espiritual.

Marte em Trânsito pela Casa 10

- FORÇAS ATUANTES: iniciativa, decisão, autonomia, coragem, impulso, vigor e disposição
- ÁREAS DE ATUAÇÃO: carreira, reconhecimento e autorrealização

Reafirmando que um Astro, ao cruzar o Meio do Céu, anuncia a chegada de um novo ciclo, a chamada então será para que sua carreira receba um impulso e você possa ser *vitoriosa/o* nos empreendimentos profissionais. Poderá ser uma fase de reconhecimento pelos seus esforços e desempenho no trabalho e pelas energias empregadas na construção de uma carreira bem-sucedida. Nas atividades ligadas à competitividade, será um momento tenso e, ao mesmo tempo, de chance de ótimos resultados. De todo modo, você poderá ganhar uma posição de destaque, desde que não esteja *envolvida/o* em conflitos no ambiente de trabalho. Aliás, essa será também uma tendência durante esse período. As pressões gerarão estresse que, por sua vez, desencadeará impaciência e, às vezes, agressividade. Os conflitos também aparecerão na disputa por visibilidade. O melhor jeito de lidar com essas tensões é seguir firme o seu caminho, respeitar o lugar da outra pessoa e não se deixar abalar pelas ações *das/os suas/seus adversárias/os*. Se for preciso, defenda-se para não ser *massacrada/o* por alguém que se acha melhor do que você, e seja *delicada/o* para não machucar ninguém.

De outro modo, se houver algum tipo de acomodação ou paralização na sua vida profissional, a passagem de Marte pela Casa 10 será um estímulo para buscar novos caminhos. Ainda que seja desmotivador se deparar com uma montanha a ser vencida, a fase pede que dê os primeiros passos para ultrapassá-la. A dica é não ficar parado. Qualquer movimento que faça será um balanço nas energias, que renovarão o seu desejo de conquistar o espaço ao qual tem direito.

Marte em Trânsito pela Casa 11

- FORÇAS ATUANTES: iniciativa, decisão, autonomia, coragem, impulso, vigor e disposição
- ÁREAS DE ATUAÇÃO: amizade, ações coletivas e ideais sociais

Com Marte transitando pela Casa 11, área das ações coletivas, dará vontade de ter uma causa pela qual brigar. Será o momento de escolher as lutas que favoreçam a coletividade e ter atitudes que visem ao bem-comum. Você ficará mais *indignada/o* com as desigualdades e as injustiças e sentirá o chamado para fazer alguma coisa que ajude a curar as feridas sociais.

Também haverá estímulo para defender *suas/seus amigas/os* quando estiverem sofrendo e precisando de ajuda. Será a presença da força do deus guerreiro no campo de batalha das relações de amizade, será a energia estimulante de Marte não medindo esforços para salvar *uma/um amiga/o* de uma cilada ou perigo. Você ficará ao lado *delas/es* para o que der e vier.

Em contrapartida, a força agressiva do Planeta se manifestará também sob a forma de conflitos com algumas das suas amizades. Você estará batendo o papo numa boa e, de repente, o clima pode começar a esquentar e, quando perceber, terá começado a discussão. O fato é que desentendimentos são comuns nas amizades. *Amiga/o* não é aquela pessoa que concorda sempre com tudo, então você deverá aprender a enfrentar e superar essas tensões.

Marte em Trânsito pela Casa 12

- FORÇAS ATUANTES: iniciativa, decisão, autonomia, coragem, impulso, vigor e disposição
- ÁREAS DE ATUAÇÃO: espiritualidade, bem-estar psíquico e interiorização

A passagem de Marte pela Casa 12 configura uma experiência de fechamento de ciclo que, no caso desse Planeta, traz a ideia de dar um mergulho profundo no mar de emoções que habitam as regiões obscuras da alma. Nesse momento será importante que você vá mais fundo em si *mesma/o* e reconheça os resultados de uma etapa inteira de lutas, superação de desafios, vitórias e derrotas e sinta como essas experiências foram digeridas emocionalmente.

No entanto, será preciso ir ainda como uma flecha na direção das suas sombras, rompendo a resistência, encarando frente a frente o que está mais escondido em seu interior. Olhe com coragem seus fantasmas, seus medos, sentimentos dos quais você se envergonha e compreenda que você também é tudo isso. Saber enfrentar medos ajuda a acreditar nos desejos.

Fique *atenta/o* em relação à sua intimidade, pois com a impetuosidade do Planeta guerreiro, se não houver cuidado, você poderá ser *invadida/o* na sua privacidade e ter seus segredos revelados. A dica é controlar melhor os impulsos, de modo que não caia na armadilha que desperta a agressividade. Ao se descontrolar, você poderá falar coisas que não gostaria de ouvir de alguém. Será necessário então dizer a verdade, mas, caso seja expressada de forma violenta, você perderá a razão.

É possível também que, num destempero, você seja *atingida/o* por palavras que vão *machucá-la/o* profundamente. O melhor será se resguardar, ficar *quieta/o* no seu canto tentando lidar com suas questões internas.

Júpiter em Trânsito pelas Casas

INTENSIDADE DO TRÂNSITO: 4

A Casa por onde Júpiter estiver transitando ficará sujeita à expansão e ao progresso, além de propiciar a colheita dos frutos semeados anteriormente. Haverá também uma maior proteção em relação aos assuntos tratados nas Casas, e você se sentirá recompensado pelos esforços feitos para alcançar o merecido reconhecimento.

Júpiter percorrerá as doze Casas Astrológicas em aproximadamente doze anos, ou seja, levará um ano em cada uma. Em todo o ciclo você acumulará a sabedoria necessária para o seu desenvolvimento espiritual.

Júpiter em Trânsito pela Casa 1

- FORÇAS ATUANTES: expansão, ampliação da consciência, confiança, proteção, sorte e merecimento
- ÁREAS DE ATUAÇÃO: estilo, autoafirmação, decisões, autoimagem e bem-estar físico

Qualquer Planeta, quando atravessa o Ascendente, marca o começo de um novo ciclo que, no caso de Júpiter, tem a ver com a perspectiva de crescimento e prosperidade.

Um dos atributos importantes representados pelo Astro gigante é o da expansão da consciência. Com esse Trânsito pela Casa 1, você terá mais compreensão do que verdadeiramente é. Será uma oportunidade incomparável para reconhecer o valor da sua singularidade, diferenciando-se de vez dos ideais culturais.

Nesse período, você poderá dar um impulso significativo às iniciativas e decisões que foram empurradas com a barriga, a começar por aquelas mais relevantes e que possam contribuir para a sua autonomia. Aproveitando o fato de estar com a força de vontade em alta, tenha confiança de que será capaz de perseverar no desejo de realizar seus objetivos até alcançá-los.

Nesse momento, você estará mais *apta/o* a cuidar de si *mesma/o* e, quanto mais *centrada/o* estiver nesse propósito, mais potência ficará disponível para dirigir a vida ao seu modo e para depender quase exclusivamente da força do seu querer.

Esse Trânsito será favorável ainda para melhorar a relação com o seu corpo, cuidando dele da forma adequada à sua constituição. A dica é se dedicar a alguma prática física saudável, ousando sair da zona de conforto provocada pelo sedentarismo. Entretanto, se você já tem por hábito se exercitar, essa será uma fase de melhora do seu desempenho e da colheita de bons resultados.

Um cuidado importante que você deve ter nessa época é não ultrapassar seus limites imaginando que consegue assumir tudo *sozinha/o*. Faça o que estiver ao seu alcance sabendo que, no momento, já estará com disponibilidade de ir um pouco mais além do que de costume.

Júpiter em Trânsito pela Casa 2

- FORÇAS ATUANTES: expansão, ampliação da consciência, confiança, proteção, sorte e merecimento
- ÁREAS DE ATUAÇÃO: valores, finanças e recursos

A tendência quando Júpiter transita pela Casa 2 é a de haver prosperidade material, abundância de recursos e fertilidade financeira. Como o Planeta gigante tende a expandir os atributos da área por onde estiver passando, é possível haver também gastos excessivos, ou seja, um consumo além do necessário. A dica é aproveitar bem o dinheiro, mas de modo consciente.

A função desse Trânsito será usar com sabedoria do que você dispõe financeiramente, visando a viver confortavelmente, porém sem desperdícios.

O conselho é valorizar seus talentos para que possa produzir recursos que lhe sejam justos. Você poderá agregar valor ao seu trabalho, semeando o solo em que frutificará uma melhor remuneração no futuro.

Nesse momento você verá a sua estrela da sorte brilhar para *protegê-la/o* materialmente. Caso passe por algum aperto financeiro, poderá contar com os bons ventos que apontarão para o caminho das soluções.

Além disso, um dos melhores investimentos nesse período será em conhecimento ou viagens. Júpiter é o Planeta *das/os mestras/es* da sabedoria. Portanto, não deixe de aproveitar uma parte dos seus recursos para ampliar os horizontes, valorizando o que ficará para sempre na sua memória espiritual.

Júpiter em Trânsito pela Casa 3

· FORÇAS ATUANTES: expansão, ampliação da consciência, confiança, proteção, sorte e merecimento
· ÁREAS DE ATUAÇÃO: estudo básico, viagens curtas, trocas, negociações e relacionamento com pessoas próximas

Esse será um Trânsito interessante pelo fato de Júpiter complementar as experiências da Casa 3 com aquilo que lhe falta, isto é, será uma oportunidade de aprofundar um pouco mais assuntos que, via de regra, são tratados de forma superficial. Também haverá um aumento considerável da curiosidade, ampliando o acesso a mais informações, o contato com um maior número de pessoas e a possibilidade de troca. Será uma boa ocasião para fazer um curso, aprimorar seus conhecimentos, ler mais, aumentar seu leque cultural e buscar interesses diferentes dos que está *habituada/o* a ter no cotidiano.

Apesar disso, se por um lado haverá uma ampliação da consciência de que tudo à volta é interessante; por outro, você poderá se perder nos múltiplos conhecimentos e ficar *sujeita/o* à dispersão. A dica é filtrar o que é mais relevante e útil, deixando para outro momento o restante dos interesses.

A passagem de Júpiter pela Casa 3 despertará ainda o desejo de sair de casa, ver gente e conhecer novos lugares. Dificilmente você se aquietará nesse período, sendo esse um ciclo de muita agitação. Será benéfico aproveitar esse tempo para aumentar o círculo de relações, aproximar-se de parentes, irmãs e/ou irmãos, *vizinhas/os* ou colegas de estudo e de trabalho.

Além disso, sendo a Casa 3 relacionada às boas interações, o Trânsito de Júpiter favorecerá os negócios, os acordos e a mediação de conflitos. Apenas fique *ligada/o* ao excesso de confiança, protegendo-se com regras que assegurem uma ótima negociação.

Júpiter em Trânsito pela Casa 4

- FORÇAS ATUANTES: expansão, ampliação da consciência, confiança, proteção, sorte e merecimento
- ÁREAS DE ATUAÇÃO: família, raízes, passado e casa

A passagem de Júpiter pelo Fundo do Céu marca o começo de um novo ciclo de conexão com seu lar e sua família. A função desse Trânsito será ampliar o contato com sua intimidade e, por isso, haverá um desejo maior de ficar perto dos familiares.

Também haverá mais necessidade de ficar em casa, fazer uma pausa para descansar e se voltar para um canto acolhedor. A propósito, existe a possibilidade de querer expandir o espaço físico da moradia e, até mesmo, mudar de imóvel. A tendência então será a de deixar o recinto arejado e abrir novos ambientes.

No entanto, tão importante quanto a ampliação do local é a dilatação do seu espaço afetivo. Poderá acontecer de crescer a família, ter que receber pessoas ou ficar disponível para cuidar de alguém do círculo familiar.

Também virão à tona experiências e histórias que fazem parte do seu passado e do da sua família. Você colherá os frutos do que foi semeado tempos atrás, verá o resultado da sua educação e da relação com seus pais e ancestrais. Você poderá se apoiar na sua força interior e na proteção das pessoas amadas.

Será ainda tempo de melhorar as condições dos seus relacionamentos, entendendo que o passado é a porta para a construção de um futuro melhor. Será uma oportunidade de resolver problemas com mãe e pai, com *filhas/os* ou com aqueles muito próximos a você.

Júpiter em Trânsito pela Casa 5

FORÇAS ATUANTES: expansão, ampliação da consciência, confiança, proteção, sorte e merecimento

ÁREAS DE ATUAÇÃO: paixão, criatividade, autoestima e *filhas/os*

Com a passagem de Júpiter pela Casa 5, você ficará mais consciente do próprio valor, aumentará a sua autoestima e afirmará o que você tem de melhor no seu jeito de ser e de se expressar. Durante esse período, você se tornará mais *criativa/o*, sentindo-se *autêntica/o*, ou seja, será uma época em que o mais importante será criar-se a si *mesma/o*, definir uma identidade única, destacando-se pelos seus talentos e por aquilo que você verdadeiramente é.

Além disso, a fertilidade criativa poderá indicar a chegada de *uma/um filha/o*, uma obra ou um projeto que seja a sua cara. Seja como for, será uma oportunidade especial para conscientizar-se da importância, por exemplo, da decisão de querer ou não ser mãe/pai de uma criança.

Para quem é artista, esse Trânsito favorecerá o reconhecimento do valor da sua arte. De todo modo, haverá mais paixão para produzir o seu trabalho. E, por falar nisso, o Trânsito de Júpiter pela Casa do amor trará uma chance de você se apaixonar, abrir-se e fazer bater o coração com mais força por alguém que ama.

Ademais, você estará mais *aberta/o* para se divertir, curtir a vida e saberá o que cultivar para se sentir feliz. Será uma época para expandir os horizontes do prazer, o apreço pelas coisas boas da vida e por tudo que trouxer alegria para a alma.

Júpiter em Trânsito pela Casa 6

· FORÇAS ATUANTES: expansão, ampliação da consciência, confiança, proteção, sorte e merecimento
· ÁREAS DE ATUAÇÃO: rotina, produtividade, trabalho, qualidade de vida e saúde

A função da passagem de Júpiter pela Casa 6 é ampliar a consciência do que precisa ser modificado na sua rotina para que você tenha mais quali-dade de vida. Com a escolha por bons hábitos, você viverá de forma mais saudável, sentirá sua organização melhorar e conseguirá produzir com mais eficiência. A dica é manter os cuidados com sua saúde em dia, não deixar de fazer os exames de rotina e consultar *suas/seus* terapeutas caso sinta que algo não está bem.

É possível que você ganhe uma posição melhor no trabalho, fruto do seu bom desempenho e do excelente aproveitamento dos seus talentos. Em todo caso, a passagem de Júpiter pela Casa do trabalho deixará um rastro de sorte merecida que *a/o* ajudará a evoluir profissionalmente.

Em contrapartida, a força de atuação do Planeta gigante sobre sua produtividade poderá se manifestar sob a forma de excessos. Isso ocorrerá caso você sobrestime seu potencial de trabalho produzindo, ao invés de tranquilidade, estresse. Fique, portanto, de olho nos seus limites e faça escolhas baseadas na qualidade e não na quantidade de afazeres. Ao fazer da sua rotina um espaço de rendimento, organização e saúde, você sentirá a satisfação de ter empregado de maneira positiva as suas energias produtivas.

Júpiter em Trânsito pela Casa 7

- FORÇAS ATUANTES: expansão, ampliação da consciência, confiança, proteção, sorte e merecimento
- ÁREAS DE ATUAÇÃO: parcerias, casamento e encontro amoroso

Ao cruzar o Descendente, Júpiter anuncia a chegada de um novo ciclo nos seus relacionamentos, especialmente os amorosos ou de trabalho. No período em que ele transitar pela Casa 7, você terá a oportunidade de dilatar a potência desses encontros, compreendendo melhor o que espera de *uma/ um parceira/o* e vice-versa.

Será a hora de dar mais espaço para que alguma pessoa entre na sua vida. Em consequência disso, você poderá ser *abençoada/o* com a sorte de um bom encontro, desde que não idealize um relacionamento de tal maneira que seja impossível corresponder às suas fantasias. A chegada de alguém nessa fase trará consigo a promessa de prosperidade, seja no amor, seja profissionalmente.

De todo modo, tanto em um novo relacionamento como em uma relação estável, a dica é não ficar na zona de conforto, estimulando o crescimento a *duas/dois*. Você poderá expandir as possibilidades de um casamento ou namoro. Estimule novos projetos, confie na força comum e dê as mãos a quem deseja que caminhe ao seu lado.

Júpiter em Trânsito pela Casa 8

- FORÇAS ATUANTES: expansão, ampliação da consciência, confiança, proteção, sorte e merecimento

- ÁREAS DE ATUAÇÃO: transformação, desapego, perdas, reservas de recurso, aposentadoria e heranças

Como a função de Júpiter em Trânsito é expandir a consciência, ao passar pela Casa 8 você terá a chance de desvendar forças que têm o poder de *regenerá-la/o* de experiências marcadas pela dor da perda. O Planeta gigante servirá como um farol na escuridão, *orientando-a/o* no caminho que *a/o* conduzirá à descoberta da uma enorme riqueza interior. De posse da senha que dá acesso a todo um universo até então desconhecido, você poderá enfrentar com segurança temores, medos, sentimentos reprimidos e desejos não realizados.

Para que amplie a possibilidade de superar as causas das angústias, é provável que nesse período você fique mais sensível às tensões emocionais. Tenha confiança de que elas servirão como alerta e estímulo para sua busca interior. E, ao encontrar as forças curativas, você compreenderá o valor da sua sensibilidade e da sua dor.

O maior ganho desse Trânsito será compreender que tudo se transforma quando você é capaz de mudar o olhar sobre a finitude da vida e das coisas. Será uma grande oportunidade de fazer uma faxina profunda e jogar fora o que não lhe serve mais, dando espaço para um renascimento profundo. Em caso de parcerias profissionais, essa será uma época para colher frutos de investimentos feitos anteriormente ou para a chegada de *uma/um investidora/ investidor*.

Esse Trânsito será igualmente uma ocasião importante para quem precisa lidar com assuntos ligados a aposentadoria, plano de previdência, inventário, pensão, finanças ou para guardar recursos para o futuro.

Júpiter em Trânsito pela Casa 9

- FORÇAS ATUANTES: expansão, ampliação da consciência, confiança, proteção, sorte e merecimento
- ÁREAS DE ATUAÇÃO: viagens longas, estudo superior e autoconhecimento

Júpiter é o regente natural da Casa 9, portanto, potencializará todas as experiências que ela representa, como estudos, viagens, filosofia de vida, autoconhecimento e encontro com *as/os mestras/es*. Nesse momento, nada será melhor do que aproveitar essa chance para viajar tanto geográfica como intelectual ou espiritualmente. Por certo, você dilatará sua visão de mundo e terá mais acesso a saberes que contribuirão para o seu progresso. Essa será uma excelente oportunidade para iniciar um curso, dar impulso aos estudos, dedicar-se a pesquisas ou evoluir academicamente.

Será ainda um período importante para definir um caminho que no futuro será o passaporte para o ingresso em uma carreira bem-sucedida. Os ventos da sorte abrirão as portas que dão acesso ao universo do conhecimento, ao encontro com *uma/um professora/professor* ou a um ideal que servirá como guia para o seu autodesenvolvimento.

Lembre-se de que tanto Júpiter quanto a Casa 9 estão relacionados intimamente ao Elemento Fogo, e que este simboliza a autoconfiança. Nesse caso, o que estará em jogo será você se aprimorar, autoconhecer-se e progredir para se superar. Talvez você se inspire em alguém que admire muito e que poderá *animá-la/o* nessa viagem tão importante que é a sua evolução pessoal.

Júpiter em Trânsito pela Casa 10

- FORÇAS ATUANTES: expansão, ampliação da consciência, confiança, proteção, sorte e merecimento
- ÁREAS DE ATUAÇÃO: carreira, reconhecimento e autorrealização

A passagem de Júpiter pela Casa 10 marcará o início de uma nova etapa profissional. Quando esse Planeta transitar pela décima Casa, você terá mais consciência dos propósitos que guiam seus passos na construção da sua carreira. Assim, poderá afiná-la com objetivos que deem sentido à escalada da montanha das suas realizações e, ao chegar ao topo, você alcançará o merecido reconhecimento.

Esse poderá ser um momento de plenitude profissional para quem já trilhou um longo caminho até então. Para aqueles que estiverem no começo da jornada, Júpiter premiará com um grande impulso e oportunidade de crescimento. De todo modo, você verá o brilho da sua estrela da sorte iluminar o seu caminho, *ajudando-a/o* a progredir e, principalmente, a confiar nas suas competências e na capacidade de fazer um uso generoso das suas responsabilidades.

Além disso, também se conscientizará da parte que lhe cabe na construção dos alicerces sociais. Aliás, você se sentirá bem mais *disposta/o* a assumir o compromisso de deixar um legado para as futuras gerações. Será uma experiência altamente gratificante, que *a/o* fará exercer sua profissão de peito aberto, de forma solidária, gerando cada vez mais prosperidade para si e para as demais pessoas.

Júpiter em Trânsito pela Casa 11

· FORÇAS ATUANTES: expansão, ampliação da consciência, confiança, proteção, sorte e merecimento
· ÁREAS DE ATUAÇÃO: amizade, ações coletivas e ideais sociais

Nesse período, você será *gratificada/o* com boas amizades, com a certeza de que não está só no mundo e que poderá contar sempre com a solidariedade dos outros. Do mesmo modo, você estará bem mais *generosa/o* em relação *às/aos suas/seus amigas/os*, aos encontros sociais e às trocas com sua equipe de trabalho.

Você se sentirá ainda *estimulada/o* a sair de casa, procurar lugares onde possa encontrar pessoas e fazer parte do universo social. Aliás, a ideia é ir além das fronteiras que definem os ideais que, em geral, agregam pessoas em grupos fechados. Ao abrir seus horizontes, você terá a oportunidade de conviver melhor com as diferenças e se conscientizar de outros anseios sociais.

Será uma chance trazida por Júpiter de plantar uma semente no terreno coletivo e confiar que, um dia, sem nem saber onde, haverá uma ótima colheita. A passagem de Júpiter pela Casa *das/os amigas/os* alargará sua consciência de que o mundo não se resume apenas a você e não gira em torno do seu próprio umbigo. Você perceberá que nessa época tudo funcionará muito melhor em conjunto e que a força coletiva é bem maior do que a individual.

Júpiter em Trânsito pela Casa 12

· FORÇAS ATUANTES: expansão, ampliação da consciência, confiança, proteção, sorte e merecimento
· ÁREAS DE ATUAÇÃO: espiritualidade, bem-estar psíquico e interiorização

Por Júpiter ser um dos regentes da Casa 12, durante esse período haverá uma sintonia com as experiências relacionadas a ela. Essa Casa é tradicionalmente a que trata da espiritualidade, ou seja, do bem-estar da alma. A passagem do Planeta gigante pela área do seu Mapa Natal que representa o seu universo interior servirá tanto como fogo que aquece as regiões sombrias quanto como um facho de luz que traz à consciência medos, temores e fantasmas que lá habitam. A grande bênção de Júpiter durante esse Trânsito será compreender o que sua alma precisa para alcançar equilíbrio e tranquilidade. Para isso, você terá sua sensibilidade e intuição amplificadas, encontrando caminhos que a razão não seria capaz de enxergar.

Você também estará mais *sujeita/o* a absorver e ser *afetada/o* pelas energias que circulam à sua volta. Todavia, a ação protetora de Júpiter *a/o* ajudará a neutralizar qualquer efeito negativo que elas possam vir a produzir.

Será uma época favorável para se dedicar às práticas espirituais, mas, sobretudo, para aprender a reconhecer a grandeza que há na solidão. Talvez esse seja o maior recado deixado por Júpiter durante a sua passagem pela Casa que está associada ao recolhimento, à introspecção e à riqueza interior.

Saturno em Trânsito pelas Casas

INTENSIDADE DO TRÂNSITO: 4

Na Casa Astrológica na qual Saturno estiver transitando você reconhecerá os seus limites relativos aos assuntos associados a ela, e terá a oportunidade de podar os excessos que possam estar pesando sobre os seus ombros. Também será durante esse Trânsito que você assumirá mais responsabilidades, aprenderá a superar desafios e frustrações e alcançará um significativo amadurecimento.

Um ciclo completo de Saturno pelas Casas leva em torno de trinta anos, o tempo necessário para que você aperfeiçoe sua experiência em cada uma das áreas da vida representadas por elas.

Saturno em Trânsito pela Casa 1

- FORÇAS ATUANTES: organização, disciplina, perseverança, responsabilidade, prudência e previsão
- ÁREAS DE ATUAÇÃO: estilo, autoafirmação, decisões, autoimagem e bem-estar físico

A entrada de Saturno na Casa 1 assinala o começo de um novo ciclo, e o pontapé inicial será conferir a quantas anda a confiança que deposita sobre si *mesma/o*. Você será *posta/o* à prova quanto à imagem que faz de si e os efeitos que ela produz na sua autoestima. Será um tempo destinado a trabalhar no que for possível para que se torne aquilo que verdadeiramente é, descartando tudo que está grudado na sua identidade e que engessa a sua liberdade de expressão.

A bem da verdade, a criança narcísica que ainda existe em você será obrigada a amadurecer. Ao mesmo tempo, a sensação que surgirá desse processo é a de que você estará sendo *devolvida/o* à sua essência.

Depois de dados os primeiros passos, será a fase de fazer contato com o corpo e verificar o que tem sido feito para mantê-lo saudável. Também será importante sentir se há ou não contentamento com a aparência física, isto é, como você se sente na própria pele. A função de Saturno será organizar seu corpo de maneira que você esteja bem de saúde e que possa afirmar sua singularidade, livrando-se das influências produzidas pelos ideais culturais. A dica é aproveitar esse período para se cuidar tanto fisicamente quanto em relação à afirmação da sua identidade.

Durante esse Trânsito, haverá uma propensão a repetir padrões crônicos de comportamento. Por isso, qualquer decisão no momento exigirá reflexão e prudência para que você possa distinguir o que é um ato automático do que é realmente seu desejo.

Saturno em Trânsito pela Casa 2

· FORÇAS ATUANTES: organização, disciplina, perseverança, responsabilidade, prudência e previsão
· ÁREAS DE ATUAÇÃO: valores, finanças e recursos

A primeira atitude a ser considerada quando Saturno ingressa na Casa 2 é tomar pé dos gastos e do quanto você produz, verificando se sua balança financeira está equilibrada. Conforme o resultado, esse será o momento ideal para corrigir falhas, economizar no que for possível e se organizar para melhorar sua estabilidade material. De todo modo, você ficará mais realista para lidar com seus recursos, será mais prudente no consumo e fará mais esforços para garantir seu equilíbrio financeiro.

Aproveite para fazer então uma previsão das despesas e tente adequá-las à sua realidade. Feito isso, você poderá tomar algumas decisões importantes que garantirão um futuro próspero. Durante a passagem do deus do tempo pela Casa das finanças, é provável que você se preocupe com o que virá pela frente. No entanto, fica o alerta de que o receio deve servir como providência, e não como força paralisadora.

Quanto aos seus investimentos, Saturno pede prudência. Não importa o que deseje comprar, o recomendável é verificar se o produto tem garantia, se não é falsificado e se está com o preço justo. "O seguro morreu de velho" é o lema do Planeta dos anéis.

Saturno em Trânsito pela Casa 3

· FORÇAS ATUANTES: organização, disciplina, perseverança, responsabilidade, prudência e previsão
· ÁREAS DE ATUAÇÃO: estudo básico, viagens curtas, trocas, negociações e relacionamento com pessoas próximas

Quando Saturno atravessa a Casa que é só movimento, a primeira providência a ser tomada é cuidar da sua organização mental. Sem ela, certamente você se atrapalhará. Trabalhe a sua concentração para obter um bom aproveitamento do que essa área tem a oferecer, isto é, ar para respirar e liberdade de ir e vir.

A prudência, que é uma das grandes qualidades de Saturno, deverá ser adotada nas suas ações. Verifique se não esqueceu algo antes de sair, se seus documentos estão em ordem quando for viajar e se consultou a agenda antes de marcar um novo compromisso. O importante então será que você respeite a realidade e os limites do tempo e do espaço.

Uma grande exigência de Saturno ao transitar pela Casa 3 é que você fique em dia com as informações. Invista um tempo em uma boa leitura, selecione as notícias que *a/o* manterão bem *informada/o*, visite lugares culturais e troque ideias com pessoas interessantes. Mas, veja bem, no mundo de Saturno pouco é muito. O que vale é a qualidade, jamais a quantidade. Portanto, enxugue tudo que não é interessante, focando o que realmente lhe interessa.

Quanto à comunicação, assunto tratado igualmente na Casa 3, também vale pensar que menos é mais. Fale o necessário para ser melhor *compreendida/o*, corrija erros de linguagem e ponha em dia assuntos que ficaram pendentes e que nesse momento apresentam a conta. A propósito, nesse período será preciso passar a limpo questões não resolvidas que envolvam parentes próximos, irmãs e irmãos, *vizinhas/os*, colegas de estudo ou de trabalho. Dadas as soluções, você solidificará seus relacionamentos ou criará a distância necessária para não cair novamente em repetições.

Saturno em Trânsito pela Casa 4

- FORÇAS ATUANTES: organização, disciplina, perseverança, responsabilidade, prudência e previsão
- ÁREAS DE ATUAÇÃO: família, raízes, passado e casa

Ao atravessar o Fundo do Céu, Saturno dará início a um novo ciclo doméstico e familiar. Um bom jeito de dar o primeiro passo nessa etapa será colocando ordem na casa, no quarto ou no escritório. Seja qual for a natureza do espaço, você se sentirá melhor em lugares organizados, onde poderá encontrar rapidamente o que precisa, mas, principalmente, sentir que a ordem externa reflete a sua organização interna e vice-versa. Será ainda um tempo de ocupar ambientes não aproveitados ou, se for necessário, mudar-se para um local menor.

A bem da verdade, a passagem de Saturno pela Casa dita das raízes sugere que você afirme sua história, de onde você veio, o lugar onde nasceu ou cresceu. Será uma época de resgates, de rever o passado e passar a limpo o que ficou malparado. Você prestará contas do que foi posto debaixo do tapete e, enquanto não o fizer, sentirá um peso sobre os ombros.

A propósito, a relação familiar é um dos componentes mais importantes na liquidação dessas faturas. Será um momento de reconciliação, mas também de afastamentos. A dura realidade representada por Saturno baterá à porta dos seus relacionamentos íntimos. O segredo é se responsabilizar pelo que lhe cabe e aceitar as limitações ou dificuldades das pessoas. Você se dará conta de como é importante ter uma família, ter com quem contar, um canto para acolher e ser *acolhida/o*.

Saturno em Trânsito pela Casa 5

- FORÇAS ATUANTES: organização, disciplina, perseverança, responsabilidade, prudência e previsão
- ÁREAS DE ATUAÇÃO: paixão, criatividade, autoestima e *filhas/os*

A primeira incumbência de Saturno ao transitar pela Casa 5 é a de regular o ego. Tenha em mente que será uma fase de testes para a autoestima. Seja por causa de um excesso, seja pela falta de consideração do seu próprio valor, o período se prestará para que você chegue ao equilíbrio.

É possível que durante esse Trânsito haja alguma dificuldade de acreditar em si por causa do desconhecimento do que há de especial em você. O segredo é exercitar a criatividade e compreender que ser original também dá trabalho.

Todavia, a experiência que mais será posta à prova é a do amor. Saturno não é um Astro dado a grandes paixões. Em contrapartida, por onde transita o deus do tempo, ele impõe seriedade. Nesse momento você compreenderá que, para além da paixão, o amor precisa também ser construído passo a passo, tijolo por tijolo. A princípio, essa fase poderá parecer um pouco dura, mas, com o passar do tempo, você se sentirá mais *segura/o* e mais *madura/o* para abrir o coração verdadeiramente para alguém, um projeto ou a chegada de uma criança.

A propósito, durante o Trânsito de Saturno pela Casa *das/os filhas/os* você poderá encarar a maternidade ou a paternidade de forma realista e responsável. Você também será *posta/o* à prova na forma como lida com *filhas/os*, crianças ou adolescentes. A bem da verdade, aquilo que em você ainda é criança deverá amadurecer nos tempos em que Saturno reinar pela Casa 5.

Saturno em Trânsito pela Casa 6

· FORÇAS ATUANTES: organização, disciplina, perseverança, responsabilidade, prudência e previsão
· ÁREAS DE ATUAÇÃO: rotina, produtividade, trabalho, qualidade de vida e saúde

Temos aqui uma Casa que combina muito com as exigências do deus do tempo. Durante esse período, será maior a necessidade de disciplinar sua rotina e se organizar de tal modo que as tarefas cotidianas possam ser cumpridas com eficiência e, principalmente, sem estresse.

A propósito, a grande prova imposta por Saturno quando transita pela Casa 6 será a da qualidade de vida e, caso você esteja *atordoada/o* com o dia a dia, esse será o momento certo para repousar e repensar seus costumes, além de cuidar da sua saúde. Não haverá época melhor para dar fim a um hábito que é nocivo ao seu bem-estar. Ainda que dar o primeiro passo para pôr tudo em ordem seja um pouco mais trabalhoso do que em qualquer outro período, a promessa desse Trânsito é a de que você possa vir a perseverar nos seus objetivos.

Aliás, também no trabalho será necessário se organizar e igualmente resolver pendências para poder ir mais adiante. Não adianta ficar *esbaforida/o*, virar a noite trabalhando e depois perceber que a partir de determinado momento já não produziu com qualidade. Além do mais, pagará um preço alto por ter consumido suas energias além do limite. Será preferível então trabalhar menos e com eficiência, prezando ao mesmo tempo o bom resultado e a manutenção da saúde.

Saturno em Trânsito pela Casa 7

- FORÇAS ATUANTES: organização, disciplina, perseverança, responsabilidade, prudência e previsão
- ÁREAS DE ATUAÇÃO: parcerias, casamento e encontro amoroso

Como em todos os Trânsitos por essa Casa angular, a entrada de Saturno pela Casa 7 marca o início de um novo ciclo nos relacionamentos, especialmente se for uma relação amorosa ou uma parceria de trabalho. Quando o senhor do tempo atravessa essa Casa, você poderá compreender que a outra pessoa não é uma mera extensão do seu desejo. Será preciso acolhê-la como ela é, sem fantasias nem expectativas, mas com os pés fincados no chão e com o coração focado na realidade.

Esse poderá ser um grande divisor de águas, e a forma como o Trânsito se manifestará vai depender do modo como você enfrenta os desafios de um relacionamento. Quanto mais madura e estável for uma relação, mais consolidada ela ficará. Entretanto, se você estiver às voltas com experiências repetitivas que não se resolvem, será a hora de abrir o jogo e tomar as providências cabíveis para solucionar definitivamente os problemas.

Você terá então a oportunidade de conduzir melhor as neuroses, os medos e as limitações da experiência a *duas/dois*. As falhas ficarão mais evidentes, impondo uma pressão maior para que não se prolonguem por mais tempo. No entanto, lembre-se de que não haverá mais tempo a perder com banalidades que só servem para esconder o que de fato deve ser considerado e resolvido. No caso de conflitos mais graves, o mais provável será que o relacionamento se encerre. Todavia, se os esforços para superá-los produzirem bons resultados, você terá uma relação madura, sólida e com a promessa de longa durabilidade.

Saturno em Trânsito pela Casa 8

- FORÇAS ATUANTES: organização, disciplina, perseverança, responsabilidade, prudência e previsão
- ÁREAS DE ATUAÇÃO: transformação, desapego, perdas, reservas de recurso, aposentadoria e heranças

A Casa 8 é uma Casa de despedida, limpeza e desapego, enquanto Saturno é o Planeta dos cortes. Há, portanto, um paralelo entre os dois simbolismos. Saturno cortará o desnecessário, mas igualmente o que não está sob o seu controle e porá à prova tanto a sua resistência a perdas quanto a sua capacidade de se reinventar.

Será uma experiência de esvaziamento e a oportunidade de fazer uma limpeza profunda no que se acumulou dentro e fora de você. O grande aprendizado será não se apegar, facilitando términos e o contato com a finitude da vida e das coisas. A bem da verdade, você aprenderá a não ficar mais refém do temor das separações e das perdas.

Além disso, também suas finanças deverão passar pelo teste da estabilidade e da providência. A passagem de Saturno pela Casa 8 exigirá que seja prudente financeiramente e que, se possível, faça reservas para superar eventuais desequilíbrios no futuro. Será tempo de não arriscar, e sim cortar gastos desnecessários.

Ademais, também a relação com a sexualidade passará por momentos de revisão e afirmação, quebrando a barreira dos tabus e fazendo você se entregar com a segurança que Saturno exige. Nesse período, você deverá se aprofundar nos seus desejos e ser muito *honesta/o* em relação ao que é ou não prazeroso no seu ponto de vista.

Saturno em Trânsito pela Casa 9

- FORÇAS ATUANTES: organização, disciplina, perseverança, responsabilidade, prudência e previsão
- ÁREAS DE ATUAÇÃO: viagens longas, estudo superior e autoconhecimento

As experiências associadas à Casa 9 têm características muito distintas das de Saturno. Assim, os assuntos relacionados à expansão dos horizontes e à vontade de ir mais longe serão submetidos às duras regras da retração e da economia. Começando pelos estudos, essa será uma época de pôr à prova a perseverança que uma pesquisa, um curso ou uma faculdade exigem. A disciplina será altamente necessária para que você obtenha bons resultados em trabalhos acadêmicos. O segredo é otimizar seu tempo, não ter pressa e caminhar passo a passo. Provavelmente, será preciso abrir mão de algumas coisas para que se cumpram os prazos.

A necessidade de aprimorar seu conhecimento é uma das condições impostas pela passagem de Saturno pela Casa dos estudos. Verifique se há alguma falha na sua formação intelectual, se não está na hora de retomar o aprendizado de uma língua ou se profissionalmente você está *atualizada/o*.

Em relação a viagens, a primeira providência será planejá-las com antecedência e respeitar os limites de duração e custos. Faça o que está ao seu alcance, o que já estará de bom tamanho para uma fase em que a exigência é a de não exagerar. Paradoxalmente, você poderá receber um chamado que *a/o* leve para lugares distantes, mas que tenha um foco objetivo. Este poderá ser profissional ou, especialmente, espiritual.

Nesse Trânsito, você cumprirá uma missão que representará uma importante evolução para o seu autoconhecimento.

Saturno em Trânsito pela Casa 10

· FORÇAS ATUANTES: organização, disciplina, perseverança, responsabilidade, prudência e previsão
· ÁREAS DE ATUAÇÃO: carreira, reconhecimento e autorrealização

Por ser Saturno o Planeta que rege naturalmente a Casa 10, o seu Trânsito por ela reforçará as experiências, expectativas e os investimentos relacionados à vida profissional. E, como ocorre sempre que um Astro cruza o Meio do Céu, será o começo de um novo ciclo, não sem antes verificar a quantas anda o seu projeto de carreira e a relação com o trabalho. Evidentemente que toda e qualquer análise relacionada à Casa 10 deve levar em consideração em que etapa da vida você se encontra. Se for jovem, será um momento de grandes reflexões acerca das ambições profissionais. Entretanto, se já estiver em uma idade avançada, esse Trânsito falará de projetos para o futuro e desejos que ainda pretende realizar. Caso não esteja *afinada/o* com algum objetivo que dê sentido ao que faz, será a chance de parar e repensar o rumo que você pretende dar à sua carreira.

A propósito, o ideal nesse período será diminuir o ritmo, cortar o excesso de cobiça e investir na qualidade da sua produção. Se houver sobrecarga além do que é capaz de suportar, a função da foice do deus do tempo é podar para revitalizar e crescer saudável.

Por fim, havendo energia e tempo para ir mais adiante, esse Trânsito poderá ser marcado pela oportunidade de assumir responsabilidades que abrirão portas para um maior reconhecimento das suas habilidades profissionais.

Saturno em Trânsito pela Casa 11

- FORÇAS ATUANTES: organização, disciplina, perseverança, responsabilidade, prudência e previsão
- ÁREAS DE ATUAÇÃO: amizade, ações coletivas e ideais sociais

A passagem de Saturno pela Casa 11 será um chamado para a responsabilidade social, para que você assuma a parte que lhe cabe na sociedade como um todo. Você será *cobrada/o* a fazer alguma coisa pelas outras pessoas, a participar de atos ou atividades que envolvem grupos, e a colaborar com o bem-estar coletivo. Será a hora de compreender que você e toda a humanidade estão no mesmo barco, que não está *sozinha/o* e que o problema de *uma/um* é o problema de *todas/os*. Muitas vezes o despertar dessa consciência advém da experiência de fazer parte de uma classe não privilegiada. Lembre-se de que Saturno é o corte para a realidade, que, no caso, tem a ver com enxergar melhor as discriminações e os preconceitos sociais.

Outra manifestação desse Trânsito será aprender a construir amizades sólidas. Será possível resgatar pessoas das quais você se encontra *afastada/o*, mas também cortar relações que são superficiais, portanto dispensáveis nesse momento de responsabilidade com *suas/seus amigas/os*. Você provavelmente chegará à conclusão de que é preferível ter poucas amizades, porém consistentes, a se relacionar com muitas pessoas com as quais não pode contar.

É provável ainda que *uma/um amiga/o* nesse período precise da sua presença por estar passando por alguma dificuldade e vice-versa. Essas serão as provas de amizade. Um dos grandes aprendizados com esse Trânsito será compreender que seus ideais para o futuro devem visar ao bem das próximas gerações. A responsabilidade com o seu futuro é também a responsabilidade com o de todos os demais seres deste Planeta.

Saturno em Trânsito pela Casa 12

· FORÇAS ATUANTES: organização, disciplina, perseverança, responsabilidade, prudência e previsão
· ÁREAS DE ATUAÇÃO: espiritualidade, bem-estar psíquico e interiorização

Durante o tempo em que Saturno transitar pela Casa 12, você viverá o fim de um grande ciclo e, para aproveitar tudo o que o momento oferecer, comece por colocar em ordem sua vida interior. Feito isso, o próximo passo será verificar o que está pendente no trabalho, num relacionamento, numa negociação financeira ou na dedicação a uma prática espiritual. Resgate o que ficou pelo meio do caminho, que foi abandonado, mas que ainda faz reverberar o seu desejo. Preste contas a si *mesma/o* de tudo o que é relevante para o seu bem-estar espiritual e se dedique a resolver o que estiver fora do compasso.

A propósito, esse será um período para pôr à prova a sua espiritualidade, para compreender que existe uma realidade que foge ao alcance da racionalidade. Aproveite essa fase para investir nas práticas que beneficiem o seu espírito. Dessa maneira, você enfrentará com tranquilidade uma das mais importantes experiências relacionadas à essa Casa, que é a de não depender de fatores externos para ser feliz. Você compreenderá que há paz na solidão e que poderá contar com sua riqueza interior para lhe acompanhar por onde quer que vá.

Urano em Trânsito pelas Casas

INTENSIDADE DO TRÂNSITO: 3

A Casa por onde Urano transitar estará sujeita a diversas inovações, mas igualmente a acontecimentos imprevisíveis e instabilidade. Durante esse movimento, você promoverá a ruptura de antigos padrões e renovará o modo de lidar com as questões representadas nos respectivos setores. Além disso, as experiências relacionadas às características de cada Casa serão ferramentas importantes para a conquista da sua liberdade.

Um ciclo completo do Trânsito de Urano pelas doze Casas leva em torno de 84 anos, e o Planeta ficará, portanto, em torno de sete anos em cada uma delas. Será o tempo necessário para que toda e qualquer área da sua existência dê uma grande guinada.

Urano em Trânsito pela Casa 1

- FORÇAS ATUANTES: renovação, inquietude, revolução e ruptura
- ÁREAS DE ATUAÇÃO: estilo, autoafirmação, decisões, autoimagem e bem-estar físico

Sempre que um Astro cruza o Ascendente, ele deixa a marca divisória do fim de um ciclo e começo de um novo, e, no caso de Urano, mudanças radicais servirão como um grande divisor de águas.

Quando esse Planeta transitar pela Casa 1, muito do que acredita cairá por terra, e sua personalidade mudará de tal maneira que nem você nem as outras pessoas *a/o* reconhecerão. Você modificará o seu jeito de ser no mundo, a forma de se expressar e o modo como lida com seu corpo. Uma das primeiras sensações provocadas por esse Trânsito será a de sentir sua autoconfiança abalada, ou melhor, chacoalhada pelas tempestades que você *mesma/o* produzirá em certas ocasiões desse período, que serão necessárias para sua própria renovação. A bem da verdade, você precisará se reinventar para se aproximar mais do que verdadeiramente é.

Outro aspecto importante é a emergência por liberdade, talvez uma das transformações mais significativas a serem vividas. Entretanto, livrar-se do próprio ego, da imagem que você faz de si, será o grande passo para alcançá-la.

Nesse Trânsito ainda você verá acontecer mudanças importantes no seu corpo e na maneira como cuida do seu bem-estar físico. Será um momento excelente para se desfazer da imagem idealizada de um corpo que não é o seu. Essas transformações poderão ser provocadas por alterações na saúde ou pelo simples fato de não suportar mais o estresse ao qual está *condicionada/o*.

Urano em Trânsito pela Casa 2

- FORÇAS ATUANTES: renovação, inquietude, revolução e ruptura
- ÁREAS DE ATUAÇÃO: valores, finanças e recursos

Esse Trânsito servirá principalmente para que você encare a posse de recursos como uma condição para ser livre. A independência financeira será um dos mais importantes tópicos dos anos em que Urano estiver passando pela Casa 2. Entretanto, para que tal liberdade seja alcançada, mudanças radicais balançarão o cenário financeiro e você passará a questionar o valor do seu trabalho.

A função desse Trânsito será essencialmente *libertá-la/o* dos antigos valores materiais, e a tendência será que logo no começo desse período você perceba os sinais de que algo está para se transformar. Muita coisa diferente poderá acontecer, e as surpresas poderão tanto ser positivas quanto negativas. Semelhante às tempestades, a vida se renovará, não sem antes deixar alguns estragos.

Nada ficará como antes depois da passagem de Urano pela Casa que representa os meios de produção material. Você poderá até mesmo descobrir novos talentos para produzir seus recursos.

O grande segredo dessa temporada é seguir suas intuições e não deixar passar as oportunidades que apontem para o seu progresso financeiro.

Urano em Trânsito pela Casa 3

· FORÇAS ATUANTES: renovação, inquietude, revolução e ruptura
· ÁREAS DE ATUAÇÃO: estudo básico, viagens curtas, trocas, negociações e relacionamento com pessoas próximas

Tanto Urano quanto a Casa 3 estão relacionados ao Elemento Ar, e, portanto, a inquietude por respirar novos ares estará altamente amplificada durante os anos em que vigorar esse Trânsito. Para atender à demanda por renovação dos interesses, mudanças de bairro, de cidade ou do meio que você está acostumado a frequentar surgirão de repente. A força de Urano atuará de forma surpreendente, mas alguns sinais serão emitidos. Para captá-los, basta que você esteja com a intuição apurada. Essa também será uma novidade nesses tempos, ou seja, você abrirá a mente para conexões não racionais.

E, por falar nisso, você sentirá mudanças radicais na forma de se expressar. Ideias completamente diferentes das já conhecidas atravessarão seu caminho, alterando o foco de seus interesses. Além disso, será uma fase de muita agitação. Quando você menos esperar, estará num aeroporto ou numa estrada rumo a novas direções. Será um ir e vir constante, fruto do desejo de diversificar.

Outra grande revolução poderá acontecer no seu relacionamento com parentes próximos, *primas/os* e *irmãs/ãos*. Você se libertará de questões associadas a *elas/es* que estavam pendentes ou que não deixavam fluir as boas trocas.

Já que o assunto dessa Casa é informação, será hora de aproveitar o passar desses anos e começar um novo curso, mudar de escola ou deixar para lá os estudos que não têm mais nada de interessante a oferecer.

Urano em Trânsito pela Casa 4

· FORÇAS ATUANTES: renovação, inquietude, revolução e ruptura
· ÁREAS DE ATUAÇÃO: família, raízes, passado e casa

A passagem de Urano pelo Fundo do Céu marcará o começo de um ciclo transformador no cenário familiar. Durante os anos em que esse Astro transitar pela Casa 4, eventos evidenciarão um período no qual as bases que sustentam a sua estabilidade emocional serão sacudidas. Sentimentos que envolvem as pessoas do seu relacionamento íntimo igualmente entrarão numa espécie de montanha-russa, trazendo revoluções e renovação nos padrões em que essas relações estão moldadas.

É provável que você seja *pega/o* de surpresa por uma mudança de casa, de cidade ou até mesmo de país. Ademais, situações que você não imaginava que pudessem ocorrer dentro da sua casa ou da sua família, nesse ciclo, acontecem. Tudo será possível quando se trata de Urano, o Planeta que gira diferente de todos os demais. A mensagem que ele trará diz respeito à renovação familiar, íntima e emocional.

Outro fator importante a ser considerado é a renovação das experiências passadas. Antes de tudo, você sentirá a necessidade de se libertar de lembranças e elos que mais aprisionam do que nutrem a sua alma. Será uma revitalização do seu celeiro de recordações com todas as reformas às quais ele tem direito. Com todo o movimento gerado pelas tempestades emocionais, certamente você virará a página e arrumará a sua casa física ou emocional de maneira totalmente distinta da habitual. Essa será uma das mais radicais e verdadeiras despedidas do seu passado.

Urano em Trânsito pela Casa 5

· FORÇAS ATUANTES: renovação, inquietude, revolução e ruptura
· ÁREAS DE ATUAÇÃO: paixão, criatividade, autoestima e *filhas/os*

Ao atravessar a Casa 5, Urano promoverá a libertação da vaidade, dos excessos do ego e das questões que afligem a autoestima. No começo desse Trânsito, é bem provável que você fique com a autoconfiança abalada. Você questionará se está com a bola toda ou se é justo achar que não vale muita coisa. A bem da verdade, a mexida nos valores representados por essa Casa renovarão completamente a noção que você tem de si *mesma/o*, dando novas chances de criatividade e formas de autoexpressão, ou seja, você poderá descobrir que existem outras maneiras de se colocar no mundo e de afirmar a sua identidade.

Outra experiência importante será a revolução que envolverá a sua relação com o prazer. Já que Urano tem a função de ser um reformador, durante esses anos haverá bastante tempo para renovar seu estoque de entretenimentos, alegria e bom humor.

As mesmas revoluções deverão ocorrer quando vivenciar um encontro apaixonado. Um amor poderá *deixá-la/o* de cabeça para baixo e mudar completamente sua visão de realidade. Ainda que sejam sentimentos que chacoalham a alma, certamente também serão libertadores. Inclui-se nesses amores o relacionamento com *filhas/os*, crianças e adolescentes, que, nesse período, virão como *mensageiras/os* dos novos tempos.

Urano em Trânsito pela Casa 6

· FORÇAS ATUANTES: renovação, inquietude, revolução e ruptura
· ÁREAS DE ATUAÇÃO: rotina, produtividade, trabalho, qualidade de vida e saúde

Urano não é exatamente um Astro que tem coisas em comum com a Casa 6, portanto, a sua passagem por ela gerará, mais do que em qualquer outra, uma grande estranheza. A sua função será revolucionar uma área que funciona à base de disciplina, organização e método. No começo, é possível que você vacile em horários e compromissos, mas, com o passar do tempo, entenderá que será o momento de renovar os pactos com os rituais cotidianos e afazeres. A ideia é que consiga se libertar de hábitos que possam ser prejudiciais à saúde, que sejam geradores de estresse e que, no fim das contas, em nada colaborem para sua boa produtividade. Ao longo desse Trânsito, você mudará ainda radicalmente seus conceitos de saúde.

A propósito, uma grande transformação ocorrerá em relação a trabalho e, é claro, não sem algumas tempestades imprevistas que agitarão as atividades profissionais. Você sentirá os sinais de que alguma reviravolta está por acontecer, mas, quando ocorrer, será uma surpresa. Caso esteja *insatisfeita/o* com o trabalho, será então a ocasião para buscar outro. No entanto, mesmo que haja urgência, tenha calma nas decisões. Haverá bastante tempo para implementar uma renovação completa no seu cenário profissional. A missão revolucionária de Urano na Casa 6 será *libertá-la/o* de um trabalho que nada tem a ver com você para que, no futuro, consiga produzir com qualidade e viver com saúde.

Urano em Trânsito pela Casa 7

· FORÇAS ATUANTES: renovação, inquietude, revolução e ruptura
· ÁREAS DE ATUAÇÃO: parcerias, casamento e encontro amoroso

Ao cruzar o Descendente, Urano deixará o marco divisório de uma grande revolução na esfera afetiva ou nas parcerias de trabalho. As sacudidas às quais um relacionamento estará sujeito provocarão necessariamente a ruptura dos antigos padrões a que ele estava submetido. Dependendo da solidez da relação, as mudanças ocorrerão para que se renove ou podem ocasionar a separação. Entretanto, o prazo para remexer o que necessita ser modificado será longo, e, se não houver nenhuma situação emergencial, o ideal será descobrir meios para reinventar o namoro, o casamento ou a sociedade.

Todavia, não pense que se você estiver *solteira/o* esse Trânsito não atuará. Os questionamentos sobre o modo como você tem conduzido a vida afetiva até então ficarão mais ativos do que nunca. Será hora de conhecer gente nova, quebrar os seus ideais de relacionamento amoroso e deixar de projetar suas fantasias em alguém que não existe. Será uma época de se livrar dos tabus, experimentar o que você nunca esperou viver e acolher uma pessoa diferente de todas as outras que já desejou. Você compreenderá que *a/o parceira/o* não é uma extensão do seu ego, *libertando-a/o* para um verdadeiro encontro.

Urano em Trânsito pela Casa 8

· FORÇAS ATUANTES: renovação, inquietude, revolução e ruptura
· ÁREAS DE ATUAÇÃO: transformação, desapego, perdas, reserva de recursos, aposentadoria e heranças

Há características em comum entre Urano e a Casa 8 e, entre elas, o espírito de transformação. Porém, na mitologia, Urano é o Céu estrelado e tem a ver com o Cosmos, enquanto a Casa 8 se refere às regiões profundas e obscuras, aquelas que a nossa visão não alcança. As mudanças referentes à Casa 8 são internas, ao passo que as de Urano vêm de fora, como um raio que corta o Céu por ele representado e atravessa a superfície, abrindo uma fenda que revela a riqueza do mundo interior. Ao acessar esse universo rico de emoções e temores, você sentirá sua força agitar o que havia sido posto debaixo do tapete, pois esse será o tempo para libertar seus fantasmas e quebrar tabus e preconceitos que influenciam sorrateiramente seus valores e suas ações.

A propósito, o grande fantasma da morte poderá ser liberado, deixando de ser o senhor das suas escolhas. Você aprenderá a não se apegar, a se reinventar a partir dos fins, e verá que o melhor é se entregar inteiramente às experiências da vida, sem ser refém do medo da perda.

Nesse período você sentirá, logo de cara, suas entranhas psíquicas começarem a se remexer. Serão sinais anunciando a erupção de um vulcão. Os sentimentos armazenados que forem atingidos pela força do Planeta rebelde serão libertados, e você perceberá as transformações interiores acontecendo. Todavia, como a energia liberada tem um componente agressivo, a dica é ter paciência e, no mínimo, afastar quem estiver por perto para não ser atingido pelo seu magma emocional.

Como a Casa 8 também representa as reservas materiais para os momentos de emergência, essa será a época em que você talvez mais precise delas, já que Urano provocará uma tempestade nas suas finanças. Mais uma vez, será o deus do firmamento apontando para o desapego.

Urano em Trânsito pela Casa 9

- · FORÇAS ATUANTES: renovação, inquietude, revolução e ruptura
- · ÁREAS DE ATUAÇÃO: viagens longas, estudo superior e autoconhecimento

A partir do ingresso de Urano na Casa 9 e por todos os anos que ele permanecerá por lá, seus sonhos e ideais passarão por mudanças radicais. Você embarcará em viagens filosóficas, espirituais e de autoconhecimento que abrirão novos caminhos para o seu desenvolvimento pessoal. Poderá ser a chegada de *uma/um professora/professor* ou *mestra/e* que apontará as novas direções e modificará o seu jeito de pensar a vida. Você terá a oportunidade de romper com os princípios que lhe foram impostos e seguir os que verdadeiramente tenham a ver com sua essência.

Por falar em aprendizado, essa será uma época de inúmeras tempestades nas suas atividades intelectuais. Será aquele tempo em que você descobrirá novos interesses e poderá mudar de faculdade ou começar um novo curso que, aparentemente, não terá nada a ver com o que você é ou faz. A bem da verdade, serão esses novos conhecimentos que farão as conexões certas com aquilo que intelectualmente há de mais potente em você.

Mas não somente *uma/um mentora/mentor* ou um saber serão capazes de alterar o rumo das suas escolhas. Uma viagem poderá ter o mesmo papel, *fazendo-a/o* retornar bastante diferente de quando partiu. Serão itinerários incomuns, que despertarão a experiência da estranheza, e será esse sentimento que quebrará o seu padrão mental e transformará o seu olhar.

Urano em Trânsito pela Casa 10

· FORÇAS ATUANTES: renovação, inquietude, revolução e ruptura
· ÁREAS DE ATUAÇÃO: carreira, reconhecimento e autorrealização

Como o Trânsito de Urano pela Casa 10 começa com sua passagem pelo ponto mais alto do Mapa do seu nascimento, esse período carregará a marca de uma das mais importantes mudanças da sua vida. A Casa 10 tem papel fundamental no rascunho do seu destino, e, com a travessia do Planeta rebelde por ela, certamente o curso da sua história mudará radicalmente.

Um dos pontos mais atingidos pelo furacão provocado por esse Trânsito será o que trata das suas ambições profissionais. Não importa se você ainda não trabalha ou se já é *uma/um* profissional *madura/o*, pois será a hora de renovar o que pretende realizar no futuro. Ainda que seja raro inexistir um impulso para mudar, se esse for o caso, não pense você que as coisas continuarão como estão, pois a vida se encarregará de sacudir as estruturas, desarrumar o que está estável e abrir as portas para um novo caminho.

Na medida em que Urano representa a rebeldia, você poderá ter dificuldade em lidar com relações hierárquicas. A função desse Astro será exatamente *libertá-la/o* da dominação vertical, abrindo espaço para que todos sejam livres e responsáveis pela gestão do próprio destino. A propósito, outra grande ruptura será acerca dos jogos de poder. Por mais que seja difícil se desprender de posições privilegiadas, você sentirá o alívio por se livrar das pressões geradas pelo exercício da autoridade.

Urano em Trânsito pela Casa 11

· FORÇAS ATUANTES: renovação, inquietude, revolução e ruptura
· ÁREAS DE ATUAÇÃO: amizade, ações coletivas e ideais sociais

Toda vez que um Planeta atravessa a Casa regida por ele, as experiências desta ficam altamente intensificadas. A função da Casa 11 é a de constituir amizades, assim, ao Urano, seu regente, passar por ela, tecerá uma rede de amor fortalecida pela solidariedade. Entretanto, antes de entregá-la nas suas mãos, o deus do firmamento fechará o tempo e produzirá tempestades no seu universo social. Será preciso modificar a direção do seu olhar e ampliar a sua visão de coletividade e de bem comum.

Mais do que em qualquer outro momento, você deverá compreender as diferenças, libertar-se de preconceitos e abrir espaço para colaborar com os planos do Planeta que gira na contramão dos demais. Talvez sejam necessárias situações-limite com *amigas/os* ou *parceiras/os* de equipe para despertar esse amor desinteressado do sono profundo. Por exemplo, quando ocorre um grande problema social e as pessoas se unem para se ajudar mutuamente. Você terá a chance de assimilar a importância de estar sempre de prontidão para largar tudo e colaborar com o coletivo, para se doar ao próximo.

Se precisar, receberá ajuda de onde menos esperaria, percebendo a extensão da rede amorosa das verdadeiras amizades. E, por falar nelas, a chacoalhada de Urano *a/o* afastará de algumas relações. Será a força renovadora do Astro presente nesse tempo em que ele arejará a casa *das/os amigas/os* e das ações sociais.

Urano em Trânsito pela Casa 12

· FORÇAS ATUANTES: renovação, inquietude, revolução e ruptura
· ÁREAS DE ATUAÇÃO: espiritualidade, bem-estar psíquico e interiorização

Com a passagem de Urano pela Casa que se encarrega dos mistérios, uma onda de experiências inexplicáveis à luz da razão baterá à sua porta. Suas intuições, sensibilidade ou mediunidade serão sacudidas pelas ventanias de Urano e sairão de sua morada quando você menos esperar. Os fantasmas também serão arrastados de dentro dos porões, e você terá a oportunidade de soltá-los, libertando-se igualmente deles. Haverá, de fato, uma mexida interna muito intensa, descobertas interessantíssimas e a revelação de segredos inimagináveis. Tudo o que estava guardado a sete chaves ficará então acessível para modificar sua noção de realidade.

É provável que nesses tempos haja muito mais ansiedade devido à urgência de modificações nem sempre identificáveis. Essa intranquilidade funcionará como importante sinalizador para que você se conecte com seu estado de espírito interior.

Será ainda um período favorável para fazer terapia ou alguma prática espiritual. A missão de Urano nessa Casa será *libertá-la/o* dos seus inimigos internos, trazendo paz pós-tempestade. Você poderá atravessar tempos turbulentos que arejarão o que estiver abafado. A sua vida interior se renovará.

Nodos Lunares Norte e Sul em Trânsito pelas Casas

INTENSIDADE DO TRÂNSITO: 4

Os Nodos Lunares Norte e Sul são dois Pontos Virtuais que estão localizados em posições diametralmente opostas no Mapa do seu nascimento. O Trânsito dos Nodos Lunares pelas Casas Astrológicas, mantendo-se em lados opostos um do outro, aponta para o setor da sua vida que lhe servirá como guia para prosseguir sua jornada espiritual.

A Casa onde estiver o Nodo Lunar Norte lhe orientará o caminho de evolução, e aquela em que estiver o Nodo Lunar Sul será responsável por *direcioná-la/o* ao passado, a fim de que você resgate e supere o que ficou para trás.

Nodo Lunar Norte em Trânsito pela Casa 1 e Sul pela Casa 7

· FORÇAS ATUANTES: propósito espiritual e referências do passado
· ÁREAS DE ATUAÇÃO: estilo, autoafirmação, decisões, autoimagem, bem-estar físico, parcerias, casamento e encontro amoroso

As experiências vividas durante a passagem do Nodo Lunar Sul pela Casa 7 serão de resgate de um passado espiritual. Reacenderão emoções e comportamentos afetivos vivenciados num tempo não possível de mensurar. Ao reconhecer o que costuma ser recorrente, você terá a oportunidade de se libertar dos vícios de relacionamento que impedem o seu desenvolvimento pessoal.

O outro lado da moeda será a passagem do Nodo Lunar Norte pela Casa 1, indicando que será preciso compreender que, apesar da importância de se relacionar, você não poderá se esquecer de que tem sua própria vida.

A trajetória dos Nodos Lunares por essas Casas aponta para a conquista da sua autonomia, *livrando-a/o* da dependência emocional. O resgate de padrões de relacionamento que reproduzem carência ou jogos de dominação permitirá que sejam superados para *conduzi-la/o* ao encontro consigo *mesma/o*.

A função espiritual dos Nodos nesse Trânsito será fortalecer a sua autoconfiança, *tornando-a/o* capaz de separar o que é seu do que é da outra pessoa.

Nodo Lunar Norte em Trânsito pela Casa 2 e Sul pela Casa 8

· FORÇAS ATUANTES: propósito espiritual e referências do passado
· ÁREAS DE ATUAÇÃO: valores, finanças, recursos, transformação, desapego, perdas, reservas de recurso, aposentadoria e heranças

Quando o Nodo Lunar Sul atravessar a Casa 8, você terá a chance de resgatar do seu passado espiritual experiências associadas às perdas e às separações. Fará então contato com regiões obscuras da sua psique em que foram guardadas as emoções produzidas no enfrentamento dessas vivências. É possível que relembre sentimentos que causaram transformações profundas em tempos indeterminados. Você poderá até mesmo reconhecer se houve ou não tendências autodestrutivas no passado e ter a oportunidade de repensar seus valores. Por outro lado, será também a liberação das suas capacidades de superação e de regeneração.

Outro resgate importante será o que trata das suas experiências sexuais. Ao vasculhar resquícios de padrões trazidos do passado, você poderá se desvencilhar dos tabus que envolvem a sexualidade e se entender melhor com os seus desejos.

A bem da verdade, a prestação de contas com as perdas e com os sentimentos que foram guardados a sete chaves abrirá espaço para as realizações materiais e para a apropriação dos seus valores desse momento apontados pela passagem do Nodo Lunar Norte na Casa 2. O caminho do seu desenvolvimento espiritual durante a passagem desse Trânsito será aprender a manejar bem seus recursos, fazer valer seus talentos e cuidar do que é seu.

Nodo Lunar Norte em Trânsito pela Casa 3 e Sul pela Casa 9

- FORÇAS ATUANTES: propósito espiritual e referências do passado
- ÁREAS DE ATUAÇÃO: estudo básico, viagens curtas e longas, trocas, negociações, relacionamento com pessoas próximas, estudo superior e autoconhecimento

Caso você venha a viajar durante o período em que o Nodo Lunar Sul estiver transitando pela Casa 9 do Mapa do seu nascimento, tenha certeza de que algum resgate será feito e que você prestará contas de experiências vividas no passado. Você manifestará a sensação de já ter morado ou estado nesses lugares, assim como a de já ter passado por situações semelhantes em tempos que vão além da sua memória.

Outro resgate importante será o dos propósitos que orientaram seus passos em épocas distantes, dos antigos caminhos de sabedoria. Os encontros desse período revelarão as conexões que existiram com *as/os mestras/ es* do seu passado. Essas experiências servirão como ferramentas de prestação de contas com o autoconhecimento e com o aprimoramento da sua formação intelectual.

A função do Nodo Lunar Sul será *libertá-la/o* das crenças antigas, *direcionando-a/o* para onde aponta o Nodo Lunar Norte. Você se sentirá *aberta/o* a acolher opiniões diferentes das suas, aprenderá a ser mais tolerante com as pessoas e a escutar o que elas têm a dizer.

O aprendizado desse Trânsito será compreender que a sua verdade não é a mesma dos demais. Além disso, o seu desenvolvimento espiritual nessa época dependerá da habilidade de conciliar seus interesses com as pessoas do seu convívio e de valorizar a diversidade de conhecimento.

Nodo Lunar Norte em Trânsito pela Casa 4 e Sul pela Casa 10

- FORÇAS ATUANTES: propósito espiritual e referências do passado
- ÁREAS DE ATUAÇÃO: família, raízes, passado, casa, carreira, reconhecimento e autorrealização

A passagem do Nodo Lunar Sul pela Casa 10 indicará um ciclo de resgate de histórias do passado que está associado ao exercício do poder. As ambições vividas em tempos incomensuráveis, frustradas ou não, serão revividas então para que você tenha a chance de se libertar dos padrões recorrentes que interferem no modo como escala a sua montanha de realizações. As experiências profissionais desse período serão difíceis se você se mantiver *presa/o* a esses modelos antigos e insistir em alcançar reconhecimento a todo custo, já que esse virá após a prestação de contas com o que você traz na bagagem espiritual, direcionando sua vida atual para o propósito que dará sentido às suas realizações.

De posse da medida justa do tempo empregado no cumprimento dos seus deveres externos, a direção apontada pelo Nodo Lunar Norte será a de se recolher e cuidar da vida pessoal e familiar. O seu desenvolvimento espiritual no momento se dará por meio da atenção oferecida à sua família e à sua casa. Os encontros com pessoas do seu relacionamento íntimo serão uniões de evolução que promoverão conciliações, reconciliações afetivas e solidificarão o seu lugar e a sua função no núcleo familiar.

Nodo Lunar Norte em Trânsito pela Casa 5 e Sul pela Casa 11

- FORÇAS ATUANTES: propósito espiritual e referências do passado
- ÁREAS DE ATUAÇÃO: paixão, criatividade, autoestima, *filhas/os*, amizade, ações coletivas e ideais sociais

Nesse ciclo, com o Trânsito do Nodo Lunar Sul pela Casa 11, você trará do passado o aprendizado de que não se está só e de que a força cresce quando mais pessoas se unem a um mesmo propósito. Os encontros ou as situações que envolverem a coletividade nesse período trarão consigo recordações que você carregará na bagagem espiritual com o objetivo de *libertá-la/o* de dificuldades que eventualmente possa ter em relação às diferenças sociais.

Você será *chamada/o* a participar mais da vida comunitária ou *das/os suas/seus amigas/os*, prestando contas do que você viveu em um passado que não tem data nesta existência. Toda a ajuda dada e cada necessidade alheia que cruzar o seu caminho serão experiências que resolverão problemas dessa natureza.

O resgate proporcionado pela força dos encontros *a/o* libertará da necessidade de aprovação dos outros, *direcionando-a/o* para a criação de um eu verdadeiro e único. Resolvidas as questões sociais e a sua dependência da opinião alheia, o Nodo Lunar Norte apontado para a Casa 5 a/o impulsionará a se divertir, a cultivar a alegria de viver e de ser quem você é. O chamado espiritual do momento será para que desenvolva sua criatividade, seja gerando uma criança, seja por meio de uma atividade indiscutivelmente singular.

Nodo Lunar Norte em Trânsito pela Casa 6 e Sul pela Casa 12

- FORÇAS ATUANTES: propósito espiritual e referências do passado
- ÁREAS DE ATUAÇÃO: rotina, produtividade, trabalho, qualidade de vida, saúde, espiritualidade, bem-estar psíquico e interiorização

A passagem do Nodo Lunar Sul pela Casa 12 marcará um momento de resgate de experiências profundas que fazem parte do grande caldeirão da memória coletiva espiritual. Você aprenderá que tudo tem conexão, que sua essência tem ligação com todo o Cosmos, mas que não é possível perceber nem racionalmente, nem empiricamente essas junções. Sentimentos que parecerão conhecidos mas que jamais haviam sido vivenciados emergem desse oceano como uma rede que pesca um cardume de experiências espirituais. Você fará contato com regiões secretas usando intuitivamente chaves que abrem os cofres que raramente são acessados. Serão segredos que você não tinha a consciência de conhecer. Esses resgates serão para que você preste contas com sua espiritualidade e que possa se libertar dos temores gerados nessas regiões obscuras da sua vida interior.

De posse de soluções que resolvam seus conflitos internos, com a cabeça tranquila, você será chamada/o a organizar sua vida prática pessoal por meio da passagem do Nodo Lunar Norte pela Casa 6. A relação com o trabalho e com as pessoas que fazem parte da sua convivência cotidiana serão referências importantes para você evoluir na construção de um dia a dia produtivo e saudável. A sua evolução espiritual no momento se dará não só em função do que você será capaz de produzir, mas também do modo como você cuida do seu bem-estar e da sua saúde.

Nodo Lunar Norte em Trânsito pela Casa 7 e Sul pela Casa 1

- FORÇAS ATUANTES: propósito espiritual e referências do passado
- ÁREAS DE ATUAÇÃO: parcerias, casamento, encontro amoroso, estilo, autoafirmação, decisões, autoimagem e bem-estar físico

Com a passagem do Nodo Lunar Sul pela Casa 1, você resgatará aquela pessoa que foi um dia e lutou para ser o que é hoje. Grande parte daquilo que constituiu sua identidade no passado já não estará mais afinada com o momento atual. Esse resgate lhe servirá para que se liberte de padrões de comportamento que ainda influenciam o seu modo de se expressar e as atitudes que costuma tomar. Nessa fase, será igualmente necessário resgatar as experiências de conquistas e derrotas pessoais e os meios pelos quais você lutou por sua independência. Situações que então comprometem sua autonomia ou que *a/o* aprisionam à necessidade de resolver tudo ao seu modo serão repetições do que você viveu no passado espiritual. Também haverá prestação de contas com sua autoimagem e com a sua relação com o corpo. Recordações de como você se via e tratava sua aparência servirão para que faça as pazes com quem é e com o corpo que tem.

Liberta/o dos problemas relacionados à autoconfiança e à autonomia, você será *conduzida/o* a abrir o coração para viver os encontros que façam sentido para a sua evolução. *Segura/o* de si, você se sentirá também mais *tranquila/o* para se relacionar amorosamente.

O Nodo Lunar Norte transitando pela Casa 7 apontará para um desenvolvimento espiritual adquirido por meio das experiências vividas em parcerias afetivas ou de trabalho. O que você viverá no campo dos relacionamentos fará parte da jornada de evolução da sua alma.

Nodo Lunar Norte em Trânsito pela Casa 8 e Sul pela Casa 2

· FORÇAS ATUANTES: propósito espiritual e referências do passado
· ÁREAS DE ATUAÇÃO: transformação, desapego, perdas, reservas de recurso, aposentadoria, heranças, valores, finanças e recursos

A passagem do Nodo Lunar Sul pela Casa 2 *a/o* fará resgatar os valores materiais que guiaram sua vida no passado. Será o reencontro com o apego ao qual você ficou *sujeita/o* e que foi fruto de preocupações relacionadas ao sustento e à sobrevivência no campo material. Se por eventualidade nesse momento você vier a atravessar um período com questões financeiras problemáticas, tenha certeza de que esses problemas vêm lá de trás. Será a repetição de padrões antigos, por exemplo, a dificuldade de valorizar seu trabalho, consumir além do necessário ou não saber organizar suas finanças.

Esse Trânsito trará com ele a oportunidade de você sair desses nós que atrapalham o equilíbrio da sua balança financeira.

Com a libertação dos problemas relacionados aos valores materiais, você caminhará bem mais *segura/o* na direção do maior aprendizado da Casa 8, que é compreender que nada é seu e que tudo acaba um dia. Você conhecerá o poder da regeneração e da cura, aprimorando a arte de se reinventar. Seu desenvolvimento espiritual nessa fase dependerá da transformação dos seus valores, desapegando-se e sabendo se entregar quando uma situação não está sob o seu controle. E, por falar em entrega, o acolhimento da sua sexualidade também estará no programa de evolução sugerido pela passagem do Nodo Lunar Norte na Casa 8.

Nodo Lunar Norte em Trânsito pela Casa 9 e Sul pela Casa 3

· FORÇAS ATUANTES: propósito espiritual e referências do passado
· ÁREAS DE ATUAÇÃO: viagens curtas e longas, estudo superior, autoconhecimento, estudo básico, trocas, negociações e relacionamento com pessoas próximas

Durante a travessia do Nodo Lunar Sul pela Casa 3, você resgatará experiências passadas que ocorreram com relacionamentos que no momento atual são muito próximos. Ter que resolver questões pendentes com alguns parentes, irmãs e irmãos, colegas de escola ou de trabalho fará parte da prestação de contas espiritual representada por esse Trânsito. O grande aprendizado nesse período será desenvolver a tolerância às diferenças e compreender que as trocas enriquecem e arejam a mente.

Você terá a oportunidade de rever o modo como costuma se comunicar e de acertar os seus vícios de linguagem. Assuntos que já foram do seu interesse no passado poderão voltar a despertar sua curiosidade, dando-lhe a chance de concluir o que ficou pausado. Com essas ações, você estará livre para iniciar a trajetória de aprofundamento em saberes que farão parte da sua evolução espiritual.

Por sua vez, a passagem do Nodo Lunar Norte pela Casa 9 abrirá caminhos para o encontro com *mestras/es*, *professoras/es* ou *orientadoras/es* que guiarão nessa fase a sua jornada na busca de conhecimento.

Ao se libertar dos hábitos que *a/o* aprisionam a lugares conhecidos e que não *a/o* levam muito longe, a função desse Trânsito será abrir os horizontes para que você ultrapasse as fronteiras na direção de terras desconhecidas.

Viajar e/ou estudar serão experiências fundamentais para o seu autoconhecimento e desenvolvimento espiritual.

Nodo Lunar Norte em Trânsito pela Casa 10 e Sul pela Casa 4

- FORÇAS ATUANTES: propósito espiritual e referências do passado
- ÁREAS DE ATUAÇÃO: carreira, reconhecimento, autorrealização, família, raízes, passado e casa

A função do Trânsito do Nodo Lunar Sul pela Casa 4 será fazer resgates do seu passado ancestral, *levando-a/o* à compreensão de que você não nasceu na sua família por acaso. Você poderá entender as ligações, boas ou não, com seus familiares ao reconhecer que há muito mais acontecimentos envolvidos nesses relacionamentos do que poderia imaginar. Situações repetitivas aparecerão com maior ênfase, abrindo uma enorme brecha para você acertar as contas com seu passado, sua origem e seu lugar de nascimento. Assim, você poderá se libertar de diversas experiências relativas à sua história que ainda *a/o* afligem nos tempos atuais.

Com a vida pessoal realimentada e liberada dos elos espirituais do passado, o Nodo Lunar Norte em Trânsito pela Casa 10 abrirá o seu caminho em direção ao mundo exterior, *ajudando-a/o* a cumprir sua missão espiritual que, então, estará condicionada ao bom desempenho profissional. Você será *direcionada/o* a assumir a responsabilidade de construir uma carreira pautada nas habilidades que lhe foram concedidas ao nascer. Um trabalho que surja, uma promoção que venha a ser conquistada ou o reconhecimento da sua competência profissional serão sinais positivos da sua evolução espiritual.

Nodo Lunar Norte em Trânsito pela Casa 11 e Sul pela Casa 5

- FORÇAS ATUANTES: propósito espiritual e referências do passado
- ÁREAS DE ATUAÇÃO: amizade, ações coletivas, ideais sociais, paixão, criatividade, autoestima e *filhas/os*

Com o Nodo Lunar Sul transitando pela Casa 5, o que deverá ser resgatado nesse Trânsito envolve tudo o que você viveu anteriormente que ainda esteja influenciando o modo como você se relaciona com suas paixões. Os encontros, os namoros, o relacionamento com *as/os filhas/os* ou com a criatividade poderão apresentar dificuldades por efeito de comportamentos recorrentes oriundos do passado. Estes podem ter a ver com a onipotência gerada pelo ego ou, ao contrário, com a falta de confiança em si *mesma/o*, que, projetadas nas suas paixões, *aprisionam-na/o* e *a/o* impedem de viver com serenidade as emoções mais intensas. Essa será uma experiência espiritual importante de regulagem da força do seu ego e da sua autoconfiança.

Segura/o do seu próprio valor, a direção a seguir, apontada pela passagem do Nodo Lunar Norte na Casa 11, será a de doação. O propósito espiritual desse período será o de compreender que você não é *única/o*, que não está só e que é preciso participar de ações que colaborem para o bem-estar coletivo. Você será *direcionada/o* a investir nas amizades, a aprender a dividir seu espaço com as demais pessoas e contar com a ajuda delas. Seu crescimento espiritual dependerá do desenvolvimento da virtude da humildade, reconhecendo a potência das diferenças e garantindo uma vida social saudável.

Nodo Lunar Norte em Trânsito pela Casa 12 e Sul pela Casa 6

- FORÇAS ATUANTES: propósito espiritual e referências do passado
- ÁREAS DE ATUAÇÃO: espiritualidade, bem-estar psíquico, interiorização, rotina, produtividade, trabalho, qualidade de vida e saúde

Durante essa fase, haverá a recorrência de desequilíbrios na saúde, fragilidade imunológica ou mal-estar causado pelo estresse. Além dos maus hábitos alimentares e do sedentarismo, um dos maiores geradores de instabilidade física é a pressão exercida por questões de trabalho. Tanto o excesso de compromissos quanto a falta de emprego levam qualquer *uma/ um* à exaustão. Com a passagem do Nodo Lunar Sul na Casa do trabalho e da saúde, você terá a oportunidade de compreender que grande parte da responsabilidade pela ausência de uma boa qualidade de vida se relaciona a padrões condicionados a um passado incomensurável. No momento em que você se esforçar para libertar-se deles, estará *pronta/o* para cuidar então da sua saúde espiritual.

A direção apontada pela passagem do Nodo Lunar Norte na Casa 12 será a do aprofundamento do autoconhecimento, da necessidade de organização interior e da introdução de práticas espirituais que promovam o bem-estar da alma. O maior aprendizado que fará parte da sua evolução será o de compreender que há um universo a ser experimentado quando se está só.

Você aprenderá, na solidão, primeiro a conversar consigo e depois a ficar em silêncio e em paz com sua essência.

Lilith em Trânsito pelas Casas

INTENSIDADE DO TRÂNSITO: 3

O Trânsito de Lilith pelas Casas indicará qual área da sua vida será experimentada de forma profunda, intuitiva e transformadora. Será nos assuntos relacionados a cada setor que você aprenderá a não se submeter aos jogos de dominação e deverá prosseguir seu caminho sem dependências nem carências, apenas alimentando-se da sua força interior.

Lilith em Trânstio pela Casa 1

· FORÇAS ATUANTES: libido, insubordinação e liberdade
· ÁREAS DE ATUAÇÃO: estilo, autoafirmação, decisões, autoimagem e bem-estar físico

A passagem da Lilith pelo Ascendente marcará o começo de um novo ciclo de experiências relacionadas à sexualidade e à liberação dos mais íntimos desejos. O principal a fazer nesse momento será obter contato com a autoconfiança e avaliar o que você tem rejeitado em si, tanto no modo de se exprimir quanto na relação com o corpo ou com a libido. A sensação de desamparo associada à Lilith na Casa 1 será a de não acolhimento do seu jeito de ser, da forma do seu corpo e, principalmente, da sua autonomia. O objetivo será então que você não se sujeite a tentar ser o que não é apenas para ter a atenção ou agradar às outras pessoas.

Esse Trânsito mostrará que, apesar da carência, você tem forças ocultas que superam a sensação de desamparo e que é capaz de cuidar de si *sozinha/o*.

Caso você passe por algum tipo de problema de relacionamento afetivo ou sexual, antes de tomar qualquer decisão mais radical, fortaleça a autoconfiança, faça valer a sua vontade e não se sujeite a nada que seu corpo rejeitar. Se, ainda assim, os conflitos permanecerem, o melhor será se manter *afastada/o* por um tempo. O ideal nesse período será ter momentos privados e aprender a ser uma boa companhia para si *mesma/o*.

Lilith em Trânsito pela Casa 2

- FORÇAS ATUANTES: libido, insubordinação e liberdade
- ÁREAS DE ATUAÇÃO: valores, finanças e recursos

Para começar, será preciso investir profundamente no desejo de autonomia financeira para atravessar esse período de apropriação do que é seu e que não tem sido valorizado, seja por você *mesma/o*, seja pelo mercado de trabalho.

Ao se sentir *desamparada/o* materialmente, você deverá procurar recursos que estão inibidos por força de preconceitos ou por medo de rejeição. O aprendizado desse Trânsito será o de não se sujeitar aos jogos de poder material, à dominação por meios financeiros e a cuidar do que é seu.

Os problemas financeiros que eventualmente ocorrerem nesses tempos deverão servir como meio para despertar forças adormecidas que serão capazes de fertilizar o solo em que são produzidos os seus recursos. A força libidinal estará direcionada especialmente para o seu trabalho, com o intuito de não depender materialmente de ninguém. A propósito, caso haja dependência financeira, valorize o que é seu para não se sujeitar a relacionamentos abusivos no trabalho ou na vida pessoal. A ideia é que possa andar de cabeça erguida com o que lhe pertence, ainda que, aos olhos do mundo, não seja o que esperam de você.

Lilith em Trânsito pela Casa 3

- FORÇAS ATUANTES: libido, insubordinação e liberdade
- ÁREAS DE ATUAÇÃO: estudo básico, viagens curtas, trocas, negociações e relacionamento com pessoas próximas

A primeira atitude a ser tomada com o ingresso de Lilith na Casa 3 será reparar o que faz com que você se sujeite ao cerceamento da sua liberdade de expressão. O desejo de se comunicar sem barreiras é a função dada por Lilith quando atravessa o universo das experiências de troca, o mundo das informações.

O desamparo a ser vivenciado durante esse período diz respeito aos seus conhecimentos, podendo você até mesmo sentir-se *humilhada/o* intelectual ou socialmente. A ideia é que você desperte uma curiosidade reprimida à custa de intolerâncias com diferentes áreas do saber. A rejeição a determinados interesses inibirá sua força libidinal que, então, deverá ser dirigida aos estudos que têm sido deixados de lado.

A rejeição social também deverá ser reparada com a não sujeição a relacionamentos invasivos, que estejam na sua vida para preencher carências, o que vale principalmente quando se trata de relações com parentes próximos, irmãs e irmãos ou colegas de estudo ou trabalho. Será preciso escolher o tipo de parceria você deseja para si, ainda que seja necessário em alguns momentos aprender a caminhar *sozinha/o*.

Lilith em Trânsito pela Casa 4

· FORÇAS ATUANTES: libido, insubordinação e liberdade
· ÁREAS DE ATUAÇÃO: família, raízes, passado e casa

Antes de tudo, o importante nesse período será desvendar o que do seu passado ficou reprimido na sua memória e o que na sua formação foi responsável por experiências de exclusão. A revelação de fatos ocorridos ao longo da sua história será de fundamental importância na condução da sua afetividade e da sua sexualidade desse momento em diante. Os problemas afetivos que eventualmente você vier a ter nessa fase deverão despertar em você as forças emocionais capazes de recriar seus próprios modelos de relacionamento.

O desamparo apontado por Lilith quando atravessa a Casa 4 será o vivido dentro de casa, isto é, o desamparo familiar. A função do Trânsito será que você aprenda a não se sujeitar aos jogos de poder emocionais, livrando-se da dependência de aprovação dos seus familiares para se sentir *segura/o* afetivamente. Ao se apropriar do seu espaço, você evitará afastamentos e rupturas. Caso ele não seja concedido, você aprenderá a se nutrir por conta própria. Essa liberdade permitirá que a sua energia libidinal seja direcionada à construção de um núcleo de afeto que você possa chamar verdadeiramente de família.

Lilith em Trânsito pela Casa 5

· FORÇAS ATUANTES: libido, insubordinação e liberdade
· ÁREAS DE ATUAÇÃO: paixão, criatividade, autoestima e *filhas/os*

Com o Trânsito de Lilith pela Casa 5, você precisará fazer contato com a autoestima e reparar os danos causados pela negação do seu próprio valor, como se a vaidade fosse um tabu. Será o reconhecimento de que a recusa a se enxergar como alguém especial compromete a autoexpressão, a criatividade, a sexualidade e a alegria de viver.

O desamparo experimentado quando Lilith passar pela Casa 5 será sentido como falta de brilho, e você poderá se sujeitar a paixões que não nutrirão o amor-próprio. O objetivo desse Trânsito será transmutar rejeição em autenticidade, fazendo com que você não se submeta a determinadas entregas amorosas exclusivamente para suprir carências. Você aprenderá que possui forças para superar os traumas da rejeição e que é capaz de se apaixonar por si *mesma/o*.

Ao tomar nas mãos a autenticidade e o desejo de viver com prazer, você evitará rupturas com pessoas que ama, especialmente com *as/os filhas/os*, se *as/os* tiver. A liberdade de criação sem barreiras nem preconceitos lhe dará o fortalecimento do verdadeiro amor por si *mesma/o*, pela vida e pelas suas paixões.

Lilith em Trânsito pela Casa 6

- FORÇAS ATUANTES: libido, insubordinação e liberdade
- ÁREAS DE ATUAÇÃO: rotina, produtividade, trabalho, qualidade de vida e saúde

Antes de mais nada, no período em que Lilith atravessar a Casa 6 do Mapa do seu nascimento, será fundamental que você se conecte com sua rotina e observe o que está faltando nela para que produza melhor e equilibre a saúde.

O desamparo apontado pelo Trânsito de Lilith terá relação com a não valorização do seu potencial de trabalho e a negação de atividades ou hábitos que lhe fazem bem e que produzem prazer. Ao se sujeitar a produzir o indesejável, seja por força do medo de ficar sem trabalho, seja pelo preconceito associado a determinadas atividades, sua energia libidinal enfraquecerá e o cotidiano se tornará um estorvo.

O propósito desse Trânsito será o de que você não se recuse a introduzir o que lhe trouxer prazer no dia a dia, e que trate da saúde com a força da intuição, conhecendo mais profundamente o que o corpo comunica.

A submissão sofrida no trabalho deverá se transformar em tomada de posse da liberdade de produzir e organizar suas atividades longe das dinâmicas de dominação. Você encontrará recursos adormecidos que atuarão na construção de uma qualidade de vida capaz de lhe proporcionar prazer.

Lilith em Trânsito pela Casa 7

· FORÇAS ATUANTES: libido, insubordinação e liberdade
· ÁREAS DE ATUAÇÃO: parcerias, casamento e encontro amoroso

Para começar, durante o período em que esse Trânsito atuar, o importante será verificar a quantas anda o sentimento de solidão, principalmente se você estiver em um relacionamento. Será fundamental então compreender a diferença entre depender de uma relação para se sentir *completa/o* e a liberdade de escolher se relacionar com alguém que aumente a sua potência de ser.

O desamparo vivenciado nessa fase estará exatamente associado a se sentir *excluída/o* da cena amorosa, podendo até mesmo se submeter à dominação da outra pessoa ou a um relacionamento abusivo para não ficar só. Todavia, caso haja um encontro de profunda intimidade e de respeito pela liberdade de ambas as partes, a passagem de Lilith *a/o* fortalecerá.

Por sua vez, se estar só for um problema e você pensar que encontrar alguém será a solução, as conexões serão vazias e, no lugar de acolhimento, você provará o sabor da rejeição.

A função desse Trânsito será que você saiba optar por ser independente mesmo quando se relacionar com alguém, senão poderá haver sujeição aos jogos de dominação, principalmente os sexuais, e, consequentemente, sofrimento. Assim, você aprenderá a escolher *a/o parceira/o* que respeite os seus desejos e que *a/o* deixe livre para seguir o próprio caminho.

Lilith em Trânsito pela Casa 8

· FORÇAS ATUANTES: libido, insubordinação e liberdade
· ÁREAS DE ATUAÇÃO: transformação, desapego, perdas, reservas de recurso, aposentadoria e heranças

Na passagem da Lilith pela Casa 8 será necessário verificar o quanto você é capaz de suportar as perdas na intimidade do seu exílio interior. Esse será um tempo de aprender que a recusa às transformações decorrentes do medo de perder faz com que você se submeta a situações que vão totalmente contra o seu verdadeiro desejo.

O isolamento e o desamparo sentidos nesse momento serão decorrentes das consequências do hábito de se apegar, e, no momento em que algo acabar, você será *devastada/o* pelo sentimento da falta. Ao se sujeitar a experiências destrutivas, desperdiçará sua força restauradora, que será uma das mais importantes ferramentas de reorganização interior nessa fase. Você aprenderá a transformar o temor de perder em força de enfrentamento dos tabus relacionados à finitude da vida e das coisas.

O propósito desse Trânsito será o de despertar os desejos reprimidos de um sono profundo, aqueles que foram abafados pela força dos preconceitos. E um dos mais atingidos por esse processo será o desejo sexual, que, se for submetido aos jogos de poder, *a/o* deixará *exilada/o* e sem acesso à sua autêntica sexualidade. Ao se apropriar dos seus desejos mais íntimos, suas escolhas passarão a estar sob o seu domínio, não importando mais o que você perderá com isso.

Lilith em Trânsito pela Casa 9

- FORÇAS ATUANTES: libido, insubordinação e liberdade
- ÁREAS DE ATUAÇÃO: viagens longas, estudo superior e autoconhecimento

Na travessia da Lilith pela Casa 9 você deverá considerar o que tem sido rejeitado no seu modo de pensar e os caminhos que você desejaria trilhar e que, por se sentir *solitária/o*, deixou para lá. Diz-se que é sempre bom ter uma companhia de viagem, mas nesse momento você deverá aprender a viajar *sozinha/o*, seja geográfica, intelectual, cultural ou espiritualmente. Esse será o tempo em que *a/o mestra/e* conduz *a/o discípula/o* a andar com as próprias pernas e a encontrar a iluminação em terras distantes.

O exílio experimentado nesse Trânsito será cultural e provocado pela negação do seu verdadeiro caminho e da repressão dos seus mais íntimos desejos de conhecimento. Ao constatar que gostaria de ter estudado um determinado campo do saber e que, por preconceito ou insegurança de não ser *aceita/o*, não se permitiu, uma força interior despertará a vontade adormecida e você deverá então acolhê-la.

Negar-se a participar dos jogos de poder que envolvem crenças, religiões ou um saber o qual você se sente incapaz de discutir será o trunfo da passagem de Lilith pela Casa das viagens, *das/os mestras/es* e dos estudos.

Lilith em Trânsito pela Casa 10

- FORÇAS ATUANTES: libido, insubordinação e liberdade
- ÁREAS DE ATUAÇÃO: carreira, reconhecimento e autorrealização

Para começar, o importante a ser feito quando Lilith ingressar no ponto mais alto do Mapa do seu nascimento será verificar o que falta para que se sinta *reconhecida/o* profissionalmente e reparar o que faz com que você se submeta a assumir o que não deseja por força das suas carências ou da insegurança de não ter seu status quo aceito socialmente.

O desamparo aparecerá no momento em que não houver a devida recompensa pelos seus feitos no trabalho e pela trajetória da sua carreira. O objetivo desse Trânsito será que você não se sujeite aos jogos de poder apenas para não perder uma posição que não lhe cai bem, por não ser o lugar onde produz o seu melhor, evitando, desse modo, o exílio profissional.

A ideia é que você desperte o seu mais profundo e íntimo desejo de realização, descontaminado dos tabus e preconceitos que *a/o* pressionam a não efetivá-lo. Ao decidir subir solitariamente a montanha das suas realizações, você será *agraciada/o* com a satisfação de alcançar o topo sem se humilhar diante das forças do poder.

Lilith em Trânsito pela Casa 11

· FORÇAS ATUANTES: libido, insubordinação e liberdade
· ÁREAS DE ATUAÇÃO: amizade, ações coletivas e ideais sociais

Quando Lilith transitar pela Casa 11, será a hora de averiguar o quanto você se sente *amparada/o* ou não por suas amizades ou seu círculo social. Você deverá fazer contato com o que lhe falta para se sentir *realizada/o* socialmente ou para que se sinta útil na coletividade.

A experiência associada à passagem de Lilith pela Casa *das/os amigas/os* põe em xeque a força das carências sobre as escolhas sociais. Por mais que você esteja *cercada/o* de pessoas supostamente amigas, se essas conexões forem vazias e mantidas por causa do medo da solidão, você constatará que vive num verdadeiro exílio social.

A função da passagem de Lilith pela Casa 11 será a de assegurar que não lhe tirem a liberdade de escolher as causas com as quais você no íntimo se identifica e com quem deseja estreitar as relações. O aprendizado desse Trânsito será o de se fortalecer internamente para restaurar a dignidade quando se sentir socialmente *discriminada/o*. Ao se libertar dos preconceitos e das pressões da sociedade, você atravessará *sozinha/o* o deserto social e só então descobrirá o seu verdadeiro lugar na coletividade.

Lilith em Trânsito pela Casa 12

- FORÇAS ATUANTES: libido, insubordinação e liberdade
- ÁREAS DE ATUAÇÃO: espiritualidade, bem-estar psíquico e interiorização

Antes de tudo, viver plenamente o Trânsito de Lilith pela Casa 12 será checar o que em você se recusa a experimentar a solidão e analisar a razão pela qual você se submete a situações de grande aflição emocional simplesmente para não ficar só. Será um tempo necessário para quebrar o preconceito de que ficar *sozinha/o* e *isolada/o* do burburinho do mundo exterior seja sinônimo de infelicidade.

Talvez, mais do que em qualquer outra posição, esse Trânsito será o revelador das suas mais profundas carências e das suas mais ocultas experiências de exclusão e desamparo. Você descobrirá também que a adesão a práticas espirituais que manipulem seus medos será o caminho mais curto para o exílio espiritual.

O propósito apontado por essa fase será o de mostrar o verdadeiro caminho de realização interior, despertando em você as forças que foram reprimidas por preconceitos relativos às questões de natureza psíquica e espiritual. De posse dessa força interna, você atravessará *sozinha/o* os desertos da sua alma até atingir o oásis que tanto tempo ficou escondido.

Quíron em Trânsito pelas Casas

INTENSIDADE DO TRÂNSITO: 3

Ao transitar por uma Casa Astrológica, Quíron terá como função curar os assuntos que dizem respeito a ela e que se encontram em desequilíbrio. Será por meio dessas experiências que você encontrará o caminho para o alívio do sofrimento e, igualmente, aprimorará a prática do autoconhecimento.

Quíron em Trânsito pela Casa 1

- FORÇAS ATUANTES: regeneração, cura e autoconhecimento
- ÁREAS DE ATUAÇÃO: estilo, autoafirmação, decisões, autoimagem e bem-estar físico

A travessia de Quíron pela Casa 1 será indicativa de que você deverá cuidar do seu corpo porque algo nele poderá adoecer. Será o tempo de curar o que fisicamente está em desequilíbrio e dói. Como a Casa 1 se refere à sua relação com a autoconfiança, assim como a autonomia, estas também poderão ser afetadas, e a dor de se sentir *insegura/o* ou dependente *a/o* levará a se tratar para que recupere a vontade própria e a segurança em si *mesma/o*.

Um desajuste entre a verdadeira forma do seu corpo e a imagem que você tem dele poderá também ser motivo de sofrimento. A ideia é que aproveite esse tempo para recuperar a boa relação com sua aparência física, cuidando-se e refletindo que a dor de não se sentir bem consigo será o primeiro passo em direção à cura.

Quíron em Trânsito pela Casa 2

· FORÇAS ATUANTES: regeneração, cura e autoconhecimento
· ÁREAS DE ATUAÇÃO: valores, finanças e recursos

Quando Quíron transitar pela Casa 2, será preciso que você trate do desempenho das suas finanças. O momento pedirá que você reveja aquilo que materialmente *a/o* faz sofrer, o que inclui especialmente o valor atribuído às suas competências produtivas, ou seja, o valor do seu trabalho. Caso você se sinta *desvalorizada/o* ou com dificuldade de se sustentar com o que ganha, será fundamental se ocupar da recuperação do seu bem-estar material, até mesmo para que essas questões não prejudiquem sua saúde e *a/o* façam adoecer.

De outro modo, se algo já não estiver bem no seu corpo, trabalhar poderá ajudar para que conquiste a cura.

Quíron em Trânsito pela Casa 3

· FORÇAS ATUANTES: regeneração, cura e autoconhecimento
· ÁREAS DE ATUAÇÃO: estudo básico, viagens curtas, trocas, negociações e relacionamento com pessoas próximas

O Trânsito de Quíron pela Casa 3 do Mapa do seu nascimento apontará para que fique *atenta/o* à qualidade das suas relações próximas, a exemplo de parentes, irmãs e irmãos, colegas de trabalho ou de escola. O momento indicará que você poderá se fragilizar com situações de desarmonia ou que feridas se abram, causando dor. Esse será um tempo importante para curar o que adoece seus relacionamentos e que, igualmente, *a/o* prejudica.

Ademais, além do convívio com as pessoas que a/o cercam, a Casa 3 se refere às suas atividades intelectuais, às trocas e à boa comunicação. Também estas poderão ser causadoras de algum tipo de sofrimento. A falta de conhecimento, dificuldade com os estudos ou problemas ao se comunicar deverão ser superados para que você alivie a dor que provocam, evitando desse modo adoecer intelectualmente.

Caso sinta algum desequilíbrio físico, estudar, encontrar pessoas, trocar informações e se movimentar auxiliarão consideravelmente na cura.

Quíron em Trânsito pela Casa 4

- FORÇAS ATUANTES: regeneração, cura e autoconhecimento
- ÁREAS DE ATUAÇÃO: família, raízes, passado e casa

Ao transitar pela Casa 4, Quíron indicará que você deverá cuidar da saúde da sua relação familiar, pois algo nela poderá adoecer. Esse será um tempo em que você se fragilizará se houver desarmonia, desequilíbrio ou conflitos com a família. Se algo estiver doendo na vida de um parente, também doerá em você, e cuidar de quem precisa de amparo será cuidar igualmente da sua própria saúde, tanto física como emocional. A propósito, por ser Quíron o símbolo da dor que cura, o que a/o ajudará a se curar será se acolher no amor familiar e se aninhar em casa.

Além disso, será importante identificar o que na casa pode causar algum tipo de mal-estar, a exemplo de más condições de moradia ou apenas não se sentir bem dentro do próprio lar. Caso haja alguma indisposição com o lugar em que mora, será o momento de reparar o que provoca desequilíbrio.

Quíron em Trânsito pela Casa 5

- FORÇAS ATUANTES: regeneração, cura e autoconhecimento
- ÁREAS DE ATUAÇÃO: paixão, criatividade, autoestima e filhas/os

Antes de mais nada, o importante no momento será tratar da autoestima, já que a Casa 5 é a área do Mapa do seu nascimento responsável pela afirmação da sua identidade e Quíron aponta para o que está adoecido. Durante a passagem desse Trânsito, você se fragilizará com a rejeição provocada por uma pessoa ou com o próprio desprezo a si mesma/o. Com o amor-próprio ferido, o jeito será tratá-lo de modo a restaurar a capacidade de admirar o que você tem de mais genuíno, ou seja, recuperar sua criatividade.

Ademais, também será importante reconhecer se suas paixões estão saudáveis ou se *a/o* estão adoecendo. A dor provocada por um amor mal correspondido servirá como alerta para que você se trate e volte a amar de forma sadia.

Pelos atributos da Casa 5, estarão especialmente incluídas nessas paixões o amor *pelas/os filhas/os*, pelas crianças e pela criatividade. Por isso, será importante tratar do que poderá *afligi-la/o* nessas relações para que tanto você quanto suas grandes obras possam se desenvolver com equilíbrio e saúde.

Caso haja algum mal-estar físico, o que *a/o* ajudará a se curar será a proximidade com as crianças e os jovens por meio de alguma atividade criativa ou do exercício da alegria.

Quíron em Trânsito pela Casa 6

- FORÇAS ATUANTES: regeneração, cura e autoconhecimento
- ÁREAS DE ATUAÇÃO: rotina, produtividade, trabalho, qualidade de vida e saúde

Para começar, com a chegada de Quíron à Casa 6 do Mapa do seu nascimento, o importante será cuidar da saúde, prestando atenção aos hábitos e costumes responsáveis pelo bom funcionamento do seu organismo. O nível de estresse ao qual você poderá ser *submetida/o* provavelmente irá *adoecê--la/o*, e não haverá época mais propícia do que essa para atentar a causas que venham a desequilibrar o desempenho do seu corpo.

Além da saúde física, a Casa 6 simboliza a relação com a carreira e com a boa produtividade. Sabe-se que as pressões a respeito de trabalho também podem ser prejudiciais, seja por uma sobrecarga, seja por desemprego. A função de Quíron nessa Casa será então a de tratar para curar. A dor sentida por não ter uma boa qualidade de vida sinalizará o caminho de restauração do seu bem-estar.

Por sua vez, para cuidar dos desequilíbrios físicos, procure preencher o tempo com terapias ocupacionais e atividades relaxantes. Estas colaborarão para que você restabeleça a sua saúde.

Quíron em Trânsito pela Casa 7

- FORÇAS ATUANTES: regeneração, cura e autoconhecimento
- ÁREAS DE ATUAÇÃO: parcerias, casamento e encontro amoroso

Quando Quíron transitar pela Casa 7 do Mapa do seu nascimento, será a hora de averiguar o quão saudáveis andam os seus relacionamentos, em especial o afetivo ou os de trabalho. Ao longo do tempo em que Quíron estiver nessa Casa, você poderá se fragilizar com desentendimentos, rejeições ou mesmo com a falta de *uma/o parceira/o*. Será a indicação de que você deverá tratar das feridas abertas pelos conflitos nas relações e que nesse momento doerão ainda mais. Com a afetividade machucada, o jeito será investigar as causas do sofrimento que, por terem ligação com a vida em comum, não só *a/o* adoecem como também afetam a outra parte envolvida.

Poderá ser um tempo de desequilíbrio na vida *da/o sua/seu parceira/o*, e você precisará *ajudá-la/o* a tratar a causa dessa dor. Do mesmo modo, se você estiver em desarmonia física ou emocional, será na convivência com alguém que encontrará o bálsamo para o alívio do sofrimento. Na verdade, esse Trânsito indicará que a cura está no amor e na mútua colaboração.

Quíron em Trânsito pela Casa 8

- FORÇAS ATUANTES: regeneração, cura e autoconhecimento
- ÁREAS DE ATUAÇÃO: transformação, desapego, perdas, reservas de recursos, aposentadoria, heranças

Os primeiros passos a serem dados quando Quíron ingressar na Casa 8 será tratar das feridas causadas por sentimentos reprimidos e danos produzidos em função de preconceitos e tabus, especialmente os relacionados à morte e à sexualidade. As feridas abertas pelas experiências traumáticas ficarão mais expostas, para que você as trate e possa restaurar o vigor psíquico e sexual. Reafirmando, será um dos momentos mais propícios para você cuidar da saúde da sua sexualidade e de se libertar da ditadura do medo da perda.

Além do mais, será ainda o tempo para tratar de desequilíbrios nas suas finanças, principalmente quanto a gastos excessivos ou à falta de reservas quando o que você produz não dá conta do seu orçamento. A insegurança pelo futuro financeiro poderá *desequilibrá-la/o*, mas, ao mesmo tempo, *levá-la/o* a tomar providências que aliviarão as aflições. A bem da verdade, a função de Quíron nessa Casa será a de fazer da dor, relacionada à falta ou ao medo de perder um recurso, a cura para o desamparo psíquico ou material.

Quíron em Trânsito pela Casa 9

- FORÇAS ATUANTES: regeneração, cura e autoconhecimento
- ÁREAS DE ATUAÇÃO: viagens longas, estudo superior e autoconhecimento

Ao ingressar na Casa 9 do Mapa do seu nascimento, Quíron cutucará as feridas abertas pelas frustrações intelectuais, apontando um tempo de tratamento e cura. A falta de um conhecimento que estimule o seu desenvolvimento será motivo de sofrimento, mas abrirá a possibilidade de encontrar a solução que aliviará a dor de não conseguir progredir na direção do seu desejo.

Além dos estudos e da busca de sabedoria, essa é a Casa das viagens que, aliás, não serão somente geográficas, mas também espirituais. A ausência de um propósito que oriente seus caminhos ou falhas no seu autoconhecimento também poderão adoecer sua evolução. Na medida em que Quíron representa a dor que cura, será por meio das suas descobertas que você encontrará alívio para o sofrimento.

Em contrapartida, nos momentos em que você se sentir doente, a cura será facilitada pelo contato com *suas/seus mestras/es* de sabedoria, por uma viagem que alargue seus horizontes ou pelo aprofundamento de um conhecimento que dilate sua potência de ser.

Quíron em Trânsito pela Casa 10

- FORÇAS ATUANTES: regeneração, cura e autoconhecimento
- ÁREAS DE ATUAÇÃO: carreira, reconhecimento e autorrealização

Em primeiro lugar, assim que Quíron ingressar na Casa 10 do Mapa do seu nascimento, o mais importante será que você verifique o que está causando mal-estar no direcionamento da sua carreira. As feridas abertas pelos jogos de poder doerão nessa fase mais do que em outros momentos, funcionando como um alerta para que você trate das causas que estão *a/o* adoecendo profissionalmente. Com a ambição machucada pelos desafios encontrados na escalada da sua montanha de realizações, será a hora de reparar seus ideais de trabalho e curar as dores produzidas por não obter o merecido reconhecimento dos esforços e de suas competências profissionais.

Em contrapartida, relembrando que a função de Quíron é promover a cura por meio da dor, se houver durante esse período algum tipo de adoecimento, será no trabalho que você encontrará estímulos para a sua melhora.

Quíron em Trânsito pela Casa 11

- FORÇAS ATUANTES: regeneração, cura e autoconhecimento
- ÁREAS DE ATUAÇÃO: amizade, ações coletivas e ideais sociais

O Trânsito de Quíron pela Casa 11 do Mapa do seu nascimento apontará para o momento em que será preciso cuidar das amizades, reparando o que no seu relacionamento interpessoal está adoecido e que, por sua vez, afeta igualmente a sua alma. Os danos causados por conflitos, carências e dificuldades relacionadas à aproximação e ao fortalecimento dessas relações precisarão ser tratados para que você restabeleça o bem-estar com o seu círculo social.

Além do mais, as feridas coletivas, tais como os preconceitos de toda ordem, as injustiças e a miséria, doerão mais nesse período, e você sentirá o chamado para participar no processo de restauração da saúde social. Ao tratar do bem-estar alheio, você estará curando as próprias aflições.

Em compensação, se for *acometida/o* por algum desequilíbrio na saúde, será no encontro com *suas/seus amigas/os* ou em alguma atividade de doação que você encontrará ajuda para se curar.

Quíron em Trânsito pela Casa 12

- FORÇAS ATUANTES: regeneração, cura e autoconhecimento
- ÁREAS DE ATUAÇÃO: espiritualidade, bem-estar psíquico e interiorização

No momento em que Quíron ingressar na Casa 12 do seu Mapa de Nascimento, você será *convocada/o* a cuidar das dores causadas pelas pressões emocionais internas. As angústias, a ansiedade e os medos abrirão as feridas que existem na alma, apontando para a necessidade de tratá-las para que você restabeleça a saúde psíquica e espiritual.

A cura será produzida pelas práticas que acalmam o que está inflamado por dentro, tais como as psicoterapias, o autoconhecimento ou um trabalho espiritual.

Ademais, como a Casa 12 também representa o movimento de introspecção, o isolamento e a solidão poderão doer nessa fase mais do que em outras ocasiões. No entanto, será por meio do caminho solitário que você restaurará os danos surgidos por experiências de exclusão que a/o impedem de partilhar as emoções de sofrimento e dor.

Por fim, se algo em você adoecer nesse período, será acolhendo e levando luz aos lugares mais sombrios da sua alma e em uma jornada espiritual reservada que encontrará auxílio para a cura.

Aspectos em Trânsitos, Progressões e Direções

Trânsitos, Progressões e Direções da Lua

INTENSIDADE DO TRÂNSITO: 1
INTENSIDADE DA PROGRESSÃO: 4
INTENSIDADE DA DIREÇÃO: 7

Os Trânsitos, as Progressões e as Direções da Lua têm como função sensibilizar, fertilizar e cobrir de afeto e cuidado os Planetas ou Pontos Virtuais com os quais ela forma uma conexão. Esses Planetas ou Pontos serão afetados pela carga emocional, pelas variações de humor e pelas expectativas afetivas representadas pela Lua. Os desafios enfrentados durante esses Aspectos estarão associados às carências, à instabilidade emocional e ao apego ao passado.

Lua em Aspecto com o Sol

Esses dois Astros formam um par complementar: o primeiro diz respeito ao universo feminino; o segundo, ao masculino. O encontro entre a Lua do Céu e o Sol do Mapa Natal significa a fertilização da consciência e a possibilidade de envolver o ego em uma atmosfera de afetividade e emoção.

· FORÇAS ATUANTES: intuição, sensibilidade e afetividade

- ÁREAS DE ATUAÇÃO: consciência, vontade, vitalidade, vigor e autoconfiança
- ASPECTOS FAVORÁVEIS: Conjunção, Sextil e Trígono

Quando o Sol é tocado pela força lunar, todo o seu ser vibra, a luz da consciência se intensifica e a alegria se faz presente. Nesse tempo, a sensibilidade e a razão vão andar de mãos dadas e agirão com firmeza e harmonia. Essa será uma boa oportunidade de diluir a força do ego sem, entretanto, machucar a autoestima. Muito pelo contrário, ela estará fortalecida e a/o ajudará a se relacionar bem e a aprender na troca com as outras pessoas. Aproveite esse momento para conciliações, mediações e para negociar os seus desejos com os dos outros.

Será uma fase favorável para o exercício da sua vontade e para atrair as atenções para si por meio do magnetismo pessoal. Afinal, sua autoconfiança virá com toda a força, e você será capaz de se impor com espontaneidade. Portanto, toda e qualquer situação em que precise se expor, não recuse. Experimente estar no centro das atenções com delicadeza e cercada/o de afetividade.

No mais, desfrute o prazer de viver com vigor e alegria. Sua energia vital estará em alta, contribuindo para o bem-estar físico, mental e emocional. Dedique um tempo para ficar mais ao ar livre, exercitar-se e, mais do que qualquer outra coisa, viver a vida em toda a sua plenitude.

- ASPECTOS DESAFIADORES: Quadratura e Oposição

A relação entre os dois Astros representantes das dinâmicas do afeto e da racionalidade propõe o desafio de conciliar a sensibilidade com o que dita a razão. Se por um lado nada deverá contradizer a sua vontade; por outro, nada, nem mesmo esta, poderá feri-la/o emocionalmente.

Por estar mais sensível a ficar com a autoestima baixa, é provável que você se sinta instável e tenha dificuldade de se impor. Ceder poderá ser uma boa estratégia, desde que não fira a sua dignidade. Experimente usar a razão, sem deixar de lado a expressão do que realmente sente. Se for possível, espere por um momento em que você se sinta mais segura/o para se expor, mas, se não, faça-o com ponderação.

É possível também que haja dificuldade em lidar com a autoridade, visto que estará mais sensível a ser atingida/o negativamente pelo poder de outra pessoa. O bom então será se manter um pouco fora de cena sem, entretanto, deixar de lado o amor-próprio.

De resto, economize as energias, pois, seguramente, haverá desgaste físico, emocional ou mental. O ideal é que você recupere suas forças mantendo o equilíbrio emocional e cuidando do seu bem-estar e da sua saúde.

Lua em Aspecto com a Lua

Sempre que um Planeta no Céu faz conexão com o Astro equivalente do seu Mapa Natal, os efeitos são sentidos de forma amplificada. No caso da Lua, o que se intensifica são os sentimentos, a memória e o desejo de vinculação.

- FORÇAS ATUANTES: intuição, sensibilidade e afetividade
- ÁREAS DE ATUAÇÃO: intuição, sensibilidade, afetividade, lembranças do passado, família e casa
- ASPECTOS FAVORÁVEIS: Conjunção, Sextil e Trígono

Esse será um momento especial em que a sua sensibilidade se encontrará amplificada. Aproveite o período para fortalecer seus vínculos de afetividade e semear o bom convívio com essas pessoas. Em razão de a Lua simbolizar a intimidade acolhedora dos relacionamentos, não deixe de expressar o que está sentindo, seja para expandir os efeitos de um tempo benéfico, seja para superar sentimentos que estavam guardados.

Sendo o passado outro assunto relacionado ao símbolo lunar, essa fase será propícia para deixar as lembranças invadirem sua alma. Fique *ligada/o* nos seus sonhos, pois serão muito reveladores. Além disso, é possível que bata uma saudade boa, um desejo de infância, estabelecendo contato com o seu celeiro de recordações que alimentarão o bem-estar da sua essência.

A ocasião será favorável ainda para lidar com questões relativas à família e ao lar, ou, se for o caso, fertilizar um negócio imobiliário. Reúna-se com as pessoas com quem você mantém um relacionamento antigo ou muito íntimo. Também será um ótimo momento para arrumar a sua casa, tanto física como emocional ou espiritual, sempre que houver esses Aspectos.

- ASPECTOS DESAFIADORES: Quadratura e Oposição

Sendo esse um período difícil, poderá haver tensões emocionais. Os sentimentos guardados há muito tempo virão à tona, causando uma onda de instabilidade de humor. Assim, tente se proteger de tudo que possa *afetá-la/o* emocionalmente, mas, em contrapartida, preste também atenção à maneira de se relacionar e, se possível, colocando-se no lugar das outras pessoas para, então, compreender o que sentem. Procure equilibrar as emoções e não projete suas carências nos outros.

Como a Lua representa a relação com o passado, aproveite o momento para compreender sentimentos que ainda estejam sendo remoídos e que sejam motivo de mágoas. Fique *atenta/o* aos seus sonhos, pois eles serão muito importantes para a compreensão do que possa estar afligindo sua alma.

No mais, por ser a Lua quem simbolicamente representa a relação com a casa e com a família, deixe aflorar as lembranças que *a/o* incomodam, livre--se das culpas e procure resolver eventuais problemas de relacionamento familiar. Cuide do seu lar, faça uma limpeza do que estiver acumulado e, se for o caso, tenha bastante cautela antes de fechar qualquer transação imobiliária.

Lua em Aspecto com Mercúrio

O encontro entre o Astro que trata da sensibilidade e o que simboliza a racionalidade significa que a mente será fertilizada pela intuição. Também a comunicação será afetada pelas emoções, assim como qualquer assunto que exija muita concentração.

- FORÇAS ATUANTES: intuição, sensibilidade e afetividade
- ÁREAS DE ATUAÇÃO: comunicação, estudos, mobilidade, viagens e negócios
- ASPECTOS FAVORÁVEIS: Conjunção, Sextil e Trígono

A boa relação entre o Astro que trata da sensibilidade e o que representa a comunicação fará com que você se sinta *segura/o* para falar com empatia e clareza, aliando intuição à racionalidade. Esses atributos formarão uma forte aliança, propiciando a presença da mente fértil. Haverá empatia ao usar as palavras e, por essa razão, aproveite para expor o que vier do fundo da alma e resolver as diferenças e os mal-entendidos.

De posse da capacidade de dominar bem a mente, a orientação é a de que você invista energia em estudos, leituras ou pesquisas, pois será o período em que seu desempenho será melhor para novos saberes. Deixe-se estimular por interesses que surgirem e tente se adaptar a situações diferentes das que você está *habituada/o*. Nesse sentido, será ótimo usufruir das possibilidades de movimentação, até mesmo de viagens.

Sendo Mercúrio o mensageiro dos deuses, quem sabe uma boa notícia não chegará para aquecer sua alma? Impossível não é!

No restante, haverá facilitação nas negociações e na discussão de ideias. Será ainda uma boa fase para marcar reuniões e amenizar o humor no ambiente de trabalho. Fica a dica!

· ASPECTOS DESAFIADORES: Quadratura e Oposição

Com a influência desse Aspecto, o desafio será resolver o desconforto provocado pela ação das emoções sobre a razão, sendo que esta provavelmente ficará prejudicada. Logo, dê atenção à instabilidade de humor visando a um melhor desempenho das suas capacidades mentais.

É possível que o momento seja de dúvida e dispersão. Assim, faça um esforço dobrado para alcançar bons resultados nos estudos, em provas, pesquisas ou até mesmo em uma reunião ou apresentação de algum trabalho. Retire da sua frente tudo o que possa *dispersá-la/o* e foque o que estiver acontecendo no aqui e agora.

Outra tendência envolvendo o Astro chamado na mitologia de mensageiro dos deuses será a de que haja descuido com documentos e burocracias, tanto em viagens quanto nas situações do cotidiano. Portanto, fique de olho para não esquecer nada e não se perder numa infinidade de interesses quase impossíveis de serem saciados. Você certamente estará mais *segura/o* se ficar bem *informada/o* e não se deixar levar pela primeira sugestão que aparecer na sua frente. As mesmas dicas ainda são válidas caso esteja para fechar uma negociação ou assinar um contrato. Se puder adiá-las, será ótimo.

Por fim, prefira primeiro escutar a falar impulsivamente o que vier à mente. Tente refletir sobre o que deseja transmitir e mantenha-se distante de comentários que não lhe dizem respeito. Quanto mais estiver na escuta, melhor para você.

Lua em Aspecto com Vênus

Esse será um encontro que envolverá qualidades semelhantes, ou seja, a afetividade e o acolhimento. Conectados, ambos estimularão o desejo de vinculação, de amar e ser *amada/o* e de mexer com os desejos emocionais e sexuais.

- FORÇAS ATUANTES: intuição, sensibilidade e afetividade
- ÁREAS DE ATUAÇÃO: autoestima, amor, beleza, sexualidade e recursos materiais
- ASPECTOS FAVORÁVEIS: Conjunção, Sextil e Trígono

A conexão entre dois Astros que, entre outras propriedades, simbolizam o universo dos valores afetivos estimulará a sensualidade e o aflorar do desejo de amar e ser *amada/o*. O momento será propício para encontrar pessoas que formem uma ótima sinergia com você, conquistar o olhar de quem desperta o seu interesse e aprofundar os relacionamentos já existentes. Tudo isso será acompanhado por uma boa dose de autoestima elevada. E mais, com o carisma também em alta, os encontros serão facilitados, assim como o compartilhamento de sentimentos e afetos.

Como Vênus igualmente representa a beleza, seu senso estético estará apurado, possibilitando que faça escolhas especialmente agradáveis. Um dos efeitos dessa tendência será o de provocar o desejo de cuidar mais de si, usufruindo de tudo que possa lhe proporcionar prazer.

Aliás, os prazeres ditos de Vênus são especialmente os materiais. Logo, será benéfico no momento fertilizar seus talentos e fazê-los valer materialmente mais, além de desfrutar do que você dispõe financeiramente de modo a promover a satisfação de alguns desejos. Em suma, a escolha do que desejar adquirir deverá ser pautada na combinação harmoniosa entre o bom gosto e o conforto.

- ASPECTOS DESAFIADORES: Quadratura e Oposição

Sendo os dois Astros representantes da esfera afetiva, o conflito apontado por esses Aspectos diz respeito à instabilidade e insegurança emocionais. Visto que a propensão desse momento será a de oscilação dos humores, o resultado será certamente a dificuldade em se relacionar. Não será de estranhar, portanto, que os problemas habituais sentidos nos seus relacionamentos venham à cena, em especial, as carências. Um dos motivos prováveis de se sentir *insegura/o* talvez seja o fato de estar se valorizando menos, o que faz com que a sua autoestima se encontre prejudicada. A dica é conciliar os seus desejos com os das outras pessoas para que não haja carência em nenhuma das partes. O desafio então será saber ceder sem deixar de lado o que preenche a sua alma.

É possível ainda que você sinta nessa fase que não está nos melhores dias quando o assunto for a sexualidade. Tente respeitar suas vontades, não se deixe levar pela carência afetiva e saiba que *a/o parceira/o* tem a própria forma de se realizar sexualmente.

Assim como está ligado à afetividade, Vênus também simboliza tudo o que tem relação com a materialidade. E visto que esse Aspecto sugere que você vença as dificuldades, o conselho é controlar o consumo, rever as despesas e evitar fazer investimentos. Se você não puder evitá-los, faça-os com equilíbrio, sem se guiar pelas compulsões.

Lua em Aspecto com Marte

Enquanto a Lua trata dos assuntos relativos à sensibilidade, Marte, o deus guerreiro, lida com os desafios, as lutas e as competições. A associação entre dois Astros que representam valores muito distintos cria, por um lado, situações de grande criatividade; e, por outro, de muita estranheza.

· FORÇAS ATUANTES: intuição, sensibilidade e afetividade
· ÁREAS DE ATUAÇÃO: autonomia, autoconfiança, competição, liderança, disposição física e saúde

ATENÇÃO: a Conjunção entre esses dois Planetas pode se manifestar também de forma favorável, apesar de ser bem mais forte o seu viés desafiador. O que definirá se esse Aspecto será vivido favoravelmente será o quanto você estará *segura/o* e com a agressividade controlada.

· ASPECTOS FAVORÁVEIS: Sextil e Trígono

Em razão de a Lua, símbolo da sensibilidade, formar no período uma conexão fértil com o Planeta que representa a autoafirmação, você saberá usar a intuição para fazer vigorar a sua vontade. Sendo assim, será um período favorável para agir segundo os seus impulsos e desfrutar os bons resultados. O motivo de haver tal facilidade será também o fato de você dispor de uma forte determinação emocional, enfrentando bem, até mesmo, os desafios que surgirem no caminho. Aliás, toda e qualquer atividade que exigir garra e força de vontade será bem-vinda nesse momento.

Além do mais, será uma ótima oportunidade para tomar algumas decisões. Basta seguir a intuição e ir em frente! Você verá que os impulsos em determinadas ocasiões serão tão assertivos que passará a confiar melhor na espontaneidade das suas ações.

Será igualmente um Aspecto que apontará para a presença de vigor e boa disposição física. Se houver algum desequilíbrio na sua saúde, ele colaborará para a cura e a regeneração. Então, aproveite para cuidar do seu bem-estar, exercitar-se e atuar em atividades que tenham perfil competitivo. Vá adiante e lute!

· ASPECTOS DESAFIADORES: Conjunção, Quadratura e Oposição

Por causa da pressão e da vulnerabilidade diante das provocações externas, a tendência desse momento será a de haver irritação e tensão emocional, manifestadas sob a forma de agressividade, impaciência ou descontrole. Além disso, os sentimentos estarão intensificados e turbulentos, gerando intolerância até em relação a pequenas coisas. Isso ocorrerá, provavelmente, devido à sua instabilidade e insegurança. A melhor estratégia para lidar com esses conflitos será tentar não reagir, e sim ser *pacífica/o* sem deixar de ser firme nas suas posições. Ainda que tenha dificuldade de se autoafirmar, nessa fase o desafio será se fortalecer para evitar entrar em rota de colisão com as pessoas e as situações que emocionalmente são importantes para você. Portanto, procure ter calma ao tomar decisões. Se puder adiá-las um pouco até recuperar a segurança, melhor.

Aliás, toda essa tensão será geradora de estresse e de consumo excessivo de energia. A sua imunidade e o seu bem-estar físico poderão ficar comprometidos caso você não se cuide e não reduza o grau de esgotamento a que esse período poderá *levá-la/o*.

Lua em Aspecto com Júpiter

As qualidades simbólicas representadas por esses dois Planetas são muito distintas, pois enquanto a Lua sinaliza para o desejo de conforto e intimidade, Júpiter, por sua vez, aponta para o alto, para as buscas que exigem ir mais longe e para o distanciamento da zona de conforto. Se por um lado essas duas necessidades se estranham; por outro, produzem resultados criativos e surpreendentes.

· FORÇAS ATUANTES: intuição, sensibilidade e afetividade

· ÁREAS DE ATUAÇÃO: metas, leis, crenças, ideais, justiça, estudos e viagens

· ASPECTOS FAVORÁVEIS: Conjunção, Sextil e Trígono

Diante desse Aspecto, suas emoções provavelmente virão à tona com muita intensidade. Por serem fruto do que foi cultivado há algum tempo e, portanto, apresentarem consistência, você poderá obter êxito quando for expressá-las. No caso da Conjunção, além do que foi dito, você também poderá incorrer no erro de cometer excessos. Tudo dependerá da capacidade de controlar seu entusiasmo, deixando-o na medida certa para obter os resultados desejados.

Em contrapartida, em todos os Aspectos favoráveis, a boa sorte do momento se apresentará na facilidade de julgar qual será a hora exata para usar a intuição, que, por sinal, estará bastante em alta. Aliás, não deixe de acreditar nela, que fará um excelente trabalho nas tomadas de decisão. A flecha certeira do arqueiro apontada para o alto, símbolo associado a Júpiter, indica que será uma fase benéfica para estabelecer metas, traçar objetivos e expandir a mente. E, por falar nisso, esse será um tempo fértil para estudos, pesquisas, provas e viagens. A consciência estará disponível para ir mais longe, seja intelectual, seja geográfica ou espiritualmente. Se estiver, portanto, *envolvida/o* com algum desses assuntos, aproveite então os bons ventos do período.

Para finalizar, tudo que envolver leis ou a Justiça poderá ser bem conduzido. Faça valer seus direitos e não perca a oportunidade de usufruir das bênçãos da sua estrela da sorte. Por sinal, ela *a/o* protegerá naquilo em que necessitar de ajuda.

· ASPECTOS DESAFIADORES: Quadratura e Oposição

A conexão tensa entre esses dois Astros paradoxais nos seus significados provocará uma exacerbação dos desejos e, por consequência, você poderá incorrer em erros devido ao excesso de expectativa, ou seja, a confiança em demasia de que as coisas se resolverão magicamente ou exatamente conforme a sua vontade será o estopim de frustrações.

A solução será você saber dosar a sua sensibilidade de modo a julgar corretamente as situações que foram decepcionantes. Além disso, tenha cautela ao expressar o que sente, visto que tudo virá à tona de forma dilatada, podendo você ser mal *compreendida/o* pelas pessoas. A dica para essa fase é dar uma folga para sua estrela da boa sorte.

Nesse período também não é aconselhável estabelecer metas, a não ser que esteja *disposta/o* a mudá-las ou reconhecer que não eram adequadas.

Portanto, se for esse o caso, avalie melhor seus objetivos e espere uma ocasião mais tranquila para decidir para onde ir.

A mesma dica vale para assuntos relacionados à Justiça e às leis. Fique bem *informada/o* dos seus direitos para que, em um momento melhor, sejam reconhecidos.

Lua em Aspecto com Saturno

Sendo esses Astros regentes de Signos opostos — a Lua o de Câncer, e Saturno o de Capricórnio —, a conexão entre ambos reúne valores que, por um lado, opõem-se; e, por outro, complementam-se. Sensibilidade e razão, intuição e realidade são os polos dessas duas potências que se relacionam de forma paradoxal e complementar.

- FORÇAS ATUANTES: intuição, sensibilidade e afetividade
- ÁREAS DE ATUAÇÃO: responsabilidade, organização, produtividade e trabalho

ATENÇÃO: a Conjunção entre a Lua e Saturno pode ser interpretada também de forma favorável, desde que no momento haja segurança, disciplina e responsabilidades já bem definidas. Entretanto, será no viés desafiador que esse Aspecto mais se manifestará.

- ASPECTOS FAVORÁVEIS: Sextil e Trígono

Graças à influência harmoniosa da Lua, Astro que trata da sensibilidade, sobre Saturno, simbolicamente relacionado à responsabilidade, esse período será contemplado com o bom gerenciamento do tempo e com o cumprimento das tarefas com as quais você estiver *comprometida/o*. Além do mais, essa mesma combinação significará que haverá melhores condições de se relacionar com segurança, reconhecer suas limitações e, principalmente, impor limites às outras pessoas. A dica para esse momento é que você atenda ao desejo do outro, mas, principalmente, também ao seu.

O período será ainda favorável para organizar o que for preciso e, às vezes, assumir algum tipo de responsabilidade a mais. A bem da verdade, a área que será mais beneficiada com esse Aspecto será a do trabalho, pois essa conexão facilitará a fertilização do solo profissional, possibilitando uma melhor produtividade.

Aliás, além de questões que envolvam carreira, será um dia especial para resolver igualmente problemas recorrentes na vida tanto pessoal como afetiva, deixando para trás o que está acumulado ao longo do tempo.

· ASPECTOS DESAFIADORES: Conjunção, Quadratura e Oposição

Em virtude da inquietação provocada pelo encontro de dois Astros que tratam de tendências opostas, as variações de humor poderão provocar dificuldade em realizar suas coisas no tempo certo. Seja *cautelosa/o* com seus compromissos e suas responsabilidades e evite atrasos e mal-entendidos. Por sinal, a sensibilidade à qual você estará *sujeita/o* poderá prejudicar sua produtividade e se manifestar nas suas relações profissionais. Tente dissolver as barreiras que dificultam uma troca mais generosa entre você e os demais, organize-se e atue de forma disciplinada. Essas são as dicas para evitar cobranças que venham a *deixá-la/o constrangida/o* ou *culpada/o*.

Além disso, a tendência é a de que você venha a sentir maior resistência ou mesmo dificuldade de se relacionar. O que poderá provocar tais obstáculos será o fato de haver inibição dos sentimentos, atrapalhando a sua expressão. A sensação será a de que você estará *travada/o*. A propósito, será bem provável que você também tenha dificuldade de dar limite aos outros, o que, mais tarde, causará revolta. Não force as pessoas a atenderem aos seus desejos, mas, igualmente, não se obrigue a carregar um fardo maior do que é capaz.

E, para finalizar, problemas que costumam se repetir serão mais incômodos e atrapalharão mais do que o habitual. Tente, portanto, virar a página e seguir adiante sem ressentimentos.

Lua em Aspecto com Urano

A influência da Lua sobre Urano se dará por meio da fertilização da liberdade, do desejo de mudança e do poder da mente de criar novos padrões de percepção. Em contrapartida, a potência associada a cada um desses pontos se diferenciará radicalmente, formando um cenário altamente criativo e, ao mesmo tempo, muito estranho.

· FORÇAS ATUANTES: intuição, sensibilidade e afetividade
· ÁREAS DE ATUAÇÃO: liberdade, mudança e quebra de padrões

ATENÇÃO: deve-se levar em consideração que a Conjunção entre a Lua e Urano pode manifestar também as qualidades favoráveis da inovação e das descobertas. Entretanto, o mais provável é que esse Aspecto seja vivido de forma desafiadora. Isso dependerá do grau de tensão ou estresse emocional a que se estará *sujeita/o* nesse momento.

· ASPECTOS FAVORÁVEIS: Sextil e Trígono

A conexão fluente entre a Lua e Urano significará que o bom desempenho da sua intuição sinalizará principalmente o que estará por vir. Portanto, não deixe essa bênção passar despercebida e atenda aos chamados desse momento.

A liberdade será sentida como fator essencial para o ótimo desenvolvimento dos seus relacionamentos, podendo até mesmo causar mudanças importantes nos padrões habituais que definem a forma como você se relaciona. Aquilo que, frequentemente, insiste em se repetir poderá ser modificado e substituído por algo totalmente novo, colaborando, desse modo, para que suas interações fluam com mais tranquilidade e, ao mesmo tempo, intensidade.

Também suas habilidades mentais estarão em alta, amplificadas, como já dito, pela intuição e pela sensibilidade. O aconselhável para esse período é movimentar-se muito, dispor-se a circular por ambientes desconhecidos e encontrar pessoas diferentes. Se assim for, você verá os efeitos benéficos surgirem sob a forma de criatividade, que poderá ser desfrutada em toda e qualquer área da sua vida.

· ASPECTOS DESAFIADORES: Conjunção, Quadratura e Oposição

Devido ao fato de que você estará *sujeita/o* à instabilidade emocional, a tendência será a de que oscile entre extremos, que as emoções emerjam de maneira abrupta e inesperada e que se sinta um pouco como *uma/um estranha/o* no ninho. Tudo isso poderá causar turbulências nos seus relacionamentos, e o motivo dessa inquietude provavelmente terá a ver com as dificuldades relacionadas ao exercício da sua liberdade. Este será o grande chamado do momento: equilibrar a segurança emocional representada pela Lua com a liberdade simbolizada por Urano.

Será um tempo para refletir sobre o que deve ser modificado no modo de ser e se relacionar, lembrando-se de não projetar suas tensões nos outros.

Também será importante ter calma para não tomar nenhuma decisão precipitada, ainda que a ocasião possa apontar para ações urgentes.

Haverá ainda o fato de que a mente inquieta tenderá à dispersão e ao estresse. Por essa razão, canalize a ansiedade para atividades que a/o ajudem a relaxar e para que você possa aproveitar melhor o seu poder mental e a sua intuição, pois estes ficarão comprometidos caso mantenha os nervos à flor da pele.

Lua em Aspecto com Netuno

O fato de os dois Astros serem regentes de Signos do Elemento Água (a Lua a de Câncer, e Netuno o de Peixes) faz com que essa conexão seja desencadeadora da força comum entre eles, ou seja, a intuição e a sensibilidade. Os dois Planetas vibram na atmosfera das emoções e da fantasia, formando uma poderosa aliança.

· FORÇAS ATUANTES: intuição, sensibilidade e afetividade
· ÁREAS DE ATUAÇÃO: intuição, sensibilidade, imaginação e espiritualidade

ATENÇÃO: é importante assinalar que as Conjunções entre a Lua e Netuno poderão ser sentidas tanto de forma favorável quanto desafiadora. O excesso de sensibilidade produzido por esse encontro deslocará o viés favorável para o desafiador. Assim, será relevante que se interprete esse Aspecto nas duas qualidades.

· ASPECTOS FAVORÁVEIS: Sextil e Trígono

Para todos os Aspectos favoráveis, a sensibilidade estará em alta e será possível mergulhar com segurança nas mais profundas emoções. Explore melhor, portanto, seus sentimentos, faça as pazes com seus medos e usufrua o efeito dessas ações na boa relação com as pessoas do seu convívio cotidiano. Os encontros do período terão a qualidade de serem mágicos e de estarem envolvidos em uma atmosfera sensível e acolhedora.

Netuno é simbolicamente o Astro responsável, entre outras potencialidades, pelo universo psicológico, relacionado ao bem-estar da alma e do espírito. Como já mencionado, descer às profundezas do seu ser será uma viagem bem-vinda. Por essa razão, será um momento especialmente favorável para obter resultados consideráveis em terapias e práticas que beneficiem a tranquilidade e o equilíbrio emocionais e que possam nutrir a sua espiritualidade. Assim, vá fundo e veja então o que se descortinará para você!

· ASPECTOS DESAFIADORES: Conjunção, Quadratura e Oposição

Com um Aspecto desafiador entre dois Astros que tratam da esfera emocional, você será profundamente *influenciada/o* pelas suas fantasias. Isso quer dizer que os medos virão à tona sem pedir licença, sendo essa, então, uma tremenda oportunidade para trabalhá-los, acolhê-los e, quem sabe, dissolvê-los. Outra dica para esse período é que você fique *atenta/o* à sua imaginação e às expectativas, já que a tendência será a de haver frustração por a realidade não vir a corresponder às suas idealizações, algo especialmente válido no que diz respeito à sua relação com as demais pessoas. Mas, veja bem, não será o caso de fincar os pés na realidade e deixar de sonhar! Será apenas um alerta para que seus desejos estejam em consonância com a possibilidade de se tornarem reais.

É importante ainda saber que esse tempo demandará silêncio e quietude, ainda que o estado de espírito se alinhe com a tristeza ou a melancolia. O certo é que essas regiões sensíveis da alma nem sempre são fáceis de lidar. Um toque: já que Netuno reina na esfera dos estados psíquicos e da espiritualidade, quem sabe fazer uma terapia ou optar por uma prática que vise à sua tranquilidade de espírito não seja uma boa ideia? Logo, experimente e sinta os efeitos positivos dessas atividades, usufruindo, até mesmo, de algumas revelações.

Lua em Aspecto com Plutão

Tanto a Lua quanto Plutão regem Signos do Elemento Água — Câncer é regido pela Lua, e Escorpião por Plutão. Isso significa que as profundezas emocionais serão tocadas, a sensibilidade ficará em alta e transformações psíquicas serão necessárias.

· FORÇAS ATUANTES: intuição, sensibilidade e afetividade
· Área de atuação: profundidade emocional, transformações, regeneração e revelações

ATENÇÃO: apesar de a Conjunção entre a Lua e Plutão se manifestar quase exclusivamente de forma desafiadora, não podemos deixar de considerar também os seus efeitos favoráveis. Entretanto, para que essa tendência possa se revelar, será preciso que, no momento, exista pleno equilíbrio emocional.

· ASPECTOS FAVORÁVEIS: Sextil e Trígono

Esse Aspecto apontará para a chance de você, ao visitar as profundezas da sua alma, extrair de lá forças que, no lugar de destrutivas, tenham o poder de transmutar o que costuma atormentar a sua tranquilidade de espírito. Assim, você se encontrará em um momento especial para regenerar as feridas causadas por conflitos, principalmente aqueles que têm relação com perdas. Desse modo, os velhos padrões de sofrimento se transformarão, dando lugar a novos valores que *a/o* alimentarão dali em diante. Uma vez revitalizada a sua dimensão psíquica, você será capaz de se entregar novamente a emoções intensas sem medo, recomeçando uma nova fase emocional.

Os relacionamentos que também *a/o* tocarão nesse tempo serão aqueles em que há um envolvimento profundo ou que produzam transformações significativas. Levando em consideração que sua intuição estará em alta, você será capaz de visitar as regiões mais preciosas das pessoas com as quais costuma conviver intimamente. Aproveite então para fazer as mudanças necessárias que abrirão espaço para intensificar os seus sentimentos pelos outros.

Plutão é o Astro que simbolicamente representa a impermanência da vida e das coisas. Sendo a Lua quem fertiliza seu potencial, deduz-se que esse período venha a ser especialmente significativo para se desapegar, seja de sentimentos, seja de pessoas ou de objetos materiais. As lembranças daquilo que você perdeu e das separações que viveu poderão ser superadas em uma ocasião como essa. Não perca a oportunidade de limpar o que ainda possa ser motivo de sofrimento e dor.

· ASPECTOS DESAFIADORES: Conjunção, Quadratura e Oposição

Semelhante à erupção de um vulcão, as emoções que habitam os lugares mais sombrios e profundos da sua alma virão à tona, provocando uma turbulência no seu estado emocional. Isso ocorrerá para que, expulsos, esses sentimentos possam ser totalmente eliminados e, com isso, deem lugar para a fertilização de novos e verdadeiros desejos. Portanto, a dica para esse momento é manter a calma o máximo que puder e avaliar suas atitudes, transformando o descontrole emocional em força regeneradora.

Passado o período crítico, com a revitalização emocional, você será capaz de lidar melhor com as pressões internas, sentindo alívio por não trazer mais consigo as mágoas e os ressentimentos originados no passado, especialmente aqueles provocados por conflitos de relacionamento. Essas transformações serão necessárias para que você possa se relacionar melhor intimamente, sem medos e com mais profundidade.

Ao transformar velhos sentimentos em novos, você poderá perceber o quanto é melhor enfrentar as mudanças da vida, principalmente as perdas, com mais controle emocional. Ao se ver *liberta/o* de tudo que foi acumulado do passado até então, você terá a chance de viver mais intensamente e, de quebra, sentir emoções reveladoras.

Lua em Aspecto com o Ascendente e o Descendente

A importância desse encontro se dará pelo fato de a Lua representar as memórias impressas do passado, enquanto o Ascendente trata da criação de um eu singular. O desafio de manter a fidelidade à sua história sem prejudicar a estabilidade dos seus relacionamentos — questão tratada pelo Descendente — será o assunto em pauta nos momentos em que esse Aspecto surgir na sua vida.

- FORÇAS ATUANTES: intuição, sensibilidade e afetividade
- ÁREAS DE ATUAÇÃO: autonomia, autoconfiança, bem-estar físico, saúde, afetividade e parcerias

ATENÇÃO: tanto a Conjunção com o Ascendente quanto a com o Descendente (Oposição com o Ascendente) são consideradas favoráveis. Entretanto, elas se diferenciam dos outros Aspectos favoráveis porque, além de marcarem o começo de um novo ciclo, tornando esse momento especialmente importante, também atuam muito mais intensamente do que os demais.

Como a Conjunção com o Descendente trata de uma área distinta de todos os outros Aspectos, ela será interpretada separadamente.

- ASPECTOS FAVORÁVEIS: Conjunção, Sextil e Trígono com o Ascendente

No caso da Conjunção, esse tempo marcará o começo de um novo ciclo emocional. Você sentirá, principalmente, a sua sensibilidade aflorar e perceberá o seu corpo transpirar os sentimentos que emanam da sua alma. A impulsividade fará brotar o que ficou contido ou bloqueado nos últimos tempos.

Em todos os Aspectos favoráveis, mesmo na Conjunção, se você estiver esperando uma chance para tomar alguma atitude acerca da sua autoestima e que também facilite a obtenção de um clima afetuoso nos relacionamentos, será o momento! Não perca, pois, a oportunidade de agir *estimulada/o* pelos seus desejos e de se aproximar das pessoas que tocam sua alma e produzem uma boa sinergia no encontro. O interessante então será a possibilidade de associar a segurança para afirmar a sua vontade com a sabedoria de acolher o querer dos outros.

Isso valerá para as relações familiares, posto que a Lua é o Astro encarregado pela construção das bases afetivas e da ligação entre a sua história e o seu passado. Assim, não deixe de dar atenção aos seus sonhos, tanto os que vierem durante o sono como os que *a/o* transportarem a alguma cena, a uma memória quando estiver *acordada/o*. Eles servirão como uma eficiente ferramenta para que você compreenda melhor os efeitos das experiências antigas e que, nem sempre, estão à disposição da sua consciência.

Outro destaque quanto a esse Aspecto diz respeito à autonomia e à individualidade, e o grande ganho desse momento será conseguir disponibilidade emocional para se envolver com as pessoas sem comprometer a autoconfiança e a vontade própria.

Além de o Ascendente ser um ponto no seu Mapa Natal que trata da construção da singularidade, ele também se relaciona ao bem-estar físico e à aparência. Por esse motivo, será um período especialmente favorável para cuidar de si, do seu corpo, da sua imagem e da sua saúde.

· ASPECTO DESAFIADOR: Quadratura com o Ascendente

Esse Aspecto apontará para uma fase de transição de um estado de humor já desgastado para a obtenção de uma nova condição emocional. Entretanto, enquanto esta não for atingida, você navegará por mares agitados até completar a travessia. Essa será a razão de você sentir instabilidade, impaciência e, muitas vezes, mau humor. O fato é que a sua autoestima, representada pelo seu Ascendente, ao ser tocada de forma incerta pela sensibilidade lunar, produzirá uma razoável insegurança para lidar com os relacionamentos íntimos. Além de ser importante nesse momento procurar organizar melhor os sentimentos e ter uma visão mais clara de si *mesma/o*, também será imprescindível que saiba distinguir os bons encontros daqueles que não são capazes de produzir bem-estar. Se no período alguém não estabelecer uma boa sinergia com você, o melhor será se recolher e ser a própria companhia.

Uma vez que a dificuldade de expressar suas emoções estará presente, provavelmente você provocará algum tipo de desentendimento com quem tem mais intimidade, até mesmo com familiares. Haverá ainda a tendência a se sentir mais *afetada/o* por eles do que de costume. Tudo isso por ser a Lua o Astro responsável pelas trocas afetivas.

Como o Ascendente é o ponto do seu Mapa de Nascimento que cuida da criação da sua singularidade, ele é igualmente o responsável pelo seu bem-estar físico e pela sua aparência. Por isso, não deixe de cuidar do seu corpo e da sua saúde, evitando, principalmente, ambientes prejudiciais ou com o clima pesado. Entretanto, se você não conseguir bloquear a absorção de tais atmosferas, o aconselhável será descarregar essas energias com um bom banho e, se possível, um detox alimentar.

· Conjunção com o Descendente ou Oposição com o Ascendente

Que tal a ideia de avaliar como estão os seus relacionamentos? Pois esse período será perfeito para sentir mais profundamente o que está se passando na intimidade do outro e, melhor ainda, no interior da vida a *duas/dois*. Ainda que nesse momento se encontre *sozinha/o*, tal avaliação também será muito bem-vinda para que você sinta se há ou não a necessidade de cultivar um território fértil para um encontro. Se estiver *aberta/o*, nesse tempo a sua energia emocional facilmente tocará a alma das outras pessoas, facilitando as aproximações.

O simbolismo lunar tem a ver com a sensibilidade e, quando a Lua atravessar o Descendente, ponto que representa os encontros afetivos ou as parcerias de trabalho, fecundará o seu desejo de vinculação, apesar de igualmente trazer à tona emoções acumuladas de ambos os lados da relação. Por esse motivo, tal Aspecto poderá apresentar ainda seu viés desafiador. O mais importante para evitar o estresse que ele possa causar será acolher o que vem do outro sem, entretanto, magoar a sua autoestima, associada ao Ascendente. A lógica é a seguinte: sempre que um Astro se opõe ao Ascendente, significa que ele está, da mesma forma, em Conjunção com o Descendente. O primeiro é responsável pela criação da autoconfiança; o segundo, pela força gerada nos encontros.

Dito isso, a tendência dessa fase será a de que você se envolva mais com *a/o parceira/o*, volte seu olhar para *ela/ele* e amplie o desejo de partilhar afetividade. Nesse movimento também estará incluída a oportunidade de acessar sentimentos que revelam Aspectos importantes do passado de um relacionamento. A dica é atualizar as memórias que são produtivas e criativas e fechar o ciclo de repetições desgastantes, mantendo a sua saúde emocional e a *da/o companheira/o*.

Devido ao elevado emprego de energia destinada a cuidar de outras pessoas, não se esqueça de que sua força física e sua saúde têm limite. Assim, zele por seu corpo e seu equilíbrio emocional.

Lua em Aspecto com o Meio e o Fundo do Céu

A Lua é o Astro que se responsabiliza simbolicamente pelos assuntos da afetividade, ao passo que, no sentido oposto, o Meio do Céu representa a trajetória de realização profissional. O desafio proposto por esse momento em que os dois entram em conexão será o de sensibilizar uma área mais objetiva que, normalmente, exige esforços gigantescos para que o pico de sua montanha seja atingido. Em contrapartida, ao tocar o Meio do Céu, a Lua também se conecta ao Fundo do Céu, apontando para um investimento no equilíbrio entre o trabalho e a vida pessoal.

- FORÇAS ATUANTES: intuição, sensibilidade e afetividade
- ÁREAS DE ATUAÇÃO: profissional, carreira, vocação, projetos para o futuro, relações familiares e casa

ATENÇÃO: a Conjunção e a Oposição com o Meio do Céu estão entre os Aspectos considerados favoráveis, com a diferença de que esses dois marcam o começo de um ciclo, tornando esse momento especialmente importante. No caso ainda da Oposição, como atinge em específico a área oposta da vivida na Conjunção, será interpretada separadamente.

- ASPECTOS FAVORÁVEIS: Conjunção, Sextil e Trígono com o Meio do Céu

A Conjunção da Lua pelo Meio do Céu marcará o fim de um ciclo profissional e o começo de um novo. Assim, será um tempo significativo e positivo para você analisar como tem cultivado a relação com a carreira ou com os seus projetos. Por ser um período de maior exposição, o ideal será nutrir o trabalho com suas competências para que colha posteriormente o merecido reconhecimento da sua trajetória profissional. Um único cuidado se faz necessário nessa ocasião: não deixe de lado sua vida íntima e familiar, isto é, tente conciliar a demanda externa com suas necessidades afetivas.

Em todos os Aspectos, até mesmo na Conjunção, o importante será saber que os resultados obtidos dependerão do quanto você tem se alimentado do que faz e do quão se sente *segura/o* emocionalmente no trabalho. De resto, aproveite essa fase para pôr em dia os seus sonhos e fazer planos para o futuro.

Devido ao fato de a Lua representar o território dos afetos, a época será igualmente fecunda para investir nos bons relacionamentos profissionais, dedicar-se a cuidar dos seus sentimentos e dos das outras pessoas e acolher as que, por vários motivos, são mais distantes ou mais retraídas emocionalmente.

A propósito, um atributo muito interessante do Sextil e do Trígono será a possibilidade de você vir a dispor de ótimos recursos emocionais para lidar tanto com questões que dizem respeito à sua vida profissional quanto com as que se relacionam com sua vida familiar. Em geral, essas duas áreas tendem ao desequilíbrio e, consequentemente, também ao estresse. Logo, essa será uma hora favorável para aliviar tais tensões, revendo suas relações de trabalho e com familiares.

· ASPECTO DESAFIADOR: Quadratura com o Meio do Céu

O momento apontará para a dificuldade de conciliar com harmonia as questões acerca do trabalho com as que dizem respeito à sua vida familiar. A razão dessa tensão poderá estar relacionada à instabilidade emocional ou ao excesso de sensibilidade, que criam mal-estar tanto nas relações profissionais quanto nas pessoais. A tendência será a de que você venha a absorver problemas que, às vezes, não são seus. Assim, tente filtrar as energias que circulam à sua volta, eliminando as que lhe fazem mal e absorvendo as que produzem bem-estar. Isso *a/o* ajudará a resolver conflitos acumulados e gerados nessas duas áreas.

Ademais, a oscilação de humor poderá dificultar o estabelecimento de limites e, desse modo, você acabará por assumir mais atribuições do que suporta. O resultado dessa ação certamente será a baixa de produtividade no trabalho e cobranças desnecessárias na vida pessoal. Saiba, portanto, dizer "não". Contudo, não será favorável nesse período adiar o que deve ser feito, pois, ao preferir se aproximar das pessoas com as quais tem uma boa sinergia, certamente será mais agradável realizar as responsabilidades que lhe cabem.

· Conjunção com o Fundo do Céu ou Oposição com o Meio do Céu

Ao fazer a Oposição com o Meio do Céu, a Lua igualmente atravessará o Fundo do Céu, fertilizando tudo que esse ponto representa, isto é, as relações familiares, a memória do passado, as raízes e o histórico emocional. O ideal nesse momento é aproveitar ao máximo seu tempo em casa e mergulhar de cabeça nas questões familiares. Em pequenas doses, você poderá reescrever a história do seu passado e a dos seus ancestrais. Será um resgate que alimentará a sua alma e a de todos que fazem parte da construção das suas bases emocionais. Evidentemente, nem tudo é um mar de rosas. Entretanto, ao visitar as memórias da sua família, talvez você possa compreendê-la bem melhor do que imagina.

Será ainda um período de recolhida e de necessidade de acolhimento emocional. Por outro lado, você poderá se sentir mais *requisitada/o* emocionalmente e ser *solicitada/o* a cuidar das pessoas mais próximas. Por esse motivo, o melhor então talvez seja diminuir um pouco o ritmo de trabalho, sem, todavia, comprometer a produtividade. A complexidade de pôr em dia seus relacionamentos pessoais e, ao mesmo tempo, manter um ambiente afetivo no espaço profissional faz esse Aspecto ser classificado também como desafiador.

Lua em Aspecto com os Nodos Lunares Norte e Sul

Os Nodos Lunares Norte e Sul são dois Pontos Virtuais localizados em posições diametralmente opostas que, por efeito de cálculo, levam em consideração, entre outros fatores, a posição que a Lua ocupa na eclíptica, que pode intensificar o significado de ambos. Por esse motivo, os Aspectos formados pela Lua com os Nodos fortalecem a interpretação de que o passado se faz presente.

· FORÇAS ATUANTES: intuição, sensibilidade e afetividade
· ÁREAS DE ATUAÇÃO: espiritualidade, passado e caminho de evolução

ATENÇÃO: com exceção da Conjunção e da Oposição com o Nodo Lunar Norte (ou Conjunção com o Nodo Lunar Sul), os outros Aspectos, favoráveis ou desafiadores, atuarão na mesma intensidade tanto nas experiências passadas quanto nas que definirão o futuro espiritual.

A Conjunção com o Nodo Lunar Norte será classificada como favorável, e a Oposição como desafiadora.

No caso da Conjunção com o Nodo Lunar Norte, o que a diferenciará dos outros Aspectos favoráveis será que ela marcará o começo de um novo ciclo espiritual, apontando especialmente o caminho em direção ao porvir.

Ao contrário da Conjunção com o Nodo Lunar Norte, a Oposição primeiramente atuará como uma despedida do passado para, apenas depois, iniciar a reorganização do propósito espiritual.

· **ASPECTOS FAVORÁVEIS:** Conjunção com Nodo Lunar Norte, Sextil e Trígono com Nodos Lunares Norte e Sul

A conexão favorável entre a Lua e o Nodo Lunar Norte harmonizará a função desse Nodo, assim como a do Sul. Ainda que na Conjunção ela se oponha ao Nodo Lunar Sul, o Aspecto será considerado favorável. A função do Nodo Lunar Sul é semelhante à da hélice de um navio, encarregada de transformar a energia gerada pelos motores em força impulsionadora, e, durante o período em que esse Aspecto operar, esse Nodo será solicitado a aumentar a sua força.

Dito isso, o importante em todos os Aspectos será manter a sua navegação operante e tranquila, para que as interações que venham a ocorrer nesse momento possam *direcioná-la/o* para o caminho que conduz ao seu desenvolvimento espiritual. Dê atenção aos encontros que a vida proporcionará a você. Estes serão o seu porto seguro, a escala para abastecer a alma e para seguir, então, sua viagem *nutrida/o* de afeto e de segurança.

Algumas dessas interações serão portos dessa etapa da jornada, e talvez não possam ser conectadas em outra ocasião da sua trajetória. Outras serão resgates de pousos passados e que, com muita generosidade, *a/o* acolherão novamente. Seja *grata/o*. Haverá ainda aquelas que poderão entrar na sua vida para atuar como portos que servirão de base para cumprir o seu destino espiritual.

Uma dica a mais: para que a hélice possa funcionar com eficiência, verifique se não está enrolada nas redes do seu passado. Se estiver, livre-a delas antes de seguir viagem.

- ASPECTOS DESAFIADORES: Quadratura com Nodos Norte e Sul e Conjunção com o Nodo Lunar Sul (Oposição com o Nodo Lunar Norte)

Na Conjunção com o Nodo Lunar Sul, o destaque será para o resgate de tudo que ficou para trás e que tem a ver com o seu passado espiritual. Em todos os Aspectos desafiadores, na viagem que a/o conduz ao seu propósito espiritual, você encontrará um mar instável, com ondas suficientemente altas para desestabilizar sua trajetória. Primeiramente, é importante afirmar que é você a/o comandante do seu navio. Entretanto, na fase de aprendizado, poderá escolher *uma/um mestra/e* ou *uma/um professora/professor* que a/o instrua sobre como navegar por águas não tão amigáveis. Por isso, talvez seja necessário pedir ajuda às pessoas certas, cercando-se de cuidado para não fazer escolhas baseadas em carências ou dificuldades emocionais. Estas, por sinal, serão emoções trazidas do passado que, provavelmente, prejudicarão a boa navegação por mares mais difíceis.

Como o Aspecto da Quadratura envolve igualmente os dois Nodos, um relacionado àquilo que aponta para o seu destino, e o outro associado às memórias trazidas pela alma ao entrar nessa existência, o que deve ser feito nesse momento será desenredar a hélice da sua embarcação das redes do passado, para que você possa prosseguir na direção do seu destino espiritual. Da mesma maneira, será necessário ter instrumentos precisos para saber que rumo tomar. Uma dessas ferramentas então será a sua intuição que, se não estiver afinada, poderá apontar para um caminho que não é o seu.

Lua em Aspecto com a Roda da Fortuna

No cálculo da Roda da Fortuna, a conexão entre a força lunar e o Ponto Virtual representado pela Roda envolve sobretudo a bênção dos encontros, a fortuna que são os sentimentos e as emoções, e a relação com o bom fluxo das energias relacionadas às fantasias e às recordações do passado.

- FORÇAS ATUANTES: intuição, sensibilidade e afetividade
- ÁREAS DE ATUAÇÃO: boa sorte e fluidez
- ASPECTOS FAVORÁVEIS: Conjunção, Sextil e Trígono

Nessa fase, você receberá a visita da sua estrela da boa sorte. Você sentirá a presença dela por meio de um fluxo benéfico das suas emoções e da facilidade de criação de uma sinergia favorável com as pessoas do seu convívio pessoal. Além disso, a propagação dessa energia agradável implicará a possibilidade de haver encontros generosos, aqueles que aparentam existir já há bastante tempo.

A Roda da Fortuna simboliza, além da sorte, o bom fluxo energético. Assim, esse será um daqueles momentos em que os ventos soprarão a favor do curso dos acontecimentos que mais tocam a sua emoção. Além disso, por tudo fluir com mais agilidade, também os problemas serão mais facilmente resolvidos. Não deixe de olhar para as situações tensas, ainda que nessa ocasião você esteja mais *próxima/o* das que são bem-vindas e descomplicadas.

Nesse período você terá nas mãos uma bela oportunidade de se desvencilhar de mágoas ou ressentimentos, abrindo ainda mais os seus caminhos emocionais. Não hesite, portanto, em escarafunchar velhas emoções, de forma a renovar o que pode ser motivo de algumas inquietudes.

Sem mais, curta a boa sorte desse tempo e sinta os seus efeitos tanto na satisfação de ter conseguido pôr em ordem alguns dos seus problemas afetivos quanto no conforto do ombro alheio.

· ASPECTOS DESAFIADORES: Quadratura e Oposição

Você poderá atribuir a responsabilidade pela tensão dessa fase à falta de sorte. Entretanto, nem sempre será possível contar com o brilho da sua estrela, já que o propósito desse momento será que você, sem depender da ajuda de outras pessoas, desobstrua o fluxo das suas energias, principalmente aquelas que têm a ver com as suas emoções. Somente após esse desimpedimento, o curso dos acontecimentos fluirá com tranquilidade.

Outra questão importante será a que trata da dificuldade de deixar fluir seus sentimentos sem que isso seja uma experiência desconfortável. O melhor nessa ocasião será se desvencilhar das sensações incômodas, guardadas no fundo da alma e que costumam ser recorrentes. A tendência será a de que você tente outra vez empurrá-las com a barriga, prejudicando ainda mais a liberação da potência de se relacionar com intensidade e harmonia.

O conforto será uma das exigências mais relevantes relacionadas ao simbolismo lunar. Uma vez que você não deve então depender da ajuda do brilho da sua estrela, procure sair por conta própria do lugar da inquietude ou pouse a cabeça somente em ombros acolhedores.

Lua em Aspecto com Quíron

O encontro entre a Lua e Quíron reúne a sensibilidade da primeira com o dom da cura do segundo. Intuição e dor se aliam para tratar do que faz sofrer, num aprendizado profundo e fecundo. O passado igualmente participará desse processo terapêutico, já que o simbolismo lunar remete às memórias que constituem a história de cada um.

· FORÇAS ATUANTES: intuição, sensibilidade e afetividade
· ÁREAS DE ATUAÇÃO: saúde e autoconhecimento

ATENÇÃO: as Conjunções entre a Lua e Quíron são sentidas tanto de maneira confortável quanto incômoda. Portanto, as interpretações dos Aspectos favoráveis e dos desafiadores deverão ser levadas em consideração. Todavia, a sua atuação será mais intensa quando os Aspectos formados forem os que provocam o enfrentamento dos desafios.

· ASPECTOS FAVORÁVEIS: Conjunção, Sextil e Trígono

A conexão entre o Astro que tem como função sensibilizar tudo que toca e aquele que simboliza feridas dolorosas e que levam ao autocuidado sugere que nesse momento você estará *apta/o* emocionalmente para lidar com o que possa causar sofrimento. Você igualmente compreenderá a razão dos seus desequilíbrios físicos ou, especialmente, dos emocionais. A dica é tirar um tempo para cuidar de si e, se for o caso, libertar-se dos sentimentos incômodos. Evidentemente, sempre haverá algo na sua estrutura afetiva que precisará de atenção e, quando muito, ser aperfeiçoado. Não se furte de voltar ao passado e resgatar o que ficou para trás e que pode ser motivo de bloqueios. Esse período será positivo principalmente para lidar com tudo que está guardado nos porões da sua alma, provocando a cura psíquica que *a/o* ajudará a obter um bem-estar generalizado.

Os possíveis encontros nessa fase serão terapêuticos, ainda que possam tocar em feridas. Lembre-se de que não há cura sem mexer no que dói. Seja, portanto, *grata/o* ao que vier do outro e que trará alívio para os seus sofrimentos.

Quanto à Conjunção, não deixe de verificar os efeitos desafiadores do Aspecto, pois as feridas expostas estarão bem mais sensíveis nessa ocasião.

· ASPECTOS DESAFIADORES: Conjunção, Quadratura e Oposição

Em algum momento dessa fase você se sentirá mais vulnerável em relação àquilo que costuma produzir sofrimento. As cicatrizes de feridas emocionais poderão inflamar e gritar para que você dê mais atenção ao que está provocando dor. Os sofrimentos afetivos e emocionais originados no passado deverão ser tratados para que você mantenha a boa saúde nos relacionamentos.

Apesar de esse Aspecto tratar essencialmente da busca por cura emocional, seu corpo também poderá sentir os efeitos de tais dores. Não será raro em um período como esse que os conflitos psíquicos sejam transformados em sintomas físicos. Essas experiências que envolvem algum tipo de sofrimento são um alerta para que você se cuide, principalmente no que diz respeito ao equilíbrio interior.

Tire uma parte do seu tempo para se dedicar ao que está causando aflição. É claro que sempre haverá algo para ser cuidado e, mais do que isso, melhorado. Será nessa época, portanto, que você estará diante de uma boa chance de encontrar o melhor tratamento para aliviar o que lhe causa mal-estar. Saiba que a dor provocada pelo que machuca é a dor da regeneração.

Lua em Aspecto com Lilith

O encontro entre a Lua e o ponto da sua órbita mais distante da Terra, ou seja, Lilith, reúne duas simbologias complementares: a primeira da luz, e a segunda da sombra. A conexão entre essas duas forças sugere um trabalho de integração daquilo que mais diz respeito a ambas, quer dizer, a integração da dinâmica feminina.

· FORÇAS ATUANTES: intuição, sensibilidade e afetividade
· ÁREAS DE ATUAÇÃO: sexualidade, desejo, insubordinação e emoções profundas

ATENÇÃO: as Conjunções entre a Lua e Lilith podem ser vividas dos dois modos: favorável e desafiador. Portanto, não deixe de analisar as duas tendências sabendo, contudo, que a sua maior potência se expressará nos Aspectos desafiadores.

· ASPECTOS FAVORÁVEIS: Conjunção, Sextil e Trígono

O encontro promissor entre a Lua e Lilith propiciará a boa conciliação entre segurança emocional e liberdade. A função lunar é a de cuidar, ao passo que Lilith se refere à sua conquista no mundo sem se submeter às pressões sociais que ditam regras de como você deve ser ou não. Ou seja, será num período como esse que uma brecha se abrirá para que você compreenda que dá para viver em um lugar confortável e atender aos seus mais profundos desejos sem restrições, tabus nem preconceitos.

E mais, você poderá ser *acolhida/o* pelas pessoas que respeitam o seu jeito próprio de ser e de não se submeter aos jogos de controle afetivo e emocional, além de conseguir evitar os encontros invasivos, aqueles que ameaçam a sua liberdade.

Aproveite esse tempo para fazer contato com suas vontades mais intensas, principalmente as reprimidas. Os medos também poderão ser enfrentados com mais ousadia e coragem. Entretanto, será na questão sexual que esse Aspecto expressará sua maior potência. Desbloqueie o que estiver contido, saiba dar vazão às suas fantasias e acolha com amorosidade a sua sexualidade. Além de tudo isso, o momento se prestará para um belo aprendizado de como dizer "não" para tudo e *todas/os* que possam agredir o seu bem-estar físico, psíquico e sexual.

No caso da Conjunção, a tendência mais comum será a de que haja mais fragilidade, um sentimento profundo de desamparo e a possibilidade de fazer contato com situações que testem seus limites entre o risco de sofrer e a segurança emocional. Portanto, não deixe de analisar também a Conjunção como um Aspecto desafiador.

· ASPECTOS DESAFIADORES: Conjunção, Quadratura e Oposição

A dica mais importante para essa fase é que você deve proteger a sua liberdade. A Lua é a encarregada simbolicamente pela manutenção de um território emocional seguro, enquanto Lilith tem a ver com seus desejos mais profundos, aqueles que, em geral, estão reprimidos devido à influência dos preconceitos e tabus sociais. É possível que, por estar mais *fragilizada/o*, você se sinta *desrespeitada/o* e *posta/o* de lado. Essa experiência fará brotar a memória que guarda os traumas causados pelo desamparo. Assim, o indispensável será aprender que dá para ser feliz *sozinha/o*, independentemente de estar ou não se relacionando com alguém. Será desta liberdade que Lilith falará: não se sujeitar ao que vai contra o seu desejo apenas para manter elos que tapam os buracos causados pela carência.

Possivelmente, no momento em que você resolver seguir os passos das suas vontades mais intensas, não encontrará apoio e acolhimento por parte da maioria das pessoas. Por esse motivo, será preferível se recolher em exílio a se submeter a relações invasivas ou tóxicas.

Entretanto, serão nas questões sexuais que esse Aspecto ganhará a sua maior potência. A indicação será a de que você aprenda a acolher com amorosidade a sua sexualidade e que resolva qualquer conflito em relação a ela. Todavia, ainda que você consiga desbloquear o que estiver reprimido, aprenda a dizer "não" a toda e qualquer situação que possa agredir o seu bem-estar físico, afetivo ou sexual.

Trânsitos, Progressões e Direções do Sol

INTENSIDADE DO TRÂNSITO: 3

INTENSIDADE DA PROGRESSÃO: 7

INTENSIDADE DA DIREÇÃO: 7

A finalidade dos Trânsitos, das Progressões e das Direções do Sol é aquecer, vitalizar, fazer vibrar, conscientizar e iluminar o Planeta ou Ponto Virtual com o qual ele formar um Aspecto, favorável ou desafiador. Esses Astros ou Pontos ficarão intensificados nas suas funções e estarão sujeitos às ações do ego, da autoconfiança e do desejo de sucesso. Os desafios a serem enfrentados durante a vigência desses Aspectos estarão relacionados à vaidade, ao uso inadequado do poder e ao desequilíbrio das energias vitais.

Sol em Aspecto com o Sol

Os Aspectos formados no Trânsito entre a posição atual do Sol no Céu e o Sol do Mapa do seu nascimento incluirão, uma vez por ano, o dia do seu aniversário, quando ocorrerá a Conjunção. Os outros Aspectos reforçarão os valores solares tanto de forma favorável quanto conflituosa. Em todos os Aspectos, isto é, Trânsitos, Progressões ou Direções, tais valores se referirão à alegria de viver, à vitalidade e ao poder de gerenciar a vida com consciência.

· FORÇAS ATUANTES: consciência, vontade, vitalidade, vigor e autoconfiança

· ÁREAS DE ATUAÇÃO: consciência, vontade, vitalidade, vigor e autoconfiança

ATENÇÃO: o Trânsito da Conjunção do Sol com o Sol será interpretado separadamente dos demais Aspectos por ser uma data especial, ou seja, o dia do seu aniversário.

· Conjunção do Sol com o Sol

A cada ano, a Terra completa mais uma revolução em torno do Sol. No entanto, nesta Conjunção, ela concluirá esse ciclo considerando a data do seu nascimento. Portanto, feliz aniversário, ou melhor, feliz ano-novo! Celebre a alegria de viver, sinta o calor que emana do seu corpo e o pulsar do seu coração como manifestações da centelha divina de vida.

Claramente, esse deverá ser um momento especial para que você possa usufruir os benefícios da autoestima e da autoconfiança. Planeje seu novo ano com consciência das suas potencialidades criativas, mas de forma objetiva e considerando as suas maiores necessidades. Proponha-se metas, pois o Céu desse dia será o seu guia para o ano que estará apenas florescendo. Olhe para o firmamento e faça seus pedidos, suas intenções e seus agradecimentos.

· ASPECTOS FAVORÁVEIS: Sextil e Trígono

Uma das mais importantes funções solares — o uso equilibrado da razão — será o meio mais eficiente para que você possa realizar os seus desejos. Aliás, haverá força de vontade suficiente para levar adiante o que você se propuser a fazer. Por essa razão, verifique se, efetivamente, você tem se empenhado para caminhar firmemente em relação aos seus objetivos pessoais. Caso tenha se acomodado, haverá nesse período oportunidades que serão de grande ajuda para atingi-los. Aproveite ao máximo a disposição para acreditar em si, reforçar a autoestima e ter mais consciência sobre quem verdadeiramente quer se tornar.

Será hora de estar de bem com a vida, aquecer o coração com a energia solar vibrante e aproveitar o magnetismo que estará em alta. Será igualmente intensificada a capacidade de atrair as atenções sobre si, o que deve ser aproveitado em situações de exposição e de comando.

Com boa disposição física e uma ótima qualidade de energia vital, a ocasião será favorável para atividades que exijam mais esforços, tanto físicos como mentais. O prazer que os exercícios produzem provocará a vontade de se manter em movimento dessa fase em diante.

· ASPECTOS DESAFIADORES: Quadratura e Oposição

Por ser a autoconfiança uma virtude diretamente relacionada aos valores representados pelo Sol, você poderá se sentir *insegura/o* durante a passagem desse Aspecto. A vaidade e a força exercida pelo ego serão responsáveis por grande parte dessa insegurança, seja porque você venha a se sentir menos relevante do que gostaria, seja, até mesmo, por sobrestimar sua potência. Em qualquer um dos casos, um desequilíbrio estará presente, e o desafio será regular os limites que *a/o* protegem tanto de uma superexposição quanto de ficar *embaraçada/o* se tiver que se colocar de modo firme diante de algum tipo de pressão. No entanto, o melhor será então que evite se expor ou, principalmente, ser o centro das atenções. Espere um momento mais tranquilo para voltar à cena e, não sendo possível, preste atenção para não exagerar sua expressão.

Outro aspecto a ser considerado será compreender que nesse período não haverá um clima positivo para lidar com hierarquias e comando, tanto o seu como o de alguém a quem você se reporte. Fique na sua sem, entretanto, baixar a cabeça. Fique *atenta/o* porque um mecanismo comum de defesa quando esse Aspecto atua é o de se colocar acima do bem e do mal, causando uma impressão ruim nas outras pessoas.

Assim como o Sol simboliza a energia vital, esse Aspecto aponta para o desgaste físico e mental, resultado da má administração das suas energias. Nessa época, você sentirá os sinais de que ultrapassou seus limites, talvez por ter confiado demais nas suas capacidades ou forçado a barra além da conta para provar para si o quanto era capaz de suportar as pressões. Poupe, portanto, suas forças vitais, seja mais gentil com as exigências que faz para si *mesma/o* e aceite que pode cometer erros. Você se sentirá *aliviada/o* ao relaxar um pouco mais.

Sol em Aspecto com a Lua

Como um casal no Céu, a associação entre o Sol e a Lua reúne qualidades opostas e complementares. O primeiro representa a dinâmica masculina da vida; a segunda, a feminina. Assertividade e afetividade, independência e acolhimento, razão e sensibilidade são alguns dos atributos dessa comunhão.

· FORÇAS ATUANTES: consciência, vontade, vitalidade, vigor e autoconfiança

- **ÁREAS DE ATUAÇÃO**: intuição, sensibilidade, afetividade, lembranças do passado, família e casa
- **ASPECTOS FAVORÁVEIS**: Conjunção, Sextil e Trígono

No decorrer do período, você sentirá suas emoções emergirem à superfície, principalmente aquelas que habitam os porões do seu passado. Será então um tempo favorável para resgatar seus sentimentos, liberando-os e atualizando--os. Isso significa que ressentimentos, mágoas ou raivas poderão ser trazidos à luz da razão e, dessa maneira, irão *ajudá-la/o* a encontrar um caminho para dissolver o que atormenta a sua alma. Todavia, principalmente as memórias agradáveis ocuparão um lugar de destaque nas cenas desse momento. Fique *ligada/o* até mesmo nos seus sonhos, pois poderão ser reveladores.

Por haver nessa fase uma maior facilidade de promover equilíbrio psicológico, igualmente o contato com as pessoas será facilitado. Aliás, o provável é que você sinta essa tendência se manifestar bem mais com aqueles do seu convívio íntimo ou, principalmente, com seus familiares. Ponha-se disponível para acolher quem estiver necessitado de afeto e abra-se também para o receber. O efeito do Sol sobre a Lua do seu Mapa Natal será iluminar seu carisma e promover sinergia com os outros.

Outro modo de sentir a influência desse Aspecto será o de harmonizar tendências contraditórias da sua personalidade, já que os valores solares se opõem e se complementam aos lunares. E, para completar, tudo que trate de questões relativas à moradia, à organização da sua casa ou a negociações imobiliárias será muito bem-vindo nessa ocasião. Aproveite, portanto, para fazer do seu canto um lugar de amor e fortalecimento.

- **ASPECTOS DESAFIADORES**: Quadratura e Oposição

O mais provável nesse momento será que você sinta seu humor variar ao sabor dos acontecimentos e que se deixe dominar pelo medo que seus sentimentos provocam, tornando este um tempo turbulento. Primeiro, porque haverá maior contato com sua sensibilidade, seus receios e tudo que tiver origem nas incertezas e inseguranças vividas no passado. Pois será diante dessa situação que você terá uma chance imperdível de fazer uma boa análise do que se passa consigo emocionalmente e tentar encontrar os melhores meios para superar os conflitos. Segundo, pelo fato de a razão e a emoção não conseguirem acertar o passo e por faltar objetividade no que diz respeito aos seus sentimentos, certamente você sentirá abalar o equilíbrio nos seus relacionamentos. Além disso, a dificuldade de expressar com segurança o que está sentindo poderá ser interpretada como insensibilidade, o que, na maioria das vezes, será exatamente o contrário. Esse será o tal descompasso citado anteriormente. O ideal será então contemplar o desejo tanto da mente quanto do coração.

Tente compreender conscientemente qual é o seu papel na família, pois sempre que a Lua for afetada de forma tensa, os assuntos familiares também o serão. Experimente se distanciar um pouco para discernir o que é seu do que não é. Caso haja mágoas ou problemas objetivos a serem resolvidos, apesar de esse período não ajudar muito a encontrar boas soluções, use a razão para agir de forma mais conveniente.

Pelo fato de a Lua se ocupar igualmente dos assuntos que envolvem a relação com a sua casa ou com imóveis, será benéfico tratá-los com cuidado e distanciamento, e, se não puder adiar decisões, reflita muito antes de agir.

Sol em Aspecto com Mercúrio

Mercúrio é o Planeta mais próximo do Sol, sendo considerado na mitologia o mensageiro dos deuses. Essa conexão será uma espécie de intensificação do uso da razão e das capacidades cognitivas. A função desse encontro será iluminar a mente, a comunicação e a troca de informações.

· FORÇAS ATUANTES: consciência, vontade, vitalidade, vigor e autoconfiança
· ÁREAS DE ATUAÇÃO: comunicação, estudos, mobilidade, viagens e negócios
· ASPECTOS FAVORÁVEIS: Conjunção, Sextil e Trígono

Você poderá se surpreender com os resultados obtidos pela sua capacidade de organização mental, de fazer uso proveitoso do poder de análise e, consequentemente, de avaliar de modo correto os assuntos do seu interesse. Tanto a absorção das informações quanto a facilidade de observar os movimentos ao seu redor darão a você o poder de opinar com precisão e desfrutar do bom entendimento de *sua/seu interlocutora/interlocutor*. A função do Sol nesse caso será a de dar um brilho todo especial às suas palavras e opiniões, facilitando toda e qualquer atividade que exija eloquência e clareza de comunicação.

Com a mente aberta e uma inquietude por obter informações, será ainda um período bastante favorável para estudar, fazer pesquisas e até mesmo viajar. Aliás, o desejo intenso de conhecer novos lugares colaborará para que você se sinta *satisfeita/o* viajando. Não será nada mau pensar em tirar um tempo livre, que, se possível, será muito bem-vindo. Entretanto, estando de folga ou não, procure mais *suas/seus amigas/os* e viva momentos de diversão e boas trocas.

Por fim, tanto as reuniões de trabalho, as negociações profissionais ou comerciais, bem como os acordos, tenderão a fluir sem maiores atribulações. Haverá facilidade de conciliar os diferentes interesses, e, por essa razão, *todas/os* sairão ganhando.

· ASPECTOS DESAFIADORES: Quadratura e Oposição

Como Mercúrio trata do poder de raciocínio, ao ser afetado por um Aspecto desafiador, a tendência será a de que haja dificuldade de concentração, o que atrapalhará a análise objetiva dos fatos. Haverá nessa fase, por conseguinte, erros de interpretação, uma avaliação truncada do que as pessoas falam e até mesmo a possibilidade de afirmar algo falso. Não obstante imaginar que está com a razão, o importante será ter consciência de que os outros não pensam como você nem acreditam nas mesmas coisas. Pense um pouco mais antes de emitir uma opinião, seja prudente ao se expressar e tente vencer as inseguranças, tais como a timidez e a dificuldade de se comunicar.

Sendo a dispersão uma das tendências associadas a esse Aspecto, haverá mais dificuldade ao exercer atividades intelectuais, particularmente estudos, viagens e negociações comerciais, profissionais ou pessoais. Por haver excesso de interesses e igualmente constantes mudanças de ideia, as ocasiões em que você precisar tomar alguma decisão serão difíceis. Aliás, ter que decidir no meio de tantas dúvidas provocará muita irritação e impaciência. Portanto, o ideal é que você possa adiar esses assuntos para um momento menos estressante. Todavia, caso seja urgente estudar, prestar uma prova, fechar um negócio ou viajar, tente manter o foco e evitar os mal-entendidos. Você certamente viverá esse período de forma mais leve se seguir essa dica.

Sol em Aspecto com Vênus

A conexão entre o Sol e Vênus será sentida pelo aquecimento do amor, da afetividade e do desejo sexual. A luz da consciência representada pelo Astro-rei afetará o modo como os relacionamentos serão vividos e sugerirá um maior domínio em relação ao que acontecer nos encontros afetivos. Pode-se dizer que, quanto à materialidade das coisas, a mesma tendência será observada, pois esse Aspecto influenciará igualmente a maneira como as finanças serão administradas.

- FORÇAS ATUANTES: consciência, vontade, vitalidade, vigor e autoconfiança
- ÁREAS DE ATUAÇÃO: autoestima, amor, beleza, sexualidade e recursos materiais

- ASPECTOS FAVORÁVEIS: Conjunção, Sextil e Trígono

O encontro positivo entre o Sol e Vênus se manifestará por meio da sua capacidade de promover encontros que não só estimularão a libido, como também o desejo de amar e ser *amada/o*. A disponibilidade afetiva promoverá um clima equilibrado, capaz de *aproximá-la/o* das pessoas, do mesmo modo que as pequenas dificuldades de relacionamento poderão ser resolvidas sem desgaste. A arte de se relacionar bem se revelará nas pequenas delicadezas e nos gestos de cooperação. Também haverá muito mais facilidade de entrega devido à consciência dos seus próprios desejos.

Na medida em que Vênus representa a beleza, o olhar estético estará em alta e você poderá aproveitar esse período para cuidar mais de si. Aliás, esses cuidados serão decorrência de uma maior consciência do seu valor, elevando sua autoestima e trazendo mais confiança para assumir o seu próprio estilo.

Além de tratar do amor, do sexo e da beleza, Vênus está igualmente relacionado aos recursos materiais. Aproveite essa fase então para tomar as rédeas da sua vida financeira e consumir com consciência. A ocasião favorecerá ainda a produção de recursos e a aquisição dos benefícios gerados por eles.

- ASPECTOS DESAFIADORES: Quadratura e Oposição

As dificuldades de relacionamento aparecerão com mais intensidade durante o tempo em que esse Aspecto atuar. Certamente, elas não surgirão do nada, e, como o Sol tem a função de tornar tudo claro, a consciência dos desequilíbrios, das carências e de uma não correspondência de afetividade fará com que você perceba seus conflitos mais explicitamente. Ao reconhecê-los, a tática será enfrentá-los de forma racional, o que possibilitará o encontro de resoluções razoáveis.

Quanto especificamente às carências, o bom mesmo será pensar melhor se não são fruto da falta de autoestima e da expectativa de que as pessoas possam preencher o que lhe falta. De todo modo, fazer uma reflexão honesta sobre suas escolhas poderá *levá-la/o* a compreender por quem normalmente você se atrai. Evidente que, em um período de incertezas, não será favorável tomar decisões importantes. Assim, se puder esperar por um momento mais tranquilo, melhor. Caso não, pondere e não deixe de lado nem a razão, nem o que dita o seu coração. Apenas fique *atenta/o* para não fazer escolhas por pura impulsividade.

Assim como haverá incerteza nas escolhas afetivas, também haverá nas opções materiais. Adquirir algo nessa ocasião poderá virar motivo de arrependimento ou ser consequência de recursos mal-empregados. Fique *ligada/o* ao seu consumo, fuja de gastos excessivos e controle melhor suas compulsões.

Para além de cuidar dos assuntos do amor, do sexo e das finanças, também Vênus representa a beleza. Então, durante esse Aspecto, pode ser que, devido à baixa autoestima, você não fique *satisfeita/o* com sua aparência e acabe por rejeitar a si *mesma/o*. Nada melhor então do que cuidar de si, reforçando que cada um tem sua autenticidade. Esforce-se para superar as pressões que geram insegurança quanto à beleza e lembre-se de que você é *bela/o* do jeito que é. Nem mais, nem menos.

Sol em Aspecto com Marte

Temos aqui o encontro entre dois Astros que são responsáveis simbolicamente pela produção do nosso fogo vital. Tanto o Sol quanto Marte representam ação, objetividade e independência. Portanto, essas qualidades se intensificarão em você quando sob esse Aspecto.

- FORÇAS ATUANTES: consciência, vontade, vitalidade, vigor e autoconfiança
- ÁREAS DE ATUAÇÃO: autonomia, autoconfiança, competição, liderança, disposição física e saúde
- ASPECTOS FAVORÁVEIS: Sextil e Trígono

Com a atuação desse Aspecto astrológico, esse período se caracterizará pela presença do pulso firme, da capacidade de se impor e pelo fortalecimento da sua autoconfiança. Esta será uma das qualidades responsáveis pelas ações vigorosas, porém destituídas de agressividade. Dito isso, fica claro que esse momento favorecerá a tomada de decisões benéficas e iniciativas acertadas, além de dar impulso a tudo que exige uma bela força de vontade. Assim, aproveite para alavancar tudo que demanda bastante determinação e foco. Agir com autonomia e não depender dos outros para alcançar os seus objetivos também será a tendência desse tempo.

Concentre suas energias naquilo que deseja conquistar e obterá resultados positivos em atividades desafiadoras, principalmente nas de caráter competitivo. Ainda que se sinta *insegura/o*, haverá coragem suficiente para enfrentá-las.

Será uma boa chance de conhecer melhor sua resistência física e os meios para obter um melhor desempenho do seu corpo, que, aliás, responderá bem aos desafios. Igualmente, esse Aspecto será um ótimo indicador de vigor e vitalidade. Valha-se dessa ocasião para cuidar bem da sua saúde e invista na manutenção da imunidade, assunto tratado pelo simbolismo de Marte.

· ASPECTOS DESAFIADORES: Conjunção, Quadratura e Oposição

Passar por esse Aspecto significa ficar *sujeita/o* a liberar a agressividade representada pelo deus guerreiro. A sensação provavelmente será a de ficar *carregada/o* de energia irritável ao mesmo tempo que, em muitas situações, se sentirá profundamente *insegura/o* para enfrentar os desafios do momento. A propósito, uma das maiores dificuldades será ter a consciência exata da própria força, o que perturbará a paz da autoconfiança. Se você costuma ser do tipo mais *acomodada/o*, esse Aspecto poderá ser vivido de modo muito conturbado, pois provocações surgirão para que saia da zona de conforto. Todavia, se sua energia sair ateando fogo para todos os lados, será preciso conter suas explosões, a raiva e a indignação, para conseguir expressar os descontentamentos com firmeza mas sem hostilidade. E mais um detalhe: aguarde um tempo melhor para tomar decisões, pois a pressa e a impulsividade não serão as suas melhores aliadas.

Você poderá achar que tudo está dando errado e que o mundo todo está contra você. Será possível, sim, que haja dificuldade de fazer as coisas funcionarem bem, no entanto, muitas dessas percepções serão causadas por imprudência e por excesso ou ausência de autoconfiança. Ao se deparar com o primeiro resultado negativo, a impaciência chegará para ficar, e, daí em diante, haverá o desencadeamento de uma série de contratempos. Experimentar a força do deus guerreiro será, além de desfrutar o sabor das vitórias, aceitar com inteireza as derrotas naturais de toda batalha. As dicas são: ser prudente sem perder a firmeza, enfrentar os riscos sem criar confusões e manter o equilíbrio para não transformar todas as pessoas em adversárias.

Fique *atenta/o* ao bem-estar do seu corpo, à sua imunidade e à saúde. A atividade física pode ser um excelente instrumento para liberar as energias intensas. Contudo, será importante respeitar os seus limites, pois as tensões provocadas pelas pressões da fase poderão ocasionar danos corporais.

Sol em Aspecto com Júpiter

Sendo os dois Astros afinados com Signos do Elemento Fogo, esse Aspecto sugerirá o aumento da força de vontade e da alegria. Júpiter, Planeta que simboliza os ideais, será afetado pela consciência, símbolo da luz solar. O que estará em jogo nesse período serão as certezas, a ética e a justiça.

- FORÇAS ATUANTES: consciência, vontade, vitalidade, vigor e autoconfiança
- ÁREAS DE ATUAÇÃO: metas, leis, crenças, ideais, justiça, estudos e viagens
- ASPECTOS FAVORÁVEIS: Conjunção, Sextil e Trígono

Para começar, esse será um tempo para colher os bons frutos do que foi plantado no passado. Evidentemente, os resultados dependerão do que foi cultivado e dos esforços empregados para alcançar as metas traçadas. Depois, o merecimento e a presença do brilho da sua estrela da boa sorte serão alguns aspectos experimentados quando você estiver passando por essa fase, ainda que não os reconheça como tal. É aquela história: mesmo se der errado, dará certo!

Nesse momento você trilhará uma das etapas mais importantes do seu desenvolvimento pessoal, e a certeza de ser capaz de atingir seus objetivos será a melhor ferramenta para obter bons resultados. Aponte suas setas para onde deseja chegar. Acredite na força dos seus ideais e verá as portas se abrirem.

Seu horizonte ficará ampliado, e os limites poderão ser dilatados para produzir uma melhor expansão e prosperidade. Falando nisso, haverá disponibilidade para incorporar novas experiências e abrir a mente para novos tempos. Será uma época de crescimento, e algo importante lhe será ensinado. Isso porque Júpiter (ou Zeus) é o mestre dos mestres, o deus dos deuses na mitologia grega. Por sinal, os estudos e as viagens serão muito bem-vindos e intensamente aproveitados nesse período graças à inquietude de querer ampliar os conhecimentos e ir além das fronteiras geográficas, intelectuais ou espirituais.

O uso da razão e, especialmente, do bom senso, dará a você o poder de avaliar corretamente o que é ou não justo. E, por falar em justiça, essa será uma das ocasiões ideais para exigir os seus direitos e tratar de assuntos que envolvam as leis. Assim, se for o caso, aproveite os bons ventos trazidos por Júpiter para resolver questões de ordem jurídica e legal.

· ASPECTOS DESAFIADORES: Quadratura e Oposição

Por haver estímulo em excesso, o seu desejo será o de querer fazer mais do que é capaz de suportar, sem respeitar os limites que separam o bem-estar do estresse. Será então fundamental lembrar que Júpiter é o Planeta que rege o Signo de Sagitário, representado por um ser híbrido, metade animal, metade humano. Assim, essa tendência de cometer todo o tipo de exagero poderá ser prejudicial ao corpo e à mente.

Sob a pressão desse momento, você desejará que tudo dê certo sem precisar fazer muito esforço. Entretanto, o melhor será evitar contar exclusivamente com a ajuda da sua estrela da boa sorte. O grande aprendizado do período será exatamente se esforçar para compreender que nem sempre as coisas saem como se deseja. O importante será ter a tranquilidade de fazer a sua parte e aceitar que tudo o mais não está exatamente sob seu controle. Este será o desafio desse tempo: regular as ações e os ardis do ego. Foque o seu aprimoramento, mas seja consciente de que esse se dá dentro dos limites de possibilidades reais.

Seja *justa/o* e fique *atenta/o* para não projetar suas inseguranças nas suas avaliações. E, por falar em justiça, questões relacionadas às leis não serão favorecidas durante a vigência desse Aspecto. Desse modo, se puder esperar um pouco mais até o término dessa fase para cuidar dessas questões, provavelmente evitará algum tipo de frustração. No entanto, será essencial que você reconheça os seus direitos, ainda que possam não estar sendo respeitados.

Outra interpretação será a de que nessa época poderá ser bem mais difícil estudar, pesquisar ou apresentar algum tipo de trabalho que exija segurança para ser exposto. E, para que você possa diminuir as tensões e obter resultados vantajosos, será essencial manter o foco e, ao mesmo tempo, ficar *aberta/o* à ajuda. *Boas/bons professoras/es* serão muito *bem-vindas/os* na ocasião, apesar de haver a chance de você se indispor com alguém que possa lhe ensinar, seja em relação aos estudos, seja acerca do próprio modo de ser e de viver.

Além de tudo que já foi dito sobre a simbologia de Júpiter, há igualmente uma analogia do Planeta com as viagens. Sendo esse um Aspecto desafiador, o melhor será evitar grandes expectativas caso você vá viajar ou mesmo tirar férias. Fique *ligada/o* às leis e aos hábitos do lugar de destino, não deixe de checar bem seus documentos e acolha a ética de uma cultura diferente da sua. Ainda que possa haver choque de valores, lembre-se de que cada um tem a própria verdade e que será mais sensato não discutir tais assuntos.

Sol em Aspecto com Saturno

Nesse momento o calor solar se associará à frieza do Planeta dos anéis. A conexão entre a luz da consciência e o duro dever de cumprir com as responsabilidades será o que esse Aspecto provocará durante o seu tempo de atuação. Por haver tendências bem distintas representadas pelos dois Astros, esse período sugerirá que sejam feitos esforços para conciliá-las com sabedoria.

- · FORÇAS ATUANTES: consciência, vontade, vitalidade, vigor e autoconfiança
- · ÁREAS DE ATUAÇÃO: responsabilidade, organização, produtividade e trabalho

- · ASPECTOS FAVORÁVEIS: Sextil e Trígono

Será um momento propício para consolidar posições, visto que haverá maior consciência do seu poder e, por consequência, mais confiança em si *mesma/o*. A autoafirmação consolidada pelas adversidades da sua jornada lhe dará segurança suficiente caso tenha algum desafio pela frente.

Também os resultados de ações passadas serão uma excelente referência do que poderá ou deverá ser feito. Aliás, se existe algo em comum entre a simbologia solar e o significado de Saturno é a racionalidade. Assim, faça o melhor uso dela.

Fazer render o tempo será uma das tendências desse período. A sua capacidade de organização, bem como a disciplina, entrará em cena, e você poderá aproveitar essa fase para se dedicar à execução de tarefas que exijam muito esforço. Aquilo que você iniciar nessa ocasião terá potencialidade de perdurar. Invista no que for certo, que tenha garantias, que já passou por testes e provou ser seguro.

Tudo será facilitado por meio de disciplina e responsabilidade. Dificilmente você assumirá mais do que for capaz de suportar, pois esse Aspecto apontará para a boa consciência dos seus limites e das suas reais possibilidades.

Haverá a tendência de realizar um planejamento eficiente dos seus projetos, tanto pessoais como, principalmente, profissionais. Por fim, se o assunto for trabalho, essa será uma excelente hora para desenhar o futuro da sua carreira, assumir responsabilidades e mostrar competências.

· ASPECTOS DESAFIADORES: Conjunção, Quadratura e Oposição

Os Aspectos desafiadores do Sol com Saturno no seu Mapa de Nascimento tratam, entre outras coisas, do reconhecimento dos limites da atuação do seu ego e, por conseguinte, da confiança em si *mesma/o*. Dito isso, esse será o momento certo para que você reconheça os erros já cometidos e faça um balanço das consequências geradas por eles. Aliás, tudo que tender à repetição e for motivo de estresse exercerá tamanha pressão nesse período que não haverá outra saída senão tomar alguma providência para que não haja mais reprises. Muitos dos seus comportamentos deverão passar pela peneira da crítica para que possam ser mais bem aproveitados dessa fase em diante.

Agora, quando a questão for o trabalho, você poderá sentir as pressões originadas das reivindicações por produtividade e eficiência. Tenha consciência das suas responsabilidades e reconheça seus próprios limites para evitar frustrações. De outra forma, você poderá cometer erros por excesso de confiança ou por insegurança para atender a exigências que estão fora do seu alcance. A dica é se fechar um pouco para balanço, refletindo melhor sobre suas responsabilidades e cobranças, fundamentadas ou não. Essa reflexão *a/o* ajudará a dominar e enfrentar melhor os medos. Aproveite essa ocasião para pôr em ordem o que obstrui suas energias produtivas e tenha em mente o fato de que a disciplina facilita, e muito, o bom aproveitamento do seu tempo.

E, para finalizar, reveja o que insiste em não dar frutos. Assim como o símbolo de Saturno contém uma foice, se for preciso, renuncie ao que for desnecessário. Espelhe-se no exemplo da poda: corta-se para fortalecer o crescimento. Não ultrapasse os seus limites. Às vezes é humanamente impossível carregar um fardo. Esse pode ser o motivo da sensação de peso, lentidão e obstrução tão comuns nessa época.

Sol em Aspecto com Urano

Sol e Urano regem, respectivamente, Signo de Fogo e de Ar. Isso significa que suas potências tratam de assuntos opostos e que, ao mesmo tempo, se complementam. Ainda que haja um estranhamento nessa conexão, o fato é que você será *desafiada/o* a lidar melhor com as tensões geradas pela oposição entre o desejo de controle e o de liberdade.

· FORÇAS ATUANTES: consciência, vontade, vitalidade, vigor e autoconfiança

· ÁREAS DE ATUAÇÃO: liberdade, mudança e quebra de padrões

· ASPECTOS FAVORÁVEIS: Sextil e Trígono

Em primeiro lugar, é importante saber que nesse momento você será capaz de olhar para si e, com consciência, libertar-se de uma antiga autoimagem. Será bem mais fácil reconhecer as atuações do ego quando ele tentar dar conta das suas inseguranças. O bom resultado disso será poder se apresentar para o mundo sem que haja necessidade de aprovação, ou seja, sendo autenticamente você *mesma/o*. Pode até ser que você se estranhe um pouco, mas essa sensação será agradável. Nada melhor do que sentir novos desejos e descobrir que eles têm, de fato, a ver com você.

E, em segundo, esses tempos serão marcados por mudanças ou surpresas muito bem-vindas, que serão responsáveis pela abertura de caminhos desconhecidos, pelo interesse em novas ideias e pelo despertar da criatividade. Tudo isso poderá servir de estímulo para que você empregue sua intuição em projetos originais.

O despertar de novos horizontes apontará para um jeito mais livre de ser e viver. Por isso, fique *atenta/o* aos sinais: eles indicarão o trajeto a seguir e servirão igualmente como passaporte para a viagem em direção ao futuro.

Quanto aos relacionamentos, esses serão pautados no bom convívio e na liberdade. É possível que você venha a conhecer novas pessoas, renove as relações que já existem e abra espaço para que elas participem da sua vida. A propósito, estar com *aquelas/es* que pensam de maneira distinta da sua ampliará suas fronteiras, inaugurando a trilha para um novo tempo.

Na medida em que Urano trata das inovações, esse será um período favorável para lidar com tecnologias inovadoras, envolver-se com assuntos de interesse científico e atuar adequadamente em redes sociais.

· ASPECTOS DESAFIADORES: Conjunção, Quadratura e Oposição

A primeira tendência a se manifestar nessa fase será a de não saber exatamente como lidar com a autoimagem, com a atuação do seu ego e, por consequência, com a autoconfiança. Assim, a reação a essas incertezas será provavelmente demonstrar intolerância e, em situações mais extremas, agressividade. A inquietude desse momento fará com que você queira se livrar rapidamente das tensões, agindo por impulsividade e sem muita noção dos riscos aos quais está *sujeita/o*. Tente manter a calma e evite, desse modo, incidentes desnecessários.

Além disso, a experiência que está diretamente associada a Urano, o Planeta que gira ao contrário de todos os demais, é a das mudanças. Se houver resistência a elas, esse Aspecto será vivido de forma muito tensa e sofrida. Os nervos ficarão à flor da pele e, por ansiedade ou irritação, você poderá deixar de aproveitar as novidades da ocasião.

Nesse período muito do que se é, e que não se sabe, virá à tona, causando espanto. Portanto, será de extrema importância romper com padrões de comportamento que estejam aprisionados em zonas de conforto e que não permitem que você evolua. Lembre-se de que a liberdade será então a meta que deverá estar em primeiro lugar. E, repetindo o já dito anteriormente, será indispensável manter a calma para que suas reações não sejam bruscas demais e causem uma desordem indesejada.

Por fim, as máquinas poderão dar mais trabalho, as tecnologias mais atrapalharão do que prestarão ajuda e sua atuação em redes sociais poderá ser inadequada. Resolva cada uma dessas situações com paciência e, se possível, dê um tempo de tudo isso e curta mais a vida off-line.

Sol em Aspecto com Netuno

Luz e calor associados à neblina e à umidade, eis as qualidades envolvidas na conexão entre um Astro que rege um Signo de Fogo e outro que governa um de Água. A força da razão deve ser disponibilizada para iluminar e aquecer as profundezas da alma, da psique e da espiritualidade.

· FORÇAS ATUANTES: consciência, vontade, vitalidade, vigor e autoconfiança
· ÁREAS DE ATUAÇÃO: intuição, sensibilidade, imaginação e espiritualidade

· ASPECTOS FAVORÁVEIS: Sextil e Trígono

Durante a passagem desse Aspecto, você obterá uma compreensão muito especial acerca da descoberta de sentimentos que se mantinham ocultos e difíceis de alcançar. Terá nessa fase acesso a uma intuição mais forte do que está *acostumada/o* a sentir. Entretanto, não apenas sentirá a força dela, mas também confiará na sua eficiência. Se possível, carregue para toda a sua vida a chave que dá acesso a esse poder. Assim, sempre que for necessário, você saberá como chegar lá.

Será mais fácil dissolver os sentimentos de angústia, afastar os fantasmas e perdoar as suas falhas. Depois de limpar o que poderia embaçar a sua consciência, você entrará em uma boa sintonia com a imagem que faz de si e com a autoconfiança. Daí será um passo para transmitir harmonia e sensibilidade para *todas/os* e tudo que *a/o* cerca, características desse período que também atingirão níveis mais profundos que o comum. A inspiração entrará em cena, a emoção aflorará e você tocará as demais pessoas. E por falar em relacionamentos, estes ganharão uma luz especial, tudo ficará mais misterioso e será mais fácil compartilhar com os outros seus sonhos e suas fantasias.

O entendimento da existência de algo maior que pode alimentar sua alma produzirá alegria e paz. Por conseguinte, toda e qualquer prática que vise a harmonizar seu estado de espírito será muito bem-vinda na ocasião. Sempre que Netuno estiver envolvido em um Trânsito, uma Progressão ou uma Direção, o assunto espiritualidade será destaque. O encontro com o Astro que simboliza a luz da consciência com o Planeta que fala das dimensões intangíveis da realidade apontará para a importância da vida espiritual. Aproveite essa fase para ficar mais em silêncio e sintonizar-se com as boas energias que circulam à sua volta.

· ASPECTOS DESAFIADORES: Conjunção, Quadratura e Oposição

Por haver um excesso de sensibilidade, esse poderá ser um momento de muita angústia. Ao afetar o Planeta que trata das profundezas emocionais, o Astro responsável pela consciência se manifestará por meio da tendência de enxergar a realidade de forma embaralhada. Essa confusão será sentida como se um nevoeiro tivesse baixado à sua frente, impedindo a visão clara das coisas. Além disso, sua sensibilidade estará à flor da pele, e os fantasmas darão o ar da graça.

Bem, primeiro deve-se levar em consideração que você estará mais vulnerável a fazer avaliações e julgamentos distorcidos. Não siga, portanto, a primeira impressão que uma situação provocar. Depois, esse Aspecto sugerirá que esse seja um tempo de reflexões, de ficar mais *introspectiva/o* e de se manter o máximo possível em silêncio. Isso *a/o* ajudará a pôr em foco a imagem distorcida que você tem de si e fortalecerá a sua autoestima, que, por sinal, não se encontrará na melhor fase.

Esse Aspecto poderá ser vivido como uma crise de identidade, sendo um estímulo a que procure se conhecer melhor, autodefinir-se. Na dúvida, o melhor será refletir e meditar, esperando um momento mais claro para a tomada de decisões.

Se você for do tipo que costuma viver no mundo da fantasia, poderá ser uma época bastante delicada, visto que esse Aspecto estimulará a fabricação de sonhos que, quase sempre, não são realizáveis. As desilusões servirão de alerta. Se, contrariamente, você for aquela pessoa que não tira os pés do chão, tudo que for de ordem sensível parecerá maior do que na verdade é. Em ambos os casos, o desafio será afinar realidade com fantasia e entender de maneira consciente que há experiências que simplesmente não têm explicação.

Finalmente, não dá para falar de Netuno sem trazer à cena os assuntos que tratam da espiritualidade. Pois, como já dito anteriormente, nem tudo é tangível, explicável e palpável. Muita coisa é mistério, intuição e sensibilidade. Não obstante estarem os acontecimentos meio atrapalhados no período, tente entrar em harmonia com o seu eu interior, ficando mais em silêncio e aprendendo a distinguir as boas energias das más.

Sol em Aspecto com Plutão

Ao Sol estão associados o calor e a luz da consciência. Plutão tem afinidade com a frieza e com a obscuridade do inconsciente. Assim, luz e sombra se relacionarão nesse Aspecto de forma a iluminar a escuridão das regiões mais profundas e ocultas do seu ser.

- FORÇAS ATUANTES: consciência, vontade, vitalidade, vigor e autoconfiança
- ÁREAS DE ATUAÇÃO: profundidade emocional, transformações, regeneração e revelações
- ASPECTOS FAVORÁVEIS: Sextil e Trígono

Assim como a lagarta se transforma na borboleta, você igualmente passará por mudanças profundas e não será *a/o mesma/o* depois desse Aspecto. Será em um momento como esse que você será capaz de regenerar suas feridas, aquelas que têm a ver com as mágoas e os sentimentos represados nos porões da sua alma e que, na maioria das vezes, comprometem a sua autoimagem e, consequentemente, a autoconfiança. Aliás, a tendência no período será a de que você tenha consciência do próprio poder, fortalecendo-se para enfrentar as pressões tanto externas quanto internas. Você terá a capacidade de dominar seus medos, poderá enfrentar com sabedoria o desconhecido e mergulhará nas profundezas, encontrando luz lá.

Atravessar esse Aspecto significará varrer o lado sombrio da sua personalidade e promover uma profunda purificação. Você se sentirá como *uma/um* alquimista que trabalha para transformar o chumbo emocional em ouro espiritual e aprenderá que o mesmo veneno que mata, igualmente, cura.

Não dá para falar de Plutão sem abordar a questão da finitude das coisas e da vida. E será em um Aspecto favorável que você vivenciará a bênção de poder lidar com menos sofrimento a dor das perdas, dos términos e das separações — ficará bem claro que fazem parte da existência de todos nós. Por esse motivo, a ocasião será propícia para exercitar o desapego, aprendendo por um lado a não se apegar; e por outro, a não destruir o que for de valor.

Quanto aos aspectos práticos, essa será uma boa fase para fazer investimentos, lidar com bens coletivos e plantar as sementes das ideias que, por algum motivo, tenham ficado adormecidas até então. No plano físico, você encontrará meios adequados de se manter saudável e poderá recuperar as energias drenadas pelo estresse do dia a dia.

· ASPECTOS DESAFIADORES: Conjunção, Quadratura e Oposição

Falar sobre um momento que envolve a simbologia de Plutão é fazer contato com um assunto difícil para todos nós, visto que esse Planeta trata da finitude da vida e das coisas. E, quando ele ingressar na cena da sua existência sem pedir licença, você será *chamada/o* a lidar com a dor de términos, das separações e das perdas que fizeram e fazem parte da sua história. Pois esse é um período de tratar das feridas abertas, que ainda não cicatrizaram e que são motivo de sofrimento. O bom entendimento desse processo será ter consciência de que o tamanho da sombra é igual ao da luz.

Apesar disso, durante essa fase você provavelmente fará grandes descobertas, já que o mergulho nas profundezas do seu eu interior será a condição inevitável para enfrentar as pressões desse tempo. Tais revelações possuem relação com seus sentimentos mais intensos, aqueles que estão guardados nos porões da alma e com que, normalmente, não se costuma fazer contato, seja por medo, seja por pura impossibilidade.

Sabendo de tudo isso, será esperado que seus humores não tenham estabilidade suficiente para controlar as emoções. É possível, até mesmo, que venham a transbordar de dentro de você sentimentos que ficaram reprimidos e que então surgem como um vulcão em erupção. Por outro lado, dificilmente ocorrem transformações profundas sem que pressões externas venham cutucar nosso desejo de mudar. A ideia é que você mude seus valores, desapegando-se deles um pouco mais. Quanto mais *aberta/o* ao novo você estiver nessa ocasião, menos traumático será transformar o que for preciso.

Na prática, evite investimentos materiais por ora, fique o menos *exposta/o* possível, aprofunde-se no autoconhecimento e dedique-se a práticas que *a/o* ajudem a aliviar as pressões interiores.

Sol em Aspecto com o Ascendente e o Descendente

Tanto o Sol quanto o Ascendente se referem à energia do Elemento Fogo que, simbolicamente, está associada ao vigor, à boa disposição física e à vontade de vencer. Esse Aspecto intensificará as qualidades a eles vinculadas, até mesmo a que dá confiança nas decisões e se relaciona à construção da singularidade. Por outro lado, sempre que houver um Aspecto com o Ascendente, o Descendente também será afetado. Por essa razão, essa conexão exige um esforço para equilibrar o seu desejo com o desejo do outro.

- · FORÇAS ATUANTES: consciência, vontade, vitalidade, vigor e autoconfiança
- · ÁREAS DE ATUAÇÃO: autonomia, autoconfiança, bem-estar físico, saúde, afetividade e parcerias

ATENÇÃO: tanto a Conjunção com o Ascendente quanto com o Descendente (Oposição com o Ascendente) são consideradas favoráveis. Entretanto, elas se diferenciam dos outros Aspectos favoráveis, porque, além de marcarem o começo de um novo ciclo, tornando esse momento especialmente importante, também atuam muito mais intensamente do que os demais.

Como a Oposição trata de uma área distinta de todos os outros Aspectos, ela será interpretada separadamente.

· ASPECTOS FAVORÁVEIS: Conjunção, Sextil e Trígono com o Ascendente

A Conjunção do Sol em Trânsito pelo Ascendente marcará o fim de um ciclo e o início de uma nova fase que durará um ano, quando ele, então, retornará novamente para o Ascendente. Pode-se dizer, aliás, que essa data será um segundo aniversário, pois seria a celebração anual da hora exata em que você respirou pela primeira vez.

Na Progressão e na Direção, a Conjunção marcará uma virada na vida, dando início a um novo modo de ser e de se expressar no mundo.

Por ser o Ascendente o símbolo do processo de construção do estilo original de ser, em qualquer que seja o Aspecto favorável, você sentirá um grande poder de iniciativa, mais autoconfiança e muita coragem para agir de acordo com a própria vontade.

Existe alguma coisa na sua vida que anda parada e que precisa de uma forcinha para desemperrar? Pois esse será o momento certo para fazer movimentar o que estiver estagnado. Também não será preciso forçar a barra, porque, se não for para agilizar sua vida, esqueça e pense em outras possibilidades. A força solar aquecerá suas iniciativas, sua força de vontade e, especialmente, sua autoconfiança. Caso esteja precisando disso, não deixe passar essa oportunidade e invista em autoconhecimento.

Um dos maiores ganhos da autoconfiança será poder tomar decisões adequadas, no ritmo certo e com a firmeza necessária para garantir o alcance dos objetivos. Como tanto o Sol quanto o Ascendente têm relação com a disposição física e o vigor, nessa ocasião sua energia vital estará em alta e você se sentirá mais *entusiasmada/o* ao exercer as ações cotidianas. Evidentemente que as práticas físicas serão muito bem-vindas. Mexa seu corpo, melhore seu condicionamento, seu humor e sua criatividade. Sua saúde agradece.

Uma última questão será sobre liderança, assunto que não pode ser esquecido quando se trata do Ascendente. Desse modo, se você participar de atividades competitivas ou ocupar alguma posição de comando, haverá boas chances de ser *bem-sucedida/o*. Se não, também será uma ocasião favorável para alcançar o respeito das pessoas às quais você estiver *subordinada/o*.

· ASPECTO DESAFIADOR: Quadratura com o Ascendente

Os conflitos sentidos ao longo desse Aspecto, em geral, terão a ver com o fato de você se sentir facilmente *provocada/o*, como se o universo conspirasse contra a sua vontade. A bem da verdade, a questão será que, com a autoestima fora do prumo, tudo ficará mais difícil, as barreiras aumentarão e as forças para enfrentar as situações hostis diminuirão. O mais prudente então será você reconhecer seu valor sem subestimá-lo, porém igualmente sem exageros. Invista em algo que *a/o* ajude a equilibrar a autoestima, mas não se esqueça de também assumir que nem sempre estará com a razão. Essa será uma bela ocasião para ter ciência do quanto a vaidade, uma armadura que protege as inseguranças, poderá dominar a cena da sua vida. Aliás, quanto menos você se expuser, melhor. Mas, veja bem, você não deverá esconder suas inseguranças, a não ser que se encontre *ameaçada/o* na sua dignidade. Se for esse o caso, mantenha-se firme diante da situação e depois dê um tempo para baixar a adrenalina produzida quando se está sob tensão.

Essa não será uma hora conveniente para tomada de decisões. Estas poderão ser precipitadas e motivo de arrependimento posteriormente.

Você poderá ainda despender uma enorme quantidade de energia tentando impor sua vontade quando o indicado seria economizar as forças nessa fase. Igualmente, você se sentirá mais *afetada/o* com a tentativa de domínio por parte das outras pessoas. A ideia não é disputar esforços com ninguém. No mínimo, evite a rota de colisão. O ideal será criar um ambiente harmonioso para evitar os confrontos.

Assim como o Ascendente é o responsável pela manutenção da sua disposição física, também nesse Trânsito, nessa Progressão ou nessa Direção, seu vigor estará em baixa. Haverá um desgaste maior de energia, e você sentirá os sinais do cansaço. Portanto, tire um tempo para se revigorar e se exercitar com atividades que respeitem os limites que o seu corpo é capaz de suportar.

· Conjunção com o Descendente ou Oposição com o Ascendente

A passagem do Sol pelo Descendente, que acontece quando esse Astro faz Oposição com o Ascendente, é o indício do fim de um ciclo de um ano e do começo de um novo. Essa fase será uma espécie de parada estratégica para pôr em dia tudo o que tiver a ver com parceria, seja no campo amoroso, seja nas relações de trabalho. A propósito, é possível que você venha a precisar da colaboração das pessoas nessa ocasião mais do que em outros momentos. Será uma espécie de exercício de boa convivência, de cooperação mútua. Afinal, há situações na vida em que a presença do próximo se faz necessária.

Será importante que você reconheça a potência da vontade dos demais. Mas, veja bem, isso não significará que você não deva respeitar o seu próprio querer. A arte desse período será saber balancear o que vem do exterior com o que emana de você. Caso consiga equilibrar os dois pratos dessa balança emocional, evitará os conflitos, principalmente com *aquelas/es* que têm como origem a vaidade, a ação do ego e a disputa. Todavia, não será o caso de medir forças com ninguém. As conquistas terão que ser o resultado da união dos esforços comuns.

O que você poderá extrair das experiências desse tempo será se conhecer melhor por meio do modo como se relaciona e, principalmente, por intermédio do olhar que as outras pessoas têm sobre você. No fim das contas, será preciso valorizar a força dos encontros, pois, sem eles, certamente você não se modificaria e não se tornaria melhor do que era antes.

Uma vez mais: o que estará em jogo nessa época será o equilíbrio da balança entre o eu e as demais pessoas. No entanto, como será trabalhoso mantê-lo, você provavelmente sentirá uma baixa de energia, e seu corpo dará sinais de cansaço, aviso de que deverá cuidar melhor de si, ainda que seja um momento mais dedicado ao outro.

Sol em Aspecto com o Meio e o Fundo do Céu

Quando o Sol tocar o Meio do Céu em Trânsito, Progressão ou Direção, a força da ambição ficará aquecida, seja de forma a dar impulso à vida profissional, seja tornando mais árida a escalada dessa montanha, se o Aspecto for desafiador. O desejo de realização será afetado por disciplina, persistência e força de vontade, assuntos simbolizados pelo Sol, visando à obtenção dos resultados almejados. Da mesma forma que o Meio do Céu é o extremo de uma linha imaginária que tem origem no Fundo do Céu, o desafio desse Trânsito será pôr em equilíbrio os esforços de realização no trabalho com a necessidade de organização da vida pessoal e familiar.

- FORÇAS ATUANTES: consciência, vontade, vitalidade, vigor e autoconfiança
- ÁREAS DE ATUAÇÃO: profissional, carreira, vocação, projetos para o futuro, relações familiares e casa

ATENÇÃO: os Aspectos de Conjunção com o Meio do Céu e com o Fundo do Céu (Oposição com o Meio do Céu) são considerados favoráveis. Entretanto, eles se diferenciam do Sextil e do Trígono, porque, além de marcarem o começo de um novo ciclo, também atuam muito mais intensamente do que aqueles, tornando o momento especialmente importante.

Como a Conjunção com o Fundo do Céu trata de uma área distinta de todos os outros Aspectos, ela será interpretada separadamente.

- ASPECTOS FAVORÁVEIS: Conjunção, Sextil e Trígono com o Meio do Céu

A Conjunção do Sol com o Meio do Céu significa que ele está alcançando o ponto mais alto do seu Mapa Natal, e o calor solar aquecerá os objetivos que você almeja alcançar, assunto representado pelo Meio do Céu.

Em Trânsito, uma nova fase será iniciada e terá a duração de um ano. Nas Progressões e nas Direções, a vida será marcada por uma virada, começando uma nova etapa de realizações e de reconhecimento.

O fato de o Sol estar em elevação significa que você deverá ficar mais *exposta/o*. Sendo assim, tanto seus talentos abrirão as portas das conquistas como também as falhas ou os enganos se evidenciarão. Nesse sentido, será extremamente importante que você tenha um bom controle da sua vaidade e das garras do seu ego, pois estas costumam nos jogar em territórios perigosos.

De todo modo, seja qual for o Aspecto favorável, a força de vontade aliada à autoconfiança, atributos associados ao Sol, iluminarão o seu caminho, especialmente no que diz respeito à sua carreira ou aos projetos que deseja realizar.

Suas capacidades ficarão em evidência, *colocando-a/o* em posições de merecido reconhecimento. O brilho solar iluminará a sua criatividade e a autoconfiança, assim como a trajetória de vida que você pretender desenhar dessa fase em diante. De posse daquilo que tem de mais genuíno, você obterá os resultados desejados.

Aproveite esse tempo para se organizar e definir metas. A organização e a objetividade serão de grande auxílio para que você execute com mais eficiência suas atividades. E fique de olho na expectativa que os outros têm do seu trabalho, pois, se você agregar mais valores ao que faz, será mais fácil obter uma remuneração melhor, seja nesse momento, seja um pouco mais à frente.

Especialmente no Sextil e no Trígono, a boa sintonia formada entre o Sol e o Meio do Céu propiciará os empreendimentos, e haverá disponibilidade de energia para investir em projetos futuros e para tomar decisões importantes tanto em relação ao trabalho quanto em assuntos familiares ou do seu universo pessoal. Ao temperar com sabedoria seus compromissos de carreira com uma boa dose de lazer e acolhimento familiar, você aumentará sua produtividade, o seu bem-estar afetivo e, seguramente, sua felicidade.

· ASPECTO DESAFIADOR: Quadratura com o Meio do Céu

Esse será um período de incertezas, desgaste de energia e de questionamentos sobre a maneira como você lida com as áreas essenciais da sua vida, isto é, o trabalho e a família. O segredo para reduzir o estresse desse momento será distribuir melhor seus interesses, tanto os que têm a ver exclusivamente com você quanto os que têm relação com a carreira ou os que dizem respeito aos seus relacionamentos, principalmente o familiar.

O que estará em jogo será manter sua autonomia segura, embora possa lhe faltar a força necessária para se impor e se fazer escutar. O ideal será ficar o mais longe possível de cena, evitando expor fragilidades e dúvidas. Por sinal, você poderá ter dificuldade em lidar com pessoas competitivas ou que estejam exercendo algum tipo de comando. Se você sentir que a vaidade entrou na disputa pelo poder, o melhor será deixar a partida antes de ser muito tarde para fazê-lo. Entretanto, se tive razão, a firmeza e o controle serão as ferramentas mais adequadas para evitar um conflito maior.

Em qualquer situação, profissional ou pessoal, o distanciamento *a/o* auxiliará a reconhecer se errou, ceder se for o caso ou firmar sua posição quando estiver consciente de que não é responsável pelos problemas alheios.

· Conjunção com o Fundo do Céu ou Oposição com o Meio do Céu

No instante em que o Sol se opuser ao Meio do Céu, ele simultaneamente cruzará o ponto oposto, ou seja, o Fundo do Céu. Este se refere às memórias do passado, às raízes e ao relacionamento familiar. Esse Aspecto marcará o ponto em que um ciclo emocional se completará e dará início a um novo. A partir de então, o Sol aquecerá sua casa, sua intimidade, sua história e sua família. Será uma época apropriada para se dedicar aos cuidados desses assuntos. Há momentos na vida em que é necessário se recolher e se abastecer emocionalmente, além de solucionar problemas afetivos, até mesmo os de organização doméstica. Desse modo, nessa ocasião você terá essa oportunidade. Não a deixe escapar das mãos.

Por se tratar de uma fase de recolhimento, provavelmente você sentirá muito mais o peso das suas responsabilidades, principalmente dos encargos que dizem respeito ao trabalho. Sendo assim, reserve um tempo para se dedicar às suas atividades profissionais sem que, por isso, você se sobrecarregue do que considera irrelevante. O que não for essencial deverá ser deixado para um período mais voltado ao mundo externo, provavelmente aquele em que você se sentirá mais forte para enfrentar as exigências da profissão.

Sol em Aspecto com os Nodos Lunares Norte e Sul

O Trânsito, a Progressão ou a Direção do Sol pelos Nodos Lunares trará luz para assuntos que envolvam a espiritualidade. Será como um farol no oceano, orientando a navegação em direção às metas que a alma traçou ao entrar nesta existência.

· FORÇAS ATUANTES: consciência, vontade, vitalidade, vigor e autoconfiança
· ÁREAS DE ATUAÇÃO: espiritualidade, passado e caminho de evolução

ATENÇÃO: com exceção da Conjunção com o Nodo Lunar Norte e com o Nodo Lunar Sul (Oposição com o Nodo Lunar Norte), os outros Aspectos, favoráveis e desafiadores, atuarão na mesma intensidade, tanto nas experiências passadas quanto nas que definirão o seu futuro espiritual.

A Conjunção com o Nodo Lunar Norte é classificada como sendo um Aspecto favorável; e a Oposição, desafiador. No caso da primeira, o que a diferencia dos outros Aspectos favoráveis é que ela marcará o começo de um novo ciclo espiritual, apontando especialmente o caminho em direção ao porvir.

Ao contrário da Conjunção com o Nodo Lunar Norte, a formada com o Nodo Lunar Sul primeiramente atuará como uma despedida do passado para, só depois, iniciar a reorganização do seu propósito espiritual.

· ASPECTOS FAVORÁVEIS: Conjunção com o Nodo Lunar Norte, Sextil e Trígono com os Nodos Lunares Norte e Sul

O Trânsito da Conjunção do Sol com o Nodo Lunar Norte marcará o fim de um ciclo e o começo de um novo e terá a duração de aproximadamente um ano. Nas Progressões e nas Direções, a Conjunção, se houver, ocorrerá uma única vez e representará um marco importante na história da sua evolução espiritual.

Devido à Oposição com o Nodo Lunar Sul, você só sentirá facilidade de seguir em frente, na sua trajetória, se tiver desatado os nós trazidos do passado. Será muito oportuno sentir a facilidade em caminhar sem maiores esforços, ou sentir o contrário — quanto mais *presa/o* às teias acumuladas no tempo, mais difícil será evoluir nessa viagem espiritual.

Em todos os Aspectos favoráveis, a mente será a mensageira de orientações fundamentais para manter ou corrigir a rota da jornada da sua alma. Ouça igualmente a voz do coração, pois o Sol, além de ter relação com a consciência, também rege esse órgão vital. Valorize as interações que acontecerão no passar desse Aspecto, pois serão um amparo e trarão segurança para que você siga firme nos seus propósitos espirituais. Serão conexões com seu passado espiritual e que *a/o* ajudarão a prosseguir em direção à sua evolução espiritual. O ideal será que você procure *uma/um professora/professor, uma/um mestra/e* ou um conhecimento que *a/o* oriente no seu caminho. Caso você já *as/os* tenha achado, dê as mãos com firmeza e confie na força desses encontros. Entretanto, se houver alguma insatisfação nesse sentido, será hora de questionar e, caso preciso, mudar.

· ASPECTOS DESAFIADORES: Quadratura com Nodos Lunares Norte e Sul e Conjunção com Nodo Lunar Sul

O Trânsito da Conjunção do Sol com o Nodo Lunar Sul marcará o fim de um ciclo e o começo de um novo e terá a duração de aproximadamente um ano. No caso da Progressão e da Direção, essa Conjunção, se ocorrer, será única, marcando uma virada importante nas suas buscas espirituais. O fato é que o Sol representa a consciência; e o Nodo Lunar Sul, a bagagem que você trouxe ao nascer. Desse modo, será o momento mais adequado para que você tenha alguma noção do que está guardado nesse celeiro de memórias espirituais.

Quando o Sol fizer a Quadratura com os dois Nodos Lunares, você sentirá dificuldade de se orientar espiritualmente. Ainda que tenha inseguranças quanto à rota, isso não deverá abalar a compreensão de que você precisa evoluir. Não deixe, pois, de perceber os sinais que servirão como orientações relevantes para o seu desenvolvimento espiritual.

E o que fazer para equilibrar esse eixo que regula a bagagem trazida do passado com as buscas do presente? A resposta é não se deixar levar pelos ardis do ego, seja sobrevalorizando a sua autoconfiança, seja, ao contrário, não reconhecendo o próprio valor. Se essa questão for recorrente, nesse período haverá a chance de trabalhar para se desvencilhar das redes que a/o prendem no passado e, simultaneamente, das inseguranças que dificultam a realização de um propósito que faça sentido para a sua vida.

Outra dica é concentrar-se em si, equilibrar as forças vitais e, principalmente, descobrir a alegria de viver. O importante nessa fase será fazer todos os esforços possíveis para se reconectar com o que dá sentido à sua existência.

Sol em Aspecto com a Roda da Fortuna

Eis o encontro que remete ao simbolismo da boa estrela. O Sol naturalmente é o seu maior representante, mas a Roda da Fortuna também carrega o valor simbólico da boa sorte. Portanto, o Trânsito, a Progressão ou a Direção do Sol em Aspecto com a Roda da Fortuna intensificará o brilho dessa bênção. Os ventos soprarão a favor ou contra, se o Aspecto for, respectivamente, favorável ou desafiador.

- FORÇAS ATUANTES: consciência, vontade, vitalidade, vigor e autoconfiança
- ÁREAS DE ATUAÇÃO: boa sorte e fluidez
- ASPECTOS FAVORÁVEIS: Conjunção, Sextil e Trígono

Nessa fase a sua estrela brilhará, as energias fluirão positivamente, e você sentirá o calor solar aquecer o seu caminho. Mas fique *ligada/o*, pois você terá que fazer a sua parte. Tudo que for realizado com verdade e atenção tenderá a render os ganhos prometidos por esse Aspecto.

Provavelmente, você sentirá mais os efeitos desse período ao se perceber capaz de superar os obstáculos e, com maestria, os imprevistos que eventualmente possam surgir. Essa será uma das formas que a Roda da Fortuna se manifestará quando for afetada por uma das técnicas de previsão.

Os problemas que vinham atrapalhando o seu trajeto serão mais bem enfrentados e, quem sabe, solucionados. Isso porque você encontrará os

ASPECTOS EM TRÂNSITOS, PROGRESSÕES E DIREÇÕES

meios para transformar cada um deles em grandes oportunidades, além de promover o seu crescimento e a sua evolução pessoal.

Permita então que a luz desse momento se espalhe, ilumine os seus passos e contagie suas decisões. E não se esqueça de ser grata/o à atuação da sua estrela.

· ASPECTOS DESAFIADORES: Quadratura e Oposição

Nas conexões tensas entre o Sol e a Roda da Fortuna ocorrerá um desajuste do foco da luz sobre as adversidades que necessitam de fluidez para serem solucionadas. Também a sorte ficará mal direcionada, sendo, portanto, desaconselhável esperar que os ventos soprem a seu favor nesse período. Mas como fazer para desobstruir o caminho nesse tempo em que as coisas não fluem bem? A resposta é facilitar as suas ações o máximo possível. Quanto mais você viver de modo simples, melhor vai resolver o que for preciso.

Lembre que a boa sorte muitas vezes é resultado de esforço e de muita positividade. Por essa razão, será fundamental que você se comprometa a transformar tudo aquilo que a/o impede de viver com prosperidade. Como foi dito anteriormente, tente fazer escolhas modestas, evite dar passos incertos e não arrisque nada que possa comprometer a autoconfiança. Afinal, o importante será ponderar suas decisões, mas agindo com assertividade em prol do que deseja para si.

Sol em Aspecto com Quíron

O calor solar aquece e traz luz às dores representadas por Quíron. Trata-se das feridas que curam, e esse Aspecto apontará para o uso da consciência como forma de reconhecer o que desencadeará o ato de cuidar de si quando houver sofrimento.

· FORÇAS ATUANTES: consciência, vontade, vitalidade, vigor e autoconfiança
· ÁREAS DE ATUAÇÃO: saúde e autoconhecimento

· ASPECTOS FAVORÁVEIS: Sextil e Trígono

Uma das funções solares é despertar a consciência, e, quando o Sol se conectar a Quíron, essa revelação dirá respeito aos assuntos que envolvem o bem-estar e a saúde. Outra atribuição do Sol é a de garantir a autoconfiança, o real valor do que se é. Em vista disso, passar por esse momento favorável significará confiar na sua capacidade de cuidar de si, reconhecer o que dói e tomar providências acertadas para equilibrar a situação.

Se você estiver *necessitada/o* de cura, seja física, seja psíquica ou espiritual, esse será o período certo para se fortalecer. A bem da verdade, quando o assunto gira em torno da simbologia de Quíron, o que você deve buscar não é a cura em si, mas o alívio da dor e a sabedoria de conviver com seus males da forma mais leve e harmoniosa possível. Afinal, na mitologia, a ferida de Quíron nunca se fechou, mas foram as dores por ela causadas que levaram o centauro a descobrir a cura de muitas doenças.

Ao passar por esse Trânsito, essa Progressão ou essa Direção, suas energias vitais estarão em alta, você se sentirá *revigorada/o* e será capaz de regenerar o que não anda bem. Aliás, quanto mais autoconfiança tiver e quanto mais se conectar com um estado de alegria, mais facilmente você levará luz ao que aflige o seu coração.

· ASPECTOS DESAFIADORES: Conjunção, Quadratura e Oposição

Um Aspecto conflituoso entre o Sol e Quíron significará dificuldade de exercer sua autonomia e de ter autoconfiança. Sentir-se *insegura/o* será um dos sintomas de que algo não anda bem e que deve cuidar de si e do seu bem-estar. Muitas dessas incertezas terão origem em desequilíbrios energéticos, e estes, por sua vez, poderão ser provocados por impressões distorcidas que você tem de si.

O que deverá ser feito em primeira instância será tirar uma parte desse tempo para olhar para a saúde, acalmar o coração e, como a simbologia de Quíron está em jogo, encontrar o que é capaz de restaurar o seu poder pessoal, isto é, descobrir os bálsamos que podem aliviar aquilo que estiver *a/o* afligindo.

Por fim, nessa fase, o que melhor proporcionará o seu bem-estar será se recolher e, com sabedoria, desenvolver a luz da positividade, um dos mais poderosos remédios para manter a saúde tanto do corpo como da mente e do espírito.

Sol em Aspecto com Lilith

Temos aqui nesse Aspecto a potência de um Astro luminoso afetando um ponto do seu Mapa de Nascimento que trata especialmente de regiões sombrias. Será o calor solar levando às profundezas frias e obscuras a possibilidade de fortalecimento interior.

- FORÇAS ATUANTES: consciência, vontade, vitalidade, vigor e autoconfiança
- ÁREAS DE ATUAÇÃO: sexualidade, desejo, insubordinação e emoções profundas
- ASPECTOS FAVORÁVEIS: Sextil e Trígono

Quando a força solar atuar sobre Lilith, você poderá esperar por momentos de intensificação da libido e de poder de sedução. Com toda essa energia aflorada, aproveite esse período para exercer sua liberdade sexual de forma sensível. Afinal, a intuição não *a/o* deixará na mão. Serão tempos favoráveis para liberar as emoções contidas e transformá-las em desejos possíveis de serem realizados. Por outro lado, descarte os sentimentos que vierem à tona e não forem benéficos.

Tenha em mente que, ao formar um Aspecto favorável com a Lilith do seu Mapa Natal, o Sol estimulará a união da racionalidade masculina solar com as intuições, assunto que tem a ver com o feminino de Lilith. Será, portanto, uma fase propícia para encontrar o equilíbrio emocional, já que a sensibilidade estará aquecida pelo reconhecimento da sua importância e do seu poder.

Em se tratando das suas relações, as vontades mais profundas serão vividas com mais intensidade, tornando-se de suma importância a satisfação de cada uma delas. Além disso, será uma ocasião em que você estará *segura/o* para se rebelar contra qualquer tipo de jogo de dominação. Por estar em boas condições de ponderar antes de agir por impulso, acertará nas escolhas. Dê voz aos seus anseios, mas escutando atentamente o que diz a razão.

- ASPECTOS DESAFIADORES: Conjunção, Quadratura e Oposição

Por haver tensão entre o que dita a razão e o que é da ordem do desejo, procure nesse período preservar sua liberdade, de modo que você não se torne alvo de jogos emocionais. Em contrapartida, também será importante ter cuidado com os sentimentos do outro, que poderiam não ter atenção devido às suas carências.

Outra tendência será a de sua sensibilidade ficar extremamente aumentada, o que *a/o* deixará mais vulnerável quando estiver diante de sentimentos mais sombrios, dos seus medos e de fantasmas que, no momento, estarão mais ameaçadores.

Falar de Lilith é tratar de tabus, exílio e desamparo, pois será em um Aspecto como esse que você terá a oportunidade de levar luz ao que for obscuro e reprimido, ainda que essa experiência não seja fácil nem agradável.

Será importante que saiba reconhecer o quanto você costuma se submeter a experiências que *a/o* ferem e se relacionar com pessoas invasivas ou que não respeitam o seu modo verdadeiro de ser. O fato é que, na ocasião, será benéfico ficar um pouco mais na sua e se recusar a viver o que possa lhe causar mal-estar.

Às vezes será necessário que você se rebele para evitar jogos de dominação. Todavia, se você ponderar antes de qualquer ação, suas escolhas não serão motivo de frustração ou dor. Se encontrar equilíbrio em seu interior, os impulsos serão atenuados pela voz da razão.

Trânsitos, Progressões e Direções de Mercúrio

A finalidade dos Trânsitos, das Progressões e das Direções de Mercúrio será movimentar, questionar e compreender os assuntos que envolvem o Planeta ou Ponto Virtual com os quais ele formar um Aspecto, favorável ou desafiador. Esses Astros ou Pontos ficarão marcados pela comunicação, pela inquietude e pelo desejo de mudança. Os desafios a serem enfrentados durante a vigência desses Aspectos estarão relacionados às ações provocadas pela dispersão, à falta de foco e ao mau emprego das palavras.

INTENSIDADE DO TRÂNSITO: 3

INTENSIDADE DA PROGRESSÃO: 7

INTENSIDADE DA DIREÇÃO: 7

Mercúrio em Aspecto com o Sol

Esse Aspecto acentuará o atributo de Mercúrio de ser o mensageiro da Luz, ou seja, aquele que leva a consciência. A sua atuação será transformar em linguagem o que for percebido. A bem da verdade, tanto Mercúrio quanto o Sol transitam no território da racionalidade.

· FORÇAS ATUANTES: curiosidade, movimento, comunicação e questionamento

· ÁREAS DE ATUAÇÃO: consciência, vontade, vitalidade, vigor e autoconfiança

· ASPECTOS FAVORÁVEIS: Conjunção, Sextil e Trígono

Em primeiro lugar, daremos um certo destaque à Conjunção. Quando esse Aspecto ocorrer, significará que sua mente se encontrará no ápice. Apesar de ser muito mais favorável do que desafiador, será possível que haja nesse período igualmente dificuldades, e estas terão a ver com o excesso de atividade mental. Por esse motivo, se você sentir a mente fervilhando, filtre tudo que for irrelevante. Ainda que as atividades associadas a Mercúrio e ao Sol sejam favorecidas na Conjunção, também poderão ocorrer dificuldades por haver, como já dito anteriormente, dispersão.

De todo modo e para todos os Aspectos, a ação positiva de Mercúrio sobre o Sol do Mapa do seu nascimento propiciará um bom momento para você fazer valer as suas opiniões. Com a consciência ativa e a autoconfiança em alta, tudo o que você pensar ou falar será a expressão da sua criatividade. Sendo Mercúrio um Planeta relacionado com o Elemento Ar, já que rege o Signo de Gêmeos, a mente arejada amenizará o calor excessivo produzido pelo ego, assunto simbolizado pelo Sol, que, por sua vez, rege Leão, um Signo de Fogo.

Também as discórdias produzidas pelo uso inadequado das palavras poderão ser esclarecidas durante esse período. Isso porque, com a presença de pensamentos positivos, sua autoestima ficará elevada e facilitará as interações. A propósito, você poderá ainda chegar a conclusões esclarecedoras, pois haverá então mais racionalidade e discernimento do que em outros momentos.

Esse será um tempo favorável para negociar, marcar reuniões e fazer ótimos contatos para realizar os seus empreendimentos. Igualmente nos estudos e nas viagens você aproveitará cada detalhe, cada particularidade. Toda essa facilidade ocorrerá em função da grande habilidade de se concentrar e, ao mesmo tempo, interessar-se por tudo que estimular a curiosidade. Aliás, aproveite ao máximo a ânsia por conhecer mundos distintos. Será uma bela oportunidade de diversificar seus interesses e conhecer gente nova.

· ASPECTOS DESAFIADORES: Quadratura e Oposição

Com a mente cansada e a autoconfiança instável, haverá a presença de pensamentos desordenados e, consequentemente, dispersão. Também o grande número de atividades acumuladas nesse momento poderá dificultar a sua concentração. Procure então facilitar o seu dia a dia focando os assuntos mais importantes. A tentativa de dar conta de todos os interesses fará com que se atrapalhe, perca-se pelo meio do caminho e não conclua o que planejou. Organize-se em relação aos seus horários e não ceda aos jogos mentais que estimulam tanto uma valorização excessiva da sua potência quanto uma baixa autoestima. Essa será a instabilidade exercida pelas forças representadas por Mercúrio sobre aquelas que têm a ver com o simbolismo Solar, ou seja, a inquietude do primeiro e o amor-próprio do segundo.

Outra tendência desse período será a de usar as palavras de maneira inadequada, seja pela dispersão mental, seja pela autoconfiança instável. Você poderá ser *traída/o* pelo que fala, por isso essa não será uma época adequada para entrar em discussões ou tentar fazer algum tipo de acordo. A propósito, se for possível, adie reuniões, assinatura de contratos e discussões no ambiente de trabalho. Todavia, caso seja inevitável, leia as entrelinhas, ouça mais do que fale e concentre-se em um assunto de cada vez. Essa atitude servirá como um bom exercício de comunicação e, dessa maneira, os resultados poderão ser mais tranquilos.

Além do mais, por tudo o que já foi dito, você poderá ter dificuldade nos estudos ou em qualquer outra atividade intelectual. Mais uma vez, mantenha o foco no que for mais importante e estude tópico por tópico. Da mesma forma, poderá haver pequenos contratempos em viagens. A dica é não querer abraçar o mundo. Programe-se de maneira a ter folga entre uma atividade e outra, assim você aproveitará verdadeiramente o encontro com as pessoas e absorverá melhor as informações que o roteiro oferecer.

Mercúrio em Aspecto com a Lua

A atuação de Mercúrio sobre a Lua será sentida tanto pela possibilidade de tradução dos sentimentos quanto pela instabilidade emocional. O que fará com que seja de um modo ou do outro será a qualidade da conexão formada entre ambos, ou seja, se ela for favorável ou desafiadora.

- FORÇAS ATUANTES: curiosidade, movimento, comunicação e questionamento
- ÁREAS DE ATUAÇÃO: intuição, sensibilidade, afetividade, lembranças do passado, família e casa
- ASPECTOS FAVORÁVEIS: Conjunção, Sextil e Trígono

Viver esse momento em que o Trânsito, a Progressão ou a Direção de Mercúrio influenciará a Lua do Mapa de Nascimento será sentir a possibilidade de falar dos sentimentos com clareza, além de poder compreender melhor o que as outras pessoas dizem. Sendo assim, os relacionamentos e os encontros fluirão com mais facilidade, e as trocas estocarão afeto no seu celeiro emocional.

De todas as relações, as de convívio familiar serão as que mais usufruirão desse Aspecto, pois esse será um período benéfico para pôr em dia assuntos de família e, em qualquer relacionamento, passar a limpo o que não estiver claro ou, principalmente, o que tenha ficado guardado sem ser dito. Certamente, você se sentirá *aliviada/o* e os demais também.

A Lua não só se associa à família, como igualmente à moradia. Desse modo, os assuntos que envolvam decisões em relação ao lugar onde você mora ou pretende morar tenderão a fluir de forma positiva, como mudanças, reforma ou compra e venda de imóveis.

Outra ligação presente no simbolismo lunar tem a ver com as lembranças do que já foi vivido. Dito isso, a força de Mercúrio atuará como um vivificador das memórias passadas, estimulando a imaginação e a criatividade. Será a oportunidade para contar histórias, lembrar os bons encontros e, quem sabe, também reencontrar pessoas que fizeram parte da sua jornada.

Por fim, com a memória ativada, a ocasião favorecerá ainda estudos, viagens e negócios. No caso do primeiro, será bem mais fácil guardar as informações; do segundo, fluirão os bons encontros e o acolhimento dos lugares que visitar; do terceiro, nas negociações tanto profissionais quanto pessoais use a intuição e introduza uma pitada de afeto nas discussões.

· ASPECTOS DESAFIADORES: Quadratura e Oposição

Quando Mercúrio afetar a Lua de forma tensa, a tendência será que você fique mais instável emocionalmente, que se sinta *insegura/o* quanto aos seus sentimentos e, ao mesmo tempo, em relação aos dos outros. O certo é que, com uma espécie de turbilhão emocional, os relacionamentos íntimos passarão por um algum tipo de dificuldade. De todos, o mais afetado será o familiar. Entretanto, os que estiverem vinculados ao seu ambiente de trabalho igualmente poderão passar por momentos críticos, visto que o convívio cotidiano produz também proximidade.

O diálogo será trabalhoso. A instabilidade de humor presente nessa fase atrapalhará a fluidez dos encontros. A orientação é procurar entender o que os outros estão sentindo e, principalmente, descobrir a razão de tal desequilíbrio. Se compreender melhor o que emana da sua alma, mais facilmente você conseguirá se relacionar. E mais, acesse as emoções guardadas, aquelas que reproduzem sensações desagradáveis. Caso deixe essa chance passar, seguramente essas emoções se acumularão ainda mais e você ficará *presa/o* a um círculo vicioso.

Não é possível abordar Mercúrio sem tratar de comunicação. E, quando estiver em Aspecto com a Lua, falar sob pressão emocional será extremamente desgastante. Tente ser o mais *sincera/o* possível no que diz respeito às suas emoções, porém, caso tenha dúvidas, o importante será não afirmar nada. Na verdade, você poderá mudar de opinião a qualquer momento e terá que explicar tudo de novo.

Para enfrentar uma reunião de trabalho, assinar um contrato ou fechar uma negociação, será essencial se estabilizar emocionalmente. Mas, se puder adiar, melhor. A mesma sugestão vale para assuntos que tenham a ver com a moradia, tais como mudança, reforma ou compra e venda de imóveis.

No mais, os estudos e as viagens também serão afetados pela passagem desse Aspecto devido à dispersão causada por estresse emocional. Por esse motivo, se você estiver estudando, tenha foco e controle suas fantasias. Se viajar, evite se envolver com pessoas que, intuitivamente, pareçam não emanar boas energias. Selecione atividades bastante atraentes para aproveitar de modo pleno a quantidade e a variedade de informações que uma viagem pode oferecer.

Mercúrio em Aspecto com Mercúrio

Mercúrio em Trânsito, Progressão ou Direção com o Mercúrio do seu Mapa de Nascimento intensificará sua potência nos âmbitos de comunicação, troca, movimento, curiosidade, negociações e mudanças.

- FORÇAS ATUANTES: curiosidade, movimento, comunicação e questionamento
- ÁREAS DE ATUAÇÃO: comunicação, estudos, mobilidade, viagens e negócios

ATENÇÃO: a Conjunção de Mercúrio em Trânsito marca uma data especial, pois será o dia em que ele completará mais uma volta em torno do Sol, o que significará o fim de um ciclo de aprendizado e o começo de um novo.

- ASPECTOS FAVORÁVEIS: Conjunção, Sextil e Trígono

ASPECTOS EM TRÂNSITOS, PROGRESSÕES E DIREÇÕES

Tudo será movimento criativo nesse período, e a inspiração entrará em cena de forma dinâmica. Sendo Mercúrio o mensageiro que leva e traz as informações, incontestavelmente a comunicação terá vantagem nessa época. Aproveite para expressar suas ideias e até mesmo jogar um pouco de conversa fora. Em outras palavras, será uma boa ocasião para encontrar as/os amigas/os, falar sobre qualquer coisa que lhe venha à cabeça e igualmente escutar o que os outros têm a dizer. Suas opiniões poderão desencadear novos interesses. Em suma, trocas serão muito bem-vindas enquanto esse Aspecto atuar.

A agitação interna produzida pela excitação mental será conduzida com sabedoria, ou seja, será uma ótima oportunidade para aprender a lidar com a ansiedade.

Todavia, talvez seja a curiosidade uma das manifestações mais sentidas durante a passagem desse Aspecto. A mente inquieta por informação produzirá movimento e, caso você se sinta *acomodada/o*, terá a chance de começar a se mexer. Mas se, ao contrário, você já estiver se movimentando, tudo acontecerá de modo muito rápido e ágil, facilitando os seus deslocamentos físicos ou mentais.

As atividades associadas a Mercúrio estarão evidentemente favorecidas nessa época. Portanto, aproveite para marcar reuniões, fechar acordos comerciais ou profissionais e estimular o bom convívio com as pessoas do ambiente de trabalho.

Também serão beneficiados os estudos e as viagens, já que a capacidade de raciocínio e de assimilação de informações se encontrarão fortalecidas.

· ASPECTOS DESAFIADORES: Quadratura e Oposição

Em primeiro lugar, a tensão provocada por um Aspecto de Mercúrio sempre afeta a comunicação. E, quando for com o Mercúrio do Mapa do seu nascimento, essa pressão ficará intensificada. Por esse motivo, a tendência desse período será a de que você venha a usar as palavras no momento errado ou de forma inadequada. Experimente escutar as outras pessoas antes de se pronunciar. Fique *ligada/o* no que acontece ao redor para evitar conclusões equivocadas.

Haverá igualmente um excesso de atividade mental, uma curiosidade dispersiva e uma excitação por querer fazer tudo muito rápido. Com isso, você poderá se atrapalhar, ficar muito *enrolada/o* nas teias dos afazeres do cotidiano e se perder no meio do caminho por pura distração. O que poderá *ajudá-la/o* nesse caso será fazer algumas pausas durante o dia, respirar melhor para amenizar a ansiedade e, se possível, meditar. Outro método interessante será organizar sua agenda de atividades. Você seguramente evitará cometer falhas nos compromissos. Também não espere que os outros sejam muito responsáveis com promessas realizadas. Confirme o que foi combinado para não perder seu tempo, que já não estará sobrando.

Além disso, fique de olhos bem abertos se for fazer algum tipo de acordo, assinar um documento ou realizar negociações. Caso possa adiar essas ações, faça-o. Se não, leia e releia o que está escrito e ouça antes de falar, pois são nas entrelinhas que o perigo se instala.

Não force a mente a assimilar mais do que ela suporta. Isso será válido especialmente no que diz respeito a estudos, provas, pesquisas ou mesmo apresentações de um trabalho. Passar do limite nessa fase será perder tempo. Como dito anteriormente, será preciso certo repouso entre uma atividade e outra, já que, havendo mais tranquilidade, dificilmente você sentirá os danos causados pelo estresse mental. Aliás, a dica do repouso também é válida para as viagens, de modo que possa aproveitá-las melhor. Fique *atenta/o* a burocracias, documentos e informações, pois será comum haver distração e, consequentemente, esquecimentos.

Mercúrio em Aspecto com Vênus

Sempre que Mercúrio tocar Vênus do Mapa do seu nascimento, o amor será afetado pela força do questionamento, pela necessidade de entender os seus desejos e pela flexibilização das suas escolhas. Esse Aspecto reunirá a linguagem à afetividade.

· FORÇAS ATUANTES: curiosidade, movimento, comunicação e questionamento
· ÁREAS DE ATUAÇÃO: autoestima, amor, beleza, sexualidade e recursos materiais
· ASPECTOS FAVORÁVEIS: Conjunção, Sextil e Trígono

Ao atravessar o Trânsito, a Progressão ou a Direção de Mercúrio com Vênus, você perceberá sua afetividade de diferentes ângulos e formas. Isso acontecerá tanto em relação à imagem que você faz de si *mesma/o* quanto ao que sente acerca das outras pessoas. Ter mais flexibilidade com os sentimentos significa que você terá igualmente mais flexibilidade nas suas escolhas. A propósito, no que diz respeito à autoestima, não deixe de se cuidar esteticamente. Essa fase será muito propícia para tal assunto. Não esqueça que, entre vários outros atributos, a beleza é uma das mais poderosas ferramentas da deusa do amor.

Será ainda bem mais fácil se adaptar ao modo de ser e de viver do próximo. As trocas estimuladas pelo seu interesse nos outros serão bem-recebidas. Em suma, os encontros serão bastante favorecidos. Faça contatos, conheça gente nova e cole em quem tenha objetivos semelhantes aos seus. Entretanto, tudo bem se não tiverem. Essas pessoas também serão bem-vindas, pois trarão a promessa de serem boas relações.

Mas, já que Vênus rege o amor, quem sentirá os efeitos desse Aspecto de Mercúrio será a experiência amorosa, e nesse sentido ele expressará a sua maior potência. Para quem estiver *interessada/o* em alguém, poderá ocorrer uma aproximação positiva. E, se você já estiver se relacionando, tudo ficará mais divertido. Aproveite para esclarecer o que estiver obscuro e, caso esteja tudo certinho (o que dificilmente acontece), o momento será propício para conversas sobre as coisas boas do relacionamento. A bem da verdade, será realmente importante em qualquer um dos casos saber expressar os sentimentos pela outra pessoa e, do mesmo modo, entender os dela.

Além dos encontros, das boas trocas no amor e da melhora da autoestima, esse tempo se mostrará favorável para estudar, embora você possa vir a render muito mais se o fizer em grupo. A mesma dica se aplica às viagens. Se forem acompanhadas por pessoas com quem tenha um bom relacionamento afetivo, os programas terão um sabor bem mais agradável. Ademais, fique *ligada/o* àqueles com quem vier a esbarrar quando estiver viajando, pois poderão dar conselhos interessantíssimos e, no mínimo, você conhecerá gente atraente e divertida.

Levando em consideração a tendência à harmonização, um dos atributos de Vênus, as relações no ambiente de trabalho e as negociações financeiras, comerciais ou profissionais ficarão bem mais equilibradas e produzirão melhores resultados se as discussões forem feitas com diplomacia, ponderação e uma pequena dose de carinho e afetividade. Pois então, experimente!

· ASPECTOS DESAFIADORES: Quadratura e Oposição

O mais provável de ocorrer quando Vênus for atingido de forma conflituosa pelo Planeta do movimento e da multiplicidade será que você se encha de dúvidas tanto no que diz respeito à autoestima quanto ao sentimento em relação às outras pessoas. Evidentemente, uma coisa estará atrelada à outra, e a primeira providência a ser tomada será cuidar melhor de si antes de projetar as carências nos outros, especialmente nos que gostam de você. Entretanto, a boa dica do momento é que você seja mais tolerante com os demais, e, se não conseguir, afaste-se um pouco para colocar os sentimentos em ordem.

A bem da verdade, a instabilidade emocional, a divisão das emoções e a falta de concentração produzirão turbulências nos relacionamentos. Todavia, quando os pontos críticos de uma relação se acentuam, os entendimentos se mostram urgentes. Sendo assim, tente ouvir as insatisfações do outro e aproveite para pensar sobre as suas reivindicações. Haverá um rico aprendizado, desde que haja cuidado com o emprego das palavras, que poderão atingir pontos sensíveis em ambos os lados. Por essa razão, essa não será a hora ideal para conversas mais profundas. Mas, em todo caso, se quiser evitar mal-entendidos, tente ser o mais *objetiva/o* possível ao falar sobre o que está sentindo.

Ainda por causa das incertezas do período, decisões que envolvam dinheiro deverão ser adiadas. Caso não seja possível, aja com cautela e não se deixe seduzir pelas aparências. A propósito, consumir nesses dias poderá levar a arrependimentos, já que comprar será uma compensação das carências afetivas. Passado um tempo, você possivelmente verá que não tinha necessidade de adquirir tais coisas, ou ficará *frustrada/o* por não gostar tanto do que comprou.

Por fim, aí vai mais uma dica: espere passar essa época para fechar um contrato, fazer uma negociação ou expor uma ideia, principalmente se a outra parte envolvida tiver algum vínculo emocional com você. Se isso for inadiável, fique *esperta/o* quanto aos detalhes que poderão passar despercebidos e tente racionalizar os sentimentos.

Já que Mercúrio também está relacionado com os estudos e as viagens, para que você não se frustre, a dica é manter o foco e saber escolher as pessoas certas para partilhar essas experiências. Talvez seja o caso de estudar *sozinha/o* e, de preferência, viajar com *aquelas/es* com que você tenha intimidade suficiente para ficar mais *quieta/o*.

Mercúrio em Aspecto com Marte

Mercúrio é associado a um Signo de Ar, e Marte, por sua vez, a um de Fogo. Na Astrologia, esses Elementos se opõem e se complementam. Como nesse Aspecto Mercúrio afetará Marte do Mapa do seu nascimento, o frescor do ar simbolizado por ele aliviará o calor emanado pelo deus guerreiro.

· FORÇAS ATUANTES: curiosidade, movimento, comunicação e questionamento

· ÁREAS DE ATUAÇÃO: autonomia, autoconfiança, competição, liderança, disposição física e saúde

ATENÇÃO: a Conjunção entre Mercúrio e Marte pode ser interpretada, em parte, de forma favorável. Entretanto, será no viés desafiador que esse Aspecto mais se manifestará. O que definirá a característica promissora desse Aspecto será o seu grau de paciência e de domínio da sua impulsividade.

· ASPECTOS FAVORÁVEIS: Sextil e Trígono

Em primeiro lugar, analisar a influência favorável de Mercúrio sobre Marte do Mapa Natal é compreender a boa relação entre o uso fluente da comunicação e a autoconfiança. O resultado não poderia ser outro: será possível defender uma ideia sem se extenuar, haverá espaço para os debates e concentração em propósitos bem definidos. Em segundo, o ar representado por Mercúrio refrescará o calor do fogo associado ao deus guerreiro. Você sentirá muito mais flexibilidade para agir diante de qualquer desafio do momento. A agilidade mental se encarregará de dar sugestões inteligentes para que você persista na sua vontade e, também, a sabedoria de achar outros caminhos quando sentir que o seu desejo não será atendido.

Na prática, será um período favorável para tomar decisões em reuniões de trabalho, em transações comerciais, em negócios e nas trocas que envolvam pessoas do ambiente profissional. Assim, vá direto ao assunto, mas com flexibilidade e habilidade diplomática. A mesma interpretação de favorecimento se aplicará às atividades intelectuais. Portanto, não só os estudos e as pesquisas fluirão bem, mas igualmente a inteligência intuitiva, que lhe servirá para agir com precisão em situações arriscadas.

Tudo será vivido de forma rápida e eficiente. Aliás, você poderá aproveitar as ocasiões de folga, seja na rotina, seja viajando. Desfrute da boa disposição para caminhar, fazer trilhas ou praticar esportes. Além do mais, se tiver o hábito de se exercitar, mente e corpo formarão uma aliança imbatível nessa fase. Caso não, será uma ótima oportunidade para iniciar essas atividades e incorporá-las em sua vida, pois a mente inteligente colaborará para a manutenção de um corpo saudável.

· ASPECTOS DESAFIADORES: Conjunção, Quadratura e Oposição

Será provável, durante a passagem desse Aspecto, que as temperaturas se elevem e que a fervura transborde pelas palavras. Fato é que você ficará mais sensível à irritação. Qualquer coisa que *a/o* contrarie, por mais simples que possa ser, será motivo para confusão. Os dois Planetas estão relacionados com a inquietude — Mercúrio é inquieto na forma de se comunicar, e Marte nos instintos. Como é o primeiro que afeta o segundo, não haverá muita paciência para racionalizar os impulsos e, por conseguinte, o diálogo quase não existirá, por mais que ele seja necessário para alcançar algum entendimento. Dicas: respire antes de tomar qualquer decisão, pondere as consequências e seja firme sem deixar de lado a flexibilidade.

Ademais, qualquer situação, por menor que possa ser, poderá ser motivo de discórdia ou interpretada como uma provocação. Essa atitude não será nada mais nada menos do que o resultado do fato de você pôr em dúvida a sua autoconfiança. As reações virão com toda a força já descrita anteriormente, ou seja, você estará *propensa/o* a se exaltar, falar mais do que deveria e até mesmo agir com agressividade. Procure minimizar a importância do que dizem as outras pessoas e pondere as suas palavras.

Com todo esse quadro de tensão, evidentemente não será um tempo propício para marcar reuniões, fazer uma entrevista ou participar de alguma disputa. Sendo possível, adie esses assuntos para uma fase em que a temperatura esteja mais baixa e você menos *tensa/o*.

No caso das Progressões e das Direções, como a duração será longa, a dica é refletir antes de agir e ter cautela em qualquer tipo de negociação. Além do mais, as relações do seu convívio cotidiano e do ambiente de trabalho poderão ser afetadas pelas pressões representadas por esse Aspecto. Quando tudo esfriar, o que poderá demorar, dependendo do tipo de Aspecto envolvido, haverá a possibilidade de avaliar os conflitos com mais brandura e as soluções poderão ser encontradas.

Como você provavelmente estará mais *sujeita/o* a sentir ansiedade, sua concentração poderá ficar prejudicada, dificultando tanto os estudos quanto o aproveitamento do prazer de viajar. Evite então situações que costumam *deixá-la/o* mais *irritada/o* para que obtenha melhores resultados intelectuais e aproveite melhor o tempo se estiver viajando.

Em função de Marte ser um Planeta associado às lutas, você poderá sentir mais agressividade nesse período. Logo, procure canalizar as energias para atividades físicas, mas sem forçar o corpo. Fica a dica: seja prudente com os movimentos.

Mercúrio em Aspecto com Júpiter

Mercúrio é o Planeta regente de Gêmeos e Virgem. Júpiter rege Sagitário, oposto e complementar a Gêmeos. Nesse Aspecto, a agilidade mental tão bem representada por Mercúrio e relacionada com o Elemento Ar flexibilizará as determinações acaloradas de Júpiter, Astro que se associa ao Elemento Fogo.

· FORÇAS ATUANTES: curiosidade, movimento, comunicação e questionamento

· ÁREAS DE ATUAÇÃO: metas, leis, crenças, ideais, justiça, estudos e viagens

· ASPECTOS FAVORÁVEIS: Conjunção, Sextil e Trígono

Nesse caso, nada será mais interessante do que poder associar com sabedoria assuntos opostos, mas que atingem a máxima potência quando se alinham pela complementação. A inquietude mental tão bem representada por Mercúrio, o deus ágil, atuando de forma positiva sobre a força do poderoso Júpiter, o deus dos deuses, produzirá ideias brilhantes. Elas serão claras e terão como principal função expandir as fronteiras do saber.

Por se tratar de aprendizado, a dica então é ouvir as pessoas mais sábias. Esses seres de conhecimento serão nessa fase a sua estrela da boa sorte. Será como pegar uma carona incrível com alguém de que você não vai desejar mais sair de perto. O que vier a aprender nesse período será uma bênção, uma dádiva sagrada. A mente se tornará criativa e dilatará os seus horizontes.

Outro aspecto muito promissor desse momento será poder apontar as setas do seu desejo para alvos possíveis de serem alcançados. E mais, compreender que um alvo não envolve somente um objetivo, mas vários. Você poderá enxergá-lo por diversos ângulos. Será a multiplicidade associada a

Mercúrio atuando de forma favorável sobre as determinações representadas por Júpiter. A propósito, será um excelente tempo para discutir metas, propósitos e, com muito vigor, questões filosóficas. Você ficará mais otimista, mesmo quando ainda não tiver chegado a um consenso.

Além disso, a orientação será aproveitar essa fase para resolver burocracias, principalmente em relação à Justiça e às leis. Nessa época, se for necessário, tendo conhecimento dos direitos que lhe assistem, tudo se desenrolará com muito mais facilidade.

Contudo, será em estudos e viagens que esse Aspecto mostrará o seu lado mais promissor. Além da curiosidade ligada a Mercúrio, você disporá de foco, qualidade que tem a ver com a simbologia de Júpiter. Portanto, se estiver estudando, viajando ou planejando uma viagem, vá mais fundo e mais longe!

· ASPECTOS DESAFIADORES: Quadratura e Oposição

Primeira dica para começar a conversar sobre esse Aspecto: não fique contando exclusivamente com o brilho da sua estrela da boa sorte. Segunda dica: tente se esforçar para correr atrás da realização dos seus desejos. Esses serão alguns dos desafios propostos pela influência de Mercúrio, o deus das oportunidades, com Júpiter, tido como o Planeta da sorte.

No mais, o que deverá ocorrer será o aparecimento de dúvidas que, por obra de uma mente no momento instável, fará o problema parecer bem maior do que de fato é. Evidentemente, a desconfiança também será demasiada, mas fique *ligada/o* porque ela poderá estar relacionada com o desconhecimento da verdade.

Vamos lá então! Procure primeiro ser fiel a si *mesma/o*. Somente depois você deverá se preocupar se os outros estão sendo ou não verdadeiros. Posteriormente, diminua seu ritmo mental e físico, *inspirada/o* no bom equilíbrio entre corpo e mente tão bem representado em Sagitário, Signo do qual Júpiter é o regente.

Outra tendência desse período será a de se expressar com inadequação, perder o fio da meada quando estiver conversando e gerar uma interpretação distorcida das suas opiniões. Portanto, fale um pouco menos, cale-se um pouco mais, ouça com atenção o que dizem as outras pessoas e, só depois de estar de posse de mais informação, dialogue com segurança e assertividade.

Um detalhe relevante será ficar muito *ligada/o* em negociações, reuniões importantes e interações com colegas de trabalho. Estas poderão seguir passos que não *a/o* levarão aos objetivos desejados ou contrariarão o que você considera correto ou verdadeiro. Se der, evite-as. O mesmo conselho é válido para aplicar em assuntos burocráticos, principalmente aqueles que dizem respeito às leis e à Justiça. Desse modo, fique *atenta/o* às questões legais e aos seus direitos. Será bom se informar bastante sobre eles para que, caso precise, tenha bons argumentos nas mãos na hora de reivindicá-los.

Por fim, outra sugestão para essa ocasião é tentar não perder o foco nos estudos. Se estiver viajando, também será fundamental ter metas bem definidas. Por haver mais chance de dispersão, você poderá render menos intelectualmente e não desfrutar da série de atividades planejadas para uma viagem. Por isso, escolha os assuntos que mais lhe interessem e deixe de lado os que não tenham muita importância.

Mercúrio em Aspecto com Saturno

O ágil deus do movimento influenciando Saturno, o Planeta que simboliza o tempo, a perseverança, a estabilidade e a dureza, flexibilizará um universo constituído de responsabilidades e deveres. Será um sopro de leveza em um cenário denso e estável.

· FORÇAS ATUANTES: curiosidade, movimento, comunicação e questionamento

· ÁREAS DE ATUAÇÃO: responsabilidade, organização, produtividade e trabalho

· ASPECTOS FAVORÁVEIS: Sextil e Trígono

A conexão fluente entre Mercúrio e Saturno atuará principalmente como uma excelente oportunidade para você alcançar seus objetivos por meio de um diálogo franco e direto. Isso porque na esfera de Saturno a realidade é quem comanda. Fale com precisão, economize nas palavras, vá direto ao assunto e, se puder, organize suas ideias antes de começar a falar o que pretende. Expressar-se abertamente será bem-vindo. Além disso, sintetize o que você escuta, retire todos os excessos desnecessários. Com esse Aspecto, será difícil você cair nas armadilhas típicas da comunicação. Igualmente, não será complexo extrair a ideia central da fala da outra pessoa e compreender exatamente as suas intenções.

Sua mente seguirá uma organização tal que dificilmente você cometerá uma falha séria de comunicação. E, se isso vier a ocorrer, você terá bons recursos para se sair bem da situação. Será um pensar maduro, fruto da sua experiência de falar e ouvir. Aliás, essa será uma fase propícia para pôr em prática as ideias que evoluíram com o tempo. Assim, você poderá aproveitar melhor o que no passado ainda estava pouco organizado ou amadurecido.

Apesar de haver flexibilidade e adaptação, ainda deverá prevalecer o que for certo e seguro. As negociações que visem a resultados a médio e longo prazo, tanto as pessoais como, principalmente, as profissionais, serão as que mais serão favorecidas por esse Aspecto. Ao tratar dos negócios, a prudência ocupará um papel de destaque.

Se você estiver estudando ou fazendo algum tipo de pesquisa, será a ocasião certa para obter bons resultados e comprovar que seus conceitos estão bem fundamentados. Aproveite esse período para fazer revisões e corrigir os erros que eventualmente existam nos materiais que serão avaliados, como provas, trabalhos ou nas apresentações.

E, para finalizar, se estiver com viagem marcada para esse tempo, pretender viajar ou já estiver viajando, aproveite a paciência e a boa capacidade de se concentrar nos seus interesses, e boa viagem!

· ASPECTOS DESAFIADORES: Conjunção, Quadratura e Oposição

Esse será um momento de pequenas crises, incertezas e instabilidade. Um dos principais motivos dessas tensões será que sua mente tenderá a se concentrar nas falhas ou ficará focada no medo de cometê-las. Ademais, você sentirá a autocrítica falar mais alto. A dica é tratá-la como aliada, e não como uma adversária cruel. Não se esqueça de que Saturno é o Planeta das exigências. Portanto, o melhor modo de atravessar esse período será se organizando e mantendo o mínimo de disciplina. Por um lado, isso *a/o* ajudará a se concentrar; por outro, evitará pensamentos obsessivos.

Tanto no aspecto pessoal quanto principalmente no profissional, a ocasião pedirá para que você reflita sobre os seus limites. Primeiro, será necessário aceitá-los. Segundo, poderá ser que você precise corrigir algo que efetivamente esteja errado. Faça-o com paciência e flexibilidade e, assim, evitará frustrações em um futuro próximo.

Tenha cuidado ao fazer qualquer tipo de negociação. Estas provavelmente serão bem mais trabalhosas nessa época. Será indicado adiá-las para quando você precisar fazer menos esforços para obter bons resultados.

Em se tratando de Mercúrio, a comunicação não poderia ficar de fora dessa análise. Nesse período, você logo perceberá que ela estará mais truncada, por as discussões estarem amarradas e se arrastarem com muita lentidão, algo ligado às características de Saturno.

Como um dos efeitos desse Aspecto será pôr à prova sua capacidade de driblar as resistências, serão criados desafios intelectuais ou de linguagem, tais como o de se concentrar em estudos, testes, leituras ou pesquisas. Será importante levar em consideração o estresse e a tensão que surgem nessas situações. Dessa maneira, se essas questões forem inadiáveis e você tiver se preparado o suficiente para enfrentá-las, confie na sua inteligência e não se deixe abalar por pressões. A melhor dica nesse caso é fazer revisões para que não perpetue os erros. O ideal é que isso seja feito antes de qualquer prova, entrega de trabalho ou apresentação.

E mais um conselho: se pretender viajar, não deixe de se programar bastante, mas sem engessar muito os seus interesses. Será preferível fazer poucas coisas bem a realizar várias sem aproveitá-las completamente. Cuide dos seus documentos e pertences. A distração costuma agir, deixando seu rastro de prejuízos. Também escolha atividades menos trabalhosas ou exaustivas. O corpo e a mente certamente agradecerão.

Mercúrio em Aspecto com Urano

Mercúrio e Urano regem Signos do Elemento Ar — o primeiro Gêmeos, e o segundo Aquário. As características comuns entre ambos são movimento, agilidade mental, curiosidade e inquietude. Durante a passagem desse Trânsito, Progressão ou Direção, Mercúrio afetará Urano do Mapa do seu nascimento, ampliando sua potência.

- · FORÇAS ATUANTES: curiosidade, movimento, comunicação e questionamento
- · ÁREAS DE ATUAÇÃO: liberdade, mudança e quebra de padrões

ATENÇÃO: apesar de na maioria das vezes a Conjunção atuar de forma favorável, também ela poderá ser sentida como um Aspecto desafiador devido à sobrecarga mental à qual você estará *sujeita/o*.

· ASPECTOS FAVORÁVEIS: Conjunção, Sextil e Trígono

Além de reger o Signo de Gêmeos, Mercúrio também se responsabiliza pela regência de Virgem. Nesse sentido, a interpretação tratará das situações corriqueiras do cotidiano. Mas, veja bem, quando a atuação dele afetar os domínios de Urano, os pequenos detalhes tão conhecidos por fazerem parte da sua rotina não serão tão simples, muito menos mecânicos. Tudo será vivido de forma extremamente criativa, e seus interesses mudarão de um segundo para outro. Muita novidade e encontros inesperados serão as promessas desse período mais do que interessante.

A inquietude mental ampliará seus caminhos, a inspiração fará a mente brilhar de forma especial e haverá espaço para projetos inovadores. Não perca nenhuma ideia que lhe venha à mente. Anote cada uma delas porque futuramente servirão de inspiração para novas realizações. Serão brechas que abrirão as portas da compreensão. E tudo acontecerá muito rápido, mas em tempo suficiente para ser assimilado.

Sempre que Mercúrio estiver envolvido favoravelmente em um Aspecto, também estarão os estudos, as pesquisas ou as apresentações de qualquer tipo de trabalho. Aproveite essa fase para incrementar concepções novas, discutir assuntos diferentes dos habituais e usar as tecnologias, até mesmo a mais avançadas, a seu favor.

Se sua vida andar meio estagnada, sem graça nem estímulo, seja no âmbito profissional, seja no comercial, intelectual ou de convívio pessoal, será a chance ideal para mudar a situação. Experimente modificar a maneira de se relacionar com as pessoas ou conheça novas caras que lhe tragam outros pontos de vista. Você poderá perceber a tendência de nessa ocasião surgirem novas oportunidades e de fazer conexões promissoras. Pode-se dizer ainda que será um tempo benéfico para as interações nas redes sociais.

Quando o assunto for viagem, o bom mesmo serão as novidades, os encontros incomuns. Visite espaços diferentes e desconhecidos, use a intuição e saiba aproveitar o inesperado. Esta é a dica: não se feche para o estranho, e um mundo novo se abrirá para você.

· ASPECTOS DESAFIADORES: Quadratura e Oposição

A pressão exercida por Mercúrio sobre um Planeta que possui muitos atributos semelhantes aos dele só fará aumentar a inquietude e a ansiedade.

Essa será aquela fase em que você se sentirá *plugada/o* a uma corrente de alta tensão. A propósito, Urano é o Astro que trata da eletricidade, das ondas eletromagnéticas e, por conseguinte, das tecnologias. Não estranhe se suas máquinas pifarem do nada ou se alguns eletroeletrônicos queimarem. Será muita energia circulando ao seu redor. O bom mesmo será aliviar o estresse, acender um incenso, desligar-se um pouco dos estímulos externos e tomar um belo de um banho.

Você viverá as situações simples do cotidiano de maneira turbulenta, se atrapalhando com os pequenos detalhes. Não é o caso exatamente de sugerir que você tenha a maior calma do mundo, mas um pouquinho certamente ajudará.

Outra associação ao estado de irritação será a possibilidade de ser bem mais intolerante do que o habitual com tudo que, para você, esteja ultrapassado, obsoleto ou enquadrado na cultura do senso comum. Cabe então criar seus próprios caminhos sem, entretanto, ferir quem pensa diferente de você.

Você raciocinará numa velocidade tal que provavelmente prejudicará o diálogo objetivo, dificultando as conversas, que, por isso, poderão se tornar discussões bastante desconfortáveis. Vá com calma, sem perder a razão e o ritmo. Outra sugestão é que revise as suas próprias opiniões, de modo a renová-las. O fundamental será não inventar demais, a ponto de impossibilitar a compreensão do que você pensa, nem adotar a teimosia num determinado ponto de vista.

A chegada desse Aspecto poderá anunciar um estado de estresse mental provocado por tensões ligadas a estudos, provas ou entrevistas de trabalho. Caso isso venha a ocorrer, não force a mente. Depois de certa altura, haverá somente gasto de energia sem produtividade.

Nos negócios ou nas transações comerciais, você poderá cometer erros de projeção ou falhas técnicas. Se for possível, evite discutir com *suas/seus* colegas de trabalho, não sem antes se informar sobre as mudanças que estiverem pairando no ar. A mesma dica vale para reuniões de trabalho. Se você puder adiar, faça-o. Caso não, respire fundo, acalme a mente e tente não emitir opiniões precipitadas ou que gerem estranheza e desconforto.

Por fim, o imprevisto tomará a cena em viagens e, com muito esforço, você restabelecerá o ritmo do que tiver sido planejado. O ideal é buscar lugares e atividades insólitos. Mas não se esqueça de relaxar e não se deixe levar pela pressa. Desse modo, você aproveitará melhor as novidades que, por mais estranhas que possam parecer, quebrarão seus padrões e abrirão a sua mente.

Mercúrio em Aspecto com Netuno

O fato de Mercúrio e Netuno regerem Signos opostos e complementares fará desse Aspecto um momento especial. Mercúrio é regente, além do Signo de Gêmeos, do de Virgem — este simboliza o olhar atento aos detalhes, a visão clara da realidade. Peixes, Signo regido por Netuno, é responsável pelo universo da imaginação. A função desse Trânsito, dessa Progressão ou dessa Direção é trazer compreensão aos mistérios, "colocar legenda" quando a língua for desconhecida.

- FORÇAS ATUANTES: curiosidade, movimento, comunicação e questionamento
- ÁREAS DE ATUAÇÃO: intuição, sensibilidade, imaginação e espiritualidade

ATENÇÃO: a Conjunção de Mercúrio com Netuno atuará com maior potência quando a conexão entre ambos for desafiadora. Porém, se você estiver *envolvida/o* com arte, psicoterapia e atividades que exijam sensibilidade e inspiração, a Conjunção poderá ser vivida como um Aspecto favorável.

- ASPECTOS FAVORÁVEIS: Sextil e Trígono

A ação de Mercúrio sobre Netuno do seu Mapa de Nascimento associa as qualidades opostas da racionalidade e da intuição. Essa ação promoverá uma inteligência intuitiva bastante necessária para que você perceba a realidade de forma sensível e possa usá-la como fonte de inspiração.

A boa dica para aproveitar ao máximo os benefícios desse momento é investir no bem-estar da alma por meio de terapia ou alguma prática espiritual. A inspiração, que já estará apurada, ganhará novas cores e *a/o* levará ao universo da imaginação.

Ao associar o intelecto à sensibilidade, a fala ganhará carisma e atingirá os sentimentos mais profundos de quem estiver escutando. Aliás, a mente também será capaz de visitar a profundidade da alma, *ajudando-a/o* a compreender sentimentos nem sempre fáceis de serem traduzidos. Vale dizer que durante esse Aspecto você terá a oportunidade de apaziguar angústias, afastar fantasmas e conviver sabiamente com as emoções mais íntimas.

Haverá igualmente a inclinação a se interessar por assuntos que se utilizem da sensibilidade e da imaginação, tais como temas associados à espiritualidade, à psicologia ou ao campo dos mistérios.

Outra grande vantagem desse período será a capacidade de sintetizar as ideias com mais facilidade, já que suas "antenas" selecionarão melhor o que de fato for relevante. A inspiração será ainda extremamente bem-vinda na hora de estudar, fazer uma prova ou mesmo uma entrevista de emprego. E fique *ligada/o* neste conselho: deixe a imaginação atuar e verá maravilhas acontecerem!

Além disso, você terá a chance de negociar com visão e amplitude, fazer reuniões produtivas e promover paz no seu ambiente de trabalho.

Para finalizar, as viagens ou mesmo as férias que tenham como objetivo relaxar a mente, apreciar a arte ou desenvolver a espiritualidade serão as que melhor produzirão bons resultados nessa fase. Aproveite!

· ASPECTOS DESAFIADORES: Conjunção, Quadratura e Oposição

Em primeiro lugar, é importante saber que a tensão gerada pela ação de Mercúrio sobre Netuno *a/o* levará a mergulhar num oceano de sensibilidade tão elevada que tocará os pontos críticos da sua subjetividade então submersos no inconsciente. Em segundo, por essa razão, a tendência será a produção de pensamentos nebulosos e uma inconstância emocional. O melhor a fazer nesse momento será conseguir dar vazão aos sentimentos em ocasião adequada e com quem estiver *habilitada/o* a *escutá-la/o*.

Na medida em que Mercúrio trata essencialmente da comunicação, você poderá sentir dificuldade ao falar e, consequentemente, de ser *entendida/o* pelas outras pessoas. A falta de clareza no diálogo poderá ser decorrente das emoções confusas e de sentimentos dispersos. Entretanto, ainda que possa ser difícil pôr em ordem o que se passa no seu íntimo, essa será uma excelente oportunidade para conhecer melhor a sua alma e, de posse desse conhecimento, compreender o motivo de suas inseguranças e seus medos.

A dificuldade de concentração será bastante comum durante uma época como essa. Atividades intelectuais, discussões e negociações poderão ser desgastantes, tanto no campo físico quanto no emocional. Se você for fazer alguma prova ou tiver que apresentar determinado trabalho, procure não se fixar nos seus medos. A dica é: faça um bom resumo do que for importante e destaque alguns tópicos para *ajudá-la/o* na memorização.

Caso seja possível, remarque reuniões para um pouco mais adiante e tente entender o que ainda não estiver claro nos contratos e acordos. Mas, se não conseguir adiar, pense positivamente e, principalmente, cale-se nos momentos confusos e se distancie para obter uma análise clara e objetiva da situação.

Por fim, se viajar, não crie expectativas exageradas para não se frustrar. Será preferível ser *surpreendida/o* por algo que não estava planejado a desanimar por causa de uma realidade que não correspondeu às suas fantasias. Sendo Netuno afetado por esse Aspecto, procure fazer programas que tenham relação com a arte, o misterioso ou a espiritualidade. Aí sim, haverá potência suficiente para você viajar na sua sensibilidade.

Mercúrio em Aspecto com Plutão

Sendo Mercúrio um deus que na mitologia greco-romana tem o privilégio de entrar e sair do mundo de Plutão, o Trânsito, a Progressão e a Direção marcados por esse Aspecto mostrarão o quanto é poderoso mergulhar nas profundidades da alma e regressar de lá *plena/o* de sabedoria. Tal experiência será trabalhosa ou tranquila, de acordo com a natureza favorável ou desafiadora do Aspecto.

- FORÇAS ATUANTES: curiosidade, movimento, comunicação e questionamento
- ÁREAS DE ATUAÇÃO: profundidade emocional, transformações, regeneração e revelações

ATENÇÃO: na maioria das vezes, a Conjunção tenderá a operar de forma desafiadora. Porém, quando o que estiver em jogo for a investigação dos mistérios que habitam as profundezas da subjetividade, ela poderá ser interpretada também no viés favorável.

- ASPECTOS FAVORÁVEIS: Sextil e Trígono

Podemos começar a interpretar a influência de Mercúrio sobre o Plutão do Mapa do seu nascimento como sendo um tempo de investigação bem-sucedida de tudo o que sua intuição apontar a ser descoberto. Essa será uma época de revelações importantes que farão você transformar o modo de pensar a realidade.

Ademais, esse Aspecto facilitará a compreensão mais profunda das outras pessoas, possibilitando conhecer o que pensam ou o que são capazes de produzir. Fique *ligada/o*, porque uma boa ideia poderá gerar uma mudança significativa no curso de determinado projeto ou investimento. Faça novos contatos e alimente as relações que atiçarem a sua ousadia. *As/os* que mais farão diferença nesse momento serão *aquelas/es* que arriscarem mergulhar mais fundo, enfrentarem os riscos e forem capazes de abrir mão da zona de conforto. Aliás, isso também será válido para você. Quanto mais *desapega-da/o* for nessa fase, mais frutos você colherá dos desejos semeados.

Outra característica desse Aspecto será a compreensão de que o valor das palavras não é medido somente pelo que dizem, e sim pelo que sugerem. O que mais importará então será o que estiver subentendido nelas. Você experimentará, portanto, o poder de se comunicar bem como o resultado da sua capacidade de manipular melhor o vocabulário. Tal habilidade também resultará do fato de você ter como apoio um estado de espírito interior seguro, profundo e, ao mesmo tempo, tranquilo. A propósito, você perceberá que todo e qualquer investimento em autoconhecimento será bastante recompensado. Dedique-se nesse período a olhar para dentro de si *mesma/o*, vasculhar as regiões mais sombrias e, finalmente, fazer uma faxina nos porões da sua alma.

No mais, como você poderá pôr em prática algumas das facilidades apontadas por esse Aspecto? Primeiro, esclarecendo o que normalmente é obscuro em reuniões profissionais, negociações e contratos. Essas competências serão igualmente bem aplicadas na recuperação de um clima agradável no ambiente de trabalho.

Segundo, em estudos, pesquisas, provas, entrevistas ou apresentações de um projeto. Aproveite esse tempo para mergulhar fundo nos assuntos do seu interesse, melhorar seu rendimento, superar dificuldades e expor ideias que ainda não tenham sido esclarecidas.

E, por último, em viagens ou férias. Escolha essa fase para obter novas experiências, recuperar a energia mental e psíquica e se concentrar naquilo que toca o fundo da sua essência, evitando contatos superficiais.

· ASPECTOS DESAFIADORES: Conjunção, Quadratura e Oposição

Passar por esse Aspecto será perceber o quão destrutivas podem ser as palavras ou o quanto é frustrante a experiência de não ser *compreendida/o*. Essas serão algumas das possibilidades que você enfrentará nessa fase. O fato é que um comentário inocente — às vezes não tão inofensivo assim — poderá causar grandes tempestades. Tudo isso será consequência de você tocar em feridas abertas, em emoções que se ocultavam no interior do outro e que dificilmente emergiam à superfície. No entanto, com você também não será diferente — poderá ser *cutucada/o* na sua fragilidade emocional e sentirá a mesma dor. Por essa razão, a dica é vasculhar o que há de mais profundo em sua essência e que não queria conhecer. Valha-se de algum instrumento de autoconhecimento para *ajudá-la/o* nessa missão. Conhecendo mais a si *mesma/o*, você saberá melhor como mexer em ninhos de marimbondo alheios.

Ademais, as discussões servirão como laboratório para a descoberta de sentimentos reprimidos ou desconhecidos até então, seus e das outras pessoas, o que provocará uma transformação intensa no rumo de determinadas relações. Talvez seja nesse momento que a limpeza se fará. O resultado desse processo ficará mais claro quando os ânimos se acalmarem, porque é comum que, num período como esse, você perca o controle e se expresse de forma tosca, agressiva ou explosiva.

As experiências de depuração e faxina representadas por esse Aspecto terão como ganho mudanças no seu jeito de entender o mundo. Provavelmente, apenas por meio dessas pressões as ideias mais incríveis venham a se fertilizar e levar adiante um propósito.

Como nem tudo estará totalmente claro até que o fundo seja remexido, negociações e transações comerciais deverão ser evitadas. Caso sejam inadiáveis, será preciso ter cuidado com o que se oculta por trás dos acordos e nas entrelinhas dos contratos.

Além disso, em estudos, provas ou apresentações de um trabalho, você poderá sentir dificuldade de concentração se ficar *focada/o* obstinadamente nas suas inseguranças. A dica é começar pelo que for mais tranquilo para ir adquirindo confiança e prosseguir *fortalecida/o* nos assuntos mais difíceis. Outra sugestão é fazer algum exercício de relaxamento antes dessas atividades.

Se for o caso, as viagens ou férias deverão ser pensadas como forma de recuperar energias, e não para serem uma maratona de programas. Evite ambientes que *a/o* deixem *insegura/o*, aqueles dos quais sua intuição diz ser melhor ficar longe. Por outro lado, a descoberta de novos interesses será um dos presentes dessa fase.

Mercúrio em Aspecto com o Ascendente e o Descendente

As conexões que Mercúrio em Trânsito, Progressão ou Direção fizer com o Ascendente do seu Mapa Natal terão a incumbência de unir a inteligência à autoafirmação; a agilidade mental à corporal; a ponderação à decisão. Serão polaridades opostas que se complementarão, já que Mercúrio está associado a Gêmeos, um Signo de Ar, e o Ascendente possui a energia do Fogo, Elemento antagônico. De outro modo, sendo o Ascendente o extremo de uma linha que tem no lado oposto o Descendente, esse Trânsito também afetará o campo das relações, assunto relativo ao simbolismo do Descendente. O desafio será, portanto, usar a inteligência para equilibrar a sua vontade com a vontade do outro.

- FORÇAS ATUANTES: curiosidade, movimento, comunicação e questionamento
- ÁREAS DE ATUAÇÃO: autonomia, autoconfiança, bem-estar físico, saúde, afetividade e parcerias

ATENÇÃO: os Aspectos de Conjunção com o Ascendente e com o Descendente (Oposição com o Ascendente) são considerados favoráveis. Entretanto, eles se diferenciam dos outros Aspectos favoráveis porque, além de marcarem o começo de um novo ciclo, tornando esse momento especialmente importante, também atuam de modo muito mais intenso que os demais.

Como a Oposição trata de uma área distinta de todos os outros Aspectos, ela será interpretada separadamente.

- ASPECTOS FAVORÁVEIS: Conjunção, Sextil e Trígono com o Ascendente

Ao fazer a Conjunção com o Ascendente, Mercúrio indicará o início de uma fase de atividades mentais. Será a entrada em um novo ciclo marcado pelo autoconhecimento e pela potencialização das habilidades intelectuais. Apenas um detalhe: como a mente estará superativada, você poderá se perder num labirinto de pensamentos e se atrapalhar pelo simples fato de não segurar a impulsividade ao falar. Por esse motivo, não deixe de dar atenção à concentração. Caso ela lhe escape, quando se comunicar, mantenha o foco e relaxe um pouco para evitar o aparecimento de cansaço físico e ansiedade, sensações muito comuns durante esse período.

Em todos os Aspectos favoráveis você sentirá essa tendência ao perceber a cabeça funcionando numa velocidade acima da habitual. Ter a influência de Mercúrio sobre o Ascendente significará ficar mais *dispostalo* às trocas, mentalmente mais alerta do que o normal, mais ágil para raciocinar e, por conseguinte, mais *criativalo* intelectualmente. A criatividade poderá se expressar por intermédio de algum meio de comunicação ou mesmo no modo como você gerenciará o convívio com as demais pessoas. Assim, a dica é investir em atividades que exijam esforço mental, raciocínio rápido e habilidade mediadora, como reuniões e negociações ou acertos no ambiente de trabalho. Será uma ocasião propícia ainda para melhorar a convivência mesmo com quem tenha algum tipo de conflito ou disputa, compreendendo as preferências de ambos os lados.

Uma das grandes habilidades de Mercúrio, a de proporcionar um bom emprego da razão, sugerirá que você utilize esse tempo para expressar sua vontade e, principalmente, tomar decisões. Bem elaboradas, elas certamente não falharão.

Se sua rotina estiver atolada de atividades que atrapalham seu desempenho, essa será uma excelente chance para escolher as que se adaptam melhor ao seu jeito de ser e de viver. A propósito, movimente-se mais para arejar a mente. A vantagem será aumentar a disposição física, a saúde e a imunidade.

Esse Aspecto será igualmente favorável para realizar pequenas mudanças, tirar uns dias de folga, circular por aí, fazer pequenas viagens e iniciar práticas que exijam concentração e estejam relacionadas à comunicação. Estas ganharão destaque se você se interessar por assuntos que, em geral, passam despercebidos.

· ASPECTO DESAFIADOR: Quadratura com o Ascendente

Em primeiro lugar, o Aspecto desafiador entre Mercúrio e o Ascendente indicará dificuldade de concentração, já que Mercúrio está simbolicamente associado à destreza e à rapidez mentais. Por sua vez, o Ascendente se encarregará, entre outras áreas, da manutenção da autoconfiança. Por esta sofrer a pressão da dispersão, você se sentirá *cercadalo* de incertezas. É possível também que você ponha em dúvida quem verdadeiramente é, o que provocará questionamentos que, se forem bem aproveitados, poderão auxiliar a regular os desequilíbrios.

Em segundo, a ansiedade típica dessa fase provocará cansaço e desânimo. A consequência poderá ser agir com precipitação e, ao mesmo tempo, cometer erros de avaliação. A sugestão então é encontrar brechas no seu tempo. Relaxe circulando um pouco por aí, areje a mente assistindo a um filme leve e, se puder, tire um cochilo para recuperar as energias. Além do mais, se for viável, elimine o excesso de atividades que possam atrapalhar seu dia a dia, que façam mal à saúde ou que possam dispersar a concentração quando ela for necessária.

Você poderá ainda se atrapalhar ao falar, principalmente por não ter paciência de ouvir as outras pessoas, e, também devido às suas inseguranças, poderá expressar o seu pensamento de forma distorcida ou deixar escapar algum segredo. O recomendável será ser tolerante, estar *aberta/o* aos pontos de vista que divirjam dos seus e ter calma e clareza ao opinar. O ideal seria adiar reuniões importantes, negociações e até mesmo discussões na esfera pessoal. Caso não seja possível, evite falar por compulsão e controle ao máximo a ansiedade.

Em relação a estudos, pesquisas ou provas, o melhor que poderá fazer será se concentrar nos assuntos que domina para só depois mergulhar nos mais difíceis de assimilar.

Para finalizar, caso esteja planejando férias ou viagens, faça-as pensando em recuperar as forças e não para exaurir as energias querendo fazer de tudo um pouco e, ainda por cima, intensamente. Se você seguir essa orientação, acabará o dia menos *exausta/o* e sem tantos contratempos.

· Conjunção com o Descendente ou Oposição com o Ascendente

Ao fazer Oposição com o Ascendente, Mercúrio realizará simultaneamente Conjunção com o Descendente, local no Mapa Natal que representa a potência dos encontros, a vida em casal e as parcerias de trabalho. Esse Aspecto marcará uma nova fase nos relacionamentos, de questionamentos, discussões e muita conversa. Será uma das grandes oportunidades de ouvir o que *a/o companheira/o* deseja e o que *ela/ele* pensa sobre você. Não se esqueça de *deixá-la/o* falar e segure a compulsão de querer se justificar. Procure não reagir, mas resistir e afirmar suas posições sem comprometer as *da/o parceira/o*.

Ademais, essa conexão favorecerá boas negociações, principalmente as que estiverem no começo. As discussões serão importantes para que cada uma das partes se sinta satisfeita nessas trocas. Também será uma ocasião propícia para conhecer novas pessoas, promover encontros entre *amigas/os* e iniciar um relacionamento afetivo. Em suma, são as relações que sairão ganhando.

Sendo Mercúrio o Planeta que trata do aprendizado, será uma ótima chance para estudar com uma boa companhia. Você verá como o rendimento aumentará, tanto o seu quanto o de quem estiver ao seu lado. Em relação às viagens, não será diferente. *Acompanhada/o* de alguém com quem tenha muita afinidade, como *uma/um companheira/o amorosa/o*, será mais enriquecedor do que se for *sozinha/o* ou com aqueles que tenham interesses divergentes dos seus.

Por fim, tentar equilibrar os pratos dessa balança, buscando atender às demandas dos outros, poderá provocar uma desatenção com suas necessidades pessoais. Assim, saiba dizer "não" quando for preciso. Ao tentar agradar o tempo todo, você verá suas energias irem pelo ralo. A dica é se abastecer com assuntos do seu interesse e fazer programas leves.

Mercúrio em Aspecto com o Meio e o Fundo do Céu

A ação de Mercúrio, Planeta da flexibilidade, com o Meio do Céu, o ponto mais alto do Mapa Natal, apontará para uma escalada em que cada passo dado trará um aprendizado. O caminho será vivido com a inquietude de quem não quer deixar de assimilar nada do que encontrar ao longo dessa empreitada. Além disso, por haver também uma conexão com o Fundo do Céu, esse aspecto estimulará o uso da inteligência para equilibrar as demandas de trabalho com as da vida pessoal e familiar.

· FORÇAS ATUANTES: curiosidade, movimento, comunicação e questionamento
· ÁREAS DE ATUAÇÃO: profissional, carreira, vocação, projetos para o futuro, relações familiares e casa

ATENÇÃO: os Aspectos de Conjunção com o Meio do Céu e com o Fundo do Céu (Oposição com o Meio do Céu) serão considerados favoráveis. Entretanto, eles se diferenciam do Sextil e do Trígono porque, além de marcarem o começo de um novo ciclo, também atuam de modo mais intenso do que aqueles, tornando o momento especialmente importante.

Como a Oposição trata de uma área distinta de todos os outros Aspectos, ela será interpretada separadamente.

· ASPECTOS FAVORÁVEIS: Conjunção, Sextil e Trígono com o Meio do Céu

A Conjunção de Mercúrio com o Meio do Céu significará que um novo ciclo de oportunidades profissionais baterá à sua porta, assim como a conquista do reconhecimento social que você almejou alcançar. Mas isso, é claro, dependerá das sementes que você tiver plantado anteriormente.

Não despreze os convites que vier a receber nesse momento, já que poderão abrir caminho para algumas mudanças que você deseja fazer na carreira.

Em todos os Aspectos favoráveis, as capacidades relacionadas à boa retórica *a/o* colocarão em evidência, seja tornando públicas as suas ideias, seja negociando sobre algum projeto novo ou em andamento. Outro modo de se evidenciar será sendo *citada/o* nos meios de comunicação.

A grande vantagem dos Aspectos de Sextil e Trígono é facilitar a interação com pessoas tanto do ambiente de trabalho quanto familiar. Haverá ainda a tendência favorável de ter flexibilidade para atender às demandas dessas duas áreas da vida que, em geral, são os alicerces que nos sustentam.

Quanto à carreira, esse será um período propício às negociações. Haverá atração por novos rumos e, caso seja do seu interesse, algumas oportunidades para mudar de direção. A dica é ficar *atenta/o* aos movimentos que surgirem no seu dia a dia. Cada detalhe poderá ser de enorme importância para definir uma meta, um propósito de vida, ou até mesmo gerar uma boa conversa sobre algo que *a/o* instiga profissionalmente. De igual modo, assuntos que dizem respeito à moradia, tais como mudança, reforma ou compra e venda de imóveis, serão bem-vindos durante a passagem desse Aspecto.

Outros âmbitos favorecidos por esse Trânsito, essa Progressão ou essa Direção se relacionam às produções intelectuais e seus resultados. Em estudos, provas ou entrevistas de trabalho, essa não só será uma fase especial para atingir as metas desejadas, como também para rever os tópicos pendentes, corrigir erros que você deixou passar e, dessa maneira, adiantar suas tarefas.

Aproveite essa ocasião igualmente para tirar um tempinho de folga, entrar de férias ou programar uma viagem. Aliás, haverá a possibilidade de viajar a trabalho, sendo essa uma oportunidade para atualizar os assuntos do seu interesse e que impulsionarão o seu reconhecimento profissional. De qualquer maneira, deverá prevalecer o que melhor se adequar às suas necessidades na época. Se a prioridade for relaxar, tire férias. Se, ao contrário, for crescer profissionalmente, que venham movimentos e muitas novidades.

· ASPECTO DESAFIADOR: Quadratura com o Meio do Céu

Quando Mercúrio afetar o Meio do Céu de forma tensa, a tendência é a de que haja incerteza em relação ao futuro, gerando insegurança e, consequentemente, ansiedade. Você poderá hesitar tanto em relação às perspectivas profissionais quanto às da vida familiar. O certo é que haverá instabilidade e, por esse motivo, o melhor a fazer será aquietar a mente, deixar de lado compromissos sem importância e pesar na balança os prós e os contras do que estiver a/o afligindo. Pense que a dúvida poderá ser uma grande aliada se você se dispuser a questionar aquilo que está travando o seu desenvolvimento. A flexibilização afrouxará as amarras que a/o engessam aos seus medos e permitirá que você siga seu caminho com mais liberdade.

Quanto à comunicação, será necessário que você preste atenção ao falar, principalmente se o assunto for relacionado ao trabalho ou à carreira. Além da dispersão e da possibilidade de levar a conversa para algum aspecto que não a/o favoreça, você poderá expor o que deveria guardar só para si. Portanto, se precisar discutir, faça-o com tolerância, flexibilidade e reserva. Tudo o mais deverá ficar para uma fase mais adequada.

Por ser esse Aspecto indicador de um momento mais complicado, evite tomar decisões que possam prejudicar bons resultados no futuro. Na dúvida, aguarde. Assim, negociações ou assuntos relacionados à moradia, como mudança, reforma ou compra e venda de imóveis, devem ser adiados. Se não puder esperar, leia os contratos com muita atenção, consulte outras opiniões a respeito do que pretende comprar ou vender e não feche nenhum acordo de forma apressada imaginando que, se não o fizer logo, perderá uma oportunidade.

Para evitar a dispersão, quando for estudar, preparar-se para uma prova, uma entrevista ou a apresentação de um trabalho, será recomendável eliminar tudo que possa atrapalhar a concentração. Ademais, comece pelo que tenha mais dificuldade e deixe o que já sabe para o fim.

Também será preciso selecionar somente o que mais lhe interessar, caso esteja programando uma viagem ou até mesmo já viajando. Além disso, evite discussões e fique *ligada/o* nos seus documentos.

A propósito, talvez seja uma ótima chance para tirar um tempo de folga. Mas, veja bem, não invente coisas demais para fazer. Descanse para recuperar as energias mentais que, provavelmente, estarão em baixa.

Conjunção com o Fundo do Céu ou Oposição com o Meio do Céu

Esse Aspecto marcará o começo de um novo ciclo de movimento e interação com sua casa e sua família. Quando um Planeta fizer Oposição ao Meio do Céu, área relacionada à carreira, significará que estará cruzando o Fundo do Céu, ponto este que simboliza as raízes, as memórias e a relação com a família.

Nesse período, então, faça contato com a sua história, vasculhe os baús do passado e compreenda melhor a relação que você tem com sua bagagem emocional. O momento pedirá que fique mais perto da sua casa e das suas relações afetivas do que assuma responsabilidades no trabalho.

Aproveite essa fase para pôr em dia assuntos que foram deixados para trás. Ouça o que pensam as pessoas mais próximas e não deixe de falar o que estiver sentindo, principalmente para quem *a/o* deixa confortável e costuma *a/o* acolher. Você verá os bons resultados das conversas e das trocas. Será possível que igualmente venha a se sentir mais à vontade na intimidade do que se expondo em público. Evite, portanto, comentar o que é íntimo e que, na verdade, só interessa a você e aos seus afetos.

Ademais, será uma época favorável para tratar de assuntos relativos à casa, tais como mudança, reforma e compra e venda de imóveis.

Outro ponto a ser considerado será em relação ao seu elevado rendimento intelectual. Prefira estudar em casa ou em lugares que sejam acolhedores e peça ajuda às pessoas que conhecem de longa data os assuntos mais áridos para você. Desse modo, se tiver que realizar uma prova, discutir um assunto ou apresentar um trabalho, os resultados serão bastante satisfatórios.

Por fim, se for tirar uma folga, férias ou programar uma viagem, prefira estar *acompanhada/o* da família ou aproveite a ocasião para relaxar em casa. Abasteça-se de energia e afeto até se sentir *pronta/o* para circular por aí.

Mercúrio em Aspecto com os Nodos Lunares Norte e Sul

Quando Mercúrio em Trânsito, Progressão ou Direção tocar os Nodos Lunares do Mapa Natal, ocorrerá uma conexão entre o deus mensageiro e a linha que aponta o destino que sua alma escolheu realizar quando ingressou nesta existência. Esse encontro será marcado por situações que funcionam como sinais que *a/o* orientam na sua trajetória espiritual.

- FORÇAS ATUANTES: curiosidade, movimento, comunicação e questionamento
- ÁREAS DE ATUAÇÃO: espiritualidade, passado e caminho de evolução

ATENÇÃO: com exceção da Conjunção e da Oposição com o Nodo Lunar Norte (ou Conjunção com o Nodo Lunar Sul), os outros Aspectos, favoráveis e desafiadores, atuarão na mesma intensidade, tanto nas experiências passadas quanto nas que definirão o seu futuro espiritual.

A Conjunção com o Nodo Lunar Norte será classificada como um Aspecto favorável, e a com o Nodo Lunar Sul (Oposição com o Nodo Lunar Norte), desafiador. No caso da primeira, o que a diferencia dos outros Aspectos favoráveis é que ela marca o começo de um novo ciclo espiritual, apontando especialmente o caminho em direção ao porvir.

Ao contrário da Conjunção com o Nodo Lunar Norte, a Conjunção com o Nodo Lunar Sul primeiramente atuará como uma despedida do passado para só então iniciar a reorientação do seu propósito espiritual.

- ASPECTOS FAVORÁVEIS: Conjunção com o Nodo Lunar Norte, Sextil e Trígono com os Nodos Lunares Norte e Sul

A diferença da Conjunção com os outros Aspectos é a de que a passagem de Mercúrio pelo Nodo Lunar Norte indicará o começo de um ciclo de aprendizado espiritual. Nesse sentido, o momento será crucial para você questionar suas escolhas e afinar a rota que a/o conduzirá à sua evolução espiritual. As características favoráveis desse período serão semelhantes às da interpretação do Sextil e do Trígono. Entretanto, por fazer Oposição ao Nodo Lunar Sul, tais questionamentos devem provocar uma turbulência para que você possa se libertar do que a/o aprisiona ao passado e impede que caminhe em direção aos seus propósitos espirituais.

Em todos os casos, a ação benéfica de Mercúrio sobre os Nodos Lunares indicará uma fase favorável para buscar orientações, conversar com *suas/ seus mestras/es* e discutir assuntos que tenham a ver com os caminhos que você selecionou para se desenvolver espiritualmente. A dica é questionar as escolhas que você tem feito para si e promover encontros com pessoas que pensam de forma diferente da sua. A ideia será ampliar seus horizontes e permitir que novos olhares iluminem o seu trajeto.

Além disso, haverá maior demanda de flexibilidade e adaptação às condições naturais da sua jornada. Procure saciar sua curiosidade, colha informações importantes para incrementar suas intenções e cole naqueles que tenham o que lhe ensinar.

Os Nodos Lunares têm como função *orientá-la/o* espiritualmente. Por sua vez, Mercúrio se encarregará das atividades mentais. A chegada de Mercúrio ao Nodo Lunar Norte significará agregar um sentido maior aos seus interesses. Será a época para compreender que seus estudos, suas leituras e todas as atividades que exijam boa atuação intelectual fazem parte das experiências que contribuirão para o seu autodesenvolvimento. Essa conexão também *a/o* ajudará a encontrar os caminhos certos para responder melhor às questões de uma prova ou de uma entrevista, fazendo com que você não se atrapalhe quando for se expor.

Se for tirar uns dias de folga, programar férias ou viajar, fique *ligada/o* porque esses tempos foram feitos para o seu crescimento espiritual. Desse modo, práticas que visam ao bem-estar interior *a/o* impulsionarão a experimentar essas experiências de forma leve e agradável.

Você ainda poderá obter vantagens nas negociações de trabalho, desde que seu foco esteja afinado com seu propósito espiritual.

· ASPECTOS DESAFIADORES: Quadratura com Nodos Lunares Norte e Sul e Conjunção com o Nodo Lunar Sul ou Oposição com o Nodo Lunar Norte

A Conjunção marcará o começo de um ciclo de resgate do seu passado. Haverá investigação e, provavelmente, uma série de descobertas que poderão mudar o curso da sua história. Essas memórias não serão somente as do que foi vivido no passado desta vida, mas também as que já vieram com você no momento em que chegou aqui, nesta existência.

Pode ser que, a princípio, você não entenda bem o que estará acontecendo. Fique alerta aos sinais que, nesse caso, poderão ser encontros casuais ou uma conversa que, aparentemente, não tenha nada de mais. Se estiver bem *atenta/o*, você resgatará memórias importantes da sua história espiritual que *a/o* libertarão das redes do passado e *a/o* impulsionarão a seguir em frente rumo ao autoconhecimento.

Em todos os Aspectos desafiadores, você sentirá que seus horizontes andam limitados, seja por falta de opções, seja por não saber qual caminho seguir. Primeiro, a ideia será que você desbloqueie as barreiras que travam seus movimentos. Segundo, será essencial ter consciência de que seu crescimento dependerá da sua flexibilidade. Viva os acontecimentos com leveza, afinal a ação desafiadora de Mercúrio sobre os Nodos Lunares poderá *deixá-la/o cega/o* diante das possibilidades que toda causalidade traz.

Quando o assunto for curiosidade, Mercúrio tomará conta da cena. Entretanto, como haverá tensão nesse Aspecto, a curiosidade se tornará dispersão. A dica é manter as antenas ligadas, mas filtrar o que de fato interessa. Os Nodos Lunares funcionam como uma bússola, e esta, se sofrer muitas interferências, poderá ficar desorientada.

Haverá ainda a possibilidade de você receber informações truncadas. Estas *a/o* desviarão da sua jornada, e você terá muito mais trabalho para chegar aonde pretende. A sugestão é tentar distinguir quem atrapalha dos que de fato estão a fim de *orientá-la/o*. Na dúvida, faça uma dupla checagem.

Quanto a estudos, provas ou reuniões de trabalho, áreas tratadas no simbolismo de Mercúrio, será fundamental ter foco para que a concentração não seja prejudicada. A falta de uma meta que dê sentido a essas atividades poderá ser a maior responsável pelos esquecimentos ou pela dificuldade de assimilar informações.

Se for tirar alguns dias de folga, programar férias ou até mesmo viajar, lembre que esses tempos foram destinados para o seu desenvolvimento espiritual mais do que para o puro divertimento. Portanto, o aconselhável é que você fique um pouco mais *recolhida/o*.

Por fim, essa fase pedirá cautela nas negociações profissionais e na interação com as pessoas do ambiente de trabalho. Ademais, a ausência de um propósito poderá deixar tudo sem sentido. Aproveite então essa ocasião para refletir sobre o modo como você tem conduzido os seus relacionamentos.

Mercúrio em Aspecto com a Roda da Fortuna

A influência de Mercúrio sobre a Roda da Fortuna do Mapa do seu nascimento diz respeito à compreensão de que quanto mais você simplificar o modo de ver as coisas, mais os acontecimentos fluirão com facilidade, assim como a sua conexão com a boa sorte.

· FORÇAS ATUANTES: curiosidade, movimento, comunicação e questionamento

· ÁREAS DE ATUAÇÃO: boa sorte e fluidez

· ASPECTOS FAVORÁVEIS: Conjunção, Sextil e Trígono

Passar por esse Aspecto significará que você poderá contar com o poder da mente e considerá-la sua melhor aliada. Perceberá também o quanto será fácil decifrar os sinais que simplificarão a travessia pelos acontecimentos do dia a dia. Será um momento de usufruir as oportunidades de toda natureza. A estrela da boa sorte brilhará várias vezes ao longo desse período.

Dê atenção às ideias que vierem à mente e observe o que podem lhe oferecer. Certamente, elas serão úteis até mesmo para *livrá-la/o* de alguma confusão. Receba-as como mensagens capazes de orientar seus passos e seus movimentos.

A boa sorte também *a/o* acompanhará nos estudos, se precisar prestar uma prova ou realizar uma entrevista de trabalho. Para fazer jus ao brilho da sua estrela, evite a dispersão e aproveite plenamente a força da consciência que vibrará em seu benefício.

Já que Mercúrio também simboliza a política do bom relacionamento, a fase será favorável para encontros profissionais, pessoais e reuniões que exijam fluidez na comunicação.

Além disso, as amizades e parcerias deverão fluir com facilidade, e muitas das suas conquistas serão favorecidas por essas trocas.

Caso você esteja de folga ou viajando, poderá igualmente contar com ventos soprando a seu favor, relaxando das pressões do cotidiano.

· **ASPECTOS DESAFIADORES:** Quadratura e Oposição

Da mesma forma que seus pensamentos poderão facilitar o fluir dos acontecimentos e fazer o papel da sua estrela da sorte, nessa fase eles serão capazes de atrapalhar o fluxo livre, leve e benéfico da vida. O jeito será aproveitar esse momento para refletir sobre tudo que possa ser prejudicial à sua jornada, buscando assim soluções para obter um tempo mais próspero.

Já que a mente estará dispersa e tampouco ajudará você a ter o discernimento necessário para enxergar os fatos com clareza, evite assinar contratos, entrar em negociações ou provocar discussões pessoais.

Do mesmo modo, nas atividades relacionadas a estudos, provas ou entrevistas de trabalho, a tendência será a de não haver fluidez e, portanto, ocorrer dissipação de energia. A dica para facilitar o seu desempenho é abstrair-se de tudo que possa *distraí-la/o*. Faça também algum tipo de exercício que *a/o* ajude a se concentrar, como uma meditação. Tente, nem que seja por cinco minutinhos, ficar *sentada/o* em silêncio. Certamente isso aliviará suas tensões e favorecerá o alcance de bons resultados.

Aproveite para tirar folga das pressões do dia a dia. Mas, veja bem, essas férias ou mesmo viagens programadas não deverão ser preenchidas com excesso de compromissos ou atividades. Esse período deverá ser vivido para promover o equilíbrio da sua mente. A ideia é que ela deixe de ser uma adversária para se tornar sua aliada.

Reflita sobre o quanto você tem se atrapalhado ou não na organização do cotidiano. Prefira práticas que restaurem a serenidade e escolha ficar perto das pessoas com as quais as trocas aconteçam de forma harmoniosa. Afinal, ainda que esse Aspecto seja desafiador, ele também poderá mostrar a sua face promissora.

Mercúrio em Aspecto com Quíron

Quando Mercúrio tocar Quíron do seu Mapa Natal, significará que aquilo que dói precisará ser compreendido, decifrado e, de preferência, nomeado. Tratar do sofrimento será uma das funções desse momento que tem como objetivo curar o que não anda bem.

· FORÇAS ATUANTES: curiosidade, movimento, comunicação e questionamento
· ÁREAS DE ATUAÇÃO: saúde e autoconhecimento

ATENÇÃO: apesar de a Conjunção ser vivida de forma desafiadora na maioria das vezes, também poderá partilhar dos benefícios dos Aspectos favoráveis. O que determinará a tendência de ser mais harmônica ou conflituosa será o seu grau de autoconhecimento.

· ASPECTOS FAVORÁVEIS: Sextil e Trígono

O interessante dessa fase será descobrir o quanto a mente é capaz de promover a cura. Acredite no poder dos pensamentos, concentre-se nas suas dores e emane uma boa energia para o lugar que dói, seja ele físico, seja mental ou espiritual. A sua cabeça será nesse momento uma aliada poderosa para *ajudá-la/o* a encontrar as respostas que trarão o alívio que você busca.

Boas/bons amigas/os e trocas agradáveis com as pessoas do seu convívio cotidiano serão igualmente instrumentos para a manutenção da sua saúde, isto é, relações saudáveis serão a fonte do seu bem-estar, e, por meio dessas interações leves e sinceras, você aliviará o que *a/o* estiver incomodando.

Além das amizades, terapias e atividades físicas que promovam a clareza mental produzirão excelentes resultados.

Por ser uma fase propícia para se curar por intermédio do poder das palavras, fale sobre o que dói. Você verá acontecerem modificações importantes no modo como lida com aquilo que *a/o* faz sofrer.

O Trânsito, a Progressão ou a Direção de Mercúrio sobre Quíron não tratará exclusivamente do poder de cura com o auxílio do falar, mas, como já dito antes, do poder da mente e dos pensamentos. Pode-se, portanto, acrescentar que, ao estudar, prestar uma prova, expor um trabalho ou fazer uma entrevista de emprego, você será capaz de corrigir o que costuma errar e que normalmente atrapalha o seu bom desempenho.

Por último, se for possível, aproveite essa fase para tirar uma folga, iniciar ou aproveitar uma viagem. A busca de novas compreensões aumentará o bem-estar, e elas serão o verdadeiro bálsamo para o alívio das dores.

· ASPECTOS DESAFIADORES: Conjunção, Quadratura e Oposição

Para começar, o importante será que você aproveite esse período para acalmar a mente e organizar os pensamentos. Essas são funções importantes associadas à simbologia de Mercúrio. Quando ele provocar tensão sobre Quíron do Mapa Natal, o seu bem-estar mental estará em jogo. Portanto, tenha certeza de que aquilo que sair da sua cabeça terá o poder tanto de curar quanto de adoecer. Isso significará também que algumas das suas falas terão relação com suas aflições. Evidentemente, algo em você pedirá atenção. Serão sofrimentos passíveis de serem sentidos igualmente no corpo físico. Seus questionamentos revelarão as dores que pedem alívio, e as dúvidas de hoje poderão ser a cura de amanhã.

Cerque-se de pessoas que *a/o* ajudem a pensar. Afaste-se das que atrapalhem o seu raciocínio, joguem conversa fora e façam com que você perca tempo. Quanto mais houver incentivo às suas dúvidas, mais o que dói será motivo de sofrimento. Lembre-se de que a dor é inevitável, mas o sofrimento não. Mais um detalhe: com a escolha das companhias certas, você poderá compartilhar o que *a/o* incomoda. Afinal, o que não for dito também poderá prejudicar a ferida que estiver doendo. Por esse e por todos os motivos já relatados, se você não se sentir *segura/o* para enfrentar um encontro de trabalho, participar de uma reunião importante ou se envolver em algum tipo de negociação, espere. Não esqueça que somente as interações construtivas serão bem-vindas nessa fase. Caso contrário, será melhor ficar só e refletir sobre a qualidade dos seus encontros.

Se precisar prestar uma prova ou se concentrar nos estudos, certamente você se deparará com dificuldades. Para obter então resultados benéficos, o mais adequado será cuidar primeiro do que precisa ser melhorado para só depois chegar às conclusões. Se você seguir essa dica, as chances de errar diminuirão consideravelmente.

Para finalizar, talvez você deva procurar relaxar mais durante a passagem desse Aspecto. Não significa que não possa viajar ou circular por aí, e sim que você precisa reservar um tempo para simplesmente cuidar das energias mentais e aliviar o estresse.

Mercúrio em Aspecto com Lilith

Mercúrio é um Planeta ágil e que tem como principal função ser o mensageiro da consciência. Por sua vez, Lilith simboliza os desejos mais profundos, aqueles que, em geral, encontram-se exilados nos porões da sua alma. Pois esse Aspecto atuará para que você obtenha a senha que dá acesso ao que lá se esconde.

- FORÇAS ATUANTES: curiosidade, movimento, comunicação e questionamento
- ÁREAS DE ATUAÇÃO: sexualidade, desejo, insubordinação e emoções profundas

ATENÇÃO: na maior parte do tempo, a Conjunção de Mercúrio com Lilith será vivida de forma desafiadora. Porém, dependendo do grau de liberdade que você tiver em relação aos seus desejos, principalmente aqueles que socialmente são considerados tabus, a Conjunção poderá ser considerada favorável.

- ASPECTOS FAVORÁVEIS: Sextil e Trígono

A ação de Mercúrio sobre Lilith do Mapa Natal proporcionará um aumento potente da sua sabedoria intuitiva. Será exatamente essa intuição que servirá como chave mestra para abrir as portas do lugar onde estão guardadas as emoções e as vontades intensas, mas que, por motivos de insegurança ou trauma, lá ficaram aprisionadas. Será uma espécie de gênio da lâmpada. Bastará esfregar, e os desejos poderão ser realizados.

Ao tratar dos assuntos considerados tabus, área de atuação de Lilith, Mercúrio se encarregará da flexibilização e da compreensão da sexualidade. Será um bom momento para falar dos desejos sexuais, libertando o que estiver travado. A propósito, a comunicação será um forte recurso de sedução, tanto seu quanto da outra pessoa. Falar fará com que você receba mais atenção. Suas avaliações e seus pontos de vista serão expostos com criatividade e envolverão as pessoas em uma atmosfera de sabedoria e sensibilidade. Outro detalhe a ser considerado (não tão "detalhe" assim) será o dos sinais. Fique *atenta/o* a eles, pois poderão apontar para possíveis encontros e indicarão se será ou não favorável investir num relacionamento.

Por falar em encontros, certamente os que envolverem atração física terão um lugar de destaque nesse período. Entretanto, trocas diversas também serão favorecidas por esse Aspecto, como as de trabalho. Evidentemente que, por ser Lilith o ponto tocado por Mercúrio, as negociações e o convívio com as pessoas do dia a dia tenderão a se aprofundar. Você ficará mais consciente das intenções ocultas, facilitando a sua atuação. A sua sensibilidade e a sua intuição definirão como conduzir suas ações diante de assuntos que não costumam ser abordados.

Nas atividades que exigirem mais da expressão da sua curiosidade e da força da sua mente, tais como estudar, prestar um exame ou fazer uma entrevista, além do uso da intuição, o que fará a diferença será a coragem de quebrar os bloqueios intelectuais.

Por fim, se você resolver tirar um tempo para relaxar, lembre que, quando Lilith estiver envolvida, o preferível será permanecer só para que não haja interferências indesejadas.

· ASPECTOS DESAFIADORES: Conjunção, Quadratura e Oposição

Atravessar o tempo em que esse Aspecto atuar significará que as incertezas virão à tona provenientes do lugar mais fundo e obscuro da sua alma. Lá, habitam os desejos reprimidos, pouco acessíveis devido aos medos, traumas e tabus. A pressão feita por Mercúrio sobre Lilith do seu Mapa de Nascimento será responsável não só por *colocá-la/o* diante de tais receios, como também por atrapalhar o seu acesso a essas emoções importantes que fazem parte do seu amadurecimento e, consequentemente, da sua libertação.

Além disso, será bastante difícil falar claramente acerca dos sentimentos mais íntimos, até mesmo sobre a sexualidade, pressionando ainda mais o que for motivo de desconforto emocional. Em relação à comunicação, a sedução do momento fará com que possa emitir mensagens dúbias e se enrede em jogos emocionais ou sexuais, produzindo inseguranças tanto em você quanto nas outras pessoas.

Todavia, não é porque o período seja difícil que você não deva tentar compreender o porquê das angústias e dos medos. Muito pelo contrário, o melhor a fazer será procurar as pessoas que estejam habilitadas a *ouvi-la/o*, isto é, *uma/um* terapeuta ou *uma/um mestra/e*. Já com quem você mantém um convívio predominantemente social, o silêncio será a melhor tática para não dizer o que *a/o* deixaria *exposta/o* negativamente.

E, falando em relacionamentos, prudência será a palavra de ordem dessa fase. Sempre que Lilith estiver envolvida em um Aspecto, você aprenderá mais sobre como lidar com a solidão. Isso porque, se cair nas armadilhas da sedução com alguém que não *a/o* respeite, você compreenderá melhor o quanto estar *sozinha/o* é preferível a estar em companhia de uma pessoa desagradável.

Quanto às atividades que exijam concentração e agilidade mental, como aprender, ler um bom livro, prestar um exame ou fazer uma entrevista de trabalho, lembre que o medo pode se transformar num adversário cruel. Por esse motivo, seria fundamental evitar os assuntos mais custosos, aqueles que despertam seus monstros interiores.

Ademais, fique *atenta/o* aos sinais de perigo, pois serão os melhores guias nessa época. Sendo assim, ao surgirem incertezas em relação a quem você possa vir a contatar, o aconselhável será adiar esses encontros, sejam pessoais, sejam profissionais. Esses assuntos estarão sujeitos à incompreensão e à dificuldade de se chegar a um acordo. Se não for possível evitá-los, afine razão e sensibilidade para conduzir melhor suas ações diante dessas situações.

Trânsitos, Progressões e Direções de Vênus

A função dos Trânsitos, das Progressões e das Direções de Vênus será trazer beleza, amor, conforto e harmonia aos Planetas ou Pontos Virtuais com os quais tal Astro formar um Aspecto, favorável ou desafiador. Esses Planetas ou Pontos estarão sujeitos a escolhas baseadas no desejo de obter prazer. Os desafios a serem enfrentados durante a vigência desses Aspectos estarão relacionados com as carências, o apego e as compulsões.

INTENSIDADE DO TRÂNSITO: 3

INTENSIDADE DA PROGRESSÃO: 7

INTENSIDADE DA DIREÇÃO: 7

Vênus em Aspecto com o Sol

A influência de Vênus sobre o Sol do Mapa do seu nascimento significará que viver será um ato de amor. Uma das manifestações mais potentes desse encontro será tomar ciência do valor da vida e de si *própria/o*. Viver apaixonadamente será a proposta da conexão entre esses dois Astros.

· FORÇAS ATUANTES: afetividade, libido, cuidado, harmonia, beleza, manutenção e escolha
· ÁREAS DE ATUAÇÃO: consciência, vontade, vitalidade, vigor e autoconfiança
· ASPECTOS FAVORÁVEIS: Conjunção, Sextil e Trígono

Nesse encontro harmonioso de Vênus com o Sol, você sentirá maior satisfação pessoal principalmente por obter a consciência do valor justo das próprias potencialidades essenciais. Você passará a gostar verdadeiramente do que é e, se por algum motivo estiver *insegura/o*, será um bom momento para fazer escolhas que atendam aos seus desejos pessoais. Você poderá também se valer de magnetismo e carisma especiais durante a passagem desse Aspecto. Naturalmente, esse período fortalecerá as relações e favorecerá os encontros. O amor deverá ser o centro das suas atenções nessa fase. Qualquer experiência, por mais simples que seja, virá carregada de paixão, libido e desejo. Evidentemente, a ocasião favorecerá ainda as experiências que envolvam a sexualidade ou tudo o mais que estiver revestido de grande motivação.

Já que estamos falando de amor, os relacionamentos serão vividos com mais harmonia. Não se esqueça de que Vênus se encarrega simbolicamente de promover a gentileza e de conduzir a beleza para a cena afetiva. Com a presença de tais atributos, você reconhecerá os encantos que a vida tem a oferecer, passando a vivê-la, então, com muito mais contentamento. *Cheia/o* de magnetismo, com o senso estético apurado e carisma aflorado, só lhe restará desfrutar da alegria proporcionada por esse Aspecto.

Tenha em mente o quanto a doçura e a generosidade serão ações potentes, uma vez que por meio delas será possível atingir um estado de plenitude e realização interior. Certamente, você se fortalecerá por intermédio do afeto e do amor, que ganharão um brilho especial e atrairão o que for capaz de preencher os anseios do seu coração.

Falar de Vênus é tratar igualmente do conforto material. Sendo esse um Aspecto favorável, você terá a vantagem de se conscientizar do verdadeiro valor das coisas, do que deve ou não ser consumido e de fazer boas aquisições materiais.

· ASPECTOS DESAFIADORES: Quadratura e Oposição

A força desse Aspecto se manifestará sob a forma de inseguranças associadas à imagem que você faz de si. Isso quer dizer que haverá dúvidas quanto ao seu valor e, por consequência, à autoconfiança. Sabe quando tudo parece não lhe cair bem? Se for relacionado à estética, nem se fala. Isso porque Vênus simboliza essas questões e, na mitologia, é a deusa do amor, da beleza e da arte. Não será difícil, portanto, aproximar a interpretação desse Trânsito, dessa Progressão ou dessa Direção do amor-próprio, da vaidade e do orgulho. Lembre-se de que o Astro que a deusa afetará será simplesmente a estrela do Sistema Solar.

Você provavelmente passará por momentos críticos nos relacionamentos. Fique *atenta/o* para não projetar suas carências *na/o parceira/o*. Você enxergará muito mais as faltas do que aquilo que *a/o* preenche. Olhar para uma pessoa dessa maneira será semear frustrações.

Por outro lado, tomar ciência das insatisfações afetivas poderá ser de grande ajuda para que você melhore a qualidade das suas relações. Repetindo o que já foi dito anteriormente, muitas das dificuldades que se fizerem presentes nesse momento podem ter sido causadas pela falta ou até mesmo pelo excesso do valor que você se dá.

Ainda que esse Aspecto seja de natureza conflituosa, a sua exposição às inseguranças, o constrangimento em relação às pessoas não íntimas e as eventuais reações geradas pela complexidade de racionalizar os sentimentos poderão ser usados para aperfeiçoar o seu autodesenvolvimento. O mais aconselhável a fazer no que diz respeito a esse estado de insegurança será ter consciência de que ficar só pode ser bem melhor do que estar com alguém apenas para preencher um vazio e nada mais.

Lidar com os desequilíbrios consumirá energia e provocará cansaço. Cuide de si, da energia vital e da saúde. Será um excelente modo de trazer de volta o brilho que estiver lhe faltando.

O último assunto a ser abordado sobre Vênus será quanto ao bem-estar das suas finanças. Diante de inseguranças emocionais, a compulsão por consumir pode vir a ocupar um espaço significativo no cenário dessa época. Use, então, a razão para lidar com o excesso de expectativas que, se não forem controladas, certamente gerarão frustrações.

Vênus em Aspecto com a Lua

Aqui, o encontro se dará entre dois Astros que simbolizam forças semelhantes. Tanto um quanto o outro dizem respeito às dinâmicas femininas, ou seja, ao afeto, ao acolhimento, aos cuidados, à sensibilidade e à intuição. Portanto, o resultado será a intensificação do que eles representam.

- FORÇAS ATUANTES: afetividade, libido, cuidado, harmonia, beleza, manutenção e escolha
- ÁREAS DE ATUAÇÃO: intuição, sensibilidade, afetividade, lembranças do passado, família e casa
- ASPECTOS FAVORÁVEIS: Conjunção, Sextil e Trígono

Se você estiver esperando por uma fase favorável para um clima amoroso agradável, essa será a grande oportunidade. Evidentemente que, como qualquer Aspecto propício, tudo dependerá do que você vinha cultivando até esse momento. De todo modo, se houver conflitos, essa também será uma época adequada para resolvê-los. Primeiramente, é preciso dizer que a autoestima será a protagonista nessa fase de bons ventos afetivos. Além disso, a autoconfiança será uma excelente fonte de alimento para a manutenção da saúde dos seus relacionamentos. Sendo a Lua o Astro que simboliza a relação familiar, esta estará no primeiro lugar da lista dos premiados com os benefícios desse Aspecto.

Ademais, as chances de solucionar questões ligadas ao passado aumentarão consideravelmente nesse período. As emoções que ficaram guardadas poderão ser acolhidas. Esse será um dos meios mais eficientes para que você consiga dissolvê-las e, então, apaziguar as angústias que habitam a sua alma. A dica é ficar *ligada/o* nas lembranças e nos sonhos, porque eles serão reveladores dos seus desejos mais íntimos e que, nem sempre, são conscientes.

Haverá igualmente facilidade de acolher a sua sexualidade e tudo que nesse sentido tiver sido vivido anteriormente. Certamente, a libido estará em alta. Aproveite para manifestar seus desejos e se envolver intimamente com quem lhe dá chão e estabilidade emocional.

Assim como Vênus trata da beleza, que na ocasião estará em alta, também ela é responsável simbolicamente pela segurança financeira e material. Havendo fertilidade envolvida no encontro da deusa do amor com a Lua, as escolhas que você fizer poderão render frutos materiais saudáveis no futuro. Alimente bem os projetos dessa ordem e espere por bons resultados.

No mais, a Lua representa o lugar de onde viemos e onde moramos. Portanto, esse será um tempo ótimo para tratar dos assuntos relacionados à moradia, lidar com questões domésticas, negociar um imóvel ou escolher um local para morar. Em suma, sua intimidade estará protegida e sua alma agradecida pelos afetos presentes na sua vida.

· ASPECTOS DESAFIADORES: Quadratura e Oposição

Se existir um momento em que a carência estará em alta, será nesse, aparecendo no topo da lista das suas insatisfações. Com a sensibilidade muito aumentada, as inseguranças, as dificuldades afetivas e, principalmente, a baixa autoestima inundarão o reservatório de sentimentos que habita nas suas profundezas emocionais. O recomendável a fazer será não forçar nada nem ninguém a preencher as suas faltas. Acolha o que estiver sentindo e compartilhe somente com quem você confia piamente que deseja o seu bem.

De posse da consciência desse quadro, será possível compreender melhor o momento crítico pelo qual seus relacionamentos passarão. Além da carência já descrita, as expectativas de atenção serão um prato cheio para ampliar as suas inseguranças. As mesmas inquietações deverão também ser observadas na relação familiar. Lembranças da infância ou de algum passado recente que envolvam frustrações afetivas poderão ser reeditadas se você vencer a inércia que comumente se manifesta durante esse Aspecto. Encare igualmente essa ocasião como sendo uma oportunidade para remexer águas passadas e resgatar dali as emoções perdidas pelo desgaste causado no convívio cotidiano.

O contato tenso de Vênus com a Lua também indicará que você poderá se manter em estado de passividade diante de atividades que exijam esforços maiores, e lembre que o cansaço pode estar dando sinais de falta de combustível emocional. Permita-se então diminuir um pouco o ritmo tresloucado do dia a dia e dedique um tempo para restaurar seu equilíbrio.

Por sinal, será o seu estado emocional que interferirá nas decisões relativas às suas finanças, seus gastos e investimentos materiais. Como essa época sugerirá instabilidade, deixe as ações muito importantes para uma fase mais confortável. Caso isso não seja possível, será imprescindível que você se estabilize emocionalmente para obter os resultados desejados.

Por fim, questões associadas à moradia estarão em baixa durante esse período. Logo, tente encontrar harmonia na vida doméstica e evite comprar ou vender um imóvel ou escolher um lugar para morar.

Vênus em Aspecto com Mercúrio

Sendo Vênus e Mercúrio dois Astros que têm seu curso de revolução dentro da órbita da Terra, simbolizam o que é básico para começar qualquer conversa: comunicação e amor. No caso do Trânsito, da Progressão ou da Direção em que Vênus afetar Mercúrio, será esperado que a mente seja tocada pela doçura e pela estética.

- FORÇAS ATUANTES: afetividade, libido, cuidado, harmonia, beleza, manutenção e escolha
- ÁREAS DE ATUAÇÃO: comunicação, estudos, mobilidade, viagens e negócios
- ASPECTOS FAVORÁVEIS: Conjunção, Sextil e Trígono

Posto que a sua autoestima estará estimulada pela capacidade de acolher aquilo que você realmente pode ser, você se sentirá bem melhor por compreender que, para alcançar esse estado de segurança, precisará ser flexível consigo *mesma/o*. Esse será um dos primeiros ganhos positivos desse momento. Depois, a autoconfiança estará afirmada quando você expressar seus sentimentos. Afeto enunciado será afeto bem recebido por quem tem estima por você. Além disso, você se sentirá igualmente *segura/o* para lidar com as incertezas das outras pessoas. Tudo será visto sob o prisma da sensibilidade e do acolhimento.

Outro fator relacionado a esse Aspecto será acerca de querer diversificar seus horizontes, principalmente aqueles que tratam do convívio com o outro. Pois essa inquietude favorecerá toda e qualquer atividade que possa exigir mais da sua mente e da sua capacidade de lidar com as diferenças. Se quiser aprender, essa será uma época propícia. Se desejar ser bem *recebida/o* numa entrevista ou se for expor algum projeto, não perca a chance que o período lhe oferecerá. As informações serão transmitidas e recebidas com prazer e interesse, possibilitando uma boa harmonia nas negociações.

Nas funções que exijam poder de intermediação, assuntos que envolvam a área financeira ou as trocas com colegas de trabalho, você ficará *estimulada/o* quase exclusivamente pelo que proporcionar prazer. Nesse sentido, será favorável promover encontros, reuniões, transações comerciais e financeiras quando o clima for ameno e com pessoas pelas quais você sinta empatia.

Quanto às obrigações, elas provavelmente serão postas de lado por um tempo, já que as tarefas que trazem satisfação tenderão a ficar em primeiro plano. O importante será agir com maturidade e organização para que tal processo não ponha em risco suas responsabilidades. Nesse sentido, quem sabe tirar alguns dias de folga e programar o início de uma viagem não seja uma boa ideia? Experimente!

· ASPECTOS DESAFIADORES: Quadratura e Oposição

O quadro desse período será o de desagrado com as funções cotidianas. Tudo parecerá pouco prazeroso, e a inércia poderá ser seu modo de reagir a situação. Possivelmente, você precisará dar uma renovada nos seus interesses, mas não antes de questionar o porquê das suas insatisfações atuais. Ao acolher o que *a/o* incomoda, você se sentirá mais flexível para arejar o seu dia a dia.

Além disso, a dificuldade de escolher o que lhe dá prazer poderá ter origem nas inseguranças relacionadas à sua autoestima. Tenha em mente que, quando você não enxerga o próprio valor, dificilmente conseguirá encontrar qualidades de seu interesse. No pior dos casos, você tentará preencher as carências com o que espera que as outras pessoas lhe deem. Isso poderá dificultar até o que normalmente flui bem nos seus relacionamentos. Por esse motivo, primeiro restaure a serenidade mental para depois obter os entendimentos que deseja. Evite a inquietação, pois porá em risco não somente a estabilidade da relação consigo *mesma/o*, mas igualmente com quem estiver ao seu lado. Tenha paciência diante das discordâncias, evitando conflitos. O importante será saber que esse Aspecto será mais propício para a reflexão do que para a ação.

Os acordos não serão favorecidos por esse estado de espírito, principalmente os associados a negociações financeiras. Se puder esperar para reivindicar um aumento, comprar, vender ou fazer algum tipo de investimento material, não cogite em adiar. Entretanto, se não for possível, baixe as expectativas para que os resultados possam lhe agradar.

Além do mais, as atividades que exijam do seu intelecto um mínimo de concentração poderão ser motivo de insatisfação. Estudar provavelmente não será o objeto do seu prazer. Para amenizar, envolva-se em uma atmosfera acolhedora para que desperte em você o desejo de meter a cara em um livro ou em pesquisas.

Por fim, dedique algum tempo para relaxar ou fazer algo agradável. Se estiver viajando, procure não esperar demais das pessoas e evite discutir gostos e prazeres. Talvez, assim, você aproveite a experiência com mais conforto.

Vênus em Aspecto com Vênus

Quando Vênus do Céu atual tocar Vênus do seu Mapa de Nascimento, as funções representadas por esse Astro se intensificarão. Tais qualidades dizem respeito aos afetos, às paixões, ao amor, à beleza e aos bens materiais.

- FORÇAS ATUANTES: afetividade, libido, cuidado, harmonia, beleza, manutenção e escolha
- ÁREAS DE ATUAÇÃO: autoestima, amor, beleza, sexualidade e recursos materiais

ATENÇÃO: a Conjunção em Trânsito será considerada favorável com a diferença em relação aos outros Aspectos de que ela representará o fim de um ciclo e o começo de um novo. Será como se o amor estivesse comemorando o seu aniversário.

- ASPECTOS FAVORÁVEIS: Conjunção, Sextil e Trígono

Durante a vigência desse Aspecto, deixe fluir seus prazeres físicos, sexuais e afetivos. Uma das características desse momento será a dilatação da sensualidade, que brilhará de modo muito especial. Somem-se a isso uma autoestima elevada, a facilidade de partilhar sentimentos e o fato de administrar os relacionamentos com sabedoria.

Aproveite as boas companhias. Esse período poderá ser marcado pelos bons encontros, pelo começo de um relacionamento ou pela revitalização de um já existente. Ainda que você fique *sozinha/o*, saiba apreciar a própria presença.

Sendo Vênus a deusa do amor e da beleza na mitologia, seu olhar saberá identificar o que for belo. Até mesmo aquilo que lhe parecia esteticamente desagradável, nessa fase poderá ser visto de maneira mais harmoniosa. Desse modo, se você tiver intenção de arrumar a casa, o ambiente de trabalho ou se dedicar a uma atividade criativa, essa será a hora mais adequada.

Além dos atributos já mencionados, Vênus também se encarrega dos assuntos associados à produtividade e à organização financeira. E, sendo esse um Aspecto favorável, você poderá ser *beneficiada/o* materialmente, seja com algum presente, seja adquirindo o que lhe proporcionará prazer. Em suma, será um Aspecto favorável igualmente para você agregar valor ao seu trabalho, fazer investimentos seguros e consumir *baseada/o* no bom gosto e em escolhas guiadas pela afetividade.

· ASPECTOS DESAFIADORES: Quadratura e Oposição

Um dos grandes desconfortos sentidos durante esse Aspecto será a carência provocada pela redução da autoestima. Pode ser que suas insatisfações tenham origem também no desejo de querer mais e mais e estejam ligadas à sua atitude de não usufruir e valorizar o que tem. De qualquer modo, o perigo desse momento será a tendência de projetar as inquietudes *na/o parceira/o*, forçando a barra para que *ela/ele* corresponda às suas expectativas, que, por sinal, não devem estar nada baixas. O resultado não será outro senão a desarmonia. Essas crises da vida de casal ou até mesmo de uma parceria de trabalho poderão ser aproveitadas para pôr nos eixos o que estiver em conflito. Os desgastes serão naturais, mas será preciso renovar para que haja uma boa motivação para permanecerem *juntas/os*.

Outra questão relacionada a esse aspecto é a da sexualidade. Falou-se de carências, inseguranças, desgastes e projeção das insatisfações. Isso não será diferente quanto ao sexo. Também nesse âmbito será necessário sair da zona de conforto e construir novos desejos com *a/o parceira/o*. Por outro lado, pelo fato de haver excesso de expectativa, será igualmente essencial que você seja *cuidadosa/o* e não exija mais do que vocês têm a oferecer *uma/ um* para *a/o outra/o*.

Mais uma dica importante: evite cometer excessos financeiros provocados pela carência emocional. Pense duas vezes antes de consumir para não ficar *frustrada/o* posteriormente. Por fim, procure ser prudente ao dar vazão aos desejos, propiciando escolhas seguras e moderadas.

Vênus em Aspecto com Marte

Vênus é um dos Planetas que simbolizam o universo feminino. Do lado oposto, Marte se encarrega das dinâmicas do mundo masculino. Ao atuar sobre o deus guerreiro, Vênus terá como atribuição conduzir Marte à pacificação, acolhendo sua força corajosa e impulsiva.

- FORÇAS ATUANTES: afetividade, libido, cuidado, harmonia, beleza, manutenção e escolha
- ÁREAS DE ATUAÇÃO: autonomia, autoconfiança, competição, liderança, disposição física e saúde

ATENÇÃO: a Conjunção será considerada favorável. Entretanto, devido ao excesso de energia produzida nesse encontro, você poderá senti-la também como um Aspecto conflituoso. Como ela atuará vai depender tanto da sua estabilidade emocional quanto do controle da sua impulsividade.

- ASPECTOS FAVORÁVEIS: Conjunção, Sextil e Trígono

A conexão de Vênus com Marte do Mapa Natal será semelhante ao encontro dos amantes, que se atraem e se completam. Juntos, formarão um par cujo elo será o compartilhamento da libido e da paixão. Assim, nesse momento os relacionamentos afetivos estarão em alta; e a sexualidade, intensificada. A vontade de desfrutar de uma boa parceria poderá ser correspondida. Caso você esteja se relacionando, haverá renovação. Se, ao contrário, estiver *sozinha/o* e desejar um romance, quem sabe essa não será uma ótima oportunidade? Mas, veja bem, isso não significa que necessariamente você se apaixonará durante esse período. Ele será, na realidade, um estimulador dos desejos sexuais e da afetividade. Cuide bem de si e da sua saúde emocional. Todo o seu ser agradecerá.

Quando o amor bate à porta, quase sempre a autoestima o recebe com pompa e circunstância. Essa fase será favorável para iniciar práticas que *a/o* estimulem a sair da inércia. A exigência de Marte será que você esteja *ativa/o* e, como quem forma o Aspecto é Vênus, que seja de modo prazeroso. Atividades físicas serão muito bem-vindas nessa época. Se você não costuma se exercitar, essa poderá ser a oportunidade para começar. Lembre-se de que Vênus tem a ver com os prazeres e que, portanto, colocará uma pitada de estímulo para que você deseje continuar.

Outro assunto relativo ao Planeta do amor diz respeito ao conforto material. Sendo Marte um Astro que estimula os impulsos, procure agir com intuição se for investir ou adquirir algo. Portanto, fique de olho nas possibilidades, pois estas poderão trazer satisfação.

· ASPECTOS DESAFIADORES: Quadratura e Oposição

A influência de Vênus sobre Marte nos temas conflituosos se manifestará com a presença de insatisfações afetivas, a começar pela baixa da autoestima. Evidentemente, você sentirá os efeitos negativos dessas inseguranças nos seus relacionamentos. A tendência será agir com impaciência e não ser capaz de conter os impulsos. A irritação com o modo de ser *da/o parceira/o* igualmente provocará tensões no convívio cotidiano. Fique *atenta/o*, portanto, ao seu estado emocional e cuide para não machucar ninguém. Mas, por outro lado, será também extremamente importante que você não se deixe ser alvo da falta de delicadeza por parte das outras pessoas.

Ainda em relação à dificuldade de controlar a impulsividade, esse momento poderá ser comparado ao fogo de palha: emanará um forte calor enquanto queimar, mas rapidamente se consumirá e se apagará. Por isso, será fundamental unir ação e reflexão, evitando comportamentos desmedidos. Essa dica valerá especialmente para quando o que estiver em jogo for a paixão e a sexualidade. O melhor será então se preocupar com a manutenção dos bons encontros, evitando os que possam produzir desilusão.

Outro sinal da presença das tensões representadas por esse Aspecto será a carência. Assim, você poderá sentir falta de atenção e se estressar com detalhes insignificantes. Em contrapartida, algumas características complicadas dos seus relacionamentos poderão ficar muito evidentes. Nesse caso, olhe com cuidado, acolha o que não vai bem e tente renovar o que estiver desgastado.

Por fim, essa será ainda uma fase de estímulo ao consumismo, principalmente se a libido não estiver nos melhores dias. Portanto, fique alerta. Avalie realmente se há necessidade de comprar algo ou se é apenas um desejo passageiro.

Vênus em Aspecto com Júpiter

Além de ser regente de Touro, Vênus igualmente rege Libra, Signo do Elemento Ar. Por sua vez, Júpiter está associado ao Fogo, Elemento de Sagitário, Signo do qual é regente. Assim, a influência de Vênus sobre Júpiter será a de complementar o que faltar, ou seja, doçura e diplomacia.

- FORÇAS ATUANTES: afetividade, libido, cuidado, harmonia, beleza, manutenção e escolha
- ÁREAS DE ATUAÇÃO: metas, leis, crenças, ideais, justiça, estudos e viagens
- ASPECTOS FAVORÁVEIS: Conjunção, Sextil e Trígono

Para aproveitar toda a potência desse Aspecto, em tudo que fizer, deixe o prazer ser seu guia e confie na ação da sua estrela da sorte. O emprego da energia amorosa *a/o* levará à vitória de qualquer desafio que comprometa a expansão da sua autoestima. Uma das melhores qualidades produzidas pela influência de Vênus sobre Júpiter do Mapa Natal será a generosidade. Não meça esforços, então, para empregá-la. Você terá recursos de sobra para fazer valer essa que será uma das mais marcantes virtudes. Ainda que seja alguém que tenha dificuldade de se sentir *merecedora/merecedor* da abundância, nessa fase você terá a chance de aprender a ter mais confiança na bondade da própria vida. Em qualquer caso, dê importância às oportunidades que surgirem, principalmente em relação aos encontros afetivos. Tenha certeza de que os eventos desse período serão puro fruto do seu merecimento. Sendo esse um momento relacionado à prosperidade amorosa, evidentemente haverá estímulos benéficos voltados à autoestima. Certifique-se de ser interessante do jeitinho que você é. Essa segurança impedirá que tente corresponder aos ideais de beleza que a sociedade cria e que quase nunca têm a ver com aquilo que é real.

Uma sugestão importante: programe as metas que deseja alcançar nos seus relacionamentos. Os objetivos traçados ao longo dessa época terão força suficiente para serem atingidos caso haja de fato empenho para tal. Tenha em mente que essa será também uma excelente ocasião para honrar seus desejos mais íntimos, aqueles que necessitam de segurança e estabilidade para serem vividos. Tudo isso valerá ainda no que diz respeito à sua sexualidade. Viva e acredite na singularidade. Aprender que cada um possui a própria sexualidade será a bênção concedida por esse Aspecto.

Acerca de assuntos ligados à vida material, esse será um período favorável para a expansão financeira. Oportunidades poderão surgir, e não se furte de agarrá-las para si. As aquisições desse tempo serão igualmente positivas. Consumir com consciência e prazer será um dos melhores aprendizados obtidos.

Para finalizar, já que Júpiter representa a ampliação do conhecimento e o poder criativo da mente, aproveite e invista em cursos, viagens ou pesquisas. O que você apreender nessas experiências será adubo para colher bons frutos no futuro.

· ASPECTOS DESAFIADORES: Quadratura e Oposição

A falta de limite será um dos primeiros sintomas que surgirão quando você estiver vivendo esse Aspecto. Ela será a responsável pelas insatisfações afetivas do momento que, por sua vez, estimulará o surgimento de carências. Para melhorar a tensão provocada por tais sentimentos, analise como anda a sua autoestima. Provavelmente, você terá que equilibrá-la. O mais comum será concluir que está exigindo demais de si, mas, dependendo de como lidar com as inseguranças, também será possível não enxergar suas reais qualidades. Será preciso, então, que pense melhor sobre essas exigências em vez de esperar que alguém preencha suas expectativas emocionais ou de imaginar que tudo se resolverá simplesmente com uma pitada de boa sorte.

As insatisfações poderão assumir grandes proporções, a ponto de tornar aquilo ou *aquela/e* que era muito atraente motivo de fastio. Use o bom senso e preste atenção nos exageros, pois eles serão causadores de erros de avaliação e de escolha. Além disso, influenciarão até mesmo seus gastos, exacerbarão a compulsão por consumo ou outras vias de preenchimento das lacunas emocionais. Por esse motivo, procure consumir com ponderação e evite decisões muito importantes no que tange à sua vida financeira e material.

Essa dica é válida também para assuntos que tenham a ver com as leis e com a Justiça. Fique *atenta/o*, portanto, para não fazer escolhas erradas, principalmente em relação a *advogadas/os*.

Além do amor, Vênus representa ainda a beleza, e Júpiter trilha os caminhos das idealizações. Fique, portanto, *ligada/o* no ideal de beleza no qual está se espelhando. Lembre que você é mais *bonita/o* do jeito que é, basta ter a sabedoria de se acolher e encontrar os recursos que combinem com seu estilo de ser no mundo.

Por fim, a simbologia de Júpiter se associa também à expansão do conhecimento e ao poder criativo da mente. Sugestão: foque os interesses de maior importância e não espere resultados ideais. A expectativa de atingir níveis mais altos de conhecimento poderá *frustrá-la/o* simplesmente porque serão a projeção das suas carências. E, para concluir, também não espere demais das viagens. Siga os mesmos conselhos referentes às ditas viagens intelectuais. Viajar carente nem sempre será a melhor ideia.

Vênus em Aspecto com Saturno

Se por um lado o contato entre os dois Planetas reúne qualidades semelhantes — ambos regem Signos do Elemento Terra —, por outro as potencialidades são extremamente distintas, pois a função do toque de Vênus sobre Saturno não é apenas a de valorizar a produtividade, mas também de trazer uma pitada de amorosidade na escalada da dura montanha da realidade.

· FORÇAS ATUANTES: afetividade, libido, cuidado, harmonia, beleza, manutenção e escolha
· ÁREAS DE ATUAÇÃO: responsabilidade, organização, produtividade e trabalho

ATENÇÃO: apesar de a Conjunção se manifestar quase sempre de forma tensa, também poderá ser sentida como um Aspecto favorável, desde que sua afetividade esteja amadurecida e estável. Ainda assim, não deixe de analisar a interpretação dada para os dois Aspectos.

· ASPECTOS FAVORÁVEIS: Sextil e Trígono

O Trânsito, a Progressão ou a Direção em que Vênus atuar de maneira favorável sobre Saturno estimulará, por um lado, o começo de relacionamentos estáveis e, por outro, a manutenção dos que já amadureceram. Um encontro que tiver início durante a passagem desse Aspecto carregará a semente da durabilidade. Já nas relações estabelecidas, haverá um acolhimento tanto dos problemas vividos quanto das conquistas obtidas ao longo desse tempo de convivência. Para resumir, as experiências dessa fase consolidarão laços emocionais, amadurecerão os sentimentos e definirão as responsabilidades de cada *uma/um* nas parcerias.

Na presença desse Aspecto, não poderíamos deixar de falar sobre sexo, já que Vênus é um dos símbolos importantes que se encarrega desse assunto. Experimentar segurança e receber com maturidade o estilo da sua sexualidade serão ótimos ganhos desse período. Outra aquisição será a de encontrar a linha divisória que distingue o que é seguro do que não é, quem você sente que *a/o* acolherá de quem não respeita as suas regras. Aproveite bastante esse aprendizado, pois será fundamental para toda a sua vida.

Quanto à beleza, tema crucial em um Aspecto que envolva a deusa do amor, você estará numa excelente época porque saberá não projetar para si as exigências do ideal que a sociedade constrói sobre o que é ou não belo. Mais uma vez, será a maturidade batendo à sua porta. Dessa vez, ela carregará na bagagem a sabedoria de se aceitar exatamente como é.

Assim como esse Aspecto atuará fortemente na vida afetiva, ele poderá igualmente se manifestar nas relações profissionais e na saúde financeira, em razão de Saturno tratar das responsabilidades no universo social. Será uma ocasião propícia para agregar valor ao seu trabalho, valorizar suas competências e pôr na balança o que é ou não importante materialmente. Com essas atitudes, você obterá grandes resultados e estará cultivando condições para adquirir estabilidade nessas áreas da vida.

E, para completar, será tempo de sentir maior segurança emocional e investir na autoestima, nem que para isso seja necessário empreender um esforço maior do que o habitual. As consequências deverão ser sentidas mais tarde, porém os ganhos serão permanentes.

· ASPECTOS DESAFIADORES: Conjunção, Quadratura e Oposição

Durante a passagem desse Aspecto, você tenderá a estar mais suscetível às rejeições. Uma das razões disso será por sua autoestima se encontrar baixa. Ainda que possa acontecer de fato algum tipo de desamparo por parte das pessoas que têm valor para você, a sensibilidade elevada poderá agravar a sensação de não estar sendo *amada/o*. Certamente, seus mecanismos de defesa entrarão em ação, e o mais comum será negar os seus sentimentos. Outra atitude será não aceitar o que contraria as suas expectativas. Esses artifícios prejudicarão consideravelmente a saúde dos seus relacionamentos. O que fazer então nesse caso? Primeiro, saiba impor limites. Segundo, não projete suas inseguranças *na/o parceira/o* e faça todo o esforço possível para reconhecer se *esta/e* não está agindo da mesma maneira com você. Aqui, os jogos de manipulação emocional provocarão resultados muito frustrantes.

Quanto à sexualidade, não será diferente. Você tenderá a fazer mais contato com suas inseguranças e poderá se submeter ao que não for prazeroso para você. Será importante dizer "não", mas, ao mesmo tempo, desbloquear o que estiver reprimido. Será fundamental andar com equilíbrio entre o desejo e a realidade.

Uma vez que Saturno é o Planeta que trata das responsabilidades sociais e Vênus se encarrega de proporcionar conforto material, essa será a hora certa para avaliar as falhas que têm sido responsáveis pelas dificuldades financeiras e pelas relações de trabalho que travam seu desenvolvimento. Materialmente falando, será um período oportuno para fazer um balanço do seu consumo e da sua saúde financeira. Esse Aspecto promoverá um importante aprendizado em relação à economia. É bom lembrar que, em muitos casos, menos é mais. O que importará, então, será a qualidade do que você possui, e não a quantidade. Não se esqueça da necessidade de reunir esforços na busca de soluções para que esses problemas não se repitam, pelo menos não da mesma maneira.

Vênus em Aspecto com Urano

Ao atuar sobre um Planeta que simbolicamente fala de liberdade, Vênus o tratará com delicadeza, trazendo os assuntos relacionados ao amor e ao prazer. Será a arte de conciliar segurança e liberdade.

- FORÇAS ATUANTES: afetividade, libido, cuidado, harmonia, beleza, manutenção e escolha
- ÁREAS DE ATUAÇÃO: liberdade, mudança e quebra de padrões

ATENÇÃO: a Conjunção se manifestará comumente de forma desafiadora, porém, dependendo do quanto você estiver *desprendida/o* dos padrões sociais convencionais, ela poderá agir também de modo favorável. Não deixe, portanto, de analisá-la igualmente sob esse prisma.

- ASPECTOS FAVORÁVEIS: Sextil e Trígono

Primeiro, será preciso levar em consideração a dimensão da energia que será liberada sempre que você estiver atravessando esse Aspecto. Trata-se de uma força capaz de romper com padrões repetitivos ou convencionais do amor. O que não for mais satisfatório gritará por mudanças, e você terá bastante espaço para se relacionar com liberdade. Aliás, esta será a conquista mais importante do momento. Será motivo de alegria e prazer.

Ao se sentir mais *aliviada/o* do peso daquilo que *a/o* amarrava à zona de conforto, você abrirá espaço para novos relacionamentos e para uma nova forma de se relacionar. Você poderá garantir a qualidade das suas parcerias por meio das renovações que serão extremamente bem-vindas ao longo dessa etapa. Antigas questões delicadas passarão a ser vistas com um novo olhar. Assim, arrisque projetos ousados, olhe mais à frente e confie na fertilidade das novas sementes que serão plantadas.

A atuação desse Aspecto também será sentida na esfera da sexualidade. Percebendo-se mais *segura/o* da sua singularidade, você se sentirá mais livre para viver plenamente os seus desejos sexuais, além de sentir mais atração por pessoas que sejam muito diferentes de você. Aproveite para se renovar.

No que diz respeito à sua vida financeira, assunto que é tratado no simbolismo de Vênus, esse Aspecto será favorável para experimentar uma nova maneira de se organizar e produzir estabilidade. Mas essa transformação só acontecerá se você for capaz de sair da inércia e suportar o desconhecido. Se isso for possível, provavelmente novas oportunidades surgirão e poderão modificar consideravelmente para melhor a saúde das suas finanças.

· ASPECTOS DESAFIADORES: Conjunção, Quadratura e Oposição

Ao passar por esse Aspecto, seu pêndulo emocional oscilará entre o extremo da posse e o da liberdade. Se por um lado o simbolismo associado a Vênus pede conforto; por outro, Urano exige inovação. Eis o desafio proposto para você nesse momento: equilibrar os dois polos. "Nem tanto ao mar, nem tanto à terra", como diz o ditado.

O que estará em jogo, na verdade, será o modo de lidar com as inseguranças, carências e a baixa autoestima exatamente no período em que tudo apontará para mudanças. Você deverá, então, tentar romper com os padrões emocionais repetitivos e que tenham alguma responsabilidade na instabilidade e na irritação presentes nesse tempo. As tensões poderão servir como sinal de que algo deva ser feito nesse sentido. Ainda que pareça difícil agir, será preciso tentar. Ficar *presa/o* no que provoca insatisfação será pior do que arriscar uma atitude nova, mesmo que não esteja bem definida. Esse será o primeiro passo para reconquistar a tranquilidade.

Tudo ocorrerá de maneira semelhante quanto à sexualidade. Como dito anteriormente, será essencial se desvencilhar dos tabus que *a/o* aprisionam, dos medos que *a/o* retraem e das inseguranças que dão chance para escolhas erradas. Mas, veja bem, não arrisque o que poderá comprometer sua segurança e seu conforto. Uma coisa é se libertar dos padrões convencionais, outra é se submeter a experiências invasivas que *a/o* farão sofrer.

Outro tema abordado sempre que Vênus estiver presente em um Trânsito, uma Progressão ou uma Direção será o da beleza. Como Urano fala da diferença, você deverá conquistar a liberdade de não depender dos padrões estéticos definidos culturalmente. Seja você *mesma/o* e arrisque ter um estilo próprio. Verá como atrairá muito mais as pessoas por ter algo que pertence só a você e a ninguém mais.

Por fim, fique *atenta/o* às turbulências que poderão afetar sua estabilidade financeira. Seja prudente com os gastos e procure agir sem precipitação, pois essa será decorrente de um instante de euforia que passará com a mesma velocidade com que tiver chegado. Ainda não será hora de arriscar, será necessário antes refletir sobre diversas possibilidades, acalmar as tensões, para só então decidir que atitudes tomar.

Vênus em Aspecto com Netuno

A boa imagem que se poderá fazer do Aspecto de Vênus sobre Netuno do Mapa de Nascimento será sonhar com algo prazeroso. A associação de um Astro que rege Touro, um Signo de Terra, com outro que está conectado ao Elemento Água, ou seja, Peixes, trará realidade onde existir fantasia, conforto onde existir temor, e conectará o amor às regiões profundas do seu ser.

- FORÇAS ATUANTES: afetividade, libido, cuidado, harmonia, beleza, manutenção e escolha
- ÁREAS DE ATUAÇÃO: intuição, sensibilidade, imaginação e espiritualidade

ATENÇÃO: a Conjunção poderá ser vivida de forma favorável desde que haja uma boa estabilidade psíquica e emocional. De resto, ela geralmente atuará no viés desafiador.

· ASPECTOS FAVORÁVEIS: Sextil e Trígono

Será o momento de viver o amor com doses elevadas de intuição e espiritualidade. Você perceberá que a autoestima é algo bem mais amplo e profundo do que simplesmente gostar de si *mesma/o*. Ao apreciar o seu jeito de ser, você se sentirá capaz de se integrar a todos os outros seres, compreendendo que o amor também pode ser sentido de forma universal. Será com essa sensibilidade que seus encontros serão vividos. Você passará por experiências de rica gentileza e docilidade. Mesmo em eventuais instantes de impaciência, você se sentirá capaz de restaurar a harmonia. Afinal, a conexão benéfica entre Vênus e Netuno *a/o* fará mais sensível ao sofrimento do próximo, e, portanto, será mais fácil deixar de lado rancores e mágoas que eventualmente estavam guardados dentro de si.

Quanto à sexualidade, esta será um veículo de evolução espiritual. Suas experiências nesse período provocarão um mergulho profundo em sensações pouco acessíveis normalmente. Entregue-se às suas fantasias e partilhe-as com a outra pessoa. Essa poderá ser uma viagem de grande prazer e de integração amorosa.

Se você se dedica a atividades ligadas à arte ou à espiritualidade, essa será uma época de ampliação da sensibilidade, do poder criativo e da comunhão com as esferas mais elevadas da criatividade. Aproveite essa oportunidade, afinal você reconhecerá a beleza e poderá celebrá-la.

Sendo Vênus um Astro que, além do amor, igualmente simboliza a materialidade das coisas, o melhor a fazer nessa fase será usar a intuição para tratar de assuntos financeiros. Fique *certa/o* de que, assim, as chances de obter os resultados almejados crescerão consideravelmente. Em suma, use a sensibilidade para avaliar as condições reais de uma negociação ou de um investimento material, substituindo as fantasias por sonhos possíveis.

· ASPECTOS DESAFIADORES: Conjunção, Quadratura e Oposição

A tensão provocada por Vênus em um Astro que trata da sensibilidade suscitará uma imaginação sem limites, assim como sentimentos confusos e conturbados. Isso porque os atributos que Netuno representa habitam nas profundezas psíquicas, e o que o Planeta do amor reivindica é viver com prazer. Então, o desafio nesse momento será vasculhar as regiões desconhecidas do seu ser e lá encontrar o sentimento amoroso que, por ora, parecerá ausente. A forma mais provável de sentir essa ausência será por meio de uma baixa na sua autoestima. Por isso, antes de qualquer outra providência, o ideal será que você reforce suas qualidades e se sinta mais *segura/o* de si.

Com tudo isso acontecendo, a tendência será que você queira se recolher para evitar experiências que tragam à tona emoções incômodas. Além disso, já que Netuno *a/o* fará embarcar nas fantasias, as suas idealizações, quando não correspondidas, poderão dificultar a qualidade das relações. Fique, então, alerta e tenha em mente que eventuais decepções que vierem a ocorrer nessa fase servirão para que você possa compreender como a outra pessoa verdadeiramente é. Afinal, somente por intermédio da aceitação e da transparência um relacionamento é capaz de se desenvolver com equilíbrio.

Quanto à sexualidade, questão diretamente associada ao Planeta Vênus, também as fantasias deverão ser conectadas com a realidade. Esperar demais de um relacionamento sexual será plantar as sementes das frustrações. Lembre-se de que nem sempre sua imaginação será correspondida, gerando desse modo uma falta de sincronicidade entre ambas as partes envolvidas. Por fim, saiba dizer "não" se houver qualquer dúvida em relação à falta de respeito aos seus desejos. Será preferível se proteger a se ver *comprometida/o* em situações de nebulosidade.

Por ser Vênus um Astro que, além do amor, simboliza igualmente a materialidade das coisas, será fundamental entender que nem tudo é tão material como se imagina. Será muito importante ainda que você não crie expectativas exageradas quanto às questões financeiras e tenha cautela para que o consumo não seja a substituição das suas carências. Em suma, procure usar a sensibilidade para avaliar as condições reais de uma negociação ou de um investimento material em vez de projetar fantasias que não são passíveis de realização.

Vênus em Aspecto com Plutão

Sendo Vênus o Planeta que rege o Signo de Touro e Plutão o Astro responsável pelo Signo oposto, ou seja, Escorpião, esse encontro significará associar materialidade e energia; preservação e transformação; amor e desapego.

- FORÇAS ATUANTES: afetividade, libido, cuidado, harmonia, beleza, manutenção e escolha
- ÁREAS DE ATUAÇÃO: profundidade emocional, transformações, regeneração e revelações
- ASPECTOS FAVORÁVEIS: Sextil e Trígono

Durante esse Aspecto, duas qualidades se associarão. Comodidade e inquietude se tornarão boas aliadas. Essas forças antagônicas serão capazes de, juntas, dar vida ao que estava estagnado. Já que Vênus simbolicamente se ocupa das relações de amor, você compreenderá nesse período o quanto faz bem acolher as mudanças. Sentimentos engessados minam os relacionamentos e produzem ressentimentos. Será tempo, portanto, de fazer uma faxina profunda no que estiver acumulado. Você sentirá o alívio quando cessar o mal-estar emocional provocado por padrões que não lhe servem mais.

Em se tratando de amar e ser *amada/o*, esse momento favorecerá encontros profundos, intensos e transformadores. As experiências afetivas e sexuais despertarão o que estiver adormecido e alimentarão o amor-próprio. Uma dica importante é mudar a relação com a estética, descobrindo novos estilos muito mais próximos ao seu verdadeiro modo de ser do que aqueles mitos que a cultura criou para você se espelhar. Será um banho de potência benéfica na relação com sua autoestima. Desse modo, você estará *pronta/o* para vivenciar sentimentos e desejos que antes não ousaria experimentar. Tudo será muito revelador, até mesmo e principalmente o que você não conhecia na outra pessoa.

Não podemos deixar de levar em consideração a relação de Vênus com o dinheiro e a materialidade das coisas. Conselho: desapegue e dê lugar ao novo. A intuição certamente *a/o* ajudará a deixar de lado o que não tiver realmente importância apesar do seu apego. Essa será uma época favorável para fazer uma limpeza geral nos hábitos de consumo e uma organização profunda nas suas finanças. Além do mais, haverá uma boa chance de ganhos, especialmente se você souber associar sabiamente frieza com adrenalina.

- ASPECTOS DESAFIADORES: Conjunção, Quadratura e Oposição

Uma das experiências mais inquietantes desse Aspecto será a de ficar mais sensível à rejeição. Isso poderá acontecer por alguns motivos, porém talvez o mais provável será o contato com emoções que costumavam ficar lacradas e que dificilmente eram acessadas. Traumas, lembranças difíceis, tudo poderá vir à tona apenas com um gesto tortuoso por parte do outro. Poderá até mesmo parecer que não há sentido ficar *tomada/o* por inseguranças e temores, mas, na região onde habita Plutão, as coisas não são medidas de forma simples e lógica. As feridas serão cutucadas e doerão. Todavia, você poderá transformar seus medos conhecendo mais profundamente as razões e o modo como foram gerados. Essa será a maior conquista desse momento, e o resultado será a retomada e a apropriação da sua autoestima.

Tanto em relação ao amor quanto à sexualidade, o receio de machucar seus sentimentos será um forte inibidor dos seus desejos e impedirá uma entrega mais profunda. Entretanto, por estar mais *fragilizada/o*, será essencial se preservar dos jogos de dominação. O perigo de se envolver com situações que possam pôr em risco a sua tranquilidade emocional será algo a ser evitado nessa fase. Ligações perigosas? Deixe para uma ocasião mais favorável.

Ademais, evite também ferir a sensibilidade das outras pessoas. Do mesmo modo que suas feridas abrirão, as delas igualmente ficarão suscetíveis a inflamar com suas atitudes impulsivas que, na maioria das vezes, serão somente defensivas. Respeite e compreenda os sentimentos mais profundos, tanto os seus como os alheios, sabendo que é fundamental dominar a carência para evitar relacionamentos destrutivos.

Temos ainda a acrescentar a relação de Vênus com as questões materiais e financeiras. Já que esse Aspecto é desafiador, a dica é se desapegar. Fique alerta às tentações de consumo ou de investimentos que pareçam favoráveis. Evite consumir desnecessariamente e adie uma negociação que envolva recursos que poderão fazer falta depois.

Vênus em Aspecto com o Ascendente e o Descendente

Enquanto Vênus trata das questões do amor, da sexualidade e dos recursos materiais, o Ascendente é o ponto no Mapa de Nascimento simbolicamente responsável pela criação de uma identidade própria. Esse Aspecto trata, então, de fazer da doçura um meio de autoafirmação. Entretanto, por haver sempre uma conexão entre o Ascendente e o Descendente, o desafio desse aspecto será investir igualmente na boa maneira de se relacionar com o outro, assunto tratado pelo Descendente.

- FORÇAS ATUANTES: afetividade, libido, cuidado, harmonia, beleza, manutenção e escolha
- ÁREAS DE ATUAÇÃO: autonomia, autoconfiança, bem-estar físico, saúde, afetividade e parcerias

ATENÇÃO: a Conjunção com o Ascendente será vivida de forma harmoniosa. A diferença entre os demais Aspectos favoráveis é que essa assinala o fim de um ciclo e o começo de um novo. Esse período será marcado por eventos especiais no que diz respeito à individualidade.

A Conjunção com o Descendente (Oposição com o Ascendente), que possui viés favorável para os relacionamentos, será interpretada separadamente porque trata de uma área distinta de todos os outros Aspectos.

- ASPECTOS FAVORÁVEIS: Conjunção, Sextil e Trígono

Ao agir sobre o Ascendente, Vênus a/o estimulará a afirmar o seu jeito próprio de ser, além de incrementá-lo de beleza e harmonia. Um dos tópicos tratados no simbolismo do Ascendente é exatamente a criação de um estilo autêntico, algo que a/o diferencie das demais pessoas. Logo, uma das dicas relevantes para esse momento é que invista na autoestima cuidando de si, embelezando seu corpo e dando valor ao contentamento. Aproveite para relaxar um pouco, fazendo o que lhe dá prazer e confiando que sua singularidade é muito importante para o mundo.

Imagine um ótimo período para expressar seus desejos a alguém especial: pois a hora é essa! Durante esse Aspecto, as pessoas simplesmente se encantarão por você devido ao seu charme, que terá uma força maior do que o habitual. Por isso, fique aberta/o para receber a atenção de quem estiver ao seu lado. Além disso, aproxime-se de quem toca sua afetividade, curtindo também as boas amizades e a vida social. Será numa ocasião como essa que você reconhecerá a importância da sinergia para ambos os lados.

Ao longo desse Aspecto, você sentirá mais disposição física. E, certamente, a autoestima terá bastante participação nisso. Usufrua da vitalidade em alta e use-a como combustível para a criatividade, principalmente a que tem a ver com a beleza da sua aparência física. Coisas da deusa do amor!

Por fim, sendo Vênus um Planeta associado ao conforto material, não deixe de prestar atenção às oportunidades financeiras. Quem sabe não surgirá algo favorável?

· ASPECTO DESAFIADOR: Quadratura

Para começar, deve-se compreender que Vênus é o Planeta que a/o leva à apreciação das coisas da vida, e o Ascendente é um dos Pontos do seu Mapa que se encarrega das decisões. Dito isso, dá para imaginar que será muito penoso ter que fazer escolhas nesse momento. Assim, se você puder adiá-las, aproveite a passagem desse Aspecto para ponderar os seus desejos.

Depois, saber que a sua autoestima estará instável será um fator importante para compreender a tendência de pôr em dúvida tanto os seus sentimentos quanto os dos outros. Mais uma vez, a reflexão será um meio bem apropriado para que você equilibre a demanda das pessoas ou o desejo de agradá-las e os seus próprios interesses. Será fundamental ter em mente que as dificuldades vividas ao longo desse processo ajudarão no aprendizado da arte da conciliação.

Ademais, procure dar atenção àqueles que você quer bem, mas não se esqueça de se resguardar quando sentir que seus limites estão sendo desrespeitados. A mesma dica vale para você, ou seja, tome cuidado para não invadir o espaço do outro.

Como já dito anteriormente, as questões que se referem à autoestima terão que ser mais bem trabalhadas porque a/o auxiliarão a fazer avalições mais corretas e equilibrar o seu humor. Sabe-se que os desgastes emocionais interferem também no bem-estar físico. Verifique, pois, o que não anda bem no seu corpo para impedir que suas tensões perturbem a saúde.

Por último, sendo Vênus um Planeta associado ao conforto material, fique atenta/o para não agir de forma impulsiva, prejudicando a sua saúde financeira. Normalmente, o consumo inconsciente é fruto da tentativa psíquica de satisfazer as carências emocionais. Sendo assim, tente controlar a ansiedade de consumir ou de tomar decisões que envolvam dinheiro e o uso de recursos materiais.

· Conjunção com o Descendente ou Oposição com o Ascendente

Primeiro, quando um Astro se opõe ao Ascendente, significa que está cruzando o Descendente, ou seja, o lugar do Mapa de Nascimento que se refere aos encontros, às parcerias e à vida a duas/dois. Segundo, se Vênus é o Planeta essencialmente relacionado ao amor, esse será um momento muito especial para os relacionamentos.

Então, trata-se de um Aspecto que favorecerá o romance, o sexo e as trocas emocionais mais íntimas. Além disso, saiba que as dificuldades que eventualmente você tenha de se relacionar poderão ser superadas nesse período. A tendência será a de que você seja bem *acolhida/o* por quem saiba tocar a sua alma. Por isso, aproveite para curtir e partilhar seu amor e, caso esteja só, busque se abrir para novas aproximações.

Quando Vênus atravessar essa área do Mapa Natal, você perceberá o quanto é importante contar com alguém afetiva, física e/ou profissionalmente. Será fundamental preservar a sua autonomia, e as interações nessa fase poderão revelar caminhos potentes para que você se torne um ser melhor. Só um detalhe: saiba agradar a outra pessoa sem se desagradar. Se você não respeitar os seus desejos, o desgaste de energia ultrapassará os limites que protegem o seu bem-estar.

Por último, sendo Vênus igualmente associado ao conforto material, a ocasião sugerirá que você ouça as opiniões alheias para obter um olhar diferente do seu, o que poderá fazer diferença quando for tomar decisões financeiras. Tente não agir por impulso, seja *generosa/o* materialmente e saiba acolher com amor o que receber.

Vênus em Aspecto com o Meio e o Fundo do Céu

Como o simbolismo de Vênus e o Meio do Céu está relacionado ao Elemento Terra, o Aspecto da deusa do amor com o ponto mais alto do Mapa Natal provocará o desejo de progredir, realizar e ser *reconhecida/o*. Além disso, a função desse movimento será a de trazer amor à carreira e influenciar nas escolhas profissionais. De outro modo, também esse aspecto faz conexão com o ponto oposto ao Meio do Céu, ou seja, o Fundo do Céu. Este, por sua vez, tem a ver com a vida familiar. Portanto, esse Aspecto traz o desafio de equilibrar com harmonia e doçura o trabalho com a esfera pessoal.

- FORÇAS ATUANTES: afetividade, libido, cuidado, harmonia, beleza, manutenção e escolha
- ÁREAS DE ATUAÇÃO: profissional, carreira, vocação, projetos para o futuro, relações familiares e casa

ATENÇÃO: a Conjunção com o Meio do Céu será sentida de forma favorável. A diferença para os demais Aspectos desse tipo será que ela indicará

ASPECTOS EM TRÂNSITOS, PROGRESSÕES E DIREÇÕES

o fim de um ciclo e o começo de um novo. Esse período será marcado por eventos especiais no que diz respeito à sua profissão.

A Conjunção com o Fundo do Céu (Oposição com o Meio do Céu), que apresenta viés favorável para as vivências familiares, será interpretada separadamente por tratar de assuntos diferentes dos demais Aspectos.

· ASPECTOS FAVORÁVEIS: Conjunção, Sextil e Trígono com o Meio do Céu

Em todos os Aspectos favoráveis, o período será de grande movimento por causa da força dos encontros genuínos. Estes poderão ser relações tanto de trabalho quanto familiares. Portanto, fique *ligada/o* nos seus sentimentos e dê atenção ao interesse que demonstrarem por você. Ademais, você se sentirá mais flexível com o modo de ser das outras pessoas e, assim, haverá maior harmonia nos relacionamentos. Até mesmo as trocas mais difíceis poderão ser igualmente contempladas com esses benefícios. Evidentemente, isso não significa que ninguém *a/o* perturbará, porém, caso aconteça, você disporá de mecanismos potentes que *a/o* ajudarão a ter paciência para lidar com a situação.

Enquanto o Meio do Céu representa as realizações no campo profissional, Vênus exalta os ofícios que lidem com estética, arte, diplomacia, aconselhamento e intermediação: todos esses âmbitos serão bastante favorecidos por esse Aspecto. Entretanto, seja qual for a área de atuação, a força produtiva crescerá se você se associar a pessoas competentes e que partilhem dos mesmos propósitos que os seus.

Outra perspectiva tão presente quanto a de satisfazer seus desejos profissionais será a de viver o que lhe dá prazer. Se você estiver carente de diversão, aproveite para dar mais valor ao que lhe faz sorrir, cultivando o conforto e o bem-estar.

Falando nisso, por ser Vênus o Planeta que também está conectado aos bens materiais, não deixe de desfrutar das chances de ser *reconhecida/o* pelo valor do seu trabalho. Isso será a semente que se transformará mais adiante em melhora das condições financeiras. Portanto, mãos à obra! Invista na área profissional com amor e colherá bons frutos no futuro.

· ASPECTO DESAFIADOR: Quadratura com o Meio do Céu

Por haver simultaneamente conflito com o Meio do Céu e o Fundo do Céu, esse Aspecto apontará para o desafio de encontrar um meio eficiente de equilibrar o seu desejo de investir nas relações íntimas ou familiares e a necessidade de atender aos interesses profissionais. Você deverá oferecer a devida atenção às demandas dessas duas áreas para que você as viva de forma benéfica. Saiba que as possíveis vitórias por enfrentar esse desafio serão alcançadas se você souber conter o anseio de que apenas estará bem se tudo estiver completamente em paz. Esse anseio será produzido pelas carências do momento, armadilhas que põem em risco a sua autoestima.

Uma boa dica para atravessar esse Aspecto com menos turbulência é se dedicar ao autoconhecimento. Desse modo, você poderá apreciar melhor suas qualidades e as das pessoas com as quais convive. Saiba também ceder quando perceber que o outro está com a razão e use a diplomacia para fazer com que suas posições sejam respeitadas.

Em relação à carreira, reflita o quanto você aprecia o seu trabalho e *as/os* colegas. As insatisfações do período poderão ser um guia que *a/o* orientarão para começar a transformar o que for desconfortável. Por outro lado, tente ser *afetuosa/o* no ambiente profissional. Isso *a/o* ajudará a alcançar a admiração no seu meio de atuação. Essa será a melhor forma de agregar valor ao que você faz e abrir brechas para que progrida materialmente.

Nos assuntos relativos à casa, será uma ocasião delicada para tratar de problemas domésticos, vender e comprar um imóvel ou escolher um lugar para morar. Portanto, se for possível, adie decisões importantes que envolvam essas questões para um tempo mais promissor.

· Conjunção com o Fundo do Céu ou Oposição com o Meio do Céu

A Oposição de um Astro com o Meio do Céu deverá ser analisada primeiramente como uma Conjunção com o Fundo do Céu, lugar que está simbolicamente associado às lembranças, ao passado, ao lar e à relação familiar. Sendo Vênus o Planeta que se refere ao amor, podemos dizer que será um bom momento para se relacionar em família e empregar energia em tudo que *a/o* envolver afetiva e emocionalmente.

Aproveite então a força desse Aspecto para se reconciliar com as pessoas com quem tenha tido algum atrito, ajude o máximo quem precisar de amparo e saiba receber o amor e o carinho dos que lhe querem bem.

A grande dica desse período é fazer as pazes com o passado, cultivar as memórias agradáveis e saber da possibilidade de ocorrer encontros com pessoas que fizeram parte da sua história. Resgate o que ficou para trás e traga-o para perto de você. Isso aquecerá sua alma de boas recordações.

Aproveite essa fase para dar um toque especial à decoração da sua casa, invista em melhorias, deixando-a mais aconchegante. Ainda em relação à moradia, essa será uma ocasião favorável para lidar com as questões domésticas, vender e comprar um imóvel ou escolher um lugar para morar.

Profissionalmente, é provável que você sinta necessidade de restaurar suas forças para arcar com as responsabilidades. Permita-se então a nutrição e o descanso que corpo e mente precisarão.

Vênus em Aspecto com os Nodos Lunares Norte e Sul

A ação de Vênus sobre os Nodos Lunares Norte e Sul será direcionada para as escolhas relacionadas ao autodesenvolvimento pela via do caminho espiritual. O amor será o instrumento da evolução em direção ao propósito que sua alma tiver escolhido ao ingressar nesta existência.

- FORÇAS ATUANTES: afetividade, libido, cuidado, harmonia, beleza, manutenção e escolha
- ÁREAS DE ATUAÇÃO: espiritualidade, passado e caminho de evolução

ATENÇÃO: com exceção da Conjunção com o Nodo Lunar Norte e com o Nodo Lunar Sul (Oposição com o Nodo Lunar Norte), os outros Aspectos, favoráveis e desafiadores, atuarão na mesma intensidade tanto nas experiências passadas quanto nas que definirão o seu futuro espiritual.

A Conjunção com o Nodo Lunar Norte será classificada como sendo um Aspecto favorável; e a Oposição, desafiador. No caso da primeira, o que a diferenciará dos outros Aspectos favoráveis será que ela marcará o começo de um novo ciclo espiritual, apontando especialmente o caminho em direção ao porvir.

Ao contrário da Conjunção com o Nodo Lunar Norte, a Oposição primeiramente atuará como uma despedida do passado, para só depois iniciar a reorganização do seu propósito espiritual.

- ASPECTOS FAVORÁVEIS: Conjunção com o Nodo Lunar Norte, Sextil e Trígono com os Nodos Lunares Norte e Sul

Na passagem desse Aspecto, você sentirá que os encontros serão como um chamado para que se inspire em algum caminho que *a/o* conduza ao autoconhecimento e à evolução espiritual. Fique *ligada/o* em quem aparecer na sua vida nesse momento. Serão pessoas a quem você deverá dar a mão, confiando na direção apontada por elas. A dica é orientar seus objetivos para o fortalecimento da autoestima para que se sinta *segura/o* em receber quem lhe proporcionará bem-estar de espírito.

Valorize as relações afetivas ampliando o alcance dos benefícios obtidos pelos vínculos do amor, do respeito e da confiança. As conexões e os encontros ocorridos durante esse período terão uma vinculação espiritual e serão uma referência importante do seu desenvolvimento. Guarde-os com carinho.

Se por um lado Vênus trata do amor, igualmente se encarrega da materialidade das coisas. Portanto, sua evolução espiritual demandará maior persistência para manter a estabilidade material. Dedique-se ao que você de fato deseja realizar, e essa dedicação moverá a sua vida. Bons planejamentos serão favoráveis, o olhar cuidadoso em relação à sua vida financeira também. O importante será ter em vista que as sementes cultivadas com cuidado na atualidade darão frutos consistentes amanhã. Comprometa-se, então, com a qualidade das suas realizações para fazer valer a história que escreverá desse momento em diante.

- ASPECTO DESAFIADOR: Conjunção com o Nodo Lunar Sul e Quadratura com os Nodos Lunares Norte e Sul

Quando Vênus exercer pressão sobre os dois Nodos Lunares, a tendência será a de haver pressão quanto à escolha de um caminho que seja ao mesmo tempo espiritual e amoroso, pois nesse momento é possível que algumas pessoas mais atrapalhem do que ajudem e você deverá refletir sobre as causas desses conflitos antes de tomar qualquer decisão em relação a elas. Na verdade, a primeira providência a ser feita será pôr em dia a autoestima. Recordações de situações passadas que colaboraram para suas inseguranças deverão ser resgatadas para apaziguar suas inquietudes atuais. Tente fazer um balanço honesto do que cabe a você e do que é responsabilidade das outras pessoas para não cometer nenhuma injustiça. Apenas assim, você se sentirá *segura/o* para seguir adiante de mãos dadas com quem irá *ajudá-la/o* a se desenvolver espiritualmente.

Além do mais, sua evolução dependerá também de uma postura mais perseverante diante dos seus objetivos. Poderá haver a sensação de que a produtividade e a saúde financeira não estão lá essas coisas, precisando ser estimuladas e fortalecidas.

Traga mais harmonia para a sua jornada, tornando cada etapa a mais prazerosa possível, tanto focando os propósitos que tenham verdadeiro significado para você quanto valorizando mais as companhias que sejam motivadoras.

- Conjunção com o Nodo Lunar Sul e Oposição com o Nodo Lunar Norte

Pense em uma fase de acesso ao passado e de resgate das memórias afetivas que guardam grandes sabedorias — será esse o momento. Afinal, a passagem de Vênus pelo Nodo Lunar Sul do Mapa Natal exaltará a força dos amores já vividos, benéficos ou não, propondo maior consciência da importância de usar os aprendizados acumulados como forma de seguir em frente com mais preparo emocional, rumo ao autoconhecimento e à evolução espiritual.

Essa posição privilegiará especialmente as resoluções em assuntos familiares e o acesso às histórias de amor dos seus ancestrais. Muito dos encontros atuais farão algum tipo de conexão com o seu passado, deixando tudo envolto em uma atmosfera acolhedora e de libertação. Aproveite esse tempo para se harmonizar com sua história, sua família e os amores antigos. A função desse Aspecto será fazer o passado ser um impulsionador das experiências do presente, e não um aprisionamento que a/o impeça de prosseguir. Atualizando sua história amorosa, você dará um grande passo no caminho da evolução da sua espiritualidade.

Já que Vênus também tem relação com a materialidade das coisas, essa será igualmente uma época de resgate de experiências associadas ao uso, à apropriação e à produção de recursos. Ao reviver as memórias do passado para se orientar sobre como agir no tempo presente, você verá seus projetos de vida se realizarem de acordo com seus desejos atuais. Desta forma, você poderá expandir mente e alma, reencontrando o propósito que conduz sua existência.

Vênus em Aspecto com a Roda da Fortuna

Ao influenciar as experiências simbolizadas pela Roda da Fortuna, Vênus fará do amor um mensageiro da sorte. Será por meio da doçura, da paciência e da perseverança que o brilho da sua estrela emanará os bons fluidos que facilitarão o fluxo harmonioso dos acontecimentos.

- FORÇAS ATUANTES: afetividade, libido, cuidado, harmonia, beleza, manutenção e escolha

- ÁREAS DE ATUAÇÃO: boa sorte e fluidez

- ASPECTOS FAVORÁVEIS: Conjunção, Sextil e Trígono

Com a influência desse Aspecto, os encontros poderão oferecer grandes retornos, pois a sua estrela da sorte trará brilho para o cenário amoroso. O primeiro desses ganhos será a conexão com a autoestima. Evidentemente que, com mais confiança em si, o fluxo dos acontecimentos relacionados à afetividade será facilitado. Os entendimentos serão produzidos com mais fluidez, gerando momentos de grande cumplicidade.

A sexualidade também se beneficiará com o toque charmoso de Vênus na Roda da Fortuna do Mapa Natal. Aproveite os prazeres que um bom encontro sexual pode proporcionar. Será a hora de fazer fluir seus desejos.

Sob o ponto de vista financeiro, assunto que igualmente tem a ver com a simbologia de Vênus, os caminhos deverão se abrir. Mantenha uma postura persistente mesmo diante de eventuais contratempos. A força exercida por esse Aspecto será a de fazer com que você sinta bastante motivação e confiança nos resultados dos seus esforços.

- ASPECTOS DESAFIADORES: Quadratura e Oposição

Como a Roda da Fortuna é o ponto que indica a boa fluidez dos acontecimentos e Vênus está ligada à afetividade, o momento pedirá que você dispense uma atenção especial aos entraves afetivos, entre eles, os que tratam da sua autoestima. Tente perceber com equilíbrio o próprio valor e o concedido às facilidades da vida. Feito isso, evite dar continuidade ao que seja prejudicial. Fique *ligada/o* nas carências que dificultam, e muito, o bom curso de um relacionamento, de uma entrega sexual segura e de um possível encontro. Por isso, o autocuidado será igualmente importante para que, ao reconhecer a própria importância, o outro também o faça.

Além de tratar do amor, Vênus tem relação com a materialidade das coisas. Dê atenção a projetos que precisem ser melhorados a fim de que possam se desenvolver com mais facilidade, em vez de ficarem simplesmente à mercê da boa sorte nesse período. Afinal, a tendência da conexão desafiadora entre Vênus e a Roda da Fortuna será a de virem à tona questões que comprometam as suas realizações e sua saúde financeira. Simplificar as propostas, aumentar a dedicação e, eventualmente, desapegar-se das intenções desfavoráveis serão boas maneiras de evitar maus resultados.

Vênus em Aspecto com Quíron

Levar amor onde existe sofrimento, essa será a missão de Vênus quando atingir Quíron do seu Mapa de Nascimento. Será a doçura que cura, o amor que vem tocar nas feridas que anseiam por cicatrizar. Trata-se também de fazer dos encontros um instrumento de regeneração.

- FORÇAS ATUANTES: afetividade, libido, cuidado, harmonia, beleza, manutenção e escolha
- ÁREAS DE ATUAÇÃO: saúde e autoconhecimento

ATENÇÃO: a Conjunção costuma se manifestar de forma desafiadora, apesar de também apresentar características favoráveis. O que determinará qual será a tendência se relaciona a quão você cuida bem ou não das suas feridas amorosas, do que dói nos seus relacionamentos e do quanto se dedica a manter a saúde da sua vida financeira. Portanto, não deixe de analisar as duas tendências.

- ASPECTOS FAVORÁVEIS: Sextil e Trígono

Em primeiro lugar, deve-se apontar o fato de que, nesse momento, você lidará mais facilmente com o que *a/o* incomoda nos relacionamentos. A consciência do poder de cura por meio da afetividade e as ações decorrentes dessa conscientização cicatrizarão suas feridas emocionais. Ao acessar e acolher o que estiver inflamado, você poderá se entender melhor com *a/o companheira/o*, trazendo saúde para as parcerias e prosseguindo sua trajetória afetiva com o devido equilíbrio. Toque nas feridas com gentileza para que a outra pessoa se sinta confortável e também exponha o que sente. Lembre que a dor de Vênus no encontro com Quíron será amenizada com doçura, carinho e ponderação.

Tudo isso será igualmente válido para suas vivências sexuais. Será hora de tratar do sofrimento provocado pelas dificuldades com a sua sexualidade e a do outro. No mais, saiba aproveitar os prazeres sexuais depois de curar o que *a/o* impedia de uma entrega mais amorosa e confiante.

Além disso, a sua relação com a matéria, as finanças e a beleza do seu corpo se dará com mais leveza nessa fase. Cuide do que é seu e trate de reparar o que não está funcionando bem na organização dos seus gastos. As dores causadas pela baixa autoestima associadas principalmente à sua estética poderão ser aliviadas durante a passagem desse Aspecto. Resumindo, você se permitirá lidar com o que lhe pertence de forma mais saudável e benéfica.

- ASPECTOS DESAFIADORES: Conjunção, Quadratura e Oposição

Se está doendo, trate de cuidar! Essa é a dica mais importante para atravessar essa fase. Todavia, o que deverá ser olhado com mais atenção serão as dificuldades emocionais, os desequilíbrios nos relacionamentos e as inseguranças quanto ao seu valor. Ao tocar Quíron do seu Mapa Natal, Vênus apontará para o que não anda bem com você e para as feridas causadas pela não aceitação da sua beleza. Tudo isso contará na hora de expressar os seus desejos. Não será exclusivamente a química de um encontro que a/o aproximará da pessoa com quem você deseja se relacionar. Você precisará estar bem consigo para então despertar interesse nela. Por isso, será necessário analisar as feridas que já estão abertas para que não inflamem e causem mais dor. Portanto, fique *atenta/o* para não se deixar levar pelos jogos de sedução afetiva e sexual. Será preferível nesse período ser mais *cautelosa/o* e até evitar alguns encontros a sofrer ou provocar sofrimentos em alguém.

Saúde, recursos materiais, dinheiro: tudo isso deverá ser tratado com mais atenção do que o habitual. A possibilidade de você vir a se afligir por causa da má administração desses tópicos será muito grande. O bálsamo para essas questões será manter uma considerável produtividade e ter confiança nos ótimos retornos que virão.

Vênus em Aspecto com Lilith

Esses são dois símbolos que representam o empoderamento feminino. Ao agir sobre a Lilith do Mapa Natal, Vênus fará soprar os ventos quentes e úmidos do amor para fertilizar o solo árido no qual Lilith foi destinada a habitar.

- FORÇAS ATUANTES: afetividade, libido, cuidado, harmonia, beleza, manutenção e escolha
- ÁREAS DE ATUAÇÃO: sexualidade, desejo, insubordinação e emoções profundas

ATENÇÃO: a Conjunção poderá ser vivida de duas formas: favorável e desafiadora. Portanto, é necessário que sejam levadas em consideração ambas as interpretações.

- ASPECTOS FAVORÁVEIS: Conjunção, Sextil e Trígono

Durante a passagem desse Aspecto, você desfrutará de maior desinibição ao lidar com o amor e a sexualidade. Seus desejos mais íntimos serão agraciados com a doçura e a segurança simbolizadas pela deusa do amor, da beleza e da arte. Sentimentos ocultos ou reprimidos virão à tona para que você possa vivenciá-los com mais liberdade. O resultado não poderia ser outro senão uma plena satisfação. Sedução e afeto, intuição e sabedoria emocional: tudo isso em harmonia favorecerá os encontros amorosos que, por sinal, serão vividos com muita intensidade.

Ademais, haverá um aumento significativo da sua autoestima, o que a/o auxiliará a se libertar dos vínculos de dependência emocional que tanto mal fazem para um relacionamento. Caso você detecte tais padrões, não se furte a quebrar os laços que a/o sufocam. O importante nesse ciclo será transformar a dinâmica negativa em melhorias necessárias.

Quanto aos seus valores materiais, fique *tranquila/o* porque esse período favorecerá o desprendimento, mas não sem antes garantir que seus desejos mais profundos se realizem. Cuide do que é seu e saiba que somente a você é dado o direito de usufrui-lo conforme sua vontade.

- ASPECTOS DESAFIADORES: Conjunção, Quadratura e Trígono

Ao agir de maneira tensa sobre a Lilith do Mapa do seu nascimento, Vênus provocará inseguranças emocionais e, por consequência, a possibilidade de se submeter ao desejo de outra pessoa e de não respeitar os seus próprios desejos. Saiba dizer "não"! Essa é a primeira dica para atravessar esse momento, aliviando a chance de ficar com raiva de si *mesma/o* por não ter se respeitado. A segunda, é que você reconheça a potência gerada quando se está só. Somente dessa maneira você poderá se entregar a alguém sem medo de perder os prazeres construídos num bom encontro.

Depois, guarde para si suas vontades mais íntimas, acolhendo-as antes de partilhar impulsivamente com os demais. Diante das dificuldades representadas por esse Aspecto, você poderá ser mal *compreendida/o* e ter a autoestima afetada. Não se deixe seduzir pelos jogos de dominação emocional ou sexual. Esse será um grande aprendizado para a conquista da sua liberdade. Aproveite essa fase para se libertar dos tabus que massacram os seus sentimentos e anseios profundos. Você verá como isso será benéfico.

Por último, evite atitudes que ponham em risco o seu equilíbrio financeiro. Como já foi dito anteriormente, aqui também os jogos de sedução que levam você a consumir o que não deseja produzirá frustração, visto que o consumo exagerado será apenas uma tentativa de suprir as carências em evidência durante esse período. Mais uma vez, cuide do que é seu e não deixe que nada nem ninguém se aproprie indevidamente do que lhe pertence.

Trânsitos, Progressões e Direções de Marte

A finalidade dos Trânsitos, das Progressões e das Direções de Marte será atiçar, provocar e tirar da inércia os temas representados pelos Planetas ou Pontos Virtuais com os quais ele formar um Aspecto, seja favorável, seja desafiador. Esses Astros ou Pontos ficarão marcados pela competição e pela inquietude e estarão sujeitos a decisões que definirão o rumo que tomarão a partir de então. Os desafios a serem enfrentados durante a vigência desses Aspectos estarão relacionados à contenção da agressividade, da impaciência e da precipitação.

INTENSIDADE DO TRÂNSITO: 3

INTENSIDADE DA PROGRESSÃO: 7

INTENSIDADE DA DIREÇÃO: 7

Marte em Aspecto com o Sol

Dois símbolos da dinâmica masculina quando se associam têm como propósito aumentar a coragem, produzir autoconfiança, fortalecer a vitalidade e *estimulá-la/o* a viver de maneira mais dinâmica. A propensão à competição e ao comando também ficará mais elevada.

· FORÇAS ATUANTES: iniciativa, decisão, autonomia, coragem, impulso, vigor e disposição
· ÁREAS DE ATUAÇÃO: consciência, vontade, vitalidade, vigor e autoconfiança
· ASPECTOS FAVORÁVEIS: Sextil e Trígono

Quando Marte influenciar as forças representadas pelo Sol do Mapa do seu nascimento, você ficará *pronta/o* para a ação, tomará algumas decisões importantes e partirá para a conquista dos objetivos mais imediatos. Será uma boa época, portanto, para atitudes que exijam o uso do pulso firme. Com a apropriação da confiança em si, sua postura se mostrará mais assertiva e positiva. Por causa disso, você ficará ainda *estimulada/o* pelos desafios e os enfrentará com vigor e coragem. O importante será conciliar autoconfiança e ponderação, agindo de forma sensata para obter os melhores resultados — fica a dica.

Com melhor disposição e as energias vitais intensificadas, esse será um bom momento para iniciar atividades físicas e, se você praticar algum esporte, para competir. E, por falar em energia vital, esse Aspecto favorecerá as ações que visem a uma vida saudável. Aproveite o período para pôr em ordem o que eventualmente possa estar em desequilíbrio.

Se você exercer alguma função de comando ou pretender exercê-la, essa será a hora certa de conquistar grandes retornos. Não se furte de mostrar suas qualidades e exponha-se com firmeza, não se esquecendo de que a cereja do bolo será simplesmente ser *autêntica/o*.

Caso, ao longo desse tempo, receios venham à tona, saiba que o encontro favorável entre Marte e o Sol tornará mais fácil superá-los.

Ademais, a tendência será que se sinta em condições para fazer valer as suas vontades, e, se houver propensão à passividade, aproveite essa oportunidade para sair da zona de conforto e lutar pelo que deseja conquistar.

· ASPECTOS DESAFIADORES: Conjunção, Quadratura e Oposição

Sendo Marte o deus guerreiro e o Sol o centro de produção de energia vital, a ação desafiadora do primeiro sobre o segundo provocará irritação, ânimos à flor da pele e bastante impulsividade. Antes de tudo, será essencial restaurar a calma. Por mais que nesse Aspecto haja um aparente aumento de energia corajosa, a impulsividade será mais prejudicial do que assertiva. E mais: o receio de aparentar fraqueza ou dificuldade de se defender das agressões externas poderá *levá-la/o* a correr riscos desnecessários. A bem da verdade, você poderá estar com a autoconfiança abalada, o que seria o motivo de agir daquele modo.

O ideal será analisar o máximo possível as situações de conflito antes de partir para a ação. A tendência será que muita coisa seja resolvida envolvendo algum tipo de agressividade. Caso seja necessário fazer valer a sua vontade, lembre que ela será melhor acolhida se manifestada com maturidade, respeitando também a necessidade da outra pessoa. Sendo assim, o encontro desafiador entre Marte e o Sol demandará, essencialmente, o cultivo da paciência e da tolerância, a fim de minimizar os danos causados pelo temperamento inquieto e explosivo que o ciclo representa.

Com toda essa tensão provocada por um momento crítico, não poderia deixar de haver sinais de cansaço, dispêndio de forças e prováveis lesões físicas. Cuide, portanto, da sua imunidade, poupe sua energia vital e evite realizar atividades que sobrecarreguem o corpo, respeitando seus limites para evitar prejuízos à sua saúde.

Marte em Aspecto com a Lua

Aqui, o encontro de dois Astros que simbolizam qualidades opostas deverá ser tratado como uma possibilidade de fortalecimento emocional, de luta pelo bem-estar dos relacionamentos íntimos e de incentivo para que você saia da inércia.

- FORÇAS ATUANTES: iniciativa, decisão, autonomia, coragem, impulso, vigor e disposição
- ÁREAS DE ATUAÇÃO: intuição, sensibilidade, afetividade, lembranças do passado, família e casa
- ASPECTOS FAVORÁVEIS: Sextil e Trígono

A tendência será que o encontro luminoso e favorável de Marte com a Lua do Mapa do seu nascimento permita que uma postura enérgica, aquela baseada na autoconfiança, não deixe nem a doçura nem a sensibilidade de lado. O resultado benéfico será ter acesso fácil às intuições para *orientá-la/o* nas decisões, principalmente as relacionadas aos assuntos familiares ou domésticos. Lembre-se de confiar naquilo que sente!

Haverá estímulo emocional que propiciará experiências ao mesmo tempo intensas e harmoniosas, o que *a/o* ajudará a enfrentar os desafios com mais positividade e leveza. Mesmo que ocorram situações de conflito em relacionamentos, especialmente com pessoas mais próximas ou a família, essa será uma boa fase para amenizar os ânimos fazendo-se valer do bom humor. Toda forma de hostilidade será vencida na base da sensibilidade, e você encontrará recursos dentro de si para cumprir essa missão. Tenha em mente a importância de expressar os sentimentos com honestidade, deixando claras suas intensões e necessidades.

Além disso, atividades que normalmente parecem desgastantes serão realizadas com mais facilidade e contentamento ao longo desse ciclo.

Outro ponto desse momento será acerca de assuntos problemáticos do passado, que poderão ser resolvidos com muita objetividade e rapidez. Portanto, aproveite e se liberte dos comportamentos repetitivos e das relações viciadas.

Enfim, no que diz respeito aos assuntos domésticos, à compra e à venda de um imóvel e à escolha de um lugar para morar, usando a sua sensibilidade e em acordo com as outras pessoas envolvidas nessas questões, provavelmente alcançará bons retornos.

· ASPECTOS DESAFIADORES: Conjunção, Quadratura e Oposição

Esse tipo de influência de Marte sobre a Lua do Mapa Natal significará que esse será um período de muita agitação emocional. Sua sensibilidade ficará à flor da pele e qualquer situação que normalmente passaria despercebida se tornará difícil de tolerar. Além disso, será possível que você se veja agindo de maneira intempestiva com as outras pessoas, ferindo-as com eventuais ações impulsivas ou impacientes. Afinal, trata-se de um encontro desafiador entre sensibilidade por um lado e a necessidade de autoafirmação por outro. Tudo isso será mais evidente se as partes envolvidas nessa tensão forem do seu núcleo íntimo de relações ou da família.

Os sentimentos acumulados ao longo do tempo, como mágoas e rancores contidos ou falta de confiança em si *mesma/o*, virão à tona, provocando momentos de turbulência acompanhados de raiva, impaciência e irritação. Será importante lembrar que essas emoções poderão ser vividas como oportunidades para resolver questões do passado, permitindo que você siga adiante com mais leveza no coração. Portanto, aproveite e se liberte dos comportamentos repetitivos e de relações viciadas. Todavia, não se esqueça de fazer isso com calma. Se agir com pressa, a situação piorará.

No que diz respeito ao lar, à compra e à venda de um imóvel ou à escolha de um lugar para morar, esse não será o período mais aconselhável para tomar decisões. Se for possível, adie. Se não, faça-o com prudência.

Marte em Aspecto com Mercúrio

Marte é regente de Áries, um Signo de Fogo. Mercúrio de Gêmeos, do Elemento Ar, oposto ao Fogo. A ação de Marte sobre Mercúrio será aquecer, ou seja, levar criatividade à mente, objetividade ao falar e determinação em momentos de dúvida.

- FORÇAS ATUANTES: iniciativa, decisão, autonomia, coragem, impulso, vigor e disposição
- ÁREAS DE ATUAÇÃO: comunicação, estudos, mobilidade, viagens e negócios
- ASPECTOS FAVORÁVEIS: Sextil e Trígono

Devido à atuação favorável de Marte, o Planeta guerreiro, sobre Mercúrio, o Astro que se responsabiliza pela comunicação, esse ciclo será marcado pela facilidade de falar com franqueza e assertividade sem, no entanto, ser *invasiva/o*. Com firmeza de opinião, você será capaz de fazer vigorar suas ideias, estimulando também os outros a refletir.

Nesse momento você será a pessoa que apagará incêndios em discussões acaloradas. Por outro lado, se houver acomodação ou preguiça por parte das pessoas do seu convívio, você saberá motivá-las a sair da estagnação. Em suma, esse será um tempo de movimentação e grandes desafios que serão vencidos com agilidade.

Ademais, essa será uma fase excelente para dar início a atividades intelectuais. Assim, aproveite para dar um gás nos estudos, nas leituras e na vida cultural.

Também nas transações profissionais ou comerciais a firmeza será sua melhor tática de negociação. Aceitarão mais facilmente os seus pontos de vista, já que estes serão transmitidos com clareza e autoconfiança. As discussões serão encaradas como desafios à sua inteligência, instigando sua criatividade e, igualmente, estimulando a interação entre os seus pares.

Será ainda um bom Aspecto para tratar de assuntos que normalmente são desconfortáveis, pois a coragem e a flexibilidade estarão à sua disposição. Fato é que com o encontro positivo entre Marte e Mercúrio ficará mais fácil entender os motivos que causam irritação, superando essas situações sem muito desgaste.

E, para finalizar, quem sabe não seja uma boa ideia partir para uma pequena viagem, circular por novos ambientes e arejar a mente com encontros marcantes e trocas interessantes?

- ASPECTOS DESAFIADORES: Conjunção, Quadratura e Oposição

A ação de Marte, um Planeta impulsivo e responsável pela autoafirmação, e Mercúrio, acelerado, simbolizando a inquietude por informação, produzirá um alto grau de irritação. Os nervos ficarão aflorados, e você terá mais dificuldade de conter a impulsividade ao falar. Não esqueça que Mercúrio é o mensageiro dos deuses, o Astro que está associado à arte de se comunicar bem. Evite, portanto, usar palavras que possam ferir as outras pessoas e, para isso, será fundamental estar ciente de que elas nem sempre concordarão com o que você acredita ser verdade. Aliás, tais diferenças poderão ser muito engrandecedoras se você reduzir sua intolerância. Entretanto, se for vítima de desrespeito, lembre-se de usar a sabedoria para se defender com maturidade, evitando a agressividade. E, caso se envolva num conflito, mantenha a calma para encontrar argumentos positivos, lembrando que, muitas vezes, não reagir poderá ser o modo menos desgastante de evitar desentendimentos.

Durante esse período, haverá estresse mental e, consequentemente, dispersão. Permita-se alguns momentos de tranquilidade para restaurar o equilíbrio. Você perceberá os sinais de cansaço se tiver que estudar, enfrentar uma prova ou uma entrevista de emprego. Se puder adiar, melhor. Se não, faça tudo com muita calma, mas com assertividade; com foco, mas com interesse igualmente em outros assuntos.

Dê uma folga para seus pensamentos, ouça mais do que fale nas reuniões de trabalho e evite as discussões difíceis com as pessoas do seu convívio cotidiano até que a mente esteja suficientemente relaxada. Por isso, tirar uns dias de descanso poderá ser a solução para a tensão. Entretanto, caso você o faça ou resolva viajar ao longo desse Aspecto, prefira atividades mais calmas. Se essa sugestão for acolhida, certamente você não ficará *atrapalhada/o* e se furtará de brigas desnecessárias.

Marte em Aspecto com Vênus

No Trânsito, na Progressão ou na Direção em que Marte agir sobre as qualidades de Vênus, o resultado será o aumento da força da paixão, do amor e da sexualidade. Na mitologia, esses deuses eram amantes. Portanto, será nesses assuntos que a ação deles se mostrará mais intensa. Outra área que será estimulada pelo deus guerreiro será a dos recursos materiais.

- FORÇAS ATUANTES: iniciativa, decisão, autonomia, coragem, impulso, vigor e disposição
- ÁREAS DE ATUAÇÃO: autoestima, amor, beleza, sexualidade e recursos materiais

ATENÇÃO: a Conjunção será tida como um Aspecto favorável, entretanto também poderá se manifestar de forma conflituosa caso os impulsos sejam desmedidos e você seja *dominada/o* por uma paixão incontrolável. Por esse motivo, não deixe de avaliar igualmente a interpretação dos Aspectos desafiadores.

- ASPECTOS FAVORÁVEIS: Conjunção, Sextil e Trígono

A ação favorável de Marte sobre Vênus do Mapa Natal facilitará o encontro com pessoas pelas quais você tenha forte atração e que provavelmente apresentarão qualidades complementares às suas. Afinal, o que estará em jogo nesse Aspecto será a associação de forças opostas. Mesmo que você esteja *envolvida/o* em um relacionamento estável, esse será um ótimo momento para dar um gás na vida sexual do casal e no desejo de ficar mais perto *da/o sua/seu parceira/o*.

Reconheça então esse período como sendo um sinal para que você aproveite plenamente os prazeres de uma relação íntima. Ademais, caso não esteja se relacionando afetivamente com ninguém, aproveite para fazer mais atividades que causem satisfação e contentamento, pois esse também será um Aspecto favorável à conquista de autoestima. E, quem sabe, você não terá a chance de viver um bom encontro? A dica é ficar *aberta/o* e mentalizar a intenção de viver uma paixão.

Além do amor, Vênus se responsabiliza ainda simbolicamente pelo conforto material. Essa fase igualmente favorecerá ações que visem a uma melhora financeira ou à aquisição de algum item da lista dos seus desejos de consumo.

Por fim, o entusiasmo que esse ciclo promoverá deverá ser dirigido a ações que causem prazer, e as conquistas serão frutos da paixão e do amor, fogo que aquece e ilumina o coração.

- ASPECTOS DESAFIADORES: Quadratura e Oposição

Devido à influência de um Astro inquieto por desafios sobre outro que deseja amar e ser amado, você sentirá com mais intensidade o que estiver desgastado nos seus relacionamentos. A propósito, esse será o momento de lidar com os danos causados pela acomodação. A falta de libido no sexo, o descaso pelos desejos *da/o parceira/o* ou a indiferença *dela/dele* pelas suas coisas serão motivo de insatisfação.

Será fundamental compreender que, quanto mais íntima se torna uma relação, mais profunda ela deveria se tornar. Se isso não acontecer, ao passar por esse Aspecto, você perceberá que algo deverá ser modificado para que não haja perda de interesse de ambas as partes. Em suma, será a hora de dar uma sacudida no relacionamento para que ele siga adiante com a libido e o entusiasmo em dia. Apenas tenha cautela com a agressividade de suas atitudes para não ferir *a/o companheira/o* numa fase de fragilidade. Inversamente, saiba defender-se das tempestades alheias, principalmente evitando provocá-las.

Mas, se estiver *sozinha/o*, os impulsos provocados pelos Planetas que representam os deuses amantes poderão gerar frustrações afetivas ou sexuais. Isso devido ao fato de você estar *sujeita/o* a fazer escolhas para aliviar as carências. Evidentemente que esse não será o melhor caminho para os encontros darem certo. Portanto, respeite tanto a sua individualidade quanto a da outra pessoa.

Olhando por outro ângulo, também essa configuração será um chamado urgente para avaliar suas condições materiais, seus gastos, seu consumo e seus investimentos. A dica é agir com calma e baixar um pouco o fogaréu gerado pela impulsividade.

Marte em Aspecto com Marte

O Trânsito, a Progressão ou a Direção de Marte com Marte do Mapa Natal intensificará as qualidades do deus guerreiro: vigor, energia física, ação, adrenalina, competição, autoafirmação, liderança, impulsividade e, igualmente, agressividade.

- FORÇAS ATUANTES: iniciativa, decisão, autonomia, coragem, impulso, vigor e disposição
- ÁREAS DE ATUAÇÃO: autonomia, autoconfiança, competição, liderança, disposição física e saúde

ATENÇÃO: o Trânsito da Conjunção de Marte com Marte se diferenciará dos demais Aspectos por marcar o começo de um novo ciclo de lutas, derrotas e vitórias. Normalmente, será vivenciado como um Aspecto desafiador, mas poderá ser favorável para dar impulso ao que estiver estagnado.

· ASPECTOS FAVORÁVEIS: Sextil e Trígono

Passar por esse Aspecto será sentir sua energia se intensificar, será querer vivenciar tudo com mais entusiasmo e acreditar na força da sua coragem. Uma das manifestações mais favoráveis desse duplo encontro será afirmar a autoconfiança. *Seguralo* de si, suas decisões serão mais assertivas do que em qualquer outro momento, e tudo o que precisava de um estímulo para ir adiante encontrará nesse Aspecto a força necessária para sair da inércia.

Toda e qualquer atividade ou posição competitiva será favorecida nesse período. Ponha-se, portanto, à frente das decisões, estimule as outras pessoas a agir e verá a boa qualidade dos resultados obtidos por força da sua atuação.

Além disso, com a presença de energias revigorantes e uma ótima disposição física, sua saúde ficará em alta. Evidentemente que, se você não estiver saudável, esse Aspecto funcionará para que tome as providências certas para restabelecer o seu bem-estar, isto é, se existir algum problema nessa área, reúna suas forças para combatê-lo. Caso contrário, a tendência será apresentar um excelente desempenho físico e potência suficiente para encarar os desafios da vida cotidiana.

· ASPECTOS DESAFIADORES: Conjunção, Quadratura e Oposição

A sobrecarga de energia existente durante a atuação desse Aspecto poderá provocar estresse, explosões descontroladas e alguns incidentes causados ou por imprudência, ou por excesso de autoconfiança. A verdade é que as tensões aumentam quando a impaciência não é controlada, e, nesse período, tudo pode parecer estar contra você. Entretanto, busque perceber se, em alguns casos, não é você que está indo contra o fluxo natural das coisas. A dica é que se comprometa com o seu equilíbrio para não prejudicar o corpo e controle os impulsos para obter bons resultados nas suas ações e manter uma energia agradável nas suas relações.

Será necessário também usar a autocrítica para evitar comportamentos agressivos, que dificultarão a vivência desse Aspecto. Afinal, as decisões tomadas ao longo dessa fase poderão ser precipitadas ou fruto da irritação. Por isso, o melhor será deixar a poeira baixar para, com calma, agir com equilíbrio.

Além disso, você poderá ainda ser alvo da fúria ou da agressividade das outras pessoas. Por esse motivo, evite provocar os ânimos alheios, distancie-se da zona de conflito e não entre na rota de colisão simplesmente para provar que está com a razão. Em suma, proteja-se.

Como haverá um enorme gasto de energia nessa época, o mais importante será cuidar da imunidade e economizar as forças para evitar a exaustão!

Marte em Aspecto com Júpiter

Tanto Marte quanto Júpiter regem Signos acalorados. Marte é responsável pela regência de Áries, um Signo de Fogo, e, por sua vez, Júpiter rege Sagitário, do mesmo Elemento. A ação do primeiro sobre o segundo aumentará a força da coragem, a vontade de viver intensamente e a necessidade de ir mais adiante.

- FORÇAS ATUANTES: iniciativa, decisão, autonomia, coragem, impulso, vigor e disposição
- ÁREAS DE ATUAÇÃO: metas, leis, crenças, ideais, justiça, estudos e viagens
- ASPECTOS FAVORÁVEIS: Sextil e Trígono

A capacidade de lutar por um objetivo, correr atrás de uma meta e acreditar na sua força de vontade serão algumas das vantagens da ação desse Aspecto. Será hora de estabelecer propósitos bem definidos e disponibilizar potências para alcançá-los. Além disso, as ideias que já foram postas em ação poderão, enfim, presentear-lhe com bons resultados. E, por falar em presentes, você poderá contar com a ajuda da sua estrela da sorte, que brilhará no seu Céu para que você se anime a encarar as experiências que colaborarão para o seu autoconhecimento.

Outra tendência será a de que os desafios sejam encarados como estímulos e não como problemas. Essa facilidade a/o ajudará, e muito, se precisar tomar alguma decisão importante que venha a influenciar sua vida num futuro próximo.

Será gostoso também observar o seu bom humor nessa fase. Divirta-se! E, se puder, empregue um pouco de tempo para fazer atividades físicas, pois acrescentarão energia à já existente e trarão bem-estar físico e mental.

Outro aspecto associado à simbologia de Júpiter diz respeito às leis e à Justiça. Portanto, esse momento será propício para lutar pelos seus direitos e pelo que é justo. Aliás, as brigas judiciais tenderão a ser favorecidas durante esse Aspecto. Se você estiver *envolvida/o* em algum processo, essa será uma ocasião favorável para lutar por um resultado benéfico.

Por sua vez, Júpiter trata ainda da expansão do conhecimento e do potencial mental. Sendo desse modo, você se entusiasmará diante de uma viagem ou de um estudo. A dica é disponibilizar energia para alcançar suas metas. Você saberá aproveitar bem as informações assimiladas tanto ao estudar quanto se estiver viajando. A propósito, viagens que exijam esforço físico serão muito bem-vindas.

· ASPECTOS DESAFIADORES: Conjunção, Quadratura e Oposição

Como a força da ação de Marte sobre Júpiter do Mapa de Nascimento pode se manifestar como uma impulsividade desmedida, o resultado será cometer ações imponderadas. Afinal, esse Aspecto fará com que os instintos comandem suas ações sem que você saiba exatamente o que *a/o* motivou a agir de forma intempestiva. Consequentemente, suas atitudes poderão não corresponder exatamente ao que você pensa, e o que restará ao final será o arrependimento. Para que isso não ocorra, respire fundo antes de tomar qualquer medida. Reflita também sobre as prováveis consequências e, se possível, adie decisões importantes para um momento mais calmo.

Os conflitos enfrentados no decorrer desse período poderão ser o resultado da tentativa de impor suas ideias e da não aceitação de opiniões distintas das suas. Tenha cautela para controlar a energia liberada nos confrontos, evitando inimizades e exaustão. O aconselhável será evitar a rota de colisão para não ferir nem sair *ferida/o*. Aliás, será preciso igualmente controlar os impulsos físicos para não se machucar. Se você for praticante de esportes, vá com calma e não ultrapasse seus limites. O corpo agradecerá tal prudência.

Esse será também um Aspecto em que você poderá ter problemas relativos aos seus direitos e ao senso de justiça. É possível que se sinta *injustiçada/o* ou, ao contrário, que venha a agir de forma injusta com as outras pessoas. Fique, então, *atenta/o* às leis e às normas, lutando somente pelo que for justo. A propósito, as brigas na Justiça serão muito mais trabalhosas nessa etapa. Se puder evitar esse estresse, melhor. Se não for possível, faça-o com calma e pulso firme.

Sendo Marte o Planeta das lutas e Júpiter o do conhecimento, esse encontro desafiador entre ambos sugerirá que você não se sobrecarregue para obter resultados positivos em exames, estudos e até mesmo em viagens. Quando sentir que suas energias estão esgotando, dê um tempo e descanse um pouco antes de voltar a estudar ou partir para um novo programa. Se assim o fizer, será possível, então, aproveitar ao máximo toda a potência que essa configuração astrológica indicará.

Marte em Aspecto com Saturno

A energia fornecida pelo Planeta guerreiro sobre o Astro que rege o tempo produzirá ação onde houver retenção de energia, entusiasmo para encarar um grande desafio e coragem para ultrapassar as barreiras que impedem o seu desenvolvimento. Além disso, reunirá impulsividade à responsabilidade, fazendo crescer o grau de sua produtividade.

- FORÇAS ATUANTES: iniciativa, decisão, autonomia, coragem, impulso, vigor e disposição
- ÁREAS DE ATUAÇÃO: responsabilidade, organização, produtividade e trabalho
- ASPECTOS FAVORÁVEIS: Sextil e Trígono

A conexão entre Marte e Saturno reunirá a coragem e a prudência de forma a criarem uma aliança poderosa. Os resultados poderão ser sentidos pelas ações responsáveis tanto na vida pessoal quanto, principalmente, na profissional. Outro benefício promovido por esse Aspecto será o da obtenção de bons ganhos decorrentes de decisões tomadas durante esse período. O motivo do sucesso será o fato de tais ações serem inspiradas em ideias amadurecidas e consolidadas pelo tempo.

Ademais, essa época favorecerá a concentração dos seus esforços para executar tarefas difíceis. A dica é deixar de lado aquilo que é superficial, privilegiando a solução do que é mais trabalhoso. Será possível ainda que determinados limites sejam vencidos e alguns problemas resolvidos, afinal, graças ao Aspecto favorável entre Marte e Saturno, a determinação passará a ser bem conjugada com a razão.

Marte é o deus guerreiro que se encarrega da força, da coragem e do vigor. Por sua vez, Saturno exige disciplina e competência. Sendo assim, essa fase beneficiará os cuidados com a saúde. Se você tiver a intenção de iniciar algum tipo de atividade física, essa será a hora. Tudo que for iniciado durante a vigência desse Aspecto tenderá a ser mantido. Será o resultado da força de vontade que estará intensificada e que poderá ser empregada não somente para esforços corporais, mas também para trabalhos que necessitem, ao mesmo tempo, de ânimo e determinação.

· ASPECTOS DESAFIADORES: Conjunção, Quadratura e Oposição

Aqui, estarão reunidas duas potências desafiadoras. Por um lado, Marte exige ação, coragem e vigor. Por outro, Saturno reage demandando responsabilidade e consciência das limitações. E será com muita pressão que esse Aspecto será vivido tanto no cenário pessoal quanto, principalmente, no profissional. A vida lhe convidará a prestar provas, a testar sua resistência e a superar os bloqueios provocados pelo medo de errar.

Entretanto, grande parte desse período será ocupado na luta contra as adversidades geradas por impaciência, irritação ou fuga por medo de se deparar com as próprias falhas. A primeira dica é aceitar que nem tudo sairá exatamente como você desejava. Por isso, reconheça a hipótese de não ser um defeito seu, mas a real impossibilidade de resolver determinadas questões. A segunda é encarar os problemas com uma ótima oportunidade de amadurecimento e de estruturação, desde que você assuma com moderação suas responsabilidades e que não exija de si o que não pode dar.

Será possível ainda que sinta esgotamento físico decorrente do acúmulo de pressões. A irritação e a falta de respeito com os limites do seu corpo serão algumas das causas que provocarão um estado de cansaço extremo. Caso isso ocorra, pense em sacrificar o excesso de atividades em prol da sua saúde e descanse para aliviar as tensões.

Marte em Aspecto com Urano

Existe um certo paradoxo em relação às semelhanças e diferenças representadas por esses dois Planetas. Se por um lado Marte rege Áries, um Signo de Fogo, por outro Urano está associado a Aquário, Signo de Ar. Ainda que ambos os Elementos sejam opostos e complementares, há algo na natureza dos dois que se assemelha: a intensidade, a energia frenética e o caráter explosivo e libertário. Portanto, esse Aspecto intensificará tais características apesar de propor igualmente equilíbrio entre a ação e o pensamento.

- FORÇAS ATUANTES: iniciativa, decisão, autonomia, coragem, impulso, vigor e disposição
- ÁREAS DE ATUAÇÃO: liberdade, mudança e quebra de padrões
- ASPECTOS FAVORÁVEIS: Sextil e Trígono

A intervenção de Marte nas qualidades de Urano do seu Mapa de Nascimento se manifestará por meio das decisões que renovarão a sua vida, das mudanças de plano e do estímulo que *a/o* tirará da inércia, provocando você a olhar em frente e seguir adiante.

Entretanto, serão nas situações mais desafiadoras, aquelas que promovem os arrepios da alma, que a ousadia e o destemor se destacarão. Ainda que você seja o tipo de pessoa que foge do conflito ou de se arriscar no desconhecido, esses acontecimentos *a/o* estimularão a agir e servirão como aprendizado. Aliás, se você costuma não atuar espontaneamente, essa será uma época dinâmica e impulsionadora em que as providências poderão ser tomadas com rapidez e não faltará agilidade para responder prontamente a um estímulo externo, mesmo que ele possa chegar de surpresa. E, se a passividade for sua característica, essa será uma boa ocasião para mudar e agitar sua vida.

Aproveite o momento para fazer o que for insólito. Mudanças serão extremamente bem-vindas, principalmente se forem provocadas por uma decisão sua. Falando nisso, também esse Aspecto favorecerá a elevação da autoconfiança, que se manifestará nas ações assertivas e ousadas. Você se sentirá mais *ativa/o*, independente e livre quando liberar as energias que emergirem.

A força representada pelo Planeta guerreiro é a de vigor e boa disposição física. Já que sua associação benéfica ocorre com Urano, Astro de grande agilidade e agitação, o período será favorável para renovar suas forças e, caso haja algum desequilíbrio físico, para promover rapidamente a sua recuperação. Por sinal, se você não tiver o hábito de se exercitar, experimente. Você poderá ter belas surpresas. Se, ao contrário, for *uma/um* praticante, poderá alcançar ótimos resultados.

E uma última dica relacionada a esse Aspecto: aproveite a rapidez provocada por ele e fique *ligada/o* nas inspirações do momento. Estas servirão para incrementar a sua criatividade e gerar novos projetos, dando início a um novo ciclo de realizações.

- ASPECTOS DESAFIADORES: Conjunção, Quadratura e Oposição

Quando dois Planetas de natureza irrequieta e dados à impulsividade se associam, o resultado poderá ser comparável à união do fogo com a pólvora, ou seja, explosão! Fique ciente de que tudo ficará muito mais intenso durante esse Aspecto. A ansiedade baterá à porta e só se despedirá ao término desse período. Esse estado de tensão poderá tanto produzir ações repentinas e adversas como ter origem em mudanças inesperadas. Por essa razão, caso você esteja para decidir algo importante, o ideal será adiar. Se não for possível, olhe para o horizonte que tem à frente, planeje bem seus objetivos e decida com toda a calma do mundo.

Além disso, a impulsividade incrementada por uma boa dose de agressividade surgirá de repente com pouco ou nenhum controle. A bem da verdade, as suas ações tenderão a ser prematuras, podendo causar situações difíceis de serem contornadas. Mais uma vez, será aconselhável optar pela virtude da ponderação, contendo assim a tendência a se precipitar nas suas decisões e nas suas reações diante de adversidades. Outra dica relevante é evitar ao máximo entrar na rota de colisão com as outras pessoas. As reações, suas e delas, serão imprevisíveis, e você não terá a frieza necessária para apagar os incêndios de um conflito. No fim, todos sairão chamuscados pelo ardor da impaciência e da raiva.

Por último, seja prudente também com as atitudes relacionadas ao corpo, evitando causar ou sofrer qualquer ferimento. A prudência será a virtude capaz de impedir que as turbulências criem quadros de dor. E, por falar nisso, os desgastes físicos serão quase inevitáveis, por isso será fundamental que os limites sejam respeitados e as tensões abrandadas.

Marte em Aspecto com Netuno

O calor representado por Marte aquecerá as águas profundas e frias de Netuno. Será um mergulho ousado nos abismos da alma, sacudindo o que estiver decantado, mas que faz pressão e precisa ser liberado. Será um ato de libertação emocional.

- FORÇAS ATUANTES: iniciativa, decisão, autonomia, coragem, impulso, vigor e disposição
- ÁREAS DE ATUAÇÃO: intuição, sensibilidade, imaginação e espiritualidade
- ASPECTOS FAVORÁVEIS: Sextil e Trígono

A interação de dois Planetas tão distintos, um enérgico e outro bastante sensível, resultará em uma força benéfica capaz de *fazê-la/o* enfrentar os sentimentos decantados nas profundidades da sua estrutura psíquica. Trata-se de momentos importantes capazes de pôr em ordem a sua saúde mental e, principalmente, espiritual. Marte aquecerá as águas frias das emoções contidas que, aquecidas, então se manifestarão como intuição e sensibilidade.

Marte é ainda o Astro que se encarrega simbolicamente por suas decisões, sejam imediatas, sejam as que visem a resultados maiores. Nesse caso, as ações do período favorecerão estas, pois envolverão os seus sonhos. Você deverá agir *guiada/o* pelas suas intuições como se decidir fosse um passe de mágica. A bem da verdade, essa será a ocasião ideal para lutar por seus objetivos, ou, pelo menos, dar os primeiros passos rumo às realizações.

Além disso, Marte está associado às disputas e às brigas. Por sua vez, Netuno se mostra calmo até que o mar psíquico encrespe as ondas da superfície e cause uma grande tempestade. Entretanto, como o encontro entre ambos será favorável, se você estiver diante de um eventual conflito, o vigor e a sensibilidade se aliarão para criar uma atmosfera equilibrada que permitirá encontrar uma solução. Será o velho deus do mar levantando o tridente para apaziguar as tormentas por ele mesmo provocadas.

· ASPECTOS DESAFIADORES: Conjunção, Quadratura e Oposição

Esse Aspecto poderá ser sentido como uma tormenta emocional, mexendo com seus sentimentos mais profundos e provocando sensações difíceis de serem identificadas. Aliás, já que tudo estará muito remexido, você ficará *sujeita/o* a se descontrolar, a não ser que as práticas de autoconhecimento, como terapia e meditação, mantenham o mastro do seu navio no prumo ao travessar as tempestades provocadas pelas angústias do momento.

Ademais, os desejos imediatistas se misturarão aos seus sonhos mais íntimos. Tudo parecerá bastante nebuloso, confuso e até mesmo insensato. Isso significará que, como a imaginação estará excessivamente estimulada, as decisões tomadas poderão gerar frustrações num futuro próximo.

Outra tendência será a de agir de forma inconsciente, não levando em consideração a realidade. Ainda que deva ser estimulado o ato de sonhar, a dica é associar seus desejos ao que de fato seja possível realizar. Também o inverso será válido, ou seja, a dificuldade de lidar com o desconhecido, com o misterioso. Tais inseguranças serão naturais em meio a essa intensidade emocional.

Um conselho importante: não brigue com sua sensibilidade, suas emoções nem, principalmente, com sua espiritualidade. Você poderá precisar de todas essas ferramentas para equilibrar o período.

Por fim, cuide da sua imunidade e distancie-se o máximo que der do que possa intoxicar seu corpo ou sua mente. Procure estar em ambientes tranquilos e silenciosos. Se para você isso for difícil, aproveite a ocasião para experimentar. Quem sabe não passará a fazer parte, então, da sua rotina? Corpo e alma ficarão agradecidos.

Marte em Aspecto com Plutão

Tanto Marte quanto Plutão regem o Signo de Escorpião. Entretanto, deve-se levar em consideração, primeiramente, a principal regência de Marte, ou seja, o Signo de Áries. Se por um lado há algo em comum entre os dois, por outro o fogo do Planeta guerreiro cutuca as labaredas do magma interior que aquece a alma, mas que também a perturba. Em ambos os casos, o encontro será intenso, profundo e transformador.

- FORÇAS ATUANTES: iniciativa, decisão, autonomia, coragem, impulso, vigor e disposição
- ÁREAS DE ATUAÇÃO: profundidade emocional, transformações, regeneração e revelações
- ASPECTOS FAVORÁVEIS: Sextil e Trígono

Com alto poder de liberação de energia representado pela força desses dois Astros, esse Aspecto proporcionará uma das grandes chances de promover as transformações que você sentir necessárias. Entretanto, a maior mudança apontada por esse período diz respeito aos seus valores, ou seja, transformações que se darão de dentro para fora. Se sua visão de mundo se modificar, tudo será visto por um ângulo diferente do tido até então. Será um momento em que a coragem representada pelo deus guerreiro lhe dará forças para se desprender do que não tem mais valor, mas a que você possa ainda estar *apegada/o*. Em resumo, você extrairá forças interiores, e isso será absolutamente revelador.

Da mesma maneira com que encarará corajosamente o desapego, também emoções profundas que se escondem nos porões da sua alma serão acessadas de forma segura. E, ao liberá-las, você sentirá o alívio das tensões provocadas por elas.

Além disso, depois da vasta faxina interior, haverá uma excelente oportunidade para descobrir novos valores e conhecer outros horizontes, afinal será uma aventura maravilhosa trilhar regiões inexploradas interna e externamente.

Por serem os dois Astros regentes de Escorpião, Signo que fala da morte e do nascimento, as forças vitais agirão de modo regenerador tanto no corpo quanto na alma. Se houver qualquer tipo de problema físico ou psíquico, essa será a ocasião ideal para se reabilitar, uma vez que a cura será facilitada pelo alto poder de reorganização representado por esse poderoso encontro.

· ASPECTOS DESAFIADORES: Conjunção, Quadratura e Oposição

Sendo Marte e Plutão dois Astros que representam, respectivamente, as poderosas forças de ação e de transformação, a tensão provocada pelo primeiro sobre o segundo será vivida ou de forma destrutiva, ou como estímulo para fazer as mudanças necessárias. O que definirá de que modo esse Aspecto se manifestará dependerá do grau de estabilidade emocional em que você se encontrar. Será preciso conter com frieza os impulsos destrutivos e partir diretamente para as modificações.

O acesso às profundezas será um chamado que não deverá ser evitado, ainda que possa provocar desconforto, medo, reações explosivas ou até mesmo dor. Entretanto, ao mergulhar nos porões da sua alma, você obterá um grande alívio. Será por meio dessa experiência que você varrerá das profundezas o lixo emocional acumulado.

Apesar disso, os níveis de pressão decorrentes das tensões poderão se elevar e se comportar como um vulcão em erupção. Em alguns casos, isso poderá acontecer mesmo fisicamente, numa tentativa do organismo de expulsar o que for nocivo. Portanto, cuide bem da sua saúde aumentando a sua imunidade. Evite atividades que possam ferir o seu corpo. Lembre-se ainda de que você agirá muitas vezes de maneira inconsciente, e no âmbito emocional não será diferente. A falta de controle das reações emocionais será, mais uma vez, a possibilidade de libertação de sentimentos profundos que se ocultavam da sua consciência e que, em geral, costumam ser prejudiciais. Todavia, na expulsão dessas emoções, você deverá ficar *atenta/o* para não machucar nem a sua sensibilidade nem a dos outros, não desencadeando turbulências maléficas ao seu redor.

Marte em Aspecto com o Ascendente e o Descendente

Tanto o Planeta Marte quanto o ponto representado pelo Ascendente possuem as qualidades da liderança, da autoafirmação e da decisão. Mas, quando aquele age sobre o Descendente, tudo se torna bem diferente. Aqui, os simbolismos são opostos e complementares. Se por um lado a ação de Marte instiga a autonomia, o Descendente trata da conciliação. Nesse caso, a assertividade provocará decisões importantes para o bem-estar dos relacionamentos.

· FORÇAS ATUANTES: iniciativa, decisão, autonomia, coragem, impulso, vigor e disposição
· ÁREAS DE ATUAÇÃO: autonomia, autoconfiança, bem-estar físico, saúde, afetividade e parcerias

ATENÇÃO: a Conjunção de Marte com o Ascendente e com o Descendente serão, em geral, vividas de forma tensa. O que as diferenciará dos outros Aspectos desafiadores será que, no momento em que ocorrerem, também haverá o fim de um ciclo e o começo de outro, provocando atitudes importantes quanto às decisões associadas à sua vida pessoal ou à convivência com uma outra pessoa.

Como a Oposição afetará uma área distinta dos demais Aspectos, ela será interpretada separadamente.

· ASPECTOS FAVORÁVEIS: Sextil e Trígono com o Ascendente

Quando o encontro entre Marte e o Ascendente for favorável, ambos se aliarão para intensificar o que há de comum entre eles, ou seja, a iniciativa, a liderança, a autoconfiança e a disposição física.

Haverá assertividade nas ações e nas resoluções. Por esse motivo, esse será um momento propício para tomar decisões e começar novas atividades. Se algum setor da sua vida estiver estagnado, aproveite para sair de tal situação, seja dando um fim ao que não é promissor, seja encontrando um meio adequado de impulsionar o que tem potencial de ir adiante.

Ainda que você possa obter resultados consideráveis em empreendimentos que exijam esforço de equipe, lembre-se de que a boa produtividade dessa fase dependerá do seu poder de comando e da possibilidade de agir com autonomia.

Além de não se sentir confortável em situações de acomodação, você também contará com o estímulo das pessoas para se mexer. Com o devido apoio, você ficará mais *segura/o* para fazer as mudanças que garantirão o seu progresso tanto na vida pessoal quanto na profissional. A dica é canalizar suas energias, que estarão em alta, para defender seus pontos de vista. Se estes forem apropriados, certamente você obterá a compreensão desejada.

Por fim, esse Aspecto estará ainda associado ao bom desempenho corporal. Por isso, recarregue suas baterias, invista em exercícios físicos e mantenha-se em atividade.

· ASPECTOS DESAFIADORES: Conjunção e Quadratura com o Ascendente

O Ascendente é regido por Marte, o que significa que os dois possuem características semelhantes. Portanto, quando o Planeta guerreiro instigar as ações representadas pelo Ascendente, as qualidades de ambos se potencializarão de forma exagerada. Impulsividade, irritação e impaciência: tudo isso se intensificará durante essa fase. Logo, o momento trará a promessa de que será tempestuoso e, para contrabalançar os desequilíbrios, sugerirá que você aja com prudência. Mas, veja bem, a firmeza, característica desses dois símbolos astrológicos, não poderá faltar. Todavia, em geral, a agressividade substituirá a assertividade como forma de tentar impor o seu ponto de vista. Será aconselhável não cair nessa armadilha, buscando compreender se você não está simplesmente reagindo assim para se defender de uma situação incômoda. O mais provável é que você esteja com a autoconfiança abalada e que, por essa razão, as atitudes tendam a ser defensivas.

Use sua força para estabelecer limites, evitando que seu espaço seja invadido por outras pessoas. Igualmente, dê atenção às questões alheias. O outro também poderá se sentir invadido caso você aja impulsivamente.

Ademais, intolerância e impaciência serão duas tendências fortes nessa época. Aliás, agir *orientada/o* por ambas será motivo de conflitos e explosões. Por isto, será hora de refletir com calma e sabedoria. Sendo assim, adie ou pondere bastante antes de tomar uma decisão da qual você possa vir a se arrepender depois.

Por fim, tenha em mente que o estresse associado a esse Aspecto se manifestará muitas vezes em baixa de imunidade e cansaço. Respeite então o seu corpo fazendo escolhas sensatas e responsáveis, poupando energias e evitando excessos que possam vir a comprometer a saúde ou causar danos físicos.

· Conjunção com o Descendente ou Oposição com o Ascendente

A Oposição com o Ascendente significará que Marte estará ingressando no Descendente, lugar no Mapa Natal que representa a potência dos encontros e as experiências com parcerias ou a vida de casal. Esse será um momento crucial para os relacionamentos, já que serão impulsionados a sair da zona de conforto e se mexer para seguir adiante. Tudo que estiver paralisado na esfera afetiva será atingido pelo deus guerreiro, que não admite acomodações e preguiça.

Haverá ainda a tendência de que você se sinta mais facilmente *provocada/o* pelo outro, mesmo que essa não seja a intenção de quem estiver ao seu lado. A bem da verdade, ambas as partes não se sentirão bem se não houver desafios a vencer. Mas, veja bem, estes devem ser encarados com equilíbrio para que você possa perceber as armadilhas do caminho, analisando se valerá mais a pena enfrentá-las ou se será melhor recuar e esperar a poeira baixar. Procure então manter a serenidade para tomar boas decisões. Além disso, possivelmente você sentirá sua autoconfiança abalada, o que poderá gerar ações reativas e, portanto, pouco produtivas. O importante será dar conta das pressões e, em hipótese alguma, deixar que sua individualidade seja prejudicada.

Por fim, como a Oposição entre Marte e o Ascendente representa os esforços empregados para manter a estabilidade dos dois lados, ou seja, a sua e a das suas relações, o desgaste físico será inevitável. Assim, cuide bem da sua saúde, evitando danos ao corpo. Evite exceder os seus limites e seja prudente.

Marte em Aspecto com o Meio e o Fundo do Céu

O Aspecto de Marte sobre o Meio do Céu terá como função transmitir energia vigorosa para que você consiga escalar com determinação a montanha da sua realização profissional. A impulsividade de Marte associada ao desejo de autorrealização será a prova de esforço que *a/o* preparará para seguir sem hesitação a longa jornada que você escolheu. De outro modo, por o Meio do Céu estar diretamente relacionado com o Fundo do Céu, a função desses Aspectos é a busca por equilíbrio entre as ações direcionadas para o trabalho e as que visam ao bem-estar familiar, assunto simbolizado pelo Fundo do Céu.

- FORÇAS ATUANTES: iniciativa, decisão, autonomia, coragem, impulso, vigor e disposição
- ÁREAS DE ATUAÇÃO: profissional, carreira, vocação, projetos para o futuro, relações familiares e casa

ATENÇÃO: devido à natureza agressiva de Marte, a Conjunção com o Meio do Céu será sentida de forma conflituosa. A diferença com os demais Aspectos desafiadores é que ela marcará o ponto crítico da passagem do fim de um ciclo para o começo de um novo. Esse período será caracterizado por eventos intensos no que diz respeito à sua profissão. Além disso, será importante valorizar igualmente os impulsos benéficos que ela proporcionará na sua carreira. Portanto, não deixe de analisá-la também no viés favorável.

A Conjunção com o Fundo do Céu (Oposição com o Meio do Céu) será um Aspecto tenso para as vivências familiares e profissionais e será interpretada separadamente por se tratar de uma área distinta dos demais Aspectos.

- ASPECTOS FAVORÁVEIS: Sextil e Trígono com o Meio do Céu

Quando o deus guerreiro atuar sobre o Meio do Céu de forma favorável, você terá um estímulo extra de energia que *a/o* ajudará a crescer profissionalmente. Seus melhores talentos serão ativados e, como *uma/um* atleta correndo uma maratona, você terá gás suficiente para alcançar a linha de chegada. E, quem sabe, não conquistará uma boa posição? Para tal, associe à coragem *da/do sua/seu própria/o guerreira/o* boas doses de autoconfiança e disposição para brigar pelo espaço que é do seu direito. Agindo assim, você vencerá os desafios que encontrar até chegar ao seu destino.

Essa fase será marcada por decisões importantes que definirão o rumo que sua carreira tomará desse momento em diante. Analise o que precisa ser definido, siga sua intuição com confiança e vá em frente. Lute contra os desafios sabiamente e aproveite a facilidade de encontrar soluções proporcionada por seu deus destemido para atuar não somente com coragem, mas também com determinação.

Se você trabalha, será importante investir em autonomia e buscar espaços em que sinta que poderá evoluir e obter reconhecimento. Será interessante ainda aprender a se impor com firmeza, porém sempre respeitando o tempo do próprio processo e o das outras pessoas.

Esse Aspecto apontará para as oportunidades que surgirão para que você vença eventuais dificuldades na carreira e, quem sabe, na vida. Será numa época como essa que você dará alguns passos fundamentais na direção do seu amadurecimento profissional.

· ASPECTOS DESAFIADORES: Conjunção e Quadratura com o Meio do Céu

A tensão exercida por Marte sobre o Meio do Céu porá frente a frente o conflito entre interesses dissonantes que se chocam. De um lado, o desejo por autoafirmação e conquista da própria autonomia. Do outro, a ideia de que nem todo resultado ou reconhecimento será obtido de uma hora para outra, pelo contrário. Nesses dias, você aprenderá que nem toda a vitória é garantida. A dica é encarar as derrotas com paciência, lidando de forma sadia com tudo aquilo que não está sob o seu controle.

Quanto às decisões, assunto sempre abordado quando Marte está envolvido em um Aspecto, será aconselhável ter muita calma antes de partir para a ação. Apesar de haver a possibilidade de você ter que agir sob pressão, será bom respirar fundo, relaxar as tensões e só então dar continuidade ao que for preciso fazer.

O estresse causado pelos conflitos ligados principalmente às competições poderá ser amenizado se você souber medir suas limitações. Um dos sinais que a/o avisarão sobre o momento certo de ceder será o próprio cansaço físico. Portanto, tente não se exceder e tampouco cair nas armadilhas das disputas despropositadas. Lute somente pelo que vale a pena. No mais, descanse. Afinal, *guerreira/o* também precisa repousar.

· Conjunção com o Fundo do Céu ou Oposição com o Meio do Céu

Quando Marte se encontrar diametralmente oposto ao do Meio do Céu, significará que o Planeta estará também cruzando o Fundo do Céu, lugar no Mapa Natal reservado aos assuntos íntimos, familiares e domésticos. A força do Astro representado na mitologia pelo deus da guerra não é leve. Ao tocar um setor da vida que envolve afetividade, você sentirá as tensões emocionais aflorarem de modo mais intenso do que o habitual. Brigas, conflitos e discórdias serão comuns. O jeito será não provocar a irritação das pessoas e ficar *protegida/o* das explosões impulsionadas por desajustes familiares. Outra maneira de esse Aspecto se manifestar será por meio da necessidade de tomar providências urgentes no tocante às questões de família ou de natureza doméstica. Se for esse o caso, vá com calma, seja firme e *determinada/o*. Depois de resolvida a adversidade, descanse.

O envolvimento de Marte em um Trânsito, uma Progressão ou uma Direção fará com que você reclame sua autonomia que, nesse período, estará relacionada às necessidades emocionais. Laços afetivos que sejam sufocantes precisarão ser desatados para que cada *uma/um* possa decidir por si o que fazer da vida. Entretanto, se não houver delicadeza, haverá rompimentos que produzirão mágoas e ressentimentos. O desafio aqui será exercer sua independência com sensibilidade e, ao mesmo tempo, apagar os incêndios provocados por problemas emocionais.

Devido ao fato de estar *envolvida/o* em temas de ordem íntima, as pressões profissionais baterão à porta, e será necessário colocar um freio na impulsividade, tomando decisões baseadas em reflexão. Mais uma vez, o impasse será equilibrar os dois pratos da balança que ora penderá para tratar de questões emocionais, ora para dar vazão aos seus ímpetos de realização profissional.

Marte em Aspecto com os Nodos Lunares Norte e Sul

A passagem de Marte pelos Nodos Lunares Norte e Sul reunirá a força da coragem com os pontos do Mapa de Nascimento que *a/o* orientarão no seu caminho espiritual. Será uma potência útil sempre que você encontrar grandes desafios ao longo da sua jornada.

- FORÇAS ATUANTES: iniciativa, decisão, autonomia, coragem, impulso, vigor e disposição
- ÁREAS DE ATUAÇÃO: espiritualidade, passado e caminho de evolução

ATENÇÃO: com exceção da Conjunção com o Nodo Lunar Norte e com o Nodo Lunar Sul (ou Oposição com o Nodo Lunar Norte), os outros Aspectos, favoráveis e desafiadores, atuarão na mesma intensidade tanto nas experiências passadas quanto nas que definirão o seu futuro espiritual.

A Conjunção com o Nodo Lunar Norte e a com o Nodo Lunar Sul serão consideradas Aspectos desafiadores. No caso da primeira, o que a diferencia da Quadratura é que ela marcará o começo de um novo ciclo espiritual, apontando especialmente o caminho em direção ao porvir.

Ao contrário da Conjunção com o Nodo Lunar Norte, a Conjunção com o Sul primeiramente atuará como uma despedida do passado, para só depois iniciar a reorganização do seu propósito espiritual.

· ASPECTOS FAVORÁVEIS: Sextil e Trígono com os Nodos Lunares Norte e Sul

Esse Aspecto servirá para que você tome coragem de dar alguns passos importantes na caminhada em direção à sua evolução espiritual. Seus propósitos mais elevados serão beneficiados por essa virtude, que se desdobrará, por sua vez, na persistência de querer seguir adiante e não desistir quando barreiras surgirem no meio do trajeto.

Uma dica muito importante é que você deve percorrer essa jornada *sozinha/o*, prezando liberdade e autonomia. As lembranças de um passado espiritual de combates virão à tona, *fortalecendo-a/o* no que for necessário nesse momento. Passado e futuro se unirão e serão a sua bússola de navegação espiritual.

Todavia, o grande aprendizado desse Aspecto virá quando você souber lutar sem se agredir nem ferir ninguém. Ademais, você conhecerá melhor seus mecanismos de defesa, que *a/o* protegerão dos perigos ao longo de sua trilha. Lute com firmeza sem perder a delicadeza.

A maior vantagem desse período será a de saber utilizar a autoconfiança para beneficiar os propósitos espirituais. Dúvidas não comprometerão suas atitudes. Entretanto, se houver algum desequilíbrio, você saberá retomar suas forças e seguir em frente com mais determinação ainda. A reflexão será bem-vinda, mas será a ação que vigorará nessa fase. Será essencial que você se torne líder de si *mesma/o*, alguém que batalha com assertividade pelo seu autodesenvolvimento.

· ASPECTOS DESAFIADORES: Conjunção e Quadratura com os Nodos Lunares Norte e Sul

Eis o momento em que você se deparará com um ponto crítico na sua jornada espiritual. Os conflitos trazidos do passado serão pedras no caminho que desafiarão a sua coragem. Por sua vez, o medo de enfrentar uma estrada sinuosa também poderá *deixá-la/o enfraquecida/o* para seguir adiante. Desse modo, será fundamental que você reflita sobre seus propósitos de forma madura, evitando que os impulsos tão comuns nesse período gerem mais e mais adversidades.

A bem da verdade, sua evolução espiritual dependerá de um ajuste na autoconfiança. Uma postura calma e firme será tudo que a/o ajudará a pôr no prumo o que estiver em desequilíbrio e causar tensão, irritação e agressividade. Só assim será possível superar as pressões da ocasião. Esse encontro desafiador entre Marte e os Nodos Lunares normalmente compromete a ponderação sobre os próximos passos da trajetória.

Respire fundo para aliviar a mente, encha-se da boa coragem, aquela que não é ação pura e meramente heroica. Tenha firmeza nos propósitos e na paciência. Resolva os conflitos recorrentes, apaziguando as guerras que tenha vivido no passado. Feito isso, você poderá seguir as próximas etapas de maneira harmoniosa.

Marte em Aspecto com a Roda da Fortuna

Nessa configuração, a força combativa representada por Marte atuará sobre a Roda da Fortuna, símbolo de experiências muito distintas das lutas travadas pelo guerreiro. A ela cabe conduzir a vida com o brilho da sua estrela da sorte e com os bons fluidos que agem sobre a forma como transcorrem os acontecimentos. Assim, dessa união resultarão, de um lado, os esforços que você deve fazer para conquistar o que deseja e, do outro, uma ajuda que beneficiará o fluxo benéfico das energias.

- FORÇAS ATUANTES: iniciativa, decisão, autonomia, coragem, impulso, vigor e disposição
- ÁREAS DE ATUAÇÃO: boa sorte e fluidez
- ASPECTOS FAVORÁVEIS: Sextil e Trígono

Esses serão momentos especiais, pois você verá sua positividade aumentar com a ajuda do brilho da sua estrela da sorte. Por esse motivo, os caminhos se abrirão à sua frente, lembrando que, ao confiar na sua força de vontade, você estará estimulando as energias paradas a circular com fluidez.

Tire o melhor de cada oportunidade. Vá com tudo, confiando na intuição e no desejo de encará-la. Caso precise tomar alguma decisão, esse será um período em que ela virá sem atravessar o território das dúvidas. Mais uma vez, a ação de Marte sobre a Roda fará fluir bem suas ações, principalmente aquelas em que for necessário ser *corajosa/o*. O importante será que você tenha consciência do seu merecimento, apostando nas vitórias. No entanto, isso não significa que virão sem que você tenha se empenhado em alcançá-las. Por fim, não esqueça que Marte é o Planeta que está acionando o interruptor que acende o brilho da sua estrela. Mantenha o coração aberto, harmonize razão e emoção e seja *agraciada/o* com a bênção da autoconfiança.

· ASPECTOS DESAFIADORES: Conjunção, Quadratura e Oposição

Marte, Astro guerreiro, em contato com o Ponto Virtual que simboliza o bom fluir dos acontecimentos entrará em pé de guerra com os desafios da vida. E, para não brigar com a sua estrela da boa sorte, fique de prontidão para manter ativa a autoconfiança. Pois, se contar com os bons ventos soprando a favor da sua navegação e, ao contrário, encontrar tempestades, achará que o Universo está contra você. A bem da verdade, será nessa hora que *uma/um boa/bom navegadora/navegador* será *testada/o*.

As alterações bruscas de humor, as explosões de raiva ou as atitudes precipitadas poderão ser ações muito mais defensivas do que de fato intencionais. Na maioria das vezes, a impulsividade acabará prejudicando suas decisões. A dica é: mantenha-se com os pés no chão, faça a sua parte antes de esperar que a sorte dê o ar da graça e contemple os desafios como um puxão de orelha da sua boa estrela. Entretanto, saiba também reconhecer as oportunidades que não são explícitas e que precisam de um olhar calmo e sábio para que possam ser reconhecidas.

Marte em Aspecto com Quíron

Uma boa analogia para as ações de Marte sobre Quíron é que às vezes você precisa cortar a ferida para curá-la. Entre outros assuntos, Marte também se encarrega dos cortes e ferimentos, assim como, ao seu modo, Quíron. A diferença é que os cortes feitos por Marte sangram e os de Quíron curam. Em suma, o encontro entre os dois tratará de cutucar o que dói para promover a regeneração.

· FORÇAS ATUANTES: iniciativa, decisão, autonomia, coragem, impulso, vigor e disposição

- ÁREAS DE ATUAÇÃO: saúde e autoconhecimento

- ASPECTOS FAVORÁVEIS: Sextil e Trígono

O encontro favorável entre o deus guerreiro e o centauro Quíron será um incentivo para que você olhe mais de perto o que dói. Você se sentirá bem mais forte do que o habitual, mais autoconfiante e, desse modo, será capaz de encarar as dores internas que comprometem o seu bem-estar. Qualquer que seja o seu estado de saúde, esse será um Aspecto que favorecerá o restabelecimento do seu equilíbrio físico, psíquico e/ou espiritual.

Um detalhe importante deve ser considerado: o exercício da autonomia será uma das terapias mais eficientes nesse momento. Com a autoconfiança equilibrada, seu bem-estar será beneficiado.

Sendo assim, direcione sua atenção nessa fase para as feridas que estão inflamadas, confiando na sua habilidade de encontrar os bálsamos que possam abrandar suas dores. O fundamental será ter certeza da sua capacidade de vencer e superar esses incômodos que pedem por luz e acolhimento. Se você estiver bem, curta o vigor do seu corpo e da sua mente. Do contrário, se algo estiver em desequilíbrio, busque os tratamentos que promovam bons resultados.

- ASPECTOS DESAFIADORES: Conjunção, Quadratura e Oposição

A pressão exercida por Marte sobre Quíron significará pedir que você tenha calma e serenidade para enfrentar o que estiver doendo. A autonomia deverá ser valorizada para que possa promover o seu bem-estar, uma vez que estarão em evidência os sofrimentos associados à sua singularidade.

O importante nessa fase será ter em mente que a livre expressão da sua individualidade será o bálsamo de que você precisa para lidar com o que inflama as feridas internas. Assim, respeitar suas necessidades, seus desejos e suas prioridades será fundamental.

Dê também atenção às suas ações e reações, afinal esse poderá ser um período em que o comportamento agressivo se manifestará justamente como forma de dar vazão ao que *a/o* incomoda.

Por outro lado, o toque afiado de Marte será necessário para apontar o que precisará ser tratado. Aproveite esses dias para cuidar de tudo que *a/o* esteja fazendo sofrer, curando a dor do que estiver inflamado na sua vida. Sendo esse Astro o antigo regente de um Signo que fala de regeneração — ou seja,

Escorpião —, não deixe de analisar os sinais que apontam para o que não andar bem. Ao tomar consciência de algum tipo de desequilíbrio, físico, mental ou espiritual, não se furte de fazer o que for preciso para se cuidar.

Marte em Aspecto com Lilith

Marte se refere às qualidades da coragem, das energias vitais, do vigor e da independência. Por sua vez, Lilith simboliza o poder das forças ocultas, a insubordinação aos jogos de dominação, a sexualidade e a liberdade psíquica e emocional.

- FORÇAS ATUANTES: iniciativa, decisão, autonomia, coragem, impulso, vigor e disposição
- ÁREAS DE ATUAÇÃO: sexualidade, desejo, insubordinação e emoções profundas
- ASPECTOS FAVORÁVEIS: Sextil e Trígono

O encontro entre Marte e Lilith do Mapa de Nascimento *a/o* encorajará a mergulhar de cabeça nos seus mais íntimos desejos, que, por causa de repressões ou até mesmo traumas, ficaram aprisionados nas profundezas obscuras do inconsciente, libertando-os do jugo dos tabus e preconceitos. Talvez os anseios que estejam mais bem representados pelo simbolismo de Lilith sejam aqueles relacionados à sexualidade. Esta será vivida com intensidade, o poder sedutor aumentará e a tendência será que você se interesse por pessoas com comportamento firme, decidido, impulsivo e vigoroso. A assertividade de Marte em união com as intuições representadas por Lilith *a/o* levarão a viver os relacionamentos com mais profundidade.

Além disso, a provocação vigorosa do deus guerreiro *a/o* deixará muito mais *fortalecida/o* para experimentar a liberdade sem receios. Você apresentará mais autonomia nas decisões acerca de questões afetivas, sexuais ou emocionais. Caso seja o tipo de pessoa que nunca diz "não", experimente fazê-lo nessa fase. Esse será um aprendizado que poderá perdurar por toda uma vida.

Por conseguir se recusar a entrar em jogos de dominação e a participar da dinâmica competitiva dos relacionamentos, as parcerias se tornarão um universo favorável à entrega. Você enfrentará seus medos mais intensos com coragem e espantará os fantasmas que costumam assombrar sua tranquilidade psíquica e emocional.

· ASPECTOS DESAFIADORES: Conjunção, Quadratura e Oposição

O Aspecto de Marte sobre Lilith associará o poder de lutar, representado pelo deus guerreiro, aos desejos mais profundos, simbolismo da Lua Negra, ou Lilith. Esses anseios costumam ser reprimidos e são responsáveis por grande parte das pressões internas, como ansiedade e angústia. Assim, durante a passagem desse Aspecto, a tendência será vivenciar diversas tensões e passar por sentimentos que causam desconforto, irritação, intolerância ou raiva. As dicas são saber como provocar o ninho de marimbondos emocional *protegida/o* dos ferrões e aprender a dizer "não" para tudo que ameace sua liberdade e integridade emocionais.

Também será de fundamental importância que você se recuse a participar dos jogos emocionais que tenham como padrão a competição, o abuso de poder e a agressividade. A assertividade de Marte, em união com as percepções sutis de Lilith, deverá ser acionada para que você possa lutar pelo seu direito de igualdade com o outro.

Além disso, será essencial evitar ao máximo entrar em rota de colisão com quem deseja *dominá-la/o*. Por outro lado, será preciso haver maior controle dos seus impulsos para que não machuque as outras pessoas. Afinal, o lado desafiador dessa fase fará com que esteja *atenta/o* à eventual negação da sua vontade e à falta de assertividade. Disputas e competições gerarão isolamento. Tenha, portanto, firmeza e fidelidade aos seus valores, visando à harmonia e ao bom relacionamento social.

Trânsitos, Progressões e Direções de Júpiter

A função dos Trânsitos, das Progressões e das Direções de Júpiter será ampliar, proteger e trazer um propósito maior aos assuntos representados pelos Planetas ou Pontos Virtuais com os quais ele formar um Aspecto, favorável ou desafiador. Esses Astros ou Pontos ficarão marcados por senso de justiça, expansão do conhecimento e sabedoria. Os desafios a serem enfrentados durante esses Aspectos estarão relacionados à contenção dos excessos, ao cuidado com os julgamentos e ao controle das ações do ego.

INTENSIDADE DO TRÂNSITO: 6

INTENSIDADE DA PROGRESSÃO: 4

INTENSIDADE DA DIREÇÃO: 7

Júpiter em Aspecto com o Sol

Júpiter em Trânsito, Progressão ou Direção é o Planeta que assume a função de proporcionar alegria, progresso e dilatação da consciência. Quando ele atuar sobre o Sol do Mapa do seu nascimento, as energias positivas serão direcionadas para a ampliação da autoconfiança e da vontade de ser mais *verdadeira/o* consigo *mesma/o*. É bom lembrar que estão associados a Signos do Elemento Fogo. O encontro entre ambos produzirá, portanto, aumento do calor vital.

- FORÇAS ATUANTES: expansão, ampliação da consciência, confiança, proteção, sorte e merecimento
- ÁREAS DE ATUAÇÃO: consciência, vontade, vitalidade, vigor e autoconfiança
- ASPECTOS FAVORÁVEIS: Conjunção, Sextil e Trígono

Com a força da atuação de Júpiter sobre o Sol, centro vital do Mapa de Nascimento, você poderá conduzir a vida com mais confiança, e uma boa razão para que você aja dessa maneira será acreditar nas capacidades reais. Saber de suas verdadeiras habilidades facilitará a realização do que, um pouco mais adiante, será motivo de satisfação.

Além disso, a confiança na bondade da própria vida será confirmada por meio de acontecimentos que provam que o Universo conspira, sim, a seu favor. Afinal, nesse período você contará também com uma dose extra de ajuda da sua estrela da sorte. A dica é: sinta-se *merecedora/merecedor* das bênçãos recebidas ao longo dessa fase.

Outra tendência será que você se torne o centro das atenções, que seu brilho irradie alegria e que seu humor seja contagiante, tudo isso devido ao seu magnetismo pessoal. Aliás, você será mais *verdadeira/o*, ou seja, será você *mesma/o*. Evidentemente que essa será a melhor maneira de ser *admirada/o*.

Será ainda uma ocasião propícia para se expor e fazer valer a sua vontade. Se ela for justa, provavelmente você será *agraciada/o*. Também será mais fácil se relacionar com as pessoas que estejam em posições superiores à sua. Se houver necessidade de ser *atendida/o*, essa será a época ideal. Haverá mais espaço para você crescer e ter suas qualidades reconhecidas.

Igualmente, será favorável lidar com questões relacionadas à Justiça. Portanto, reconheça os seus direitos e lute por eles. Aqui, seja por merecimento, seja por estar passando por um período de sorte, o que for justo prevalecerá.

Além de simbolizar os valores éticos e a presença da sorte, Júpiter também está associado a estudos, viagens e todos os meios que promovem a expansão da mente e abrem seus horizontes. Diante disso, você poderá usufruir os bons ventos desse Aspecto para obter bons resultados no âmbito intelectual ou viajar geográfica, mental ou espiritualmente.

Por fim, sendo o Sol o símbolo da vida, suas energias vitais ficarão intensificadas. Se você precisar se recuperar de algum estresse, aproveite esse tempo para cuidar da saúde e, assim, restaurar o bem-estar físico.

· ASPECTOS DESAFIADORES: Quadratura e Oposição

Sendo uma das funções de Júpiter a de amplificar o que toca, a tensão gerada pela ação dele sobre o Sol deverá ser experimentada como falta de limites. Um dos grandes problemas do momento será a insatisfação, certamente originada nos excessos. A propósito, quanto mais você desejar algo esperando que a sua estrela da boa sorte *a/o* ajude, mais distante estará de alcançar isso.

Já que o Sol é a estrela que tudo ilumina, evite se expor demais e, se não tiver outro jeito, faça-o sem exageros. Também é provável que o orgulho *a/o* atrapalhe nesse período, e não ceder simplesmente por estar com o amor-próprio ferido poderá gerar consequências maiores do que se você reconhecer que está *errada/o*, ainda que *a/o* deixe numa posição desfavorável.

Nessa época, você poderá sentir dificuldade em se relacionar com pessoas que estejam em posições superiores à sua. Portanto, se possível, evite fazer exigências, mesmo que justas. Se não, atue com cuidado, não demonstre insegurança nem se posicione com arrogância. A dica é agir com objetividade e não se estender demais no assunto — apenas dê o seu recado.

Como Júpiter simboliza ainda o conhecimento, outro conselho é que você não exija de modo exorbitante da sua mente e saiba respeitar suas limitações quando a exaustão bater. Trabalhe igualmente a autoconfiança, mas lembrando que, se esta for excessiva, você será *prejudicada/o*.

Além disso, se estiver programando alguma viagem ou viajando, tente aparar os excessos, sejam de programações, sejam de gastos. Fique *atenta/o* às regras e aos hábitos dos lugares de destino sem fazer julgamentos. Certamente, você aproveitará melhor as férias ou a viagem de trabalho.

Ao longo dessa fase, não será raro que se sinta *injustiçada/o*, o que poderá, de fato, acontecer. Entretanto, antes de julgar qualquer situação, avalie com cautela os motivos que *a/o* levaram a se sentir dessa maneira. Aliás, esse não será um tempo benéfico para lidar com questões relativas às leis e à Justiça. Caso não seja possível adiá-las, muna-se de boas ferramentas e de informações precisas para aumentar as chances de obter bons resultados.

Durante esse momento, você consumirá mais energia do que a necessária, portanto economize-a para usá-la quando, efetivamente, precisar dela. A sua saúde agradecerá. Em resumo: tudo que exceder os seus limites poderá ser prejudicial.

Júpiter em Aspecto com a Lua

Apesar de Júpiter estar relacionado com um Signo de Fogo, portanto quente, intenso, vibrante e ativo, e a Lua reger um de Água, assim sensível, profundo, intuitivo e emocional, haverá nesse encontro um grande poder de fertilização. Será o calor de Júpiter aquecendo as águas psíquicas representadas pelo nosso satélite.

- FORÇAS ATUANTES: expansão, ampliação da consciência, confiança, proteção, sorte e merecimento
- ÁREAS DE ATUAÇÃO: intuição, sensibilidade, afetividade, lembranças do passado, família e casa
- ASPECTOS FAVORÁVEIS: Conjunção, Sextil e Trígono

Uma das funções de Júpiter em Aspecto com a Lua será promover abundância de sensibilidade. Com a alma dilatada, você estará disponível para viver a cumplicidade produzida pelos bons encontros. Além do mais, com a sua estrela da sorte oferecendo uma ajuda, as relações se aprofundarão, seus sentimentos mais íntimos serão mais bem compreendidos e você terá espaço para usufruir a afetividade das outras pessoas. O fluir das suas emoções as sensibilizará e até mesmo *a/o* aproximará mais delas. Haverá muita segurança emocional. Aproveite, portanto, para ampliar os horizontes dos seus relacionamentos, da sua casa e da sua família.

Já que Júpiter se encarrega das leis e da Justiça, esse será um bom momento para resolver questões legais referentes ao passado, à família, a heranças, inventários e bens imobiliários. Falando nisso, esse será um Aspecto favorável para dedicar-se a cuidar da sua casa, escolher um lugar onde morar e comprar ou vender um imóvel.

Ademais, é provável que as pessoas exijam mais de você, não sem reconhecer o que pode oferecer a elas. Você saberá julgar quem precisa de ajuda. Em contrapartida, os outros também estarão mais presentes, pondo-se à sua disposição. Em geral, esse será um período de ótimas reflexões internas e de um agradável resgate emocional.

Preste atenção nos seus sonhos, pois poderão conter respostas às suas dúvidas. Observe o que lhe vem à memória e aprecie eventuais encontros com *aquelas/es* que fazem parte de sua história pessoal. Tudo isso sinalizará para uma etapa importante de resgates e reconciliações.

Outro destaque dessa fase ficará a cargo das viagens, de férias ou de uma folga para repor as energias. Se for viajar, o ideal será ter a companhia de familiares ou de quem seja *íntima/o*.

Sabendo que a Lua representa a memória do passado e Júpiter associa-se ao conhecimento, em relação a estudos, pesquisas, provas ou apresentações de algum tipo de trabalho, será essencial focar o que já tiver sido assimilado e que, portanto, será mais facilmente digerido. E, para completar, essas atividades serão muito mais prazerosas se feitas com pessoas que tenham algum elo afetivo com você. Então, não se intimide e busque compartilhar conhecimento.

· ASPECTOS DESAFIADORES: Quadratura e Oposição

A conexão tensa entre os dois Astros indica um momento de troca pouco equilibrada entre a abundância — potência associada a Júpiter — e a sensibilidade — atributo simbolizado pela Lua. Neste trânsito, é provável que seu humor fique alterado, pois assim como a Lua muda de fase, você também poderá oscilar ao sabor das emoções. Além disso, a sua sensibilidade ficará ampliada e tudo será sentido de forma exagerada. Sentimentos até então armazenados virão à tona e é possível que você não consiga controlá-los.

Em geral, esse trânsito indica a existência de insatisfações emocionais, e você poderá achar que as pessoas não são capazes de suprir suas necessidades. É possível que sinta que elas não estão sendo justas com você, o que, muitas vezes, até será verdade. Entretanto, antes de julgá-las, tente avaliar se você não está exigindo demais delas. Assim, é importante compreender que talvez elas também estejam com problemas e que não poderão, portanto, *atendê-la/o* nesse momento. Além disso, nesse período a tendência é a de que sinta dificuldade de se relacionar intimamente. Se possível, não exponha em demasia seus sentimentos, pois eles poderão ser mal compreendidos ou mal interpretados. É evidente que, se isso ocorrer, suas inseguranças emocionais aumentarão, o que dificultará ainda mais manter harmonia com as demais pessoas.

É possível ainda que as pessoas a/o solicitem mais durante esse trânsito. Elas talvez estejam precisando de auxílio. Por esse motivo, faça o que estiver ao seu alcance. Ainda que seja difícil atendê-las por completo, o pouco que você fizer já as ajudará a encontrar alguma saída.

Por fim, tente organizar melhor sua casa e sua família. Elas provavelmente estarão precisando de sua atenção.

Júpiter em Aspecto com Mercúrio

Por serem Planetas que regem Signos opostos — o primeiro é regente de Sagitário; o segundo, de Gêmeos —, a ação desse Aspecto será principalmente complementar com objetividade os múltiplos interesses representados por Mercúrio. Será também o fogo de Júpiter que aquecerá a frieza mental do deus da comunicação.

· FORÇAS ATUANTES: expansão, ampliação da consciência, confiança, proteção, sorte e merecimento
· ÁREAS DE ATUAÇÃO: comunicação, estudos, mobilidade, viagens e negócios

· ASPECTOS FAVORÁVEIS: Conjunção, Sextil e Trígono

A característica mais interessante desse Aspecto se dará pela possibilidade de complementação de polos opostos. De um lado, o interesse de Mercúrio por ideias concretas; de outro, Júpiter se ocupando da esfera das ideias abstratas. O primeiro se refere ao conhecimento, enquanto o segundo conduz à sabedoria. Diante desses dados, durante esse período, certamente você aumentará sua capacidade de assimilação, e, de quebra, a sua estrela da sorte ainda dará mais uma forcinha para que você possa manter a concentração.

Sendo assim, aproveite esse momento para mergulhar de cabeça nos assuntos do seu interesse. Saiba que os estudos, as provas, as reuniões importantes de trabalho ou uma entrevista serão igualmente favorecidos pela fertilidade intelectual representada por esse Aspecto. A indicação desse tempo será que você obtenha excelentes resultados caso realmente se empenhe.

Além disso, não se deve esquecer da relação de Mercúrio com a comunicação. Não será difícil nessa etapa se fazer entender e compreender o que pensam e dizem as outras pessoas. Será a chance de conversar sobre o que for preciso, pois a mente, curiosa, assimilará as informações com sabedoria e discernimento — tudo ficará mais claro e as avaliações serão corretas. Se você precisar dar uma palestra, fazer uma reunião para trocar ideias ou iniciar uma negociação, a ocasião será mais do que favorável. Pense em um ambiente de trabalho agradável — isso também será possível durante o tempo em que vigorar esse Aspecto. No mais, essa será uma boa hora para vender ou comprar, fazer acordos e assinar contratos. Portanto, não perca as oportunidades.

Haverá ainda maior interesse em novidades. Se for possível, saia mais, conheça pessoas diferentes, tire uns dias de folga e, até mesmo, viaje.

E, para finalizar, já que Júpiter também está simbolicamente relacionado às leis e à Justiça, pode-se deduzir que a fase favorecerá lidar com esses assuntos. Então, estude bastante seus direitos, consulte *alguma/algum* profissional que ajude a esclarecer suas dúvidas e espere por ótimos resultados.

· ASPECTOS DESAFIADORES: Quadratura e Oposição

Em um período como esse, será comum haver acúmulo de atividades, múltiplos interesses, e o tempo não dará conta de tudo. A cabeça também não estará muito equilibrada. É possível que você se esqueça de pequenos detalhes, não sem trazer prejuízos, o que poderá *atrapalhá-la/o* nas coisas mais simples do dia a dia. De nada adiantará se esforçar para realizar tudo que deseja se, ao final, pouca coisa for concluída. Para diminuir o estresse, procure se organizar, defina metas e priorize o que realmente importa.

Na comunicação não será muito diferente. Com a mente dispersiva, dialogar poderá ser um desafio. Concentre-se não só no que estiver expondo, mas igualmente no que as outras pessoas dizem para que não ocorram mal-entendidos. Portanto, esse não será o melhor momento para discussões. Via de regra, numa situação como essa, elas não levam a boas soluções. Mais um detalhe: evite falar demais, explicar-se o tempo todo ou justificar excessivamente o seu ponto de vista, para não dar margem a interpretações erradas. Será mais adequado ficar *atenta/o* às opiniões alheias. Será preciso ainda se manter *ligada/o* à burocracia e à organização dos seus papéis e documentos. Tente não fazer acordos e assinar contratos. Aproveite essa época para conhecer os interesses das partes envolvidas e avaliar com cautela as propostas que lhe fizerem. Assim, você ganhará tempo para realizar as modificações necessárias se assegurando de que esteja fazendo, de fato, um bom negócio.

Tratar sobre dois Astros que simbolizam conhecimento e informação é falar igualmente sobre estudos, leituras, cultura e viagens. E, já que haverá tensão, o jeito será manter o foco, concentrar-se nos assuntos de maior interesse e deixar os demais para um momento menos conturbado. Caso pretenda viajar ou esteja viajando, prefira fazer menos programas a vários e não os aproveitar bem.

Como Júpiter tem a ver com leis e Justiça e Mercúrio com o território das negociações, essa não será a melhor hora para mexer com processos ou buscar acordos extrajudiciais. Entretanto, se não puder adiar, procure *uma/ um* profissional competente que esclareça todos os pontos que possam estar confusos.

Em suma, a dica mais valiosa para amenizar as tensões sentidas durante a passagem desse Aspecto é não esperar que sua estrela da sorte *a/o* ajude a resolver suas confusões. Solucione uma coisa de cada vez, priorizando as que tenham maior relevância.

Júpiter em Aspecto com Vênus

Esses dois Planetas são considerados as joias do Sistema Solar. Júpiter por trazer abundância, e Vênus, o amor. A conexão entre ambos amplificará os valores de Vênus, que são, além do amor, a beleza, a delicadeza, o conforto, a sensualidade, a paixão e a estabilidade material.

- FORÇAS ATUANTES: expansão, ampliação da consciência, confiança, proteção, sorte e merecimento
- ÁREAS DE ATUAÇÃO: autoestima, amor, beleza, sexualidade e recursos materiais
- ASPECTOS FAVORÁVEIS: Conjunção, Sextil e Trígono

Por causa da ação favorável de Júpiter em Aspecto com Vênus do seu Mapa de Nascimento, você poderá encarar a vida de maneira equilibrada e com muito mais charme do que o habitual. A tendência será a de priorizar o que você gosta de fazer e, igualmente, levar prazer a tudo o que fizer. De quebra, você poderá confiar na ajuda da sua estrela da sorte no amor e no dinheiro.

Vamos começar pelo amor. Primeiramente, você se sentirá bem melhor com a sua autoimagem. Será mais fácil valorizar a estética do seu corpo sem compará-lo a modelos ideais inatingíveis. Aproveite, então, para cuidar de si. Com a autoestima elevada, você se sentirá mais à vontade para amar e ser *amada/o*. A energia representada por Júpiter *a/o* envolverá numa aura sedutora, despertará a libido e dará mais espaço para rolar uma química agradável com quem você deseja se relacionar. Por sua vez, *a/o parceira/o a/o* receberá mais *aberta/o*, e você poderá desfrutar dos bons fluidos gerados nos encontros. No âmbito geral, você estará *propensa/o* a ajudar as outras pessoas e a se sentir profundamente *satisfeita/o* por fazê-lo. Em contrapartida, você poderá contar com a colaboração delas. Em suma, haverá uma boa troca.

Quanto ao dinheiro, essa será uma fase próspera, e a dica é que você invista seus recursos em aquisições prazerosas — agregando mais valor ao seu trabalho e reconhecendo a grandiosidade das suas capacitações. Quem sabe não consegue uma remuneração melhor?

Já que Júpiter também trata do alargamento das fronteiras, aproveite para planejar uma viagem, folgar um pouco e até mesmo tirar férias. Tudo isso, de preferência, bem *acompanhada/o*.

Como visto, esse será um período fértil, seja no aspecto emocional, seja no material, e, sendo assim, usufrua essa época para viver plenamente os prazeres e plantar as sementes que darão ótimos frutos no futuro. Falando nisso, se você estiver perto da época da colheita, aguarde porque a safra será muito boa.

Outro assunto a ser tratado será o que diz respeito às leis e à Justiça, pois tanto Júpiter quanto Vênus partilham essas questões. Portanto, como o encontro dos dois Astros aqui será favorável, a tendência é que os processos judiciais caminhem ou que você possa fazer bons acordos.

· ASPECTOS DESAFIADORES: Quadratura e Oposição

Em primeiro lugar, uma dica: não espere que a sua estrela da boa sorte resolva para você as dificuldades que eventualmente esteja passando. Coloque a mão na massa e trabalhe para aparar as arestas das suas carências e, principalmente, da sua autoestima. Falando nela, prioridade no momento, muito das adversidades relacionadas ao amor terão origem no seu desequilíbrio. Não custa nada dar uma passadinha pelo espelho e se conscientizar de que sua beleza, interna e externa, é única e muito mais interessante do que a idealizada por modelos inatingíveis.

A seguir, o assunto que também estará no topo da lista de importâncias desse Aspecto é a sexualidade. Por causa da ação de Júpiter, que, no caso de um Aspecto desafiador, provoca excessos, será muito provável que você se sinta *insatisfeita/o* afetiva e sexualmente. De outro modo, também haverá boas doses de insegurança tanto quanto aos seus anseios como aos desejos alheios. Entretanto, nem sempre suas avaliações estarão corretas. Tente ser fiel a si *mesma/o* e não lute contra o que a outra pessoa sente.

Você perceberá ainda que a insatisfação poderá ser um sentimento não exclusivamente seu. O modo de tratar quem você ama poderá não ser o melhor e será preciso, então, modificá-lo. A pressão de Júpiter sobre Vênus também significa insegurança na hora de escolher, então será difícil saber o que você quer, e daí podem ocorrer más escolhas.

Ainda em relação ao amor, seus relacionamentos poderão passar por contratempos, dos mais simples aos mais complexos. Tudo dependerá de como você os conduzirá. O pulo do gato será reconhecer quais são as falhas de ambas as partes. Todavia, um cuidado se faz necessário: julgar, durante esse Aspecto, poderá *induzi-la/o* a erros. Por isso, seja *verdadeira/o* consigo e com as demais pessoas para não condenar nada nem ninguém injustamente.

E, por falar no que é justo, o encontro entre esses dois Astros poderá indicar alguma atribulação no que se refere às leis. Se for preciso, consulte *uma/um boa/bom* profissional que possa apontar soluções suaves, evitando, assim, o território da confusão.

Sempre que um Trânsito, uma Progressão ou uma Direção envolver Vênus, não podemos deixar de falar sobre as questões financeiras e materiais. Diante do conflito representado por essa configuração, o conselho é que você tente controlar seus impulsos de consumo e seja *comedida/o* ao lidar com recursos e dinheiro. Se tiver que reivindicar qualquer coisa ligada à sua vida financeira, adie se puder. Se não for possível, faça o que deve ser feito com cuidado e use a medida justa para minimizar os desequilíbrios desse momento.

Júpiter em Aspecto com Marte

Tanto Marte quanto Júpiter regem Signos do Elemento Fogo. O primeiro se encarrega de Áries, que abre alas para a passagem do zodíaco. O segundo, de Sagitário, o centauro que dispara suas flechas e galopa na direção na qual elas forem lançadas. A ação de Júpiter sobre o deus guerreiro intensificará o calor, o entusiasmo e a força de vontade tão bem representados pela intensidade e pela animação do Elemento Fogo.

- FORÇAS ATUANTES: expansão, ampliação da consciência, confiança, proteção, sorte e merecimento
- ÁREAS DE ATUAÇÃO: autonomia, autoconfiança, competição, liderança, disposição física e saúde

ATENÇÃO: a Conjunção será, na maioria das vezes, sentida de forma tensa. Entretanto, se você souber controlar a ansiedade, a impulsividade e, principalmente, a agressividade, ela poderá se manifestar de maneira favorável. Portanto, não deixe de verificar também a interpretação dos Aspectos favoráveis.

- ASPECTOS FAVORÁVEIS: Sextil e Trígono

O Aspecto favorável de Júpiter com Marte associa duas tendências semelhantes, de maneira que a expansão vigorosa provocada pelo primeiro encontra no segundo a disposição de ir à luta e de agir de prontidão. Dito isso, você se sentirá mais *disposta/o* a enfrentar os desafios, *motivada/o* a olhar para a vida com coragem e, principalmente, mais autoconfiante do que o habitual. Com o pulso firme e força de vontade dilatada, você poderá sair *vitoriosa/o* na conquista dos seus propósitos e ir bem mais longe do que poderia imaginar. O segredo será agir com determinação para fazer valer a sua vontade caso ela seja justa.

Essa será uma época bastante favorável para dar impulso ao que estiver parado ou que precisa ser ativado. Será um período de decisões, iniciativas e ações. A intuição *a/o* levará a tomar as atitudes certas. Por favor, respeite-as. Siga a primeira ideia que lhe vier à mente, pois ela será a condutora de todas as demais. Aliás, seus instintos serão a manifestação da influência da sua estrela da sorte, que se encontrará de prontidão para *ajudá-la/o*.

Também haverá mais vigor e disposição durante essa fase. Valha-se desse Aspecto para melhorar sua capacidade física, fazer esportes e exercícios ou mesmo qualquer outro tipo de atividade que tenha caráter competitivo.

Por sinal, já que Júpiter, Astro associado ao conhecimento, agirá favoravelmente sobre Marte, o mais competitivo dos Planetas, essa será uma época propícia para prestar provas e participar de concursos. Se for esse o seu caso, faça a sua parte e poderá obter excelentes resultados.

Ainda falando sobre o desejo de expansão da mente, evidentemente que as viagens ampliam os horizontes. Sendo assim, será uma ótima oportunidade para viajar, e, por Marte estar envolvido, inclua na sua programação atividades que exijam mais do corpo, como esportes, trilhas ou grandes caminhadas.

Uma última observação será destacar as ações de Júpiter sobre questões acerca das leis e da Justiça. Se houver qualquer movimento que envolva seus direitos, saiba que, nesse tempo, haverá grandes chances de que estes sejam reconhecidos e que, igualmente, você possa compreender a validade do direito do outro.

· ASPECTOS DESAFIADORES: Conjunção, Quadratura e Oposição

Ao associar as forças ardentes representadas por esses dois Astros, você sentirá a impaciência entrar em cena e, se não fizer alguma coisa para abrandar os ânimos exaltados, ela ficará aí até o término desse Aspecto. Essa irritação será despertada principalmente quando você ou se sentir sob pressão, ou perder a autoconfiança. Mas, veja bem, o excesso dela também *a/o* levará a atitudes demasiadamente impulsivas, agressivas e invasivas.

Os nervos ficarão à flor da pele, qualquer desarmonia incomodará mais do que o habitual e você sentirá as tensões tomarem conta da sua cabeça. Um pequeno desentendimento poderá desencadear uma grande briga ou discussão. O segredo será baixar a temperatura e se acalmar antes de enfrentar uma batalha.

Como o clima estará mais para tensão do que para tranquilidade, os desafios parecerão maiores do que são de fato, principalmente se você costuma ter dificuldade de encará-los. Além disso, se você for o tipo de pessoa que gosta de adrenalina, a segurança excessiva não será bem-vinda nesse momento, *levando-a/o* a correr riscos em situações que deveriam ser evitadas. Fique *ligada/o* e compreenda que essa não será a hora de confiar piamente na ajuda incondicional da sua estrela da sorte, que será substituída por prudência. Devido à impulsividade representada pelo Planeta guerreiro, as consequências das suas decisões poderão *levá-la/o* a se arrepender. Mas, atenção! Não será preciso refreá-las por completo, apenas pondere mais antes de agir. Dirija sua vida com cuidado, pois a falta de cautela poderá causar alguns acidentes no percurso. Outro resultado possível da impaciência é que será mais fácil ferir os outros e até você *mesma/o* se deixar soltos os seus impulsos.

Ademais, sempre que houver competição, a chave do sucesso será atuar com calma, foco e firmeza. Nesse caso, como Júpiter também está associado ao conhecimento, o conselho valerá, principalmente, para provas e concursos.

E não esqueça ainda os assuntos que envolvem as leis e a Justiça, sendo que estes só serão beneficiados se forem tratados com frieza e determinação. Caso contrário, se o sangue estiver pulsando muito quente nas veias, o melhor será esperar uma época um pouco mais tranquila.

Júpiter em Aspecto com Júpiter

As ações de Júpiter em Aspecto com Júpiter do Mapa do seu nascimento provocarão a ampliação da potência desse Astro, ou seja, justiça, confiança, destemor, progresso, autodesenvolvimento, conhecimento, cultura e todas as viagens de longo alcance.

ATENÇÃO: quando um Planeta lento forma, em Trânsito, um Aspecto com o mesmo Planeta do Mapa Natal, significa que todas as pessoas que tenham aproximadamente a mesma idade atravessarão, juntas, esse Aspecto. Por isso, ele é chamado de Trânsito Geracional. A Conjunção ocorrerá a cada doze anos, marcando um novo ciclo de desenvolvimento e prosperidade.

Na Progressão, a única possibilidade de Júpiter formar um Aspecto com Júpiter Natal é em caso de retrogradação, e será uma Conjunção. Nesse caso, o tempo de duração será de um ano antes até um ano depois do grau exato.

A Direção de Júpiter Sextil com Júpiter Natal ocorrerá para todos em torno dos sessenta anos, tempo aproximado que o Planeta leva para avançar 60°, ou acontecerá a Quadratura aos noventa anos, tempo para avançar 90°.

· FORÇAS ATUANTES: expansão, ampliação da consciência, confiança, proteção, sorte e merecimento
· ÁREAS DE ATUAÇÃO: metas, leis, crenças, ideais, justiça, estudos e viagens

· ASPECTOS FAVORÁVEIS: Conjunção, Sextil e Trígono

Júpiter é o Planeta que está associado à abundância, ao progresso e à boa colheita. Ao longo desse Aspecto, portanto, você poderá colher os frutos daquilo que já tiver plantado e, para dar um toque único ao momento, contar com o brilho da sua estrela da sorte.

Essa será uma fase muito especial, ou seja, um tempo de merecimento e bênçãos concedidas. Evidentemente que a qualidade da safra será diretamente proporcional à das sementes plantadas e dos esforços empregados no plantio. Quanto mais você tiver investido numa determinada direção, melhores serão os frutos colhidos. Entretanto, se houver algum tipo de frustração, este será um bom momento para avaliar sua conduta no passado. De qualquer forma, haverá crescimento e igualmente um grande aprendizado.

Como já dito anteriormente, esse período costuma ser acompanhado por uma boa dose de sorte. Todavia, o segredo será confiar na vida e tocar o barco para a frente. Aliás, também a autoconfiança será a cereja do bolo dessa fase. A tendência será a de que tudo conspire a favor do seu merecimento. Aproveite então as oportunidades que surgirem e acredite que têm tudo para darem certo. Com isso feito, será só confiar e desfrutar os bons resultados.

De mais a mais, como o simbolismo de Júpiter tem relação estreita com o conhecimento, não meça esforços para se dedicar a atividades que ampliem seus horizontes intelectuais e culturais. Aproveite para ler, fazer cursos ou viajar e verá os benefícios de poder ir bem mais além do conhecido cotidiano.

Além disso, caso você se encontre em alguma situação injusta, fique *certa/o* de que essa associação de Júpiter *a/o* ajudará a resolvê-la. Reclame seus direitos, faça a Justiça ser seguida e receba os presentes por ter respeitado igualmente o direito do outro.

Por fim, esse será um tempo para você se aprimorar como ser humano. Tente fazer o melhor possível, dê o máximo de si e conheça mais a potência que é afirmar os seus desejos.

· ASPECTOS DESAFIADORES: Quadratura e Oposição

Júpiter é chamado gigante do Sistema Solar. Tudo que se refere a ele quando o aspecto for desafiador será excessivo. Esse será um dos maiores motivos de haver tanta insatisfação quando você estiver passando por esse Aspecto. Nada estará na medida certa, e provavelmente você venha a fazer mais do que é capaz de suportar. Da mesma forma, será difícil medir com exatidão o que é ou não necessário para que você possa satisfazer os seus desejos.

Não haverá limites e será bastante difícil saber quando você deve parar. Quanto mais expectativas houver, mais motivos você terá para se frustrar. Mas, veja bem: não será preciso sair desconfiando de tudo! Apenas avalie melhor a situação para que você possa julgá-la de maneira correta e não deposite na sua estrela da sorte toda a responsabilidade pelos bons ou maus resultados. Dê uma folga a ela, afinal também merecerá um bom descanso.

Outro assunto simbolizado por Júpiter é a inquietude por conhecimento. Portanto, acerca de estudos, testes e até mesmo viagens, as decepções acontecerão se você idealizá-los. Por esse motivo, caso tenha que realizar alguma atividade que exija muito da mente ou vá viajar, conscientize-se dos seus limites e respeite-os. Tudo que for excessivo não será benéfico.

É provável, ainda, que você passe por quadros de injustiça, o que, diga-se de passagem, poderá acontecer de fato. Entretanto, preste atenção para não cometer você *mesma/o* algo desse tipo. Para evitar falsos julgamentos, conheça melhor os seus direitos e os dos outros. Ainda que acredite estar agindo corretamente, haverá a possibilidade de cometer enganos. Não ceder ou reconhecer os erros poderá *colocá-la/o* em situação desconfortável. Portanto, reflita se você está ou não com a razão antes de tentar impor aquilo que considera verdadeiro.

A propósito, quanto às leis, essa não será a melhor ocasião para obter bons desfechos. Se for possível adiar ações e decisões, faça-o. Porém, do contrário, o segredo será manter-se bem *informada/o* pedindo ajuda a *uma/um* profissional competente.

Júpiter em Aspecto com Saturno

Júpiter e Saturno governam mundos muito diferentes e, quando o primeiro influencia a atuação do segundo, as forças da expansão dilatam o que está retraído, a alegria aquece a frieza da racionalidade e a esperança dá um tom todo especial à realidade.

- FORÇAS ATUANTES: expansão, ampliação da consciência, confiança, proteção, sorte e merecimento
- ÁREAS DE ATUAÇÃO: responsabilidade, organização, produtividade e trabalho

ATENÇÃO: a Conjunção será considerada nesse caso um Aspecto tenso. No entanto, será preciso levar em consideração, igualmente, que ela poderá atuar de forma favorável. Para que isso aconteça, será necessário que haja maturidade, acolhimento da realidade e aceitação dos seus limites e das limitações impostas pela vida.

· ASPECTOS FAVORÁVEIS: Sextil e Trígono

As qualidades opostas representadas pelos dois Planetas, unidas, formarão uma boa parceria, ou seja, expansão e contração, alegria e seriedade, juventude e maturidade. Primeiramente, você conseguirá se organizar melhor e ser bem mais *disciplinada/o*. Isso sem deixar de lado o bom humor, a felicidade de cumprir seus compromissos e a animação com as possibilidades apresentadas no momento. O pulo do gato será aproveitar esse período para colocar cada coisa no lugar e definir o que pode ou não ser realizado.

Depois, se você for o tipo de pessoa que exige demais de si, que costuma se impor muitas restrições, esses comportamentos serão suavizados e você se permitirá fazer apenas o que estiver ao seu alcance sem que chegue à exaustão. O segredo será diminuir o ritmo e reconhecer quando for a hora de parar. Você certamente produzirá melhor e com muito mais qualidade.

Em contrapartida, você poderá tirar partido de alguma limitação sua. No lugar do medo que restringe, suas inseguranças *a/o* protegerão para que você não cometa erros. Por exemplo, se tiver dificuldade em falar, ficar em silêncio evitará uma discussão desnecessária.

Essa fase será favorável ainda para a solidificação do que tiver sido iniciado anteriormente. Você poderá usufruir os primeiros resultados, e estes servirão como referência de como empreender dessa ocasião em diante. É possível também que você venha a assumir algumas responsabilidades importantes. Aproveite, então, para comprovar sua competência dando alguns passos a mais na escalada da sua montanha profissional. Tudo que for realizado nessa época tenderá a perdurar.

Esse será um excelente Aspecto para dedicar-se às tarefas mais árduas, aquelas que você costuma adiar. Devido à praticidade e ao senso de dever, você saberá encontrar a solução para os desafios que possam *impedi-la/o* de crescer. Por isso, usufrua esse tempo para solucionar problemas e corrigir falhas.

Júpiter é o Astro que se encarrega das questões legais e da Justiça. Portanto, pode-se dizer que, se você estiver em alguma situação nessa área, será uma ótima oportunidade de revisar processos, preparar uma ação ou escolher *uma/um boa/bom* profissional que trate com responsabilidade do seu caso.

A mesma condição favorável se aplicará igualmente aos estudos, às provas e, até mesmo, às viagens. O real aproveitamento de tudo isso se dará se você enxugar o que for desnecessário, deixando uma folga para eventuais interesses. Bem planejados, uma viagem ou um estudo produzirão muito mais satisfação. O que você vivenciar ficará guardado na sua memória.

Por fim, a sua estrela da sorte brilhará quando você precisar superar algum tipo de adversidade. Confie nela e seja *merecedora/merecedor* da ajuda oferecida.

· ASPECTOS DESAFIADORES: Conjunção, Quadratura e Oposição

A pressão de Júpiter, simbolicamente associado à força de expansão, sobre Saturno, Astro que, ao contrário, trata da contração, será sentida primeiramente como dificuldade de estabelecer limites, quer dizer, de determinar até onde você pode ou deve ir. O segredo aqui será tentar se organizar e diminuir a carga de responsabilidades assumidas. É possível que a organização venha a ser suficiente para aliviar as pressões, sem que você precise abandonar compromissos importantes. A desorganização somada à falta de limites serão alguns dos grandes motivos do peso e da lentidão percebidos quando você atravessar esse Aspecto.

A propósito, você poderá levar bastante tempo para concluir uma tarefa, especialmente se ela exigir mais da sua energia mental, assunto também conectado a Júpiter. Se for estudar ou fazer uma prova, confira todos os detalhes antes de dar o primeiro passo. Como Saturno está envolvido, a dica é não ter pressa para subir a montanha e cumprir cada etapa com prudência, paciência e segurança.

O mesmo valerá para evitar frustrações em viagens. Empregue seus esforços no planejamento, faça tudo com calma e descarte excessos de qualquer natureza. Entretanto, seja qual for o tipo de atividade, não empurre com a barriga o que dever ser feito. Acredite na sua capacidade de superação quando estiver diante de um desafio maior. Aliás, não conte simplesmente com o brilho da sua estrela da sorte para remover as dificuldades do caminho. Faça você a sua parte e, aí sim, usufrua a luz que iluminará os seus passos.

Por falar em desafios, provavelmente você dará importância exagerada às restrições. Pode ser que elas não sejam tão difíceis quanto aparentarem. O estresse decorrente do peso das responsabilidades colaborará para que você fique mais sensível às pressões. Mesmo que não esteja *sobrecarregada/o*, evite assumir mais compromissos. Será preferível cumprir com o que for imprescindível a fazer tudo pela metade. Tente ainda não gastar energia em excesso, pois, com certeza, ela não será aproveitada de maneira benéfica. Poupe-se o máximo possível e descanse o suficiente para poder produzir melhor.

No que diz respeito às leis e à Justiça, nesse período você não será *favorecida/o*. Desse modo, adie decisões nesse sentido. Se não puder, faça-as com tranquilidade, frieza e sabedoria.

Por fim, como já dito anteriormente, será relevante compreender que o que valerá de fato nesse ciclo serão os seus esforços, além da certeza de que a sua estrela voltará a brilhar brevemente.

Júpiter em Aspecto com Urano

Apesar de Júpiter e Urano regerem Signos de Elementos opostos e complementares — Júpiter rege Sagitário, Fogo; e Urano, Aquário, Ar —, há semelhanças entre os dois. Portanto, a intervenção do primeiro sobre o segundo intensificará primeiramente as qualidades comuns, isto é, liberdade, independência e espírito intempestivo. Depois, por causa das diferenças, Júpiter se encarregará de levar ao universo de Urano o otimismo, a confiança e o bom humor.

· FORÇAS ATUANTES: expansão, ampliação da consciência, confiança, proteção, sorte e merecimento
· ÁREAS DE ATUAÇÃO: liberdade, mudança e quebra de padrões

ATENÇÃO: apesar de a Conjunção se aproximar muito mais dos Aspectos favoráveis, você igualmente poderá senti-la de forma desafiadora. Isso dependerá de se estiver ou não *acomodada/o* e resistente às mudanças. Portanto, será importante também olhar a interpretação dos Aspectos desafiadores.

· ASPECTOS FAVORÁVEIS: Conjunção, Sextil e Trígono

O Aspecto de Júpiter com Urano do Mapa Natal intensificará o que houver em comum entre os dois. O anseio por liberdade e a vontade de voar mais alto serão desejos possíveis de serem realizados. O movimento será uma das características marcantes desse momento. O que estiver necessitando de agitação sairá da apatia e ganhará novos rumos. E o que resistir às mudanças, ficará para trás. Será um tempo especial para fazer novas amizades, interessar-se por ideias diferentes das já conhecidas ou até mesmo modificar o jeito de conduzir a vida. Aproveite, portanto, esse período para se renovar e abrir seus horizontes. Fuja do habitual, acolha as diferenças. Se for viajar, experimente ir a lugares que nunca estiveram nos seus planos, mas que dessa vez terão lugar nos seus objetivos. Mude o foco dos seus interesses. A liberdade vivida nesse ciclo será responsável pelas portas que abrirão os seus caminhos.

Já que estamos falando de liberdade, essa será uma ocasião favorável para tirar uns dias de folga ou mesmo férias. Aliás, não somente esse setor será beneficiado. Estudos, pesquisas e atividades que exijam agilidade mental serão muito bem-vindos. Exercitar a mente e conhecer novos ambientes dilatarão a sua visão de mundo.

Nos assuntos acerca das leis e da Justiça, os ventos soprarão ao seu favor. Se precisar do auxílio de um profissional dessa área, procure o que tiver a cabeça mais aberta e que preze acima de tudo a liberdade.

O segredo para aproveitar melhor a passagem desse Aspecto será conseguir se libertar dos padrões de comportamento que não se adéquem mais à sua vida atual. Livre, seus horizontes se expandirão, e você fluirá melhor pela jornada rumo ao progresso.

Outra dica importante: fique *atenta/o* às intuições. Elas *a/o* surpreenderão por não serem lógicas, entretanto absolutamente assertivas. Essa é uma das chaves de Urano: a inspiração que capta o que não está programado, mas que se tornará realidade no futuro.

Todavia, a grande surpresa reservada para você nessa época será a ação inesperada da sua estrela da sorte. Fique *ligada/o*, porque ela brilhará de repente, quando você menos esperar. Urano é um Astro que age de maneira abrupta e rápida. Na mitologia, é o Céu estrelado. Portanto, pode-se dizer que, semelhante a uma estrela cadente, risca o Céu trazendo as novidades.

· ASPECTOS DESAFIADORES: Quadratura e Oposição

Sendo a ação de Júpiter sobre Urano aqui tensa, certas qualidades com as quais ambos se identificam ficarão potencializadas, ou seja, a inquietude e a ansiedade. A má gestão da sua liberdade poderá ser um dos motivos de você sentir tais pressões. Por um lado, pense no que a/o estiver aprisionando; por outro, no que estiver desgovernado. Tanto uma situação quanto a outra a/o levarão a se debater com as dificuldades registradas nesse momento.

A liberdade de movimento deverá ser uma das prioridades. A outra, a abertura de novos horizontes. Mas, veja bem, apesar da urgência, mexa-se sem se atropelar e escolha os novos caminhos com calma. O importante será não adiar as mudanças, porém saber conter a impulsividade.

Falar de Urano quando ele está envolvido em um Aspecto é tratar das possíveis atitudes que parecerão estranhas ao seu modo habitual de ser e de viver. Tudo em você se tencionará, e a intolerância será uma das suas manifestações. Fique *atenta/o* e ceda caso se dê conta de que não está com a razão.

Outro jeito de esse Aspecto se manifestar será por meio de mudanças súbitas que *a/o* obrigarão a mudar seus pontos de vista. Tudo que estiver submetido à acomodação será remexido pelos relâmpagos e ventos fortes de Urano. E, para atravessar as turbulências do período, tente aceitar que nem tudo ocorrerá conforme o planejado. Depois, saiba conter seus instintos quando algo novo surgir à frente. A dica é ter tranquilidade para sentir se a situação é apenas um vento de entusiasmo passageiro ou uma boa perspectiva para o futuro.

Algumas atividades da vida, principalmente as que exijam agilidade intelectual, poderão sentir essas tensões, como estudar, prestar uma prova ou fazer uma entrevista de trabalho. Certamente, a época exigirá que seus horizontes se alarguem, mas, se estiver muito *ansiosa/o*, o estresse mental poderá prejudicar seu desempenho. O segredo será se acalmar antes de começar essas práticas para afinar suas intuições. Você poderá, por exemplo, meditar ou fazer algum tipo de exercício físico. Tenha certeza de que os resultados serão benéficos.

Você poderá também se sentir *prejudicada/o* em assuntos que envolvam as leis e a Justiça. Se puder, adie decisões importantes ou, do contrário, faça tudo sem pressa e por meio de ajuda profissional adequada, que saiba conduzir os problemas de forma rápida e tranquila.

Por fim, não fique esperando exclusivamente pela boa ação da sua estrela da sorte. Nesse momento ela tirará férias para que você aprenda a cuidar de si *sozinha/o*.

Júpiter em Aspecto com Netuno

Tanto Júpiter quanto Netuno são ligados ao Signo de Peixes, o que fará a ação do primeiro sobre o segundo se manifestar dilatando sua visão de mundo e sua confiança no imensurável. Ademais, Júpiter rege também o Signo de Sagitário, Fogo, que se diferencia de Peixes, associado ao Elemento Água. Nesse sentido, a influência de Júpiter sobre Netuno será aquecer e dar luz às profundezas emocionais.

- FORÇAS ATUANTES: expansão, ampliação da consciência, confiança, proteção, sorte e merecimento
- ÁREAS DE ATUAÇÃO: intuição, sensibilidade, imaginação e espiritualidade

ATENÇÃO: a Conjunção tenderá a ser vivida de forma mais desafiadora, apesar de se mostrar também favorável. O que determinará a tensão ou a fluência na passagem desse Aspecto será o quanto você estiver *equilibrada/o* emocionalmente e se haverá ou não desenvolvimento espiritual.

- ASPECTOS FAVORÁVEIS: Sextil e Trígono

Quando Júpiter formar um Aspecto favorável com o Netuno do Mapa do seu nascimento, sua sensibilidade se dilatará e abrirá um espaço gigantesco para a liberação das intuições. Serão momentos de contato com a espiritualidade e com emoções muito profundas. A bênção desse período será descobrir todo um universo interior repleto de uma riqueza incalculável. Você terá a oportunidade de conhecer a sua fábrica de imaginação. Aproveite para produzir o que deseja intensamente realizar.

As inspirações servirão como um farol que *a/o* orientará a navegar nas regiões obscuras das suas emoções. É provável que você enxergue aquilo que, em geral, passa despercebido, que é sutil e que aparenta não ter muita importância. Entretanto, será possível também compreender o quão especiais serão essas descobertas. Tudo ficará mais claro e evidente, será mais fácil definir o que você deseja e a extensão dos seus objetivos. O segredo será ficar *atenta/o* aos sinais e não considerar os fatos ocorridos durante essa fase como "meras coincidências". Esse será um tempo de compreensão da existência de algo bem maior do que o limitado ego. A propósito, agradeça a proteção da sua estrela da sorte que nesse momento iluminará o seu caminho espiritual.

Além de produzir força interior, esse Aspecto será favorável igualmente para os estudos e as viagens, em especial para os que visem ao seu desenvolvimento pessoal.

Em relação às leis e à Justiça, assunto relacionado a Júpiter, essa será uma boa oportunidade para obter resultados que pareciam impossíveis de serem atingidos. A dica é agir com sensibilidade e intuição para conduzir toda e qualquer pressão com tranquilidade.

Para completar, esse será um tempo para exercer a compaixão, virtude simbolizada pelo Planeta Netuno. Saiba se perdoar e também às outras pessoas. *Aliviada/o* de culpas e ressentimentos, você se sentirá muito mais *calma/o* para prosseguir na sua jornada espiritual.

· ASPECTOS DESAFIADORES: Conjunção, Quadratura e Oposição

Quando Júpiter exercer pressão sobre Netuno do Mapa do seu nascimento, significará que sua sensibilidade ficará excessivamente ativada, o que poderá tornar esse um tempo de grandes angústias. As fantasias correrão soltas, acompanhadas de alterações de humor. Mas, veja bem, já que tanto Júpiter quanto Netuno se identificam com a crença no imponderável, a primeira dica é dar folga para a sua estrela da sorte. Esperar que magicamente você supere um estado de agonia não será uma boa ideia, já que o ensinamento desse Aspecto será mergulhar profundamente no seu interior e enfrentar as emoções nebulosas e confusas. Pode-se comparar esses sentimentos ao nevoeiro que embaça a visão ao dirigir. Outro conselho então será usar o farol baixo, ou seja, iluminar o que estiver ao seu alcance para seguir a viagem *segura/o*. Quando tudo está embaralhado, o melhor é não se envolver demais. Ao ficar mais *distanciada/o* das situações, você conseguirá analisar a realidade com mais clareza. Só assim será possível se posicionar diante dos fatos.

O momento pedirá para que você ponha em xeque suas viagens mais profundas, sejam elas geográficas, sejam intelectuais ou espirituais. Evidentemente que sua energia mental poderá se esgotar. Portanto, ao ter que lidar com atividades que exijam concentração e foco, como estudar, prestar uma prova ou viajar com um objetivo prático, você ficará mais vulnerável a ser *afetada/o* pelas pressões externas. Se for esse o caso, fique *atenta/o* e seja bem *cautelosa/o*, pois sua imaginação poderá pregar algumas peças e *distraí--la/o* de um foco importante.

Igualmente, sua imaginação não será muito útil para resolver problemas acerca das leis ou da Justiça. Fique *ligada/o* à realidade dos fatos, preste mais atenção a possíveis falhas e erros para que mais tarde não sejam motivos de frustração.

Além disso, o segredo será ser mais *rigorosa/o* nas avaliações para que não sejam injustas. Entretanto, você também estará *sujeita/o* a ser *julgada/o* injustamente por outras pessoas. Nem sempre será possível compreender o porquê dessas situações em função da falta de clareza existente nessa ocasião, mas, se sua intuição estiver afinada, ela poderá dar alguma pista.

Por fim, como nem tudo poderá ser explicado objetivamente, o melhor a fazer será tentar perdoar, assim como pedir perdão.

Júpiter em Aspecto com Plutão

Enquanto Júpiter é puro brilho e alegria, Plutão reina nas regiões sombrias da alquimia emocional. São mundos muito distintos. A influência de Júpiter sobre o Astro que simboliza a morte e o renascimento será a de iluminar e aquecer as profundezas frias e densas onde as transformações psíquicas acontecem.

- FORÇAS ATUANTES: expansão, ampliação da consciência, confiança, proteção, sorte e merecimento
- ÁREAS DE ATUAÇÃO: profundidade emocional, transformações, regeneração e revelações
- ASPECTOS FAVORÁVEIS: Sextil e Trígono

Júpiter em Trânsito, Progressão ou Direção ocasionará expansão e confiança para alcançar alvos distantes. Quando relacionado a Plutão, sua ação será percebida pela ampliação do poder de transformação, de conseguir jogar fora os excessos e por compreender com sabedoria que tudo acaba um dia e dá lugar a uma nova fase da vida.

Para começar, não podemos deixar de lado um detalhe que será extremamente importante ao longo desse período: você poderá contar com uma boa dose do brilho da sua estrela da sorte, principalmente nos assuntos mais indigestos. Entretanto, deverá encarar com coragem as mudanças necessárias.

Você aprenderá a dominar melhor seus receios, suas angústias e tudo o que possa lhe escapar do controle. Forças poderosas e profundas desabrocharão e, com elas, você será capaz de produzir tais transformações. Será um tempo de descobertas, de vir à tona aquilo que se mantinha oculto, seja por força do medo, seja por você não ter a chave de acesso. Nesse período, a senha será disponibilizada, e você visitará um mundo onde habita energia em abundância.

Na prática, os assuntos ligados a estudos, provas, apresentação de algum trabalho e que exijam concentração e aprofundamento serão altamente beneficiados com a passagem desse Aspecto. Será possível ir mais fundo nas matérias do seu interesse, descobrir soluções de ordem intelectual de maneira altamente eficiente e, de quebra, aproveitar bastante a programação de uma viagem, especialmente nas atividades culturais. Afinal, Júpiter atua no desejo de ir mais longe tanto intelectual como geograficamente, atravessando as fronteiras do lugar onde você mora.

Quanto às questões legais, estas poderão ser resolvidas, esclarecendo o que estava nos bastidores ou que envolvia jogos e manipulações emocionais. O segredo será usar frieza, que será sua melhor ferramenta para alcançar os resultados desejados.

E, voltando às questões subjetivas, essa será também uma ocasião apropriada para se recuperar das perdas ou dos danos causados pelos conflitos passados. Feito isso, uma nova direção poderá ser definida e novos objetivos serão criados.

Aproveite esse Aspecto para limpar e organizar o que for preciso, além de abrir mão do desnecessário. Como dito anteriormente, eliminar os excessos e dar espaço para novos valores certamente *a/o* deixará *aliviada/o* por não precisar carregar mais tanto peso.

· ASPECTOS DESAFIADORES: Conjunção, Quadratura e Oposição

Se Plutão diz respeito à finitude das coisas e pede desapego, Júpiter atua em Trânsito, Progressão ou Direção de forma a ampliar as suas experiências. Portanto, para você, como será passar por esse Aspecto? A princípio, será sentir que nem tudo acontece do modo como você gostaria que fosse. Dessa forma, será preciso aceitar que nem sempre é possível mudar uma situação e compreender que, às vezes, a gente perde. E não adianta esperar que a sua estrela da boa sorte *a/o* ajude nesse momento. O aprendizado aqui será o de superar seus medos sem imaginar que isso ocorra da noite para o dia, como um passe de mágica.

Evidentemente que esse não será um período fácil. Entretanto, será exatamente durante ele que serão eliminados os pontos sombrios da sua personalidade. Será um bom tempo para fazer uma limpeza, remexer o fundo da alma e cutucar os sentimentos desconfortáveis. Ainda que você não o faça, seja por insegurança, seja por impossibilidade, o que você mantinha oculto virá à tona para que se transforme em energia criativa. O segredo será ficar *aberta/o* às necessidades de transformação internas. Mas, caso isso não ocorra, as mudanças serão produzidas por fatores externos à sua vontade e terão como função *fazê-la/o* mudar.

É possível que você perca o controle devido às pressões ou angústias acumuladas. Evite, pois, tomar decisões numa ocasião como essa, porque, mais tarde, ao sentir algum alívio, pensará que poderia ter agido de forma diferente. Se desejar modificar algo, não force a situação. Normalmente, haverá excesso de desgaste e mau emprego de suas energias. Tente poupá-las, procure relaxar e espere até que sinta uma plena recuperação.

No aspecto prático da vida, os medos poderão surgir mais especificamente quando os assuntos envolvidos forem estudos, testes ou até mesmo viagens. Isso porque esses tópicos são simbolizados por Júpiter. Por esse motivo, busque se aprofundar naquilo que seja imprescindível para obter um bom resultado intelectual ou aproveitar melhor as atividades programadas para as férias ou uma viagem.

De mais a mais, Júpiter também se relaciona às leis e à Justiça, sendo, portanto, esse um momento complicado em processos ou em situações que envolvam a moral e a ética. Antes de partir para a ação, verifique o que está nos bastidores para seguir adiante *segura/o* de que tem nas mãos informações indispensáveis para ser *bem-sucedida/o*.

Júpiter em Aspecto com o Ascendente e o Descendente

Tanto Júpiter quanto o Ascendente têm relação com Signos do Elemento Fogo, ou seja, as suas funções são aquecer, dilatar e fazer vibrar as energias. A ação do Planeta gigante sobre o ponto do Mapa Natal que simboliza seu estilo de ser no mundo será a de amplificar a impulsividade, a autoconfiança e a consciência da sua individualidade.

Já o fato de o Ascendente ser um dos extremos da linha que tem no polo oposto o Descendente, o desafio dessa conexão é pôr em equilíbrio a força da ação do "Eu" com o desejo e a ação do "Outro".

- **FORÇAS ATUANTES:** expansão, ampliação da consciência, confiança, proteção, sorte e merecimento
- **ÁREAS DE ATUAÇÃO:** autonomia, autoconfiança, bem-estar físico, saúde, afetividade e parcerias

ATENÇÃO: a Conjunção com o Ascendente será considerada favorável. A diferença para os demais Aspectos desse tipo será a elevada intensidade presente e que indicará o fim de um ciclo e o começo de uma nova fase que se repetirá a cada doze anos.

Quando a Conjunção for com o Ascendente, a individualidade será impulsionada, ao passo que, se a Conjunção for com o Descendente (Oposição com o Ascendente), a expansão se dará no âmbito dos relacionamentos, mas fornecerá pressão sobre as questões acerca da autonomia. Por esse motivo, essa Conjunção será interpretada separadamente dos outros Aspectos favoráveis.

- **ASPECTOS FAVORÁVEIS:** Conjunção, Sextil e Trígono com o Ascendente

A força de Júpiter em Trânsito, Progressão ou Direção será a de expandir suas possibilidades e de *estimulá-la/o* a ir mais adiante. Por sua vez, o Ascendente é o ponto no Mapa Natal responsável pela sua individualidade, pela autoafirmação e pelas decisões que apenas você deverá tomar. Portanto, a influência de Júpiter sobre o Ascendente estimulará o desenvolvimento do seu estilo singular de ser no mundo e da sua capacidade de agir por conta própria. Você provavelmente sentirá maior disposição, e essa será uma boa hora para recuperar as energias que, eventualmente, tiverem sido perdidas.

Outro tópico relacionado a esse Astro gigante é a boa sorte. Aliás, durante esse período, você poderá contar com o brilho da sua estrela. Bastará fazer a sua parte e deixá-la realizar o restante.

Além disso, ainda que muita coisa possa estar ocorrendo paralelamente, você será capaz de agir de forma objetiva em relação a cada uma delas. Esse será um tempo propício para tomar decisões e levá-las adiante. Haverá firmeza de propósito e mais autoconfiança e, assim, mais habilidade para fazer valer a sua vontade. Não haverá dúvidas quanto àquilo que deseja. Ao agir de acordo com o que acredita ser correto, sua iniciativa será acertada.

Todas essas considerações serão aplicáveis, principalmente se os assuntos em questão tiverem a ver com Júpiter, como estudos, provas e até mesmo viagens. Isso porque esse Planeta simboliza o universo do conhecimento e da expansão das nossas fronteiras, sejam elas intelectuais, geográficas, culturais ou espirituais.

Tema igualmente importante relacionado a esse Aspecto é o que diz respeito às leis e à Justiça. Portanto, você terá uma excelente oportunidade para dar início a processos. E, caso esteja esperando por resultados, as notícias poderão ser bastante favoráveis.

A boa dica da ocasião é dar o impulso inicial a qualquer tipo de empreendimento, especialmente aqueles relacionados à sua vida pessoal, por exemplo, tirar uns dias de folga ou férias.

· ASPECTO DESAFIADOR: Quadratura com o Ascendente

A força de Júpiter em Trânsito, Progressão ou Direção sobre o seu Ascendente será a de expandir tudo o que se relaciona à autonomia. Entretanto, quando a conexão entre os dois for desafiadora, a tendência será a de que você se depare com duas possíveis situações opostas. A primeira envolverá inseguranças, e a segunda supervalorizar as potencialidades e ultrapassar os limites. E nem sempre será o caso de uma ou outra. Poderá acontecer que você oscile entre ambas nesse período. A bem da verdade, o que estará em jogo será a falta de noção do quanto você será capaz de agir de acordo com a própria vontade.

Sendo o Ascendente o ponto do seu Mapa de Nascimento responsável simbolicamente pela criação do seu estilo de ser no mundo, esse será um tempo de desafios para a autoafirmação. O segredo será ter mais paciência consigo *mesma/o*, exigir de si somente o que estiver ao seu alcance e não desistir se seu desejo for legítimo e possível de ser realizado.

Aliás, essa também não será a melhor ocasião para tomar decisões importantes. Mesmo havendo firmeza de propósito, você poderá não conseguir levá-las adiante. Antes de dar o impulso inicial a qualquer tipo de empreendimento, preocupe-se em verificar se há condições físicas e emocionais disponíveis para que você não venha a enfrentar problemas posteriormente.

Outro tópico relevante relacionado a esse Astro gigante é a boa sorte. Aliás, durante essa etapa, você não deverá contar exclusivamente com o brilho da sua estrela. Para que ela abra os seus caminhos, será essencial que você cuide bem de si e acredite na sua força de vontade. A dica é respeitar suas energias, poupá-las quando estiver *cansada/o* e, igualmente, tomar mais pé do seu valor.

Certamente, haverá nessa época um maior desgaste físico em função de que esteja gastando mais energia do que o necessário. Portanto, estabeleça os próprios limites e tente, ao máximo, não ultrapassá-los. Entretanto, como nem sempre isso será viável, será preciso que encontre alguma forma para recuperar essas forças perdidas. Por esse motivo, dê mais atenção à saúde e procure restabelecer o bem-estar do seu corpo.

O ideal é que não cometa excessos de qualquer natureza. Muita coisa estará ocorrendo paralelamente, e o difícil será você dar conta de tudo. Isso valerá especialmente nos assuntos ligados a estudos, provas, apresentações de algum tipo de trabalho e até mesmo viagens. Tenha em mente que todo esforço feito em demasia não produzirá bons resultados. Assim, quando cansar, pare. Se possível, tente tirar uns dias de folga. Mas, veja bem, não saia fazendo tudo! Simplesmente descanse.

Também nas questões que envolvem leis e a Justiça o momento pedirá cautela. Caso tenha que tomar alguma decisão, não deixe de ter amplo conhecimento da situação e os pés no chão para não gerar frustrações.

· Conjunção com o Descendente ou Oposição com o Ascendente

Quando Júpiter fizer Oposição com o Ascendente, ponto que se encarrega pela construção da sua individualidade, ele estará igualmente atravessando o Descendente, local no Mapa Natal que simboliza as experiências pautadas nas parcerias. Dito isso, a função desse Aspecto será ampliar a força gerada pelos bons encontros. Olhar com generosidade o outro será o modo mais verdadeiro de usufruir as bênçãos apontadas por esse momento especial.

Entretanto, tanto as qualidades quanto os problemas que envolverem as suas relações pessoais ficarão em evidência. Aproveite, então, esse tempo para direcionar suas ações para um caminho que satisfaça você e *a/o parceira/o*.

Esse Aspecto será favorável não somente para melhorar a qualidade de um relacionamento, mas também para promover encontros abençoados. Lembre que Júpiter representa a sua estrela da sorte que, no momento, depositará sua luz nas boas trocas. O único cuidado que você deverá tomar será não alimentar muitas expectativas e acabar por se decepcionar.

Essa época também se caracterizará por maior desgaste físico, pois muito da sua energia será empregada para satisfazer os desejos do outro. Não que isso seja ruim, mas será importante que você estabeleça limites para si e para *a/o companheira/o* e que tente, ao máximo, não ultrapassá-los. Todavia, como nem sempre isso será possível, busque modos de restabelecer suas forças. Fique *atenta/o* à sua saúde e não cometa excessos de qualquer natureza.

Antes de dar o impulso inicial a algum tipo de empreendimento, avalie a situação para conter prejuízos e peça ajuda, pois certamente você encontrará quem possa estar ao seu lado nessa ocasião.

Nessa fase, tudo que for feito em boa companhia tenderá a produzir resultados melhores do que se tentasse segurar a barra *sozinha/o*. Essa dica é especialmente válida para assuntos relacionados a estudos, provas e até mesmo férias e viagens. Igualmente, ao tratar das leis e da Justiça, aconselhe-se com quem entende do assunto e colherá bons frutos.

Júpiter em Aspecto com o Meio e o Fundo do Céu

A influência de Júpiter em Trânsito, Progressão ou Direção sobre o Meio do Céu reforçará o desejo de obter reconhecimento, principalmente na área profissional. Tanto o Planeta gigante quanto o ponto mais alto do Céu do seu nascimento têm como qualidade a persistência. Uma das maiores funções desse Aspecto será aquecer a subida árdua da montanha das suas realizações.

Já o ponto mais baixo do Mapa Natal, chamado de Fundo do Céu, trata das questões pessoais e de família. Portanto, toda e qualquer conexão com um, significa igualmente tocar o outro ponto. O desejo de expansão deverá ocorrer mantendo o equilíbrio entre as ambições profissionais e a boa convivência familiar.

- · FORÇAS ATUANTES: expansão, ampliação da consciência, confiança, proteção, sorte e merecimento
- · ÁREAS DE ATUAÇÃO: profissional, carreira, vocação, projetos para o futuro, relações familiares e casa

ATENÇÃO: a Conjunção com o Meio do Céu será favorável. A diferença para os demais Aspectos desse tipo é que ela indicará o fim de um ciclo e o começo de uma nova fase profissional que se repetirá a cada doze anos.

Se a Conjunção ocorrer com o Meio do Céu, a expansão será relacionada à carreira, ao passo que se for com o Fundo do Céu (Oposição com o Meio do Céu), ela se dará no âmbito dos relacionamentos familiares, mas fornecerá pressão sobre as questões que envolverem a vida profissional. Por esse motivo, esse Aspecto será interpretado separadamente dos outros de viés favorável.

· ASPECTOS FAVORÁVEIS: Conjunção, Sextil e Trígono com o Meio do Céu

O Meio do Céu é um ponto importantíssimo no Mapa Natal, pois mostra a direção que você deve tomar quando o assunto em questão tiver a ver com o seu futuro profissional. E, quando Júpiter formar, em Trânsito, Progressão ou Direção, um Aspecto favorável, você terá a chance de ser *reconhecida/o* pelas suas capacidades, obterá as recompensas merecidas, além de colher os bons frutos do que foi plantado no passado. Aproveite, portanto, essa época para ampliar seus horizontes com novos projetos, já que os ventos soprarão a seu favor.

A propósito, Júpiter lhe dará a bênção da generosidade e fará brilhar a sua estrela da boa sorte, tudo porque você será *digna/o* dessa proteção.

Esse Aspecto marcará o começo de um novo ciclo de empreendimentos e resultados. Você terá a oportunidade de se expandir no âmbito do trabalho ou nas suas criações.

Aliás, como a abertura de novos horizontes não será necessariamente exclusividade da sua carreira, usufrua esse momento igualmente para estudar, pesquisar ou até mesmo para viajar. Esses assuntos, juntamente dos que tratam das leis e da Justiça, estarão favorecidos nessa fase. Isso porque Júpiter é o Astro responsável pela inquietude de conhecimento e está relacionado aos nossos princípios e valores éticos.

Por fim, as circunstâncias que surgirem durante essa época trarão a promessa de virem a ser bem-sucedidas no futuro. Por isso, aproveite, porque, como dito anteriormente, será merecimento seu.

· ASPECTO DESAFIADOR: Quadratura com o Meio do Céu

Quando Júpiter atuar em Trânsito, Progressão ou Direção ampliando o que encontrar pela frente, o futuro da sua carreira estará sob pressão, e o melhor a fazer será evitar uma exposição excessiva, principalmente se esta tiver relação com o trabalho.

Tente fazer o possível também para não cometer excessos relacionados à vida social — e, até mesmo, à vida familiar. O importante será se proteger dos holofotes que cegam a sua visão e que *a/o* impedem de reconhecer se suas ações estão sendo positivas ou não.

A grande dica desse momento é não depositar todas as fichas na ajuda da sua estrela da sorte, pois o aprendizado será alcançar a sabedoria de discernir entre as atitudes que são ou não benéficas tanto para sua carreira quanto para sua vida pessoal. Por outro lado, se necessário, reavalie seus propósitos de vida modificando suas metas para que, lá na frente, obtenha bons resultados.

Haverá ainda a possibilidade de não ser *reconhecida/o* por seu desempenho e seus esforços, o que poderá ser, de fato, injusto. Sendo assim, quanto mais você ficar fora de cena, mais evitará que tal injustiça ocorra. Aliás, quando o assunto em questão envolver leis, ética e moral, será fundamental confiar nos seus princípios, mas sem imaginar que os outros pensam igual a você, principalmente se o problema estiver na esfera profissional.

Por fim, já que Júpiter também simboliza a inquietude por conhecimento, verifique se você não está *fechada/o* num mundo que não abre as portas para que possa ir mais longe. Portanto, veja quais as dificuldades que *a/o* impossibilitam de estudar, informar-se e até mesmo viajar. De posse dessa consciência, você poderá se preparar para alcançar um melhor aproveitamento no futuro.

· Conjunção com o Fundo do Céu ou Oposição com o Meio do Céu

Ao ingressar no Fundo do Céu do seu Mapa Natal, Júpiter lhe dará a bênção da generosidade e fará brilhar a sua estrela da sorte nas questões que se referirem à área familiar. Tudo isso porque você será *merecedora/merecedor* da sua proteção.

Com a passagem do Planeta gigante por esse ponto, um ciclo se fechará e começará um novo, favorecendo, nesse período e ao longo de um ano, viver, envolver-se e resolver questões relacionadas com a casa e a vida familiar. A dica é que você atenda ao desejo de recolhimento e introspecção. Haverá muito o que resgatar das memórias que desenharam a sua história até o momento atual. Todavia, fique *atenta/o* para não negligenciar as responsabilidades assumidas no trabalho, pois, se assim o fizer, o preço a pagar poderá ser elevado. Tente equilibrar os assuntos domésticos com os profissionais sabiamente. Esse será também um tempo em que você colherá os frutos plantados com amor, e todas as pessoas que fizerem parte desse seu universo serão abençoadas com os resultados daquilo que plantou.

Se você pensar em viajar, assunto tratado na simbologia de Júpiter, aproveite para conhecer melhor o seu país e suas raízes. O ideal será que possa viajar em família ou *acompanhada/o* de pessoas bastante íntimas. Ademais, se estiver precisando estudar, essa ocasião favorecerá a lembrança do que já foi aprendido no passado e ajudará igualmente na memorização das informações absorvidas no presente.

Outro assunto associado a Júpiter é o que diz respeito às leis e à Justiça. Caso algo dessa ordem esteja enrolado há muito tempo, talvez seja a chance de resolvê-lo. A propósito, assuntos legais ou burocráticos de ordem familiar poderão ser solucionados favoravelmente.

Júpiter em Aspecto com os Nodos Lunares Norte e Sul

A linha que define os dois Nodos Lunares servirá como bússola para orientar a sua jornada espiritual. A atuação de Júpiter em Trânsito, Progressão ou Direção sobre eles significará encontrar uma luz no meio do caminho que mostrará o rumo a seguir. Será o mestre balizando o seu trajeto.

· FORÇAS ATUANTES: expansão, ampliação da consciência, confiança, proteção, sorte e merecimento
· ÁREAS DE ATUAÇÃO: espiritualidade, passado e caminho de evolução

ATENÇÃO: as Conjunções com o Nodo Lunar Norte e com o Sul (Oposição com o Nodo Lunar Norte) serão interpretadas como sendo Aspectos favoráveis. O que as diferencia dos demais desse tipo é o fato de que, além de marcarem o começo de um novo ciclo espiritual, também partilham de algum desequilíbrio semelhante aos dos Aspectos desafiadores. No caso da Conjunção com o Nodo Lunar Norte, será importante se apropriar do passado para seguir o caminho de desenvolvimento espiritual. Por sua vez, quando a Conjunção ocorrer com o Nodo Lunar Sul, o que deverá ser trabalhado será o desejo de seguir adiante sem se deixar aprisionar pelo conforto de um passado já conhecido.

· ASPECTOS FAVORÁVEIS: Conjunção com o Nodo Lunar Norte, Sextil e Trígono com os Nodos Lunares Norte e Sul

O Nodo Lunar Norte simboliza o propósito que orientará seu desenvolvimento espiritual. Por seu turno, Júpiter em Trânsito, Progressão ou Direção tem como função mostrar resultados, expandir os horizontes e ampliar sua visão de mundo.

Dito isso, esse será um tempo de colheita espiritual, e o que tiver sido semeado começará a dar frutos. As conquistas obtidas durante esse Aspecto dependerão exatamente dos atos praticados no passado. Como os Nodos Lunares estão relacionados à evolução da alma, o que acontecer ao longo desse período *a/o* ajudará a encontrar um caminho rumo à realização do seu destino. A primeira dica é que você se oriente pelos objetivos maiores da sua existência e deixe que o fluxo do seu crescimento flua de forma tranquila e natural.

Possivelmente, haverá encontros com pessoas que *a/o* ajudarão a obter uma direção na vida ou que poderão fazer parte do percurso que sua alma decidiu trilhar nesta existência. A segunda dica é aproveitar o aprendizado que acompanhará a convivência com esses seres de luz.

Ademais, assuntos como estudos, pesquisas, contato com *professoras/es* e *mestras/es* ou viagens estarão em alta nesse momento, pois também *a/o* auxiliarão a abrir a mente em direção à sua evolução.

Usufrua esse tempo e, se possível, tire uns dias de folga, conheça novos lugares, faça novos contatos e mergulhe fundo em tudo que possa aumentar o seu conhecimento.

Igualmente, entrarão em cena o senso de justiça, a ética e a consciência dos seus direitos, questões associadas ao Planeta gigante. O importante será manter firme seus princípios e suas crenças e se abrir para além do próprio universo.

Outro aspecto associado a essa configuração astrológica será a presença da sua estrela guia, que apontará as direções a seguir. Fique, portanto, *ligada/o* nas conexões que eventualmente ocorrerem ao longo desse período, pois serão as bênçãos concedidas pelo Astro da justiça e que, merecidamente, *a/o* acompanharão na sua jornada espiritual.

· ASPECTO DESAFIADOR: Quadratura com os Nodos Lunares Norte e Sul

Os Nodos Lunares são o extremo de uma linha que aponta para o caminho traçado pela alma ao ingressar nesta existência e que servirá para a sua evolução espiritual. Júpiter em Trânsito, Progressão ou Direção tem como função expandir os horizontes e ampliar sua visão de vida e de mundo. Entretanto, por ser esse um Aspecto desafiador, o momento será de questionamento sobre se você está ou não cumprindo com as metas que dão um sentido maior para sua vida.

Quanto à expansão, a tendência será a de que você cometa excessos que *a/o* desviarão do seu percurso espiritual. A dica é se questionar em vez de forçar a barra e prosseguir no caminho errado.

Você colherá os frutos do que tiver sido plantado anteriormente, e haverá a oportunidade de reparar falhas que, eventualmente, possam ter sido cometidas no passado.

Será também uma fase importante para equilibrar as energias. Os Nodos Lunares funcionam como canais de drenagem das forças trazidas do passado e que devem ser liberadas para que haja renovação.

Os Nodos Lunares servem como contato, e poderá haver divergências suas com as pessoas que *a/o* orientam. *Professoras/es, mestras/es*, serão, portanto, motivo de estresse. A dificuldade em manter o foco, seja por dispersão, seja por obstinação em um assunto que faça parte do seu interesse cultural, geográfico ou espiritual será outra razão da inquietação sentida durante a passagem desse Aspecto.

E, além *das/os orientadoras/es encarnadas/os*, será importante que você acione *a/o sua/seu mestra/e* interior. Se for possível, aproveite essa época e tire alguns dias de folga para pôr seu corpo e sua mente no prumo. Do contrário, levante-se mais cedo, medite ou faça alguma prática que promova o equilíbrio.

Também poderão surgir problemas do passado relacionados à Justiça, à ética e ao respeito aos seus direitos, questões associadas ao Planeta gigante. Será aconselhável se manter firme nos seus princípios e saber acolher verdades diferentes das suas.

Por fim, outra característica dessa configuração astrológica será achar que a sua estrela guia não está *a/o* ajudando a resolver suas adversidades. O fato é que você não deverá depender da sorte, porque o valor dessa etapa estará nos esforços realizados para seguir sua jornada com segurança.

· Conjunção com o Nodo Lunar Sul ou Oposição com o Nodo Lunar Norte

Quando um Planeta em Trânsito, Progressão ou Direção se opuser ao Nodo Lunar Norte, significará que, ao mesmo tempo, ele tocará o Nodo Lunar Sul.

Este, por sua vez, está relacionado ao passado e serve como o ponto de partida que define a trajetória do seu crescimento espiritual. Já Júpiter tem como função *protegê-la/o*, mostrar resultados e expandir seus horizontes.

A passagem de Júpiter pelo Fundo do Céu indicará que algum tipo de resgate deverá ser feito, o que facilitará a compreensão do fluxo natural do seu destino. Essas experiências estarão intimamente ligadas a coisas que, em geral, estão guardadas nas profundezas do seu inconsciente e que, em momentos como esse, vêm à tona. Bastará um fato ocorrer para que a memória se encarregue disso. As lembranças e os sentimentos contidos poderão causar alegria ou dor, dependendo da qualidade do que tiver sido impresso no passado.

Também os encontros ao longo desse período serão significativos no que diz respeito ao desenvolvimento espiritual. E mais: fique *atenta/o* às emoções e intuições, pois darão dicas importantíssimas e esclarecerão muita coisa confusa.

Se, por um lado, a memória do que você já viveu *a/o* ajudará em exercícios que exijam concentração e foco, por outro qualquer trauma ou dificuldade já experimentada poderá *impedi-la/o* de seguir em frente com confiança. Portanto, se não for o caso de precisar resgatar o que você deixou pra trás como uma viagem que você não fez e que queria fazer, um curso não concluído ou um teste que não teve coragem de enfrentar, o melhor nesse momento será resolver o que estiver obstruído e deixar para fazer atividades semelhantes em um tempo mais tranquilo.

Em contrapartida, você poderá contatar lugares, *mestras/es* e informações que serão pura libertação. Desse modo, a alma agradecerá por receber do passado a possibilidade de caminhar para a frente e evoluir espiritualmente.

Por fim, como Júpiter tem a ver com as leis e a Justiça, o envolvimento com esses assuntos durante a vigência desse Aspecto precisará ser tratado com atenção para que você não fique *presa/o* às ações do passado e possa resolvê-las adequadamente.

Júpiter em Aspecto com a Roda da Fortuna

Esse será o encontro entre dois simbolismos que falam de proteção e boa sorte. Tanto Júpiter quanto a Roda da Fortuna têm como função facilitar o bom fluxo dos acontecimentos, atuando principalmente quando as dificuldades batem à sua porta.

- FORÇAS ATUANTES: expansão, ampliação da consciência, confiança, proteção, sorte e merecimento
- ÁREAS DE ATUAÇÃO: boa sorte e fluidez
- ASPECTOS FAVORÁVEIS: Conjunção, Sextil e Trígono

Ao atravessar esse período, você poderá encontrar mais facilmente soluções para os seus problemas, a sua estrela brilhará e tudo passará a fluir com mais harmonia. Será importante compreender que esse Aspecto não fará sumir magicamente as dificuldades, mas a/o ajudará a resolvê-las com mais calma. Ademais, você sentirá os ventos soprarem a favor dos seus desejos e, por isso, usufrua as bênçãos concedidas nesse momento — você será *merecedora/merecedor* delas. A ideia é entrar no fluxo de energias que lhe façam bem e saber ser *grata/o*. Ainda que você não reconheça esses presentes, certamente no futuro compreenderá o quão generosa a vida foi com você.

Além do mais, Júpiter simboliza a capacidade de confiar na bondade da própria vida. Por isso, o segredo será abrir o coração e deixar a confiança brotar em seu interior. Saiba que o Universo é capaz, sim, de conspirar a seu favor.

E mais um detalhe prático: entre os assuntos mais afetados favoravelmente por esse Aspecto, estão os que envolvem as leis e a Justiça; os estudos e as provas; as pesquisas e as apresentações de trabalho; as folgas, as férias e as viagens. Por conseguinte, aproveite o brilho da sua estrela, as portas que se abrirão no decorrer do seu caminho e o otimismo dessa fase. Seja, portanto, feliz!

- ASPECTOS DESAFIADORES: Quadratura e Oposição

O desafio desse momento será encontrar maneiras de fazer a vida fluir com mais desenvoltura, deixando de lado a expectativa de que sua estrela brilhará e resolverá todos os seus problemas.

O fato de não sentir proteção nesse período não significará que as coisas necessariamente darão errado. Será apenas um breve instante em que o fluxo e o movimento da vida andarão meio atrapalhados. Por isso, não abuse da sorte nem aja com excesso de autoconfiança, pois ambas as atitudes poderão gerar algum tipo de dor de cabeça. Aproveite para reconhecer quanta riqueza existe em você e quantos benefícios a vida já lhe concedeu.

Na prática, os assuntos mais afetados por esse Aspecto serão aqueles representados por Júpiter, ou seja, os que tratam das leis e da Justiça; dos estudos; das viagens e das férias. Sendo assim, você terá que dobrar as atenções para alcançar os objetivos planejados. Lembre-se ainda de que, em se tratando desse Planeta, os excessos poderão prejudicar seu rendimento, dilatar falsamente suas expectativas e *levá-la/o* a gastar mais energia do que o necessário. O segredo será descansar um pouco para repor os esforços gastos.

Júpiter em Aspecto com Quíron

Um Trânsito, uma Progressão ou uma Direção de Júpiter sempre será uma oportunidade para você ampliar a consciência, e, quando for com Quíron, essa expansão se relacionará ao poder de cura, pois aquilo que costuma causar dor provavelmente se evidenciará.

- FORÇAS ATUANTES: expansão, ampliação da consciência, confiança, proteção, sorte e merecimento
- ÁREAS DE ATUAÇÃO: saúde e autoconhecimento

ATENÇÃO: a Conjunção poderá ser vivida de maneira favorável, porém também evidenciará desequilíbrios que devem ser estudados na interpretação dos Aspectos desafiadores. Portanto, não deixe de analisá-la igualmente nesse viés.

- ASPECTOS FAVORÁVEIS: Conjunção, Sextil e Trígono

Já que uma das principais funções do maior Planeta do Sistema Solar é a de amplificar a consciência, sua influência em Trânsito, Progressão ou Direção sobre Quíron sugerirá que aquilo que costuma doer deverá incomodar mais do que o habitual e, por ser um Aspecto favorável, haverá grande chance de cura, evitando sofrimento e mal-estar. O segredo será cuidar bem da sua saúde e buscar o que for necessário para minimizar as dores causadas pelas feridas abertas ao longo da vida. Feito isso, você sentirá o quanto suas fronteiras se expandirão e colherá os frutos do bem-estar.

Também toda a experiência relacionada ao simbolismo de Quíron tem a ver com aprendizado, já que na mitologia ele, além de médico, é professor e mestre. Portanto, não apenas sob o ponto de vista da aquisição de conhecimento, assim como no contato com pessoas que possam *guiá-la/o*, esse será um tempo muito especial.

A essas experiências soma-se a relação de Júpiter com as viagens, sejam elas geográficas, mentais ou espirituais. Viajar poderá *levá-la/o* a curar algo que dói, não sem antes tocar tal ferida. Serão, por isso, viagens curativas, da alma ou do corpo. O que realmente importará será que volte *revigorada/o*.

Quanto às questões acerca das leis, da ética e da Justiça, se por algum motivo precisar se curar de algum trauma gerado por uma injustiça ou necessitar restaurar os direitos que porventura tiverem sido ou estiverem ameaçados, essa será uma boa hora para fazê-lo.

Nessa época você poderá contar com a ajuda da sua estrela da sorte nas questões que forem mais difíceis para cuidar *sozinha/o*. Entretanto, não se esqueça sempre de fazer a sua parte para que os resultados positivos possam ser alcançados.

· ASPECTOS DESAFIADORES: Quadratura e Oposição

A tensão exercida por Júpiter sobre Quíron produzirá um aumento da sua sensibilidade às dores, especialmente aquelas mais incômodas. Os traumas e as feridas abertas pelas crises da vida ficarão inflamados para que você tome as providências necessárias, cuidando do que lhe causa sofrimento.

A dica é que você trate da sua saúde com consciência e não abuse do que for prejudicial, seja para o corpo físico, seja no domínio psíquico ou no espiritual. Não se desgaste demais e poupe energia para potencializar os efeitos dos tratamentos.

Já que tanto Júpiter quanto Quíron se referem simbolicamente *às/aos mestras/es*, haverá questionamentos acerca de quem você segue ou qual o caminho que melhor *a/o* orientará. Não será hora de acreditar piamente em alguém, tampouco de achar que sua estrela da sorte resolverá seus desequilíbrios. Mais uma vez, será a ocasião de confiar em quem cuida bem de você, mas não sem participar do processo de cura. Deixar tudo nas mãos do outro e não fazer a sua parte não será benéfico.

Ainda em relação *às/aos* guias, o aprendizado será mais dificultoso e, no momento, os esforços poderão exceder os limites da sua potencialidade mental. Fique *atenta/o* aos excessos e se concentre no que for importante.

Cuide do seu estado físico em viagens. Qualquer mal-estar deverá ser tratado previamente para que não venha a atrapalhar quando estiver fora do alcance *das/dos suas/seus* terapeutas de confiança. E, quanto às leis, assunto tratado na simbologia de Júpiter, não ultrapasse os limites por elas determinados e tente ser o mais *justa/o* possível para não causar sofrimento a ninguém.

Júpiter em Aspecto com Lilith

O Trânsito, a Progressão ou a Direção de Júpiter com Lilith fará aflorar os desejos contidos, explorar mais profundamente a liberdade emocional e aprender a lidar com a alegria e a solidão. Os dois Astros envolvem símbolos bastante distintos e, por esse motivo, será preciso usar a sabedoria de um lado; e de outro, a intuição.

· FORÇAS ATUANTES: expansão, ampliação da consciência, confiança, proteção, sorte e merecimento
· ÁREAS DE ATUAÇÃO: sexualidade, desejo, insubordinação e emoções profundas

ATENÇÃO: por ser Lilith um símbolo de tabus, a Conjunção será quase sempre vivida de forma desafiadora. Entretanto, se houver espírito livre, ela será também experimentada de maneira benéfica. Portanto, não deixe de avaliar igualmente a interpretação dos Aspectos favoráveis.

· ASPECTOS FAVORÁVEIS: Sextil e Trígono

A ação amplificadora de Júpiter sobre Lilith do Mapa Natal provocará um tempo em que as forças mais profundas e obscuras da sua psique emergirão e criarão um cenário de sedução, seja na sua afetividade, seja nas questões acerca da sua sexualidade. Você poderá sentir, igualmente, a libido aflorar e adotar uma postura mais libertária em relação aos prazeres.

Aliás, sua estrela da boa sorte deverá aquecer suas experiências afetivas e sexuais. Se seu padrão for o de envolvimento com pessoas que provocam sofrimento ou de se submeter ao que não deseja, nessa fase ela brilhará para que você se liberte desses sofrimentos. Será um ótimo período para você avaliar se tem dado ou não espaço para o lazer e o sexo. Tudo ficará muito mais intensificado do que o habitual, e, ao mesmo tempo, você poderá aprender a evitar os excessos que geram frustrações.

Outro aprendizado associado ao simbolismo de Lilith será o de lidar melhor com as separações. Por isso, experimente viver com liberdade e desapego e procure compreender que, às vezes, será preferível estar só a vivenciar situações que não satisfaçam os seus desejos mais íntimos. Nesse momento, um afastamento poderá ajudar você a enxergar com muita clareza o que não anda bem nas suas relações, principalmente as da esfera amorosa.

No âmbito prático da vida, Júpiter rege os estudos, a busca por conhecimento e viagens, ou seja, tudo o que possibilita alargar os horizontes e enxergar mais longe. No caso desse Aspecto, os assuntos profundos, ocultos ou tabus estarão em alta. Evidentemente que essa configuração colaborará para pesquisas que visem a descobertas e, consequentemente, para o uso da intuição. Ademais, o interessante será viajar bem *acompanhada/o* e quebrar as regras, sempre tomando cuidado para não ultrapassar os limites da sua segurança pessoal.

Falar de Júpiter é tratar igualmente dos direitos, das leis e da Justiça. Pois, durante essa fase, valerá a pena enxergar o que se esconde nos bastidores, os jogos de manipulação. Revelado o que estiver obscuro, você terá grandes chances de obter bons resultados.

· ASPECTOS DESAFIADORES: Conjunção, Quadratura e Oposição

O fato de o simbolismo de Lilith estar associado aos desejos reprimidos e estar submetido ao Aspecto tenso de Júpiter significará que as emoções profundas e obscuras da sua psique emergirão e criarão uma atmosfera do tipo sedução-repulsão, deixando dúvidas tanto em relação aos afetos quanto ao que diz respeito à sexualidade.

Ao virem à tona, certos desejos ocultos poderão produzir ou desconforto, ou frustração. Quanto mais você evitar o contato com seus tabus, mais difícil será superá-los.

Outra experiência amplificada pela ação do Planeta gigante será a do sentimento de solidão e, muitas vezes, de isolamento e desamparo. Sendo assim, sentir solidão, não correspondência ou "exílio" será absolutamente comum durante o tempo em que vigorar esse Aspecto. O importante será você compreender que a dependência emocional pode ser um forte motivo de cobranças e insatisfação nas relações. Por isso, experimente agir com mais desapego.

Aliás, não espere que a sua estrela da boa sorte faça o que, *sozinha/o*, você precisa realizar. A dica é aprender a fazer contato com o que é somente seu e que não pode ser partilhado com mais ninguém.

Nesse período da vida, muita coisa ficará desregulada, e as referências de prazer deixarão de funcionar. Por esse motivo, certos anseios não serão satisfeitos ou a sua realização deixará um sabor de frustração. A libido também sofrerá com esse desequilíbrio. As energias sexuais tenderão a se desajustar e, se for o caso, provocarão dificuldades de relacionamento. Essa será, portanto, uma grande oportunidade de lidar com esses assuntos, libertando-se do que *a/o* aprisionar e, ao mesmo tempo, aprendendo a dizer "não" quando uma situação contrariar as suas vontades mais profundas.

Outro aspecto relacionado ao Planeta gigante é o das leis e da Justiça. Nesse momento, se você estiver *envolvida/o* com algum problema dessa ordem, procure não entrar nos jogos de manipulação emocional. Antes, sim, tente desvendar o que se esconde nos bastidores e perceba o quanto isso *a/o* ajudará no esclarecimento dessas questões.

Por fim, a simbologia de Júpiter é também a responsável pelo desejo de ampliar as fronteiras do conhecimento geográfico, mental ou espiritual. Então, se for estudar, prestar uma prova ou viajar, fique *atenta/o* às pressões que geram estresse psíquico, não se deixe manipular por *professoras/es* ou *alunas/os* e tenha cautela com os conflitos emocionais que poderão exaurir suas energias durante uma viagem. No mais, havendo segurança, aproveite para explorar o que você ainda não conhece e viva um momento libertário da sua vida.

Trânsitos, Progressões e Direções de Saturno

A função dos Trânsitos, das Progressões e das Direções de Saturno será conter, organizar, disciplinar e trazer uma estrutura segura aos assuntos representados pelos Planetas ou Pontos Virtuais com os quais ele formar um Aspecto, favorável ou desafiador. Esses Astros ou Pontos serão contemplados pela maturidade e pela força de vontade. Os desafios a serem enfrentados durante a vigência desses Aspectos estarão relacionados ao reconhecimento dos limites e à reparação dos erros.

INTENSIDADE DO TRÂNSITO: 6

INTENSIDADE DA PROGRESSÃO: 4

INTENSIDADE DA DIREÇÃO: 7

Saturno em Aspecto com o Sol

De naturezas muito distintas, a interação entre os dois Planetas produzirá disciplina e organização. A função do Trânsito, da Progressão ou da Direção de Saturno sobre o Sol será a de regular as ações do ego, estruturando e amadurecendo a consciência de quem você é ou deseja ser.

· FORÇAS ATUANTES: organização, disciplina, perseverança, responsabilidade, prudência e previsão
· ÁREAS DE ATUAÇÃO: consciência, vontade, vigor e autoconfiança
· ASPECTOS FAVORÁVEIS: Sextil e Trígono

O Sol no Mapa do seu nascimento simboliza o princípio luminoso, a energia vital e a alegria de viver. No que lhe diz respeito, Saturno em Trânsito, Progressão ou Direção provocará o senso de dever e responsabilidade. Será sempre uma oportunidade ímpar de organização. Com o Sol, essa ordem poderá se estender para tudo o que for essencialmente importante na sua vida. Em primeiro lugar, haverá maior autoconfiança. Em segundo, a área profissional certamente será beneficiada. Haverá tempo suficiente para você realizar o que for necessário, e os empreendimentos iniciados durante esse período serão sólidos, de modo que tenderão a produzir bons resultados por um longo tempo.

Também será possível que lhe seja oferecido assumir algumas responsabilidades, em razão de transmitir para as outras pessoas mais segurança em si. De fato, isso acrescentará algo de significativo, e esses passos garantirão estabilidade no futuro.

Haverá firmeza e autodeterminação para atingir mais facilmente seus objetivos ou, pelo menos, concluir aquilo que tiver sido iniciado anteriormente. Ainda que com alguma reserva, você poderá se tornar o centro das atenções. Por meio desse magnetismo pessoal, você será mais *respeitada/o* e *reconhecida/o*. Ademais, haverá a tendência de se aproximar das pessoas pelas quais você tem admiração.

Entretanto, uma das melhores aquisições do momento será a de encontrar a sua própria medida. Ser aquilo que, em essência, você realmente é. Por fim, será aconselhável: pôr em ordem o seu bem-estar físico, mantendo sua saúde em dia; saber fazer bom uso da autoestima, emanando luz e brilho na quantidade certa; e manter disciplina nas atividades produtivas. Se essas dicas forem seguidas, você será *bem-sucedida/o* e ficará *orgulhosa/o* de si, porém sem afetação.

· ASPECTOS DESAFIADORES: Conjunção, Quadratura e Oposição

Ao exercer pressão sobre o Sol, Saturno cobrará, além de disciplina e responsabilidade, que verifique o que está dando certo ou não para você. Portanto, passar por esse Aspecto significará refletir como você tem conduzido sua vida até então. As falhas ficarão evidentes, você se confrontará com suas dificuldades, analisará a sua autoconfiança e será *testada/o* para que reconheça os seus limites.

Será preciso fazer um balanço de tudo aquilo que você considera essencial para viver bem. Por essa razão, tente se concentrar naquelas áreas que não estão ainda bem resolvidas, procure soluções objetivas e, caso não consiga de fato encontrá-las, não force.

Suas capacidades serão postas à prova e, se você verificar que seu desempenho não anda lá essas coisas, será hora de avaliar o porquê e tentar resolver da melhor maneira possível. Ao mesmo tempo, tudo parecerá ficar mais lento, obstruído e pesado. O motivo talvez seja baixa de energia, desgaste e, até mesmo, estresse causado pela sobrecarga de atividades, principalmente quando associadas à sua carreira. Portanto, esse será o momento certo para se organizar e cortar excessos.

Também será muito mais difícil fazer valer a sua vontade, o que poderá produzir desentendimentos e mal-estar com pessoas às quais você estiver *subordinada/o*. Ainda que acredite estar com a razão, certamente existirão barreiras impedindo que sua posição seja reconhecida. Evite se expor. Todavia, se for preciso, faça-o com moderação. Além disso, a autoexigência excessiva poderá desenvolver bloqueios quando você for se expressar. Busque, então, aceitar as próprias falhas, corrigi-las e seguir adiante sem carregar culpas.

Sendo o Sol o Astro que simbolicamente está associado à vitalidade, economize suas energias, cuide da sua saúde e respeite os seus limites físicos. Se assim for feito, os hábitos saudáveis adquiridos nessa época poderão ser mantidos por um tempo maior. Caso contrário, o preço de tudo que ultrapassar suas limitações será cobrado mais tarde.

Saturno em Aspecto com a Lua

Saturno reina no universo das certezas, do cálculo e da razão. Por sua vez, a Lua se encarrega das funções de cuidar, emocionar e proteger. Assim, a atuação do Planeta dos anéis sobre o nosso satélite terá como função estruturar as bases que sustentarão o seu bem-estar emocional.

- FORÇAS ATUANTES: organização, disciplina, perseverança, responsabilidade, prudência e previsão
- ÁREAS DE ATUAÇÃO: intuição, sensibilidade, afetividade, lembranças do passado, família e casa
- ASPECTOS FAVORÁVEIS: Sextil e Trígono

Saturno em Trânsito, Progressão ou Direção será sempre uma grande prova de resistência, testando as suas limitações. Como nesse caso o Aspecto agirá de forma favorável, a sua intuição será assertiva, você poderá confiar na sua sensibilidade e sentirá maior estabilidade emocional. Tudo o que se relacionar à afetividade será vivido de forma moderada, uma das mais importantes qualidades do deus do tempo.

Além do mais, de posse da consciência dos seus limites emocionais, você não se deixará levar exclusivamente pelas emoções. Estas virão acompanhadas de reflexões e de muita racionalidade. Ainda que a razão prepondere sobre a emoção, você não deixará a doçura de lado. Por esse motivo, as atitudes firmes, aquelas que normalmente demonstram assertividade, não serão traduzidas como falta de afetividade. Pelo contrário, indicarão atenção e cuidado. E, para quem tem *filhas/os*, esse poderá ser um momento muito especial para se orientar em relação à educação e ao relacionamento com *elas/es*. Aproveite para aparar as arestas, caso elas existam, e estabelecer os limites que *as/os* ajudarão a se desenvolver de maneira saudável.

Durante esse período, será possível equilibrar o pêndulo das emoções que, vira e mexe, oscila ou até mesmo coloca a vida de cabeça para baixo. A primeira dica é definir com clareza o que é importante ou não para que você se sinta *segura/o* emocionalmente. Depois, cabe resolver as mágoas e os ressentimentos acumulados, em especial os que envolverem as pessoas do seu convívio íntimo e/ou familiar.

Tudo isso será fruto do seu amadurecimento emocional, e não só você, mas todos ao seu redor sairão ganhando. Será uma boa hora de oferecer ajuda e reconhecer, igualmente, que você tem com quem contar. O que importará, verdadeiramente, não será a quantidade, porém a qualidade das suas relações. Para finalizar, não podemos deixar de falar sobre os assuntos acerca da moradia, pois esta tem relação também com a simbologia lunar. Por conseguinte, essa será uma fase favorável para negociar um imóvel, escolher um lugar para morar ou mexer na sua casa e na organização doméstica. O fato de você estar exigente, mas dentro dos limites do razoável, ajudará a alcançar os objetivos desejados.

· ASPECTOS DESAFIADORES: Conjunção, Quadratura e Oposição

A passagem de Saturno em Trânsito, Progressão ou Direção com a Lua do Mapa do seu nascimento funcionará como uma importante prova emocional. Sentimentos pesados, como ressentimentos e mágoas que obstruem o bom fluxo da afetividade, sofrerão a pressão desse momento.

E o que poderá ser feito para aliviar essas tensões? Não se trata de algo muito fácil. Será necessário que você identifique se tais dificuldades têm origem em experiências passadas ou se foram produzidas pelo convívio com os problemas das outras pessoas tanto nas relações estreitas de trabalho quanto, em especial, nas familiares. Se for o primeiro caso, será preciso voltar no tempo e relembrar as situações causadoras de mágoa, dor ou sofrimento. Acolha sua fragilidade e se esforce para se liberar do aprisionamento trazido por esses sentimentos. Entretanto, se as adversidades forem provenientes de outras pessoas, tente ao máximo ajudá-las, mesmo que para isso tenha que sacrificar um pouco da sua vida pessoal. Porém, não se esqueça de que seus limites existem e devem ser respeitados.

Durante esse período, talvez você precise se afastar dos outros para entender o que sente em relação a eles e o que esperam de você. Portanto, para que as pessoas se sintam seguras, será importante deixar claro os motivos de tal atitude.

Em contrapartida, você também poderá se ressentir de um certo afastamento ou frieza alheios. Evidentemente, as dificuldades de relacionamento serão frequentes quando esse Aspecto estiver atuando. Todavia, lembre-se de que essa será uma excelente oportunidade para verificar a solidez ou a fragilidade dessas relações e, até mesmo, resolver os conflitos que impedem a boa convivência.

Por fim, será essencial ressaltar ainda que nessa época os assuntos domésticos e familiares serão complicados de administrar. Você poderá ter que resolver questões antigas e que exigirão maior atenção. A dica é racionalizar e priorizar o que não deve ser adiado. Por outro lado, essa não será uma ocasião favorável para negociar um imóvel ou mesmo decidir sobre um novo lugar para morar. Assim, adie a decisão até que cessem as pressões. Caso contrário, faça tudo com muita calma e leve em consideração que nem tudo sairá como você idealizou.

Saturno em Aspecto com Mercúrio

Mercúrio, o deus da comunicação na mitologia, simboliza no seu Mapa de Nascimento a potência intelectual e a arte de se comunicar bem. Por sua vez, Saturno em Trânsito, Progressão ou Direção tem como função provocar o amadurecimento e fazer com que você reconheça, aceite e estabeleça os seus limites.

- FORÇAS ATUANTES: organização, disciplina, perseverança, responsabilidade, prudência e previsão
- ÁREAS DE ATUAÇÃO: comunicação, estudos, mobilidade, viagens e negócios
- ASPECTOS FAVORÁVEIS: Sextil e Trígono

O fato de Saturno atuar favoravelmente sobre a potência representada por Mercúrio significará que você terá uma boa fluência na comunicação, empregará as palavras com sabedoria e não perderá o foco. Dito isso, certamente, obterá a compreensão de *suas/seus interlocutoras/interlocutores*, e os resultados serão animadores. Aliás, será preciso ressaltar que essas facilidades operarão em várias áreas, até mesmo nos assuntos profissionais.

Mas qual será a origem dessas habilidades? Em primeiro lugar, sua mente funcionará de forma ordenada, e você não se perderá nos pensamentos. Os que forem desnecessários serão eliminados, restando os que, de fato, forem valiosos. Em segundo, haverá mais cuidado ao expor seu ponto de vista ou falar sobre os seus desejos, seja qual for o meio de comunicação empregado. O segredo será aproveitar essa fase para dizer o que for preciso, reunir-se com pessoas para trocar ideias, chegar a acordos e resolver tudo o que estiver relacionado à linguagem, aos negócios e às transações comerciais.

Por haver maior poder de concentração, será possível fazer progressos nas atividades que exijam disciplina intelectual. Assim, adiante-se nos estudos, nas pesquisas, revise o que já tiver sido feito e corrija eventuais falhas existentes.

Caso você vá programar alguma viagem ou já estiver viajando, a dica é planejar o que fazer, tomando a decisão de selecionar menos programas, mas, em contrapartida, com tempo suficiente para levar até o fim cada um que seja, de fato, do seu interesse.

· ASPECTOS DESAFIADORES: Conjunção, Quadratura e Oposição

O primeiro grande desafio a ser enfrentado durante a passagem desse Aspecto será o de empregar as palavras com sabedoria e maturidade. O fato é que, se você falar demais, haverá problemas; se faltar algo a dizer, haverá mal-entendidos. Resultado: comunicar-se provavelmente será motivo de desgaste.

O segundo será organizar seus pensamentos e ser capaz de se concentrar em meio ao turbilhão das tarefas às quais você estiver *submetida/o*.

As mesmas dificuldades poderão ocorrer em atividades que exijam concentração e agilidade mental, como estudos, provas ou uma apresentação de trabalho. O que você poderá fazer para obter um bom rendimento nesses assuntos? Primeiramente, ponha a mente para funcionar e organize as ideias. Desfaça-se de todos os pensamentos dispersivos e, naturalmente, desnecessários. Depois, concentre-se no que deve ser assimilado ou transmitido às pessoas, ficando *atenta/o* ao peso que dará ao vocabulário. Mantenha-se *ligada/o*, pois o que for dito poderá trazer consequências indesejáveis por um longo tempo. Aliás, por Saturno representar o campo das realizações, não esqueça que esses efeitos poderão prejudicar igualmente o seu reconhecimento profissional.

Prosseguindo, procure ser o mais *precisa/o* e *verdadeira/o* possível sem ser *dura/o*. Entretanto, será preferível observar a dar opiniões. Se der, evite fazer contatos que visem a algum tipo de apoio ou favorecimento. Também esse não será o momento mais conveniente para negociar ou fechar acordos. Espere passar esse tempo para que se assegure de estar dando o passo certo. Se não for possível, seja extremamente prudente, leia as entrelinhas e esclareça todas as dúvidas que passarem pela sua cabeça.

Ademais, caso você vá programar férias, alguma viagem ou já esteja viajando, tenha atenção com seus documentos e com os tratos burocráticos. Será melhor não se ocupar de programas exaustivos, principalmente se você pensa em fazer muitas atividades. O ideal será se esquivar de tudo o que puder *dispersá-la/o*. E, para finalizar, tenha consciência de que passar por um Trânsito, uma Progressão ou uma Direção de Saturno será sempre um teste. Nesse, a prova será saber coordenar as inúmeras práticas que fazem parte da sua rotina. Portanto, evite excessos para que possa obter bons resultados.

Saturno em Aspecto com Vênus

Como Saturno em Trânsito, Progressão ou Direção tem a função de solucionar problemas crônicos, reparar os danos, organizar e estruturar, quando ele estiver em Aspecto com Vênus, estarão em jogo a autoestima, o amor, o prazer e a obtenção de estabilidade material.

- FORÇAS ATUANTES: organização, disciplina, perseverança, responsabilidade, prudência e previsão
- ÁREAS DE ATUAÇÃO: autoestima, amor, beleza, sexualidade e recursos materiais
- ASPECTOS FAVORÁVEIS: Sextil e Trígono

Para começar, deve-se saber que o Trânsito, a Progressão ou a Direção com Vênus estimulará as experiências emocionais e provocará a necessidade de amar e ser *amada/o*. No caso desse Aspecto, a Saturno caberá a tarefa de promover maturidade afetiva, responsabilidade com os relacionamentos e segurança material.

O amor será compreendido de forma realista, excluindo todos os excessos e colocando as coisas nos seus devidos lugares. Você se tornará mais exigente em relação às suas parcerias ou mesmo às pessoas do seu convívio pessoal. Será hora de estabelecer limites, respeitar o modo de ser de cada *uma/um* e resolver aqueles problemas que costumam se repetir.

Esse será também um momento de definições e de fazer escolhas maduras. Será possível reconhecer a importância de um relacionamento, pesar os prós e os contras e acolher as suas limitações. Um período como esse será sempre um teste que porá à prova os sentimentos e a satisfação amorosa e sexual. A dica é aproveitar esse tempo para pôr em ordem o que *a/o* incomodar e solidificar o que for bom. A associação favorável entre os dois Planetas estimulará a construção de relações estáveis, nem que para isto seja necessário empreender um esforço maior do que o habitual. Os resultados serão sentidos mais tarde, porém os ganhos serão permanentes. E mais, os encontros que eventualmente venham a ocorrer nessa fase trarão a promessa de segurança e durabilidade.

Quanto ao trabalho, essa será a ocasião ideal para o reconhecimento do valor das suas capacidades, até mesmo no que diz respeito à remuneração. O segredo será investir na organização da sua vida financeira, definir as prioridades materiais, aplicar bem os seus recursos e esperar os resultados que virão futuramente.

Em relação à vida sexual, esse Aspecto será favorável para que você se sinta mais *seguralo* com sua sexualidade e que saiba acolher os desejos *dalo parceiralo*. Será uma época de amadurecimento e compreensão de que suas limitações podem e devem ser superadas.

· ASPECTOS DESAFIADORES: Conjunção, Quadratura e Oposição

Devido aos desafios representados por esse Aspecto estarem relacionados ao amor e à sexualidade, as inseguranças emocionais e a carência afetiva baterão à porta e poderão abalar a paz dos seus relacionamentos. Os mecanismos de defesa entrarão em ação, podendo até bloquear sua afetividade. Se por um lado você poderá entrar num jogo de cobranças; por outro, poderá negar seus sentimentos, recusar se relacionar ou, simplesmente, afastar-se das pessoas queridas.

Pois então, quais serão os motivos prováveis dessas inseguranças? Evidentemente os problemas desse período tiveram origem em momentos anteriores. As insatisfações provavelmente estarão acumuladas, e as dificuldades, se repetindo. Se for esse o caso, faça uma pausa para refletir, olhar para trás e identificar a origem dos desentendimentos e das inseguranças. Feito isso, será preciso reunir forças para resolver aquilo que *alo* impede de se estabilizar emocionalmente. Talvez seja preciso ficar um pouco mais distante das pessoas, para que possa avaliar melhor o que sente por elas e o que esperam de você. Portanto, para essa atitude não produzir desconforto, será conveniente deixar claro o porquê de tal afastamento.

A grande dica para essa fase será não forçar nada, principalmente em relação aos sentimentos alheios. Se você sentir desejo por alguém e não for *correspondidalo*, fique na sua e espere. Prudência será a virtude que melhor se adequará aos tempos em que Saturno estiver atuando.

Antes de tomar qualquer decisão na esfera emocional, lembre-se de ponderar seus desejos distinguindo o que é fruto da sua carência do que é, de fato, uma insatisfação bem fundamentada. Mas, veja bem, quando for resolver algum problema de relacionamento, tente não ser *dura/o* demais. A doçura será o meio mais eficiente para que suas reivindicações sejam acolhidas. Todavia, se, ao contrário, for você quem estiver sendo *cobrada/o*, reaja com maturidade e trate tais questões usando a razão e a sensibilidade.

É provável, ainda, que não se sinta *amada/o* como gostaria. Mais uma vez, haverá a chance para refletir sobre o que não anda dando certo no modo de se relacionar. Será importante avaliar se não está se subordinando a determinadas condições desconfortáveis por carência ou insegurança emocional. O certo é que os relacionamentos se tornarão mais difíceis, *provocando-a/o* a resolver de forma madura o que *a/o* impede de se sentir *segura/o* afetivamente.

As mesmas sensações poderão ocorrer em relação à vida sexual. Esse será um momento relevante para resolver conflitos, especialmente os recorrentes. Seja racional e saiba impor limites. Saber dizer "não" será um bom caminho para garantir segurança e tranquilidade.

Para concluir, como Vênus está associada também ao conforto, essa poderá ser uma época em que venha a sofrer algumas restrições materiais. Portanto, organize-se financeiramente, evite gastos desnecessários ou investimentos de risco e espere por uma oportunidade mais folgada para fazê-los.

Saturno em Aspecto com Marte

No Mapa do seu nascimento, Marte é o responsável pelas experiências que necessitam do emprego de energia física, pelas tomadas de decisão importantes, pela autoconfiança e pelo exercício da virtude da coragem. Um Trânsito, uma Progressão ou uma Direção de Saturno sempre será uma prova, e, nesse caso, talvez seja uma das mais duras, principalmente por testar a paciência e os domínios tanto da impulsividade quanto da agressividade.

· FORÇAS ATUANTES: organização, disciplina, perseverança, responsabilidade, prudência e previsão

· ÁREAS DE ATUAÇÃO: autonomia, autoconfiança, competição, liderança, disposição física e saúde

· ASPECTOS FAVORÁVEIS: Sextil e Trígono

ASPECTOS EM TRÂNSITOS, PROGRESSÕES E DIREÇÕES

Para começar, os efeitos favoráveis desse Aspecto poderão ser sentidos em qualquer área da vida, mas, se for nas que envolverem competição, como na profissional ou na esportiva, a intensidade será bem maior.

De mais a mais, seja em que frente for, haverá firmeza nas suas atitudes, determinação e, principalmente, perseverança para alcançar os objetivos traçados. Aproveite esse bom momento e deixe claro o que você quer, lute por autonomia, encare com coragem os desafios e faça com que as outras pessoas respeitem a sua vontade.

Em geral, um Trânsito, uma Progressão ou uma Direção com Marte do Mapa Natal *a/o* estimulará a ter iniciativa, porém, quando esse é provocado por Saturno, os seus impulsos serão racionalizados, ponderados e, principalmente, cautelosos. Você não dará um passo sem antes conferir a firmeza do solo em que estiver pisando. Use a energia disponível nesse período para tudo que exigir obstinação. Por exemplo: se você tem dificuldade de iniciar uma atividade física, uma dieta ou mesmo um empreendimento, essa será a ocasião ideal para fazê-lo. Os resultados serão sentidos a médio e longo prazo, exatamente da maneira como você tiver planejado.

Um dos maiores atributos dessa época será unir a coragem à prudência, o que significará haver maior responsabilidade em atitudes e ações. As decisões tomadas ao longo dessa fase serão fruto do amadurecimento de ideias que, com o tempo, consolidaram-se. Ademais, se for enfrentar algum tipo de competição, esse Aspecto permitirá que seus esforços se concentrem no objetivo de conquistar a vitória e, se costuma ser impaciente, será possível controlar-se melhor, mesmo em situações sob pressão. Entretanto, se tender à passividade, ganhará ânimo e disposição. E, para concluir, não deixe de investir no bem-estar físico e na saúde. Coloque em dia a imunidade e o vigor do seu corpo.

· ASPECTOS DESAFIADORES: Conjunção, Quadratura e Oposição

Devido à pressão exercida por esse Aspecto, provavelmente você terá a impressão de que todos resolveram *contrariá-la/o*, que o Universo conspira contra você, aparentemente para causar irritação. Na verdade, não será bem assim. Parte da dificuldade se encontrará no fato de haver pouca tolerância a toda e qualquer provocação. Fique *atenta/o* principalmente às pressões exercidas pelas áreas que envolvem competição, como a profissional e a esportiva. De resto, haverá situações realmente difíceis e que devem ser enfrentadas de modo firme, mas sem perder a cabeça. Isso, aliás, será algo que deverá evitar fazer durante esse período. De nada adiantará bater o pé quando a adversidade for maior do que você é capaz de suportar. Dependendo da situação, será preferível ceder a sair *ferida/o*. Se você se descontrolar por algum motivo, deixe a temperatura esfriar antes de tomar quaisquer decisões. Evite forçar a barra para conseguir o que deseja. Tanto as escolhas quanto a pressão excessiva para atingir um objetivo poderão ser motivo de arrependimento posteriormente.

O segredo será aproveitar os desafios para amadurecer *a/o sua/seu guerreira/o* que, nesse momento, se encontrará *enfraquecida/o*. Outra dica importante é respeitar seus limites, saiba que nem sempre você terá toda a energia do mundo disponível e que será preciso descansar. Se pretende começar algo difícil e que exija perseverança e força de vontade, primeiro prepare-se, para apenas depois tomar a iniciativa.

É provável, ainda, que haja esgotamento físico decorrente do acúmulo de tensões. Estas provocarão igualmente atitudes agressivas e descuido com o corpo. Procure, portanto, fazer atividades físicas, porém moderadamente. Lembre-se o tempo todo de que o essencial será ter prudência sem, entretanto, perder a coragem. Ao associar essas duas virtudes, você evitará os possíveis acidentes provocados pela falta de paciência, disciplina ou tolerância.

Saturno em Aspecto com Júpiter

Saturno em Trânsito, Progressão ou Direção provocará a necessidade de resolver pendências, de se organizar e de reconhecer os limites. Ao agir sobre Júpiter do Mapa do seu nascimento, a confiança nos seus ideais e seu caminho de evolução pessoal serão postos à prova para que você prossiga com segurança na jornada da vida.

· FORÇAS ATUANTES: organização, disciplina, perseverança, responsabilidade, prudência e previsão
· ÁREAS DE ATUAÇÃO: metas, leis, crenças, ideais, justiça, estudos e viagens
· ASPECTOS FAVORÁVEIS: Sextil e Trígono

Uma das experiências importantes associadas a esse Aspecto será saber que você poderá contar com a ajuda pontual e precisa da sua estrela da boa sorte. A maioria das coisas feitas durante esse período terá tudo para dar certo. Trata-se de um esforço bem dirigido, de uma disciplina que a/o ajudará a levar adiante aquilo que se propôs alcançar.

Antes de mais nada, os efeitos favoráveis dessa conexão serão sentidos principalmente no trabalho e na evolução da produtividade. Você poderá ser reconhecida/o pelas suas melhores qualidades e, desse modo, subir alguns degraus na escala de valores da sua carreira. No mais, em qualquer setor da vida, as metas serão bem definidas e não haverá dúvidas quanto aos seus objetivos. As obrigações serão cumpridas sem grandes dificuldades, pois você saberá que será possível obter resultados animadores. Nada será mais estimulante do que realizar o que se idealizou — organize-se para tal e vá em frente, ainda que moderadamente.

Durante qualquer Trânsito, Progressão ou Direção de Saturno, você aprenderá a usar o tempo a seu favor. Pois então, não tenha pressa. No entanto, também não será o caso de ficar esperando eternamente que alguma coisa aconteça sem agir. Uma coisa será certa: você se organizará muito melhor, e os empreendimentos iniciados nesse período prometerão ter longa duração. Por isso, não deixe passar essa oportunidade.

O bom fluxo desse Aspecto também favorecerá assuntos relacionados aos seus direitos, portanto lute para que sejam respeitados. Além do mais, ponha em prática aquilo que considera justo. Aliás, no que diz respeito às leis e à Justiça, aproveite para resolver pendências dessa ordem.

Já que Júpiter é também simbolicamente o Astro responsável pelo alargamento das fronteiras, será esperado o bom desempenho em estudos e provas. A estratégia benéfica será priorizar os tópicos nos quais você apresenta mais dificuldade e deixar para o fim aqueles em que você se sente mais segura/o. Programando-se dessa maneira, verá excelentes resultados.

Outra ótima possibilidade será viajar ou tirar uns dias de férias. A dica é se organizar com racionalidade e curtir cada programa a seu tempo, sem pressa. Prefira realizar menos atividades a fazer várias pela metade.

· ASPECTOS DESAFIADORES: Conjunção, Quadratura e Oposição

As experiências associadas a Júpiter, como a confiança nos ideais e o caminhar na direção da evolução pessoal, serão testes de aprendizado durante esse Aspecto. Diversas vezes você se encherá de incertezas, imaginando que a sua estrela da boa sorte terá *a/o* abandonado. A bem da verdade, o que importará mesmo será que você, por conta própria, responsabilize-se por suas buscas e pela confiança de que é capaz de superar as barreiras que dificultam o seu desenvolvimento.

Em qualquer setor da vida, provavelmente você não se sentirá *segura/o* dos seus êxitos. Para que possa confiar que algo dará certo, será preciso estar com os pés bem plantados no chão e, ainda, verificar toda e qualquer possibilidade de frustração. Será melhor aguardar certo tempo até que tenha segurança suficiente para seguir adiante. Prefira parar a dar continuidade a algo que não prometa resultados agradáveis.

O reconhecimento nessa época não será comum. Por isso, será interessante ficar *atenta/o* às regras do seu trabalho e à evolução da sua produtividade. Os esforços feitos nessa direção *a/o* ajudarão a alcançar o desejado.

Essa época também não será propícia para fazer qualquer tipo de julgamento, pois provavelmente as avaliações não serão justas. Em relação aos seus direitos, a dica é que os conheça muito bem caso não estejam sendo respeitados. E, mesmo que ainda não consiga obtê-los nessa etapa, não desista. O tempo e a perseverança, características simbolizadas por Saturno, serão os responsáveis por conquistá-los. Por sua vez, não desrespeite os direitos dos outros nem ultrapasse os limites que possam prejudicá-los. Tudo na vida tem regras, e o mais importante será não as infringir. Siga rigorosamente os seus princípios e tente pôr em prática aquilo que considera ser verdadeiro, ainda que isso lhe custe reconhecer que estava *errada/o*.

Concluindo, Júpiter também é simbolicamente o Astro que expande as nossas fronteiras geográficas, mentais ou espirituais. Assim, talvez seja bem desgastante estudar ou prestar uma prova durante esse Aspecto. Se for o caso, tente não se sobrecarregar com outros compromissos e foque o que, de fato, interessar. Estude primeiro os assuntos mais difíceis para você e deixe os que forem tranquilos para o fim.

Quanto às férias, elas poderão ser úteis se você estiver precisando descansar. Portanto, não será benéfico fazer uma viagem, principalmente se ela for longa. Entretanto, se já houver uma viagem em curso, fique *atenta/o* aos seus documentos, às leis e aos costumes do lugar que estiver visitando. Lembre-se de que as regras do outro não são as mesmas que as suas e que tudo funcionará melhor se você acolher o modo diferente de ser das pessoas.

Saturno em Aspecto com Saturno

Passar por um Trânsito, uma Progressão ou uma Direção de Saturno será sempre uma experiência de amadurecimento e estruturação. Além do mais, quando Saturno provocar Saturno do Mapa Natal, essa experiência estará altamente intensificada.

· FORÇAS ATUANTES: organização, disciplina, perseverança, responsabilidade, prudência e previsão
· ÁREAS DE ATUAÇÃO: responsabilidade, organização, produtividade e trabalho

ATENÇÃO: quando um Planeta lento forma, em Trânsito, um Aspecto com o mesmo Planeta do Mapa Natal, significa que todas as pessoas que tenham aproximadamente a mesma idade atravessarão juntas esse período. Por isso, ele é chamado de Trânsito Geracional.

A Conjunção de Saturno em Trânsito com Saturno Natal será considerada um Aspecto especial que marcará o fim de um ciclo e o começo de outro com a duração de aproximadamente trinta anos. Ela será conhecida como o retorno de Saturno e indicará três grandes etapas do amadurecimento humano, ou seja, em torno dos trinta, sessenta e noventa anos. No restante, será normalmente considerada um Aspecto desafiador. Entretanto, se houver uma boa aceitação do processo do envelhecimento, a experiência será semelhante à dos Aspectos favoráveis. Portanto, não deixe de analisá-la nos dois Aspectos.

Na Progressão, a única possibilidade de Saturno formar um Aspecto com Saturno Natal será em caso de retrogradação, e por meio de uma Conjunção. Desse modo, o tempo de duração será de um ano antes até um ano depois do grau exato.

A Direção de Saturno Sextil com Saturno Natal ocorrerá para todos em torno dos sessenta anos, tempo aproximado que o Planeta leva para avançar 60°, e a Quadratura aos noventa anos, tempo para avançar 90°.

· ASPECTOS FAVORÁVEIS: Sextil e Trígono

A palavra-chave desse Aspecto será *consolidação*. Saturno simboliza a solidez, a estabilidade, a firmeza, a determinação e a perseverança. Essas características reunidas e intensificadas nesse momento *a/o* deixarão mais *segura/o* do que o habitual e será quase impossível dar um passo em falso. Tudo será calculado, garantindo uma grande margem de segurança. Por isso, aquilo que tiver início durante esse período tenderá a perdurar. Longo prazo — este será o pensamento que deverá estar em foco o tempo todo. Portanto, não tenha pressa. Será preferível ir devagar, conferir etapa por etapa e garantir um bom resultado no futuro.

Como Saturno trata também do tempo, a experiência será a sua melhor aliada. Caso não a tenha ainda o suficiente, aproveite essa fase para obtê-la. Certamente, será uma ocasião de amadurecimento. As responsabilidades poderão e deverão ser assumidas e, quem sabe, você subirá mais um degrau, assegurando uma nova e segura posição? A disciplina colaborará para que você possa cumprir suas promessas e seus compromissos.

Passar por um Aspecto de Saturno será pôr à prova a capacidade de ultrapassar barreiras e superar dificuldades e limitações. A propósito, passada essa época, será muito fácil seguir adiante sem precisar fazer mais tanto esforço. Enfim, a estabilidade estará garantida.

· ASPECTOS DESAFIADORES: Conjunção, Quadratura Oposição

Diante da intensificação da força representada por Saturno, a sua vida será posta em xeque. O que estiver bem passará — não sem esforço — pelo teste. Já o que não estiver estruturado deverá ser questionado. Primeiro, essa será a hora de refletir como você tem conduzido sua jornada até então. Segundo, depois dessa avaliação, será preciso tomar as devidas providências para corrigir o que você não deseja que perdure. E não se preocupe com a possibilidade de não conseguir distinguir o que estiver bom do que não estiver, pois os erros ficarão muito mais evidentes. Faça um balanço sobre o que considera importante e deixe de lado, ou até mesmo sacrifique, o que for supérfluo. Podar fortalece o crescimento.

Também durante esse período é provável que você sinta dificuldade de se organizar, sendo que a desorganização será uma das razões de as experiências ficarem pesadas, e o seu caminho, obstruído. Embora o momento seja de lentidão, é possível que as coisas não andem por você insistir nas mesmas falhas. Será aconselhável parar por um tempo aquilo que não tem dado os resultados esperados. Certamente, esse Aspecto *a/o* levará ao amadurecimento. Será importante que respeite os seus limites e se responsabilize apenas por aquilo que, de fato, for capaz de fazer. Às vezes, será humanamente impossível carregar um fardo. Evidentemente que você possa passar por situações de frustração, mas elas igualmente farão parte da realidade dessa época e da própria vida. Será essencial, então, saber como superá-las sem permitir que se estendam de forma indeterminada e que prejudiquem outras experiências no futuro.

Esse Aspecto representará o fim de um ciclo e o começo de um novo, uma fase de transição e, portanto, crítica. Avalie bem o que deverá ser mantido e o que precisará ser descartado. Faça os ajustes necessários para iniciar essa nova etapa com segurança do que construirá futuramente.

Saturno em Aspecto com Urano

Quando Saturno em Trânsito, Progressão ou Direção provocar Urano do seu Mapa de Nascimento, a experiência que você terá vai ser, no mínimo, inquietante. Isso porque esses dois Astros gigantes tratam simbolicamente de assuntos bem diferentes um do outro. Enquanto Saturno exige estabilidade, organização e limites; Urano, por seu turno, clama por liberdade, originalidade e inovação.

- FORÇAS ATUANTES: organização, disciplina, perseverança, responsabilidade, prudência e previsão
- ÁREAS DE ATUAÇÃO: liberdade, mudança e quebra de padrões
- ASPECTOS FAVORÁVEIS: Sextil e Trígono

Qualquer Trânsito, Progressão ou Direção com Urano estimulará a conquista de liberdade. Entretanto, quando for de Saturno, tal conquista deverá ser feita com moderação e sem pressa. Portanto, antes de se desfazer impulsivamente das amarras, será preciso avaliar com precisão, praticidade e maturidade o que na sua vida tem *a/o* impedido de ser livre e que deverá ser modificado. Esse será um bom tempo para efetuar mudanças que abrem os caminhos para que siga adiante. Você poderá confiar que, ao realizar um novo empreendimento com base na prudência, obterá um bom resultado. Não perca, pois, essa grande oportunidade. O segredo será se organizar e seguir em frente, acreditar na sua criatividade e, se possível, desenvolver projetos originais. Será importante ter abertura a novas experiências, ainda que moderadamente. A prudência será sempre uma virtude característica dos Aspectos de Saturno. Assim, não hesite em usá-la.

Ainda que haja intensa racionalidade, esse momento será um motivador para que confie mais na sua intuição. Você terá provas de sua autenticidade.

Também será possível viver de forma diferente do seu jeito habitual de ser. Certamente, isso acrescentará um sabor interessante às suas obrigações e responsabilidades.

· ASPECTOS DESAFIADORES: Conjunção, Quadratura e Oposição

O propósito desse Aspecto será testar sua disposição para fazer as modificações necessárias na sua jornada, já que, sem elas, será difícil progredir e seguir adiante. A dica é se libertar das amarras que a/o aprisionam, nem que para isso você precise trabalhar pacientemente por um longo tempo. E o que poderá ser feito? Primeiramente, você deverá avaliar por qual motivo tem se deixado acorrentar a certas situações ou pessoas. Em toda e qualquer área da sua vida que necessite de mudanças, verifique quais são as inseguranças que travam suas iniciativas para mudar. Se essas incertezas forem superadas, você poderá dar os primeiros passos. Em um segundo momento, será preciso compreender que nem sempre será possível modificar o que não depende de você. Haverá limites, e eles deverão ser respeitados.

Seguindo esse mesmo raciocínio, você também poderá resistir às novidades. Essa dificuldade poderá ter origem em experiências frustradas, aquelas em que você arriscou e não deram os resultados esperados. Esses receios devem servir apenas como prevenção para que não se repitam os mesmos erros, mas nunca como bloqueio que impeça uma experiência diferente do padrão habitual.

Como um Aspecto de Saturno exige paciência e praticidade, tente, para sentir segurança, esperar um pouco antes de se lançar em algo que não conheça o suficiente. Não tenha pressa. Procure se planejar melhor para enfrentar um novo tempo, aquele que está por vir e que ainda não amadureceu o bastante para ser usufruído.

Saturno em Aspecto com Netuno

Um Trânsito, uma Progressão ou uma Direção de Saturno indicará um tempo de organização, disciplina e, principalmente, de que será preciso estar com os pés bem firmes no chão. Todavia, quando ele provocar Netuno do seu Mapa Natal, estará tocando uma área da sua experiência totalmente diferente, pois, para a Astrologia, Netuno simboliza o mundo da fantasia, da sensibilidade, da intuição e da espiritualidade.

- FORÇAS ATUANTES: organização, disciplina, perseverança, responsabilidade, prudência e previsão
- ÁREAS DE ATUAÇÃO: intuição, sensibilidade, imaginação e espiritualidade
- ASPECTOS FAVORÁVEIS: Sextil e Trígono

Ao atravessar o Aspecto favorável de Saturno com Netuno, você terá a chance de reunir com equilíbrio duas necessidades opostas, porém complementares: por um lado, as questões materiais; por outro, as psíquicas e espirituais. Todo e qualquer âmbito da sua vida que esteja prejudicado tanto por suas fantasias quanto pela falta delas será beneficiado com a potência gerada pelo encontro entre esses dois Astros gigantes. Qualquer Trânsito, Progressão ou Direção favorável com Netuno ativará a sensibilidade e a força contida no ato de sonhar. Porém, quando ele for provocado por Saturno, essas tendências se manifestarão com precisão e moderação, não ultrapassando os limites da realidade. Você poderá definir o ponto exato em que a imaginação deixará de ser criativa para se tornar um sonho impossível. Resultado: o que for criado ao longo desse período será fruto de uma inspiração valiosa, que deverá ser usada para produzir algo palpável.

Por haver praticidade, será possível mergulhar mais profundamente nas suas emoções e nos seus desejos sem se perder em devaneios. Por isso, esse será um excelente momento até mesmo para acreditar em possibilidades que, habitualmente, parecem estar distantes. Se você tiver um sonho, será bem provável que encontre algum jeito de concretizá-lo, ainda que precise se sacrificar um pouco. Certamente a realidade e a imaginação formarão uma poderosa aliança. Aproveite, então, para usufruir essa força rumando a uma nova qualidade de vida.

Para finalizar, essa será uma fase especial para pôr em prática seus ideais e suas crenças espirituais. Você não ficará somente na teoria, mas saberá aplicá-los para que sejam úteis à sua jornada e à das demais pessoas.

- ASPECTOS DESAFIADORES: Conjunção, Quadratura e Oposição

O primeiro grande desafio que provavelmente você sentirá durante essa fase será o de dar limites à sua imaginação. Por essa razão, tente definir com o máximo de clareza possível o ponto exato em que a fantasia deixar de ser criativa para se tornar um devaneio, uma ilusão. O segundo teste será reconhecer a fronteira que separa a sensibilidade da razão e, se você precisar fazer uma escolha, prefira o apoio desta. Ela, certamente, ajudará a definir toda e qualquer situação confusa.

A priori, leve em consideração a força da influência desse Aspecto em duas áreas: na profissional, principalmente nos projetos que possui para o futuro da sua carreira, e na espiritual. Entretanto, em todo e qualquer âmbito da sua vida que esteja prejudicado tanto por suas fantasias quanto por falta delas, o incômodo será o da indefinição. E quais serão os motivos prováveis de tal inquietação? Evidentemente que não têm origem nos tempos atuais. O caos acumulado, especialmente o interno, nessa fase se tornará absolutamente desconfortável. Mas, veja bem, dificilmente você será capaz de resolver tudo de uma vez e da forma ideal. Portanto, tente se organizar sem se perder em devaneios. Comece com as coisas mais simples, aquelas que estão ao seu alcance. Aos poucos, o nevoeiro se dissolverá e a ordem se restabelecerá. Também é possível que ocorra alguma frustração, fruto das ilusões. Assim, será hora de colocar os pés no chão e aceitar a realidade dos fatos, o que *a/o* ajudará a sentir mais segurança nos setores relacionados a tais dificuldades. Por exemplo: se você idealizou uma pessoa, conseguirá vê-la como realmente é, mesmo que isso lhe custe alguma decepção. Será preferível relacionar-se com um ser de "carne e osso" a estar com alguém construído por sua imaginação.

Outra tarefa importante a ser cumprida nesse período será a de equilibrar o pêndulo que oscila entre os extremos de duas condições: as questões materiais e as psíquicas e espirituais. Cuide do estado da sua alma sem deixar de lado as necessidades práticas do dia a dia. Esse equilíbrio com certeza trará mais conforto e aliviará as pressões internas sentidas durante essa época.

Saturno em Aspecto com Plutão

Quando Saturno em Trânsito, Progressão ou Direção provocar as forças representadas por Plutão do Mapa do seu nascimento, a ação sentida será relacionada ao reconhecimento, à organização e à transformação das emoções profundas, ocultas nas cavernas obscuras da alma.

- FORÇAS ATUANTES: organização, disciplina, perseverança, responsabilidade, prudência e previsão
- ÁREAS DE ATUAÇÃO: profundidade emocional, transformações, regeneração e revelações

- ASPECTOS FAVORÁVEIS: Sextil e Trígono

O reconhecimento das regiões onde habitam as emoções mais profundas provavelmente será possível devido ao fato de que Saturno agirá como um mestre que *a/o* orientará na descida ao local que, em geral, chamamos de inferno emocional. Mas calma, pois a tendência será a de que você obtenha um bom resultado. O Trânsito, a Progressão ou a Direção com Plutão *a/o* estimulará a se transformar. Todavia, quando for com Saturno, as mudanças serão feitas com moderação, tomando o cuidado para modificar apenas o que for absolutamente necessário.

Primeiramente, será importante ressaltar que, apesar de ser um Aspecto que trata de questões subjetivas a serem trabalhadas, é bem provável que você sinta os efeitos dele também na esfera profissional, já que Saturno é o Astro que rege, entre outras áreas, a construção do seu lugar no mundo por meio do trabalho. De todo modo, em todos os setores que necessitarem passar por uma transformação, esse será igualmente um excelente momento para fazer uma boa limpeza em tudo o que tiver sido acumulado ao longo do tempo. Corte os excessos para aliviar o peso das responsabilidades e abra espaço para que surja algo novo. Por haver praticidade, será possível fazer escolhas precisas sobre o que deverá ser ou não descartado.

A sua maneira de se relacionar intimamente passará por uma fase de amadurecimento. Você se sentirá mais *segura/o* em relação aos desejos e aos sentimentos que, habitualmente, estão reprimidos ou são difíceis de expressar. Essa será, até mesmo, uma ótima oportunidade para se desfazer de tabus que só servem para bloquear os seus impulsos emocionais.

Será um tempo de mudança que trará grandes chances para a liberação das emoções contidas. Na prática, essa será a hora de investir nos seus anseios mais ousados. Aquilo que for criado ou vivenciado ao longo desse período terá muita possibilidade de vingar e perdurar. Os resultados serão sentidos a médio e longo prazo e, certamente, serão motivo de muita satisfação.

- ASPECTOS DESAFIADORES: Conjunção, Quadratura e Oposição

A constatação de inquietudes, medos e fragilidade emocional será o resultado da atuação de Saturno que, no papel de mestre, imporá provas visando ao enfrentamento do seu estado psíquico. Você sentirá as pressões provocadas por sua sensibilidade, e parte dos problemas de relacionamento estarão relacionados à dificuldade de expressar o que estiver, de fato, sentindo. As emoções poderão sair meio truncadas e duras. E o que você poderá fazer para aliviar essas tensões? Ora, primeiramente, será necessário olhar para trás. Certamente, seus ressentimentos foram acumulados até o ponto de ser insuportável sustentá-los. Será bom resolvê-los para, então, colocar uma pedra em cima e poder seguir adiante.

Outro aspecto a ser considerado será a dificuldade de modificar os vícios de comportamento que, transformados, permitirão o ganho de vigor, a liberação de energias contidas e a descoberta de novas forças criativas.

Além disso, será preciso também aprender a aceitar que nem sempre será possível mudar o que deseja. Muitas coisas não estarão sob o seu controle nem dependerão apenas de você. A saída será encará-las de forma diferente, tentando adaptá-las ou descartá-las, se for o caso. Sem dúvida, haverá um grande amadurecimento e um profundo aprendizado sobre como se desapegar.

Será importante ainda ressaltar que, apesar de ser um Aspecto que trata essencialmente de questões subjetivas, você poderá sentir os efeitos dele na esfera profissional, já que Saturno é o Astro que rege, entre outros assuntos, a construção do seu lugar no mundo por meio do trabalho. A dica é ficar o máximo possível fora de cena e se fortalecer internamente para suportar as pressões geradas pelas responsabilidades assumidas.

Saturno em Aspecto com o Ascendente e o Descendente

O Ascendente é um ponto no seu Mapa Natal que simboliza o processo de construção da sua individualidade desde o momento em que você respirou pela primeira vez. Trata também da forma como você cuida de si. Por seu turno, Saturno em Trânsito, Progressão ou Direção provocará uma revisão completa de como você está em relação ao autodesenvolvimento, à autoconfiança e ao bem-estar físico.

- FORÇAS ATUANTES: organização, disciplina, perseverança, responsabilidade, prudência e previsão

- ÁREAS DE ATUAÇÃO: autonomia, autoconfiança, bem-estar físico, saúde, afetividade e parcerias

ATENÇÃO: a Conjunção com o Ascendente será considerada desafiadora. O que a diferenciará dos demais Aspectos desse tipo será a grande intensidade com a qual ela se manifestará e o fato de que será um divisor de águas na vida, indicando o começo de uma nova fase que se repetirá, em Trânsito, a cada trinta anos.

Se for a Conjunção com o Ascendente, o que será posto à prova será a individualidade, ao passo que, se a Conjunção for com o Descendente (Oposição com o Ascendente), os testes se darão na esfera dos relacionamentos e ela fornecerá pressão sobre as questões acerca da autonomia. Por se tratar de uma área diferente da dos demais Aspectos, a Conjunção com o Descendente será interpretada separadamente.

- ASPECTOS FAVORÁVEIS: Sextil e Trígono com o Ascendente

Uma das principais influências desse Aspecto será ter mais perseverança do que o habitual e conseguir levar adiante as decisões. Seja dito de passagem, essa será a época certa para se organizar e resolver todo tipo de problema decorrente de eventuais desordens. Por outro lado, você dará os passos iniciais de um novo ciclo. Uma etapa da vida foi cumprida, e você estará se preparando para a próxima.

Esse Aspecto será indicador de uma fase de amadurecimento. Novas responsabilidades serão assumidas, e você saberá reconhecer com muita clareza seus limites e suas capacidades. Por esse motivo, haverá um considerável aumento da autoconfiança. Aproveite esse tempo para reconhecer o seu valor e fazer valer os seus desejos. Sentir segurança será a primeira ação para a construção de uma individualidade madura. Nesse momento, você terá uma boa oportunidade de aplicar sua autonomia em tudo em que ela se fizer necessária.

Se você costuma ter algum tipo de dificuldade em se disciplinar, haverá então a chance de superá-la. Aliás, além de atuar na maioria das áreas da sua vida, também na profissional você sentirá os efeitos favoráveis dessa que será uma época de aumento da capacidade produtiva e do poder de assumir novas responsabilidades. Portanto, aproveite.

Outro efeito favorável será o de estar em condições de se programar melhor para manter a saúde em ordem. Haverá maior consciência da necessidade de se sentir bem fisicamente e, por isso, a ideia será que você se dedique a algum tipo de atividade que lhe proporcione bem-estar. Se o problema for falta de força de vontade, experimente começar nesse momento. As chances de perseverar serão muito grandes.

· ASPECTOS DESAFIADORES: Conjunção e Quadratura com o Ascendente

Esse será um momento crítico e que se caracterizará pela experiência de fechar um ciclo e começar um novo. Será a época certa para você fazer um balanço geral sobre a sua vida, principalmente nas áreas que tem tido mais dificuldade de administrar. Tanto o corpo quanto a energia despendida no exercício do seu trabalho serão especialmente afetados pelos desgastes decorrentes das pressões desse período.

O maior desafio será reconhecer em que âmbito tem falhado. Além disso, os seus limites ficarão muito claros e não será possível evitá-los. O melhor a fazer nesse caso será reconhecê-los e aceitá-los. Esse será o jeito mais adequado de fortalecer a sua autoconfiança com os pés no chão. Ainda será importante tentar superar o que está bloqueado em você e que a/o está impedindo de seguir adiante.

Fique *atenta/o* aos impulsos e evite tomar qualquer tipo de decisão que vise a obter resultados a longo prazo. Você poderá ter dificuldade de levá-la adiante e seria muito frustrante ter que desistir antes de ver a ideia realizada. Aproveite esse tempo para planejar e se preparar para essas escolhas. Depois de amadurecer os seus desejos e encontrar os meios para concretizá--los, você estará *pronta/o* para agir.

Provavelmente, você sentirá algum tipo de desequilíbrio físico. Os motivos poderão ser os mais variados, dependendo, fundamentalmente, do modo como se responsabiliza por sua saúde. Uma das causas mais comuns da ausência de energia sentida nessa fase será a falta de consciência das limitações do seu corpo. Se for necessário, sacrifique o excesso de atividades ou tente se organizar melhor para realizá-las. Também será preciso administrar bem o seu tempo, não só nessa época, mas para além dela. Você certamente sentirá os resultados positivos dessa atitude.

· Conjunção com o Descendente ou Oposição com o Ascendente

Quando um Astro se opuser ao Ascendente, ele igualmente estará atravessando a ponta da sétima casa, o Descendente. No sentido oposto do

Ascendente, ele simboliza a potência gerada pelos encontros e pela experiência adquirida na convivência a dois.

Saturno em Trânsito, Progressão ou Direção pelo Descendente provocará uma revisão completa da sua forma de se relacionar, da sua dependência em relação ao outro e, conjuntamente, do seu autodesenvolvimento e da sua autonomia.

Esse será um momento crítico, caracterizado pela experiência de fechar um ciclo e começar um novo. Será a época certa para fazer um balanço geral sobre seus relacionamentos, principalmente sobre as dificuldades de conduzi-los.

O maior desafio do período será reconhecer as suas falhas e as *da/o parceira/o*. As resistências e os limites ficarão claros e não haverá como evitá-los. Dentro do possível, o melhor a fazer nesse caso será reconhecê-los e aceitá-los. Será importante tentar resolver o que vem se arrastando há muito tempo e que, provavelmente, impede o bem-estar comum. Falando nisso, você deverá considerar também os efeitos desse Aspecto nas relações de trabalho, especialmente naquelas em que a produção precisa ser feita em conjunto.

É possível ainda que você seja *obrigada/o* a se deparar com algum tipo de desequilíbrio físico, já que todo esse processo implicará em desgaste de energia. As razões poderão ser de toda a sorte, dependendo, fundamentalmente, do modo como você se responsabiliza por seus relacionamentos e por sua saúde. Uma das causas mais comuns da ausência de forças será a falta de consciência do limite do próprio corpo. É possível que você precise encontrar seus limites físicos ou se organizar melhor para se sentir bem na sua própria pele. Do mesmo modo, também será preciso otimizar seu tempo, equilibrando esse momento importante no campo das relações com os compromissos pessoais, não só nessa fase, mas pensando no futuro. Certamente, as consequências serão benéficas.

Enfim, dê atenção aos seus impulsos e evite obstruir seus desejos apenas para agradar alguém. Não se esqueça de reconhecer o próprio valor para manter em dia a sua autoconfiança. Todavia, será necessário igualmente ceder, pois, afinal, relacionar-se é um constante exercício para equilibrar tanto a sua vontade quanto a da outra pessoa.

Saturno em Aspecto com o Meio e o Fundo do Céu

O Meio do Céu é um ponto no seu Mapa Natal que indica a direção a ser tomada em relação à sua carreira. Por sua vez, Saturno em Trânsito, Progressão ou Direção tem como papel a cobrança de resultados, a verificação de falhas e a autodisciplina. São simbolismos que se atraem por semelhança e, portanto, intensificam o desejo de progredir e alcançar reconhecimento.

De outro modo, o ponto oposto ao Meio do Céu é o Fundo do Céu, que, no Mapa de Nascimento, simboliza a sua relação com a esfera familiar. Portanto, quando há um aspecto com um, também há com o outro, indicando o esforço necessário para organizar tanto a vida profissional quanto a pessoal.

- · FORÇAS ATUANTES: organização, disciplina, perseverança, responsabilidade, prudência e previsão
- · ÁREAS DE ATUAÇÃO: profissional, carreira, vocação, projetos para o futuro, relações familiares e casa

ATENÇÃO: a Conjunção com o Meio do Céu será considerada tanto favorável quanto desafiadora. A diferença para os demais Aspectos é que ela indicará o fim de um ciclo e o começo de uma nova fase profissional, que se repetirá a cada trinta anos. Portanto, é necessário que seja analisada dos dois modos. O que determinará a predominância de um ou de outro será o seu grau de maturidade para lidar com a ambição, a responsabilidade e a resistência às frustrações.

Se for a Conjunção com o Meio do Céu, o que será afirmado e testado será a relação com a carreira, ao passo que, se for com o Fundo do Céu (Oposição com o Meio do Céu), os testes se darão na esfera dos relacionamentos familiares, e ela fornecerá pressão sobre as questões acerca da vida profissional. Por esse motivo, esse Aspecto será interpretado separadamente dos outros.

- · ASPECTOS FAVORÁVEIS: Conjunção, Sextil e Trígono com o Meio do Céu

Como o Meio do Céu é também considerado um ponto crucial que define as etapas de construção do começo e do término de uma fase profissional, esse Aspecto apontará para um período de transição entre um velho e um novo ciclo. Nessa mudança, você sentirá sua capacidade produtiva aumentar, terá um maior poder de concentração nos seus objetivos e, principalmente, conseguirá se organizar melhor. Durante essa fase, sua carreira entrará em ordem e o trabalho trará gratificações. O senso de responsabilidade e de dever colaborarão imensamente para que você responda de pronto às oportunidades que a vida vier a oferecer. Portanto, tente não desperdiçar essa chance de dar um passo a mais. Planeje o futuro e siga confiante das suas ambições. Aquilo que for feito nessa época produzirá bons frutos mais adiante. A tendência será que os investimentos profissionais tenham efeito de durabilidade e possam gerar um tempo de estabilidade.

O segredo será reduzir todo e qualquer excesso desnecessário quando o assunto for trabalho. Quanto mais você enxugar suas atividades, mais qualidade obterá em tudo que for produzido. O resultado disso poderá se evidenciar no reconhecimento dos seus talentos e da sua competência profissional.

· ASPECTOS DESAFIADORES: Conjunção, Quadratura e Trígono com o Meio do Céu

Durante a vigência desse Aspecto, é possível que você se sinta sob provas e pressões. É o "velho" Saturno cobrando a maturidade e a responsabilidade pelo que você construiu até então e pela qualidade do que é capaz de produzir. Entretanto, o maior aprendizado nesse período será o de conhecer e, igualmente, estabelecer os próprios limites, aceitando que nem sempre obterá bons resultados. Provavelmente, por não saber respeitar o momento certo de parar, você sentirá as consequências dos excessos cometidos.

É provável também que você sinta estresse e tenha que lidar com algumas restrições. Tenha paciência e procure aceitar a realidade. As dificuldades igualmente ficarão mais evidentes, e a capacidade de realização, reduzida. A ideia é não ter pressa e não se forçar a fazer nada que exija mais do que realmente possa fazer. Qualquer tentativa de ir além das suas limitações será frustrada, ocasionando enorme cansaço e má produtividade. Mas, veja bem, algumas providências poderão ser tomadas para que você atravesse essa fase sem ter que passar por muitas adversidades. A primeira será realizar tudo com cautela e sem afobação. A segunda será lembrar que, nessa época, o tempo será o seu mais precioso aliado, desde que saiba usá-lo a seu favor.

Por fim, não se esqueça de cumprir suas obrigações e aja com responsabilidade. Feito isso, repouse para recuperar as energias, pois assim você produzirá com mais qualidade e evitará cobranças desnecessárias.

· Conjunção com o Fundo do Céu e Oposição com o Meio do Céu

Toda vez que um Astro se opuser ao Meio do Céu, ponto no seu Mapa Natal associado à carreira, significará que ele estará atravessando o começo da Casa 4, denominado de Fundo do Céu. Este, por sua vez, trata simbolicamente das relações familiares, das suas experiências passadas e do seu lugar de origem. Portanto, a ação de Saturno sobre uma área da vida que envolve afetividade será destacada nesse momento.

Em primeiro lugar, será preciso compreender que esse será um período de transição entre um velho e um novo ciclo. Nessa fase você poderá sentir pressões devido a problemas familiares ou domésticos que virão à tona ou se intensificarão. Aproveite então esse tempo para refletir sobre o seu modo de se relacionar em família. Será importante que resgate as memórias do seu passado e avalie o que tiver sido vivido e que nesse momento sustenta a sua estrutura emocional. Durante essa época, as questões íntimas se tornarão mais importantes do que quaisquer outras. A casa e a família passarão a ocupar um bom espaço na sua vida, dando chances de reorganizar suas relações e seus sentimentos.

A passagem de Saturno pelo Fundo do Céu dará início a uma etapa em que as bases afetivas nas quais você estiver *apoiada/o* serão testadas. Fique *atenta/o*, portanto, à maneira como você reage a seus sentimentos mais íntimos, pois tudo que for capaz de bloquear o seu bem-estar emocional deverá ser revisto e reformulado.

Aproveite também para corrigir prováveis falhas decorrentes das marcas deixadas por experiências passadas. Será o caso de procurar alguma prática que ajude na sua estruturação, como terapia, e, se já a fizer, tire ainda maior proveito dessa atividade.

Tudo o que se relacionar a moradia deverá ser analisado com cuidado. A prudência será sua guia para resolver esses assuntos. É possível que você precise organizar melhor sua casa ou, até mesmo, o bem-estar de *alguma/algum* familiar. A tática será fazer tudo sem pressa, mas aproveitando o melhor que o tempo poderá oferecer.

Saturno em Aspecto com os Nodos Lunares Norte e Sul

Considerando que a linha dos Nodos Lunares Norte e Sul do Mapa do seu nascimento aponta para o caminho que a sua alma escolheu trilhar quando ingressou nesta existência e que Saturno em Trânsito, Progressão ou Direção provoca experiências acerca do seu amadurecimento, será um tempo de reflexões sobre os resultados dos frutos semeados no passado, pois estes serão a prova do quanto você se empenhou em realizar o seu propósito espiritual.

· FORÇAS ATUANTES: organização, disciplina, perseverança, responsabilidade, prudência e previsão
· ÁREAS DE ATUAÇÃO: espiritualidade, passado e caminho de evolução

ATENÇÃO: as Conjunções com o Nodo Lunar Norte e com o Sul (Oposição com o Nodo Lunar Norte) serão analisadas como sendo Aspectos desafiadores. No caso da Conjunção com o Nodo Lunar Norte, a interpretação se assemelhará muito à da Quadratura, que põe em xeque o destino que você tem dado ao seu passado e ao seu futuro espiritual. A diferença será que na Conjunção o foco se concentrará no destino, *obrigando-a/o* a deixar sua origem para trás. Entretanto, quando a Conjunção ocorrer com o Nodo Lunar Sul, o destaque será para as experiências vividas no passado que *a/o* aprisionam e impedem que dê os passos necessários para começar uma nova etapa da sua jornada espiritual.

· ASPECTOS FAVORÁVEIS: Sextil e Trígono com os Nodos Lunares Norte e Sul

A experiência mais marcante desse Aspecto será usufruir os bons resultados do que tiver sido semeado no seu passado espiritual. Evidentemente que esses frutos dependerão das sementes plantadas e do seu desempenho ao longo dessa jornada. Ao olhar para trás, você avaliará o quanto amadureceu desde o seu ingresso nesta existência até o tempo presente. E não se trata de um amadurecimento alcançado pela idade, mas sim pela sabedoria da alma.

Os efeitos começarão a surgir, e a satisfação chegará de mansinho, porém chegará! Muitas coisas que demoraram para acontecer encontrarão nesse tempo o solo fértil para vingar. Isso será consequência de grandes empenhos, algumas vezes já esquecidos ou perdidos na obscuridade do inconsciente.

Será também uma fase de resgate. O segredo estará nos encontros e reencontros que fortalecerão seu trajeto espiritual. Acerte contas e dívidas de todas as ordens. Dirija o olhar para a espiritualidade e para a definição de metas e caminhos que possam *ajudá-la/o* a cumprir o seu destino aqui, neste Planeta que *a/o* acolheu quando você respirou pela primeira vez.

Para completar, você sentirá que o grau de satisfação obtido com as atividades produtivas, assunto do qual Saturno é o maior interessado, será associado muito mais ao seu crescimento espiritual do que somente ao material.

· ASPECTOS DESAFIADORES: Conjunção e Quadratura nos Nodos Lunares Norte e Sul

Esse Aspecto será um divisor de águas e um marco no que diz respeito à sua espiritualidade, exigindo de você uma definição mais consciente e objetiva das metas de vida que traçará dessa época para a frente. Será o fim de um ciclo e o começo de um novo, um tempo de transição e de ritos de passagem. Um ponto crítico, mas fundamental para o seu crescimento espiritual.

Primeiramente, será importante que você saiba aceitar as limitações e a realidade do próprio destino. Depois, também será preciso angariar forças para cumprir os seus objetivos mais elevados, responsabilizar-se pelas falhas e construir um caminho mais verdadeiro, que dê efetivamente uma razão maior para a sua existência.

Para seguir a sua programação espiritual, será necessário olhar para trás e compreender que as experiências vividas no passado têm efeito no momento presente. Se não forem resgatadas, aperfeiçoadas e servirem de exemplo, você ficará *paralisada/o* ao tentar escalar uma montanha sem recursos apropriados nem segurança. Basta então que você feche para balanço sua vida interior, salde dívidas e cuide bem dos lucros. Feito isso, vá adiante com cautela, atitude necessária sempre que Saturno estiver envolvido em um Aspecto astrológico.

A Conjunção com o Nodo Lunar Sul terá, no caso de Saturno, uma importância maior do que qualquer outra passagem de um Planeta por esse ponto, pois ambos tratam de prestar contas com o passado espiritual.

Saturno em Aspecto com a Roda da Fortuna

Como a Roda da Fortuna tem o papel de facilitar o fluxo das energias e Saturno, entre outras coisas, simboliza a sabedoria adquirida com as experiências da vida, passar por esse Aspecto significará aprender a se estruturar e amadurecer para que a sua jornada flua sem grandes atribulações.

- **FORÇAS ATUANTES:** organização, disciplina, perseverança, responsabilidade, prudência e previsão
- **ÁREAS DE ATUAÇÃO:** boa sorte e fluidez
- **ASPECTOS FAVORÁVEIS:** Sextil e Trígono

Passar por esse Aspecto significará ter estrutura e maturidade para permitir, sem forçar a barra, que a vida flua sem muitas dificuldades. Você terá persistência quando as adversidades surgirem e, ao mesmo tempo, saberá compreender que nem sempre a roda girará a seu favor. Por meio da ajuda da sua estrela da sorte e cumprindo com responsabilidade e organização os seus compromissos, as portas se abrirão para que você encontre as soluções para os seus problemas.

A boa notícia desse momento será que você estará bem *protegida/o*, principalmente se souber deixar o tempo atuar de modo favorável. Dito isso, aproveite as oportunidades que surgirem.

De mais a mais, dê as mãos à prudência, característica associada a Saturno, para que a energia corra de forma benéfica e que o curso dos acontecimentos se dê sem perturbações.

- **ASPECTOS DESAFIADORES:** Conjunção, Quadratura e Oposição

Diante desse Aspecto será preciso ter persistência para enfrentar as dificuldades que surgirem. Também será muito importante que você compreenda que nem sempre os ventos soprarão a seu favor nem a sua estrela da sorte estará o tempo todo disponível para *ajudá-la/o*.

Uma das formas mais comuns de manifestação dessa conexão será a de obstrução, e o possível motivo do bloqueio das energias poderá ser, por um lado, o medo de errar; e por outro, o excesso de autoexigência. Um dos setores da vida que ficará bastante alterado por causa dessas limitações será o que diz respeito às suas competências no trabalho. No mais, em qualquer esfera da sua existência, quanto mais dureza você tiver consigo ou mais imaturidade diante de situações difíceis, mais complicado será ultrapassar os desafios dessas ocasiões angustiantes. Entretanto, se cumprir com responsabilidade seus compromissos e se organizar, as portas se abrirão para que encontre as soluções para as adversidades.

Nessa fase, sua grande proteção estará em saber lidar com o tempo, de forma que este venha a operar beneficamente. O segredo será ser prudente, virtude simbolizada pelo deus do tempo, para que o fluxo dos acontecimentos possa ser desobstruído e as energias fluam livremente.

Saturno em Aspecto com Quíron

Todo Trânsito, Progressão ou Direção de Saturno agirá como uma prova importante que testa seus limites e suas competências. Quando for com Quíron, esses testes tratarão do modo como você lida com as dores decorrentes das feridas abertas pela vida. Procurar soluções práticas para tratar da sua saúde será uma das funções mais importantes associadas ao período em que esse Aspecto atuar.

- FORÇAS ATUANTES: organização, disciplina, perseverança, responsabilidade, prudência e previsão
- ÁREAS DE ATUAÇÃO: saúde e autoconhecimento
- ASPECTOS FAVORÁVEIS: Sextil e Trígono

A ação de Saturno em Trânsito, Progressão ou Direção sobre Quíron indicará um período que deixará um grande marco no seu processo de amadurecimento, principalmente no modo como você cuida da saúde tanto física quanto mental ou, até mesmo, espiritual. Será o momento de cicatrizar as mais antigas feridas, de tratar o que estiver doendo já há um bom tempo.

Essa será a ocasião perfeita para encontrar soluções que minimizem o mal-estar provocado por traumas produzidos no passado. Se estiver precisando se curar, fique *ligada/o* na força dessa fase. Os caminhos que *a/o* levarão à cura ficarão disponíveis para serem acessados.

Por mais que sinta dificuldade em se manter saudável, o importante será aproveitar essa época para reconhecer e acolher seus limites, de modo a encontrar saídas eficientes para acabar com o sofrimento. Como já mencionado, essas dores não serão necessariamente físicas, pois existem também nos campos subjetivos, nos seus padrões de comportamento. Portanto, a sugestão será que você procure as ferramentas que *a/o* ajudarão a superá-las para que, posteriormente, possa conviver melhor com elas.

Quíron também está associado à aquisição de conhecimento, especialmente o autoconhecimento. Assim, a experiência a ser obtida nesse sentido se assemelha ao fim de um percurso de amadurecimento, para que você siga seu próprio caminho. Você poderá encontrar *a/o sua/seu verdadeira/o mestra/e* ou ser *a/o sua/seu própria/o*. Então, foque essa busca e sinta, a longo prazo, o quanto você terá avançado nessa jornada de desenvolvimento pessoal.

· ASPECTOS DESAFIADORES: Conjunção, Quadratura e Oposição

Um dos maiores desafios desse momento será se organizar para melhorar seu bem-estar geral, seja ele físico, seja mental ou espiritual. Todo e qualquer distúrbio que esteja incomodando deverá ser tratado com racionalidade, precisão e maturidade. A ideia será não fugir da realidade nem fazer desta um grande drama. O segredo para manter a saúde em equilíbrio será cortar os excessos de qualquer ordem, o que incluirá, principalmente, as compulsões.

Todos temos marcas e cicatrizes que, vira e mexe, doem. Nessa fase, você estará mais sensível a sentir essas dores. Aproveite e pare um pouco para cuidar de si. Não ultrapasse mais seus limites, do contrário, o preço a pagar poderá ser alto.

A dica é não empurrar com a barriga o que deve ser tratado. Será preferível se sacrificar nessa ocasião a ter que cuidar de uma ferida maior futuramente. Reduza o seu ritmo, trabalhe menos e busque não se estressar tanto com as pressões do dia a dia. Assim, conseguirá perceber melhor os primeiros sinais de nervosismo antes de ficar completamente *esgotada/o* de energia.

Outro assunto importante a ser pensado com cuidado será no que diz respeito ao autoconhecimento. Muito do que estiver travado atualmente poderá ser resolvido se você se aprofundar mais em si *mesma/o*.

Saturno em Aspecto com Lilith

Já que Saturno em Trânsito, Progressão ou Direção pode ser considerado como uma grande prova de amadurecimento, e Lilith do seu Mapa Natal simboliza a relação com a sexualidade e a liberação dos desejos reprimidos, a função desse Aspecto será de *testá-la/o* sobre como tem lidado com os seus anseios mais profundos, se reconhece os seus limites diante deles e se sabe discernir quando deve persistir ou recuar.

· FORÇAS ATUANTES: organização, disciplina, perseverança, responsabilidade, prudência e previsão

- ÁREAS DE ATUAÇÃO: sexualidade, desejo, insubordinação e emoções profundas
- ASPECTOS FAVORÁVEIS: Sextil e Trígono

Em primeiro lugar, será importante aproveitar esse momento para pôr em ordem as questões relativas à sexualidade. Você poderá vivenciá-la de forma madura e afirmar o que deseja para si. A paixão amadurecerá, e o sexo também. Em segundo, essa será também uma excelente oportunidade para excluir da sua vida os jogos emocionais destrutivos, repetitivos e frustrantes. A melhor dica é se afastar das pessoas que não lhe fazem bem e resolver os problemas de relacionamentos complicados vividos no passado. Todavia, não se esqueça de incluir nesse pacote as relações de trabalho baseadas na manipulação emocional. Aliás, a sua produtividade aumentará consideravelmente se você se distanciar de quem não *a/o* respeita e se, principalmente, fizer bom uso da intuição. Você saberá se proteger para não machucar nem ser *machucada/o*, mesmo que a solução seja se afastar de algumas pessoas.

Ademais, você não se deixará submeter àquilo que fere sua liberdade. Certamente, essa atitude será um desafio para que você seja fiel ao seus desejos e valores mais profundos e íntimos.

No mais, o maior ganho que você terá ao atravessar esse Aspecto será um enorme amadurecimento emocional e, o mais importante de tudo, a segurança de ser capaz de viver em paz quando está apenas consigo, assunto abordado no simbolismo representado pela Lua Negra, isto é, Lilith.

- ASPECTOS DESAFIADORES: Conjunção, Quadratura e Oposição

Para começar, será importante ficar ciente de que o campo onde Lilith costuma se manifestar é o da sexualidade. Dito isso e sabendo que esse Aspecto é desafiador, o melhor a fazer será se esforçar bastante para aceitar sua sexualidade de modo maduro. As insatisfações precisarão ser resolvidas tanto no sexo quanto nas experiências que envolvem a paixão.

Depois, você fará contato com sentimentos profundos e, na sua maioria, reprimidos. A rejeição e o isolamento serão experiências que fornecerão amadurecimento para que você não fique *congelada/o* nessas emoções. A boa dica é se distanciar das manipulações e das pessoas invasivas que ferem a sua dignidade. Esse período será uma prova de resistência igualmente quanto aos jogos de dominação emocional e às suas relações. O fato de ser Lilith o ponto do seu Mapa Natal tensionado pela presença do Trânsito, da Progressão ou da Direção de Saturno significará que você terá a oportunidade de aprender a não se submeter ao que emocionalmente lhe seja prejudicial.

Obviamente que essa atitude poderá ter um preço, mas certamente valerá a pena pagá-lo. Sua alma agradecerá por você ser fiel aos seus princípios e valores mais íntimos. Por fim, proteja-se para não se machucar e, da mesma maneira, tome bastante cuidado para não ferir ninguém. Um afastamento será capaz de evitar sofrimentos durante esse Aspecto.

No mais, você compreenderá que serão necessários grandes esforços para obter o amadurecimento exigido por Saturno. E fará parte desse aprendizado ainda a aquisição de mais segurança quando você se encontrar absolutamente só.

Trânsitos, Progressões e Direções de Urano

A função dos Trânsitos, das Progressões e das Direções de Urano será remexer, renovar, romper padrões e chacoalhar as áreas representadas pelos Planetas ou Pontos Virtuais com os quais ele fizer uma conexão, favorável ou desafiadora. Esses Astros ou Pontos serão contemplados pelo progresso e pela liberdade. Os desafios a serem enfrentados durante a vigência desses Aspectos estarão relacionados à ansiedade, à precipitação e à desordem.

INTENSIDADE DO TRÂNSITO: 7

INTENSIDADE DA PROGRESSÃO: 4

INTENSIDADE DA DIREÇÃO: 7

Urano em Aspecto com o Sol

A ação de Urano sobre o Sol significará associar duas qualidades bem distintas: a liberdade, uma das mais importantes características associadas a Urano, e a autoconfiança, assunto que tem a ver com o simbolismo representado pelo Astro-Rei. Esse Aspecto chegará para revolucionar sua vida.

· FORÇAS ATUANTES: renovação, inquietude, revolução e ruptura

· ÁREAS DE ATUAÇÃO: consciência, vontade, vitalidade, vigor e autoconfiança

· ASPECTOS FAVORÁVEIS: Sextil e Trígono

Quando a interação entre Urano e o Sol ocorrer, será possível fazer modificações essenciais na sua vida sem que você perca o domínio sobre a ordem das coisas e, principalmente, sobre si *mesma/o*.

Primeiramente, esse será um tempo de renovação. Em especial, do seu jeito de ser e se expressar no mundo e da maneira como você lida com sua autoconfiança. Segundo, também será um momento propício para você romper com a estagnação e sair em busca de novas experiências. Durante essa fase, a inquietação se manifestará no desejo de alterar o modo de conduzir sua vida e de se libertar de antigos padrões cristalizados pelo tempo. Mesmo que tudo esteja no seu devido lugar, será quase impossível resistir a uma novidade. Além do mais, você terá a oportunidade de se soltar do que *a/o* aprisiona e usufruir a liberdade. Experimente uma nova forma de ser e viver. Quantas vezes isso não foi possível! Pois agora será.

Ao longo dessa época, a vida reservará algumas surpresas, que certamente alargarão seus horizontes e serão a promessa de novos tempos que virão. Mas, veja bem, não será necessário ter receio se seus planos mudarem subitamente. Você saberá restabelecer a ordem logo a seguir.

O Sol trata de uma de nossas mais preciosas questões nesta existência, quer dizer, ser você *mesma/o*, e o Trânsito, a Progressão ou a Direção de Urano estimulará a renovação e a busca de originalidade. Portanto, o importante será descobrir quem você verdadeiramente é para não precisar se desgastar tentando seguir os padrões de um eu ideal que lhe impuseram. Não será mais necessária a aprovação dos outros para que você sinta segurança. Basta que aposte na sua autenticidade. Assim, será muito mais fácil obter reconhecimento e admiração. Aproveite para mudar.

Ademais, as mudanças indicadas nesse Aspecto se referirão a tudo que poderá colaborar para o seu bem-estar físico, já que o Sol igualmente simboliza a energia vital. Nessa etapa, você sentirá tudo vibrar mais intensamente no corpo e na mente, vitalizando sua saúde e promovendo um estado de profunda alegria.

· ASPECTOS DESAFIADORES: Conjunção, Quadratura e Oposição

O Trânsito, a Progressão ou a Direção de Urano chegará para revolucionar sua vida e, quando envolver o Sol do Mapa do seu nascimento, estará *a/o* desafiando a ser mais você *mesma/o*. Nessa fase a vida poderá ficar de cabeça para baixo. Você sentirá dificuldade em manter a ordem e, quanto mais tentar manter o controle de tudo, mais ele lhe escapará das mãos. Antes de tudo, procure ter calma, pois os nervos ficarão à flor da pele. O resultado dessas tensões, do excesso de ansiedade e da instabilidade provocada por situações que coloquem em xeque a sua autonomia serão as atitudes precipitadas.

Todavia, por que a vida estará assim? Primeiro, porque você sentirá que não há mais conforto nas áreas em que se acomodou. Em contrapartida, mesmo desconfortável com a estagnação, será difícil se organizar para fazer alguma mudança sem grandes tempestades. Dessa maneira, poderá haver resistência às transformações.

Segundo, porque é possível que aquilo que tenha planejado para si mude, subitamente, de direção. Certamente que esse será um período de transição. Haverá rupturas, em especial em relação à sua autoimagem.

Haverá descontentamento com o jeito como vem conduzindo a vida. Os velhos padrões não serão mais satisfatórios, ao passo que os novos ainda não estarão definidos. Poderá até parecer que você está mudando de identidade. Na verdade, não será bem assim. Muito daquilo que você acreditou ser até então era fruto do que lhe impuseram como sendo o ideal. No entanto, nessa época sentirá maior necessidade de se autoafirmar como alguém diferente dos demais. O segredo será encontrar alternativas criativas enquanto não sentir segurança com esse novo ser que clama por se expressar. Outra dica é ter calma e não se rebelar contra algo que ainda não domina. Se for mais tolerante consigo e com as outras pessoas, descobrirá um caminho mais tranquilo por onde possa encontrar a liberdade.

Por fim, o momento pedirá mudanças que visem a uma qualidade de vida mais saudável e, ao mesmo tempo, mais alegre. Não se esqueça de que o simbolismo solar tem a ver também com a energia vital e o desejo de viver intensamente. Por esse motivo, cuide da sua saúde e não se recuse a romper com os hábitos que *a/o* entristecem e lhe roubam as forças vitais.

Urano em Aspecto com a Lua

Um Trânsito, uma Progressão ou uma Direção de Urano sempre provocará revoluções e mudanças na vida, e quando ele atuar sobre a Lua do Mapa

Natal, significará que tal renovação ocorrerá no campo relativo às experiências afetivas e emocionais.

- FORÇAS ATUANTES: renovação, inquietude, revolução e ruptura
- ÁREAS DE ATUAÇÃO: intuição, sensibilidade, afetividade, lembranças do passado, família e casa
- ASPECTOS FAVORÁVEIS: Sextil e Trígono

O interessante desse Aspecto será a oportunidade que você terá de se libertar de vícios emocionais sem que, no entanto, ponha em risco a segurança dos seus relacionamentos. Será a hora de viver novas experiências, emoções e sentimentos distintos dos padrões habituais. Ainda que essa conexão atinja especialmente as questões familiares, todas as relações afetivas serão remexidas e renovadas. Além disso, também perceberá com mais intensidade o que sentem as outras pessoas e as verá de um ponto de vista diferente. Durante esse período, haverá desejo de mudança nos relacionamentos e, se existir algum desgaste, você tentará se libertar das repetições frequentes. Aproveite esse momento, portanto, para transformar completamente os modelos com os quais eles foram construídos e, mais do que nunca, coloque a liberdade em primeiro lugar. Se notar que algum sentimento ou alguém é uma prisão, essa será uma excelente ocasião de se perguntar o porquê você se deixou aprisionar. Quais são as suas inseguranças e como você lida com os defeitos dessa pessoa? Esse Aspecto permitirá que você responda com clareza a essas perguntas. A partir daí, ficará muito mais fácil modificar a forma como vocês se relacionam.

Igualmente a sua intuição ficará aflorada, e você poderá pressentir o que estiver para acontecer, projetando-se no futuro. Você perceberá coisas que muitos não serão capazes de entender. Sua sensibilidade virá à tona quando menos esperar, semelhante a relâmpagos que instantaneamente iluminam a escuridão. Essa será a razão de encontrar com facilidade as respostas para os questionamentos emocionais.

Por estar com a percepção sensível, emoções passadas virão à tona para que ganhem um novo significado na sua vida. Lembre-se de se libertar dos sentimentos que *a/o* aprisionam e que influenciam de modo negativo na maneira de se relacionar intimamente. Ainda mais, se esse aprisionamento tiver a ver com os seus familiares, as mudanças atuarão como uma chance para iniciar uma nova fase de compreensão.

E, para concluir, como o simbolismo Lunar abarca ainda assuntos relacionados à moradia e aos bens imóveis, essa poderá ser uma grande época para fazer reformas na casa ou, até mesmo, mudar para outro lugar. A mesma condição favorável se aplicará nas negociações imobiliárias.

· ASPECTOS DESAFIADORES: Conjunção, Quadratura e Oposição

Antes de mais nada, será importante pontuar a influência desse Aspecto nas questões familiares. Será nesse território que ele encontrará a maior potência, indicando que as mudanças serão necessárias, e, por esse motivo, será possível haver mais dificuldade se relacionar em família durante esse período. Aliás, o mais provável será que esses conflitos desencadeiem o ponto crítico que provocará as transformações.

Depois, o grande desafio será lidar com a extrema variação emocional. Essa instabilidade produzirá pressão que, por sua vez, trará a necessidade de mudar. Não será muito fácil andar nessa montanha-russa de sentimentos. As emoções ficarão remexidas, e você sentirá tudo e *todas/os* ficarem fora de lugar.

Essa fase será vivida com angústia se você for uma pessoa possessiva. Uma vez que será preciso romper com os antigos padrões emocionais, necessariamente você terá que se libertar do que *a/o* aprisiona. Sendo assim, os relacionamentos passarão por uma mudança significativa, e tudo que neles não estiver bem será ressaltado para que a relação se renove. Relacionar-se ao longo dessa época requererá uma boa dose de paciência e tolerância, o que, na verdade, raramente haverá.

Ademais, não existe Trânsito, Progressão ou Direção de Urano que não seja vivido por intermédio de alguma imprevisibilidade. Por isso, é possível que você se surpreenda com acontecimentos desse tipo. Entretanto, eles serão a ferramenta que possibilitará o rompimento com o estado de desassossego, não sem antes provocar uma grande tempestade. E o que poderá ser feito para melhorar a qualidade da sua vida emocional? Certamente, será preciso conhecer em profundidade o que você sente pelas pessoas e aceitar que nem sempre elas serão aquilo que você imaginava. Algum encantamento poderá se quebrar. Porém, a partir daí, será mais fácil determinar o tipo de relacionamento que você deverá estabelecer.

Será essencial ainda não se esquecer de se libertar dos sentimentos acumulados, principalmente mágoas e ressentimentos, antes de tomar qualquer atitude. Com calma, você será capaz de efetuar as rupturas e as modificações necessárias para que seus relacionamentos, já transformados e mais tranquilos, retornem ao curso natural.

E, para concluir, todo Aspecto que envolve a Lua tratará também de assuntos relativos à moradia e aos bens imóveis. Como será um tempo de renovação, você desejará ou será *levada*/o a fazer reformas no lar ou, até mesmo, mudar de casa. Se for o caso, faça com tranquilidade, sem precipitações e ansiedade. Do mesmo modo, essa orientação será válida para qualquer tipo de negociação de natureza imobiliária.

Urano em Aspecto com Mercúrio

A passagem de Urano sobre Mercúrio provocará mudanças no modo como a mente se organiza, o desejo de conhecer novas pessoas e lugares, a liberdade de movimento e uma nova forma de se comunicar.

- FORÇAS ATUANTES: renovação, inquietude, revolução e ruptura
- ÁREAS DE ATUAÇÃO: comunicação, estudos, mobilidade, viagens e negócios

ATENÇÃO: apesar de a Conjunção ser considerada um Aspecto desafiador, a semelhança entre Urano e Mercúrio poderá produzir experiências favoráveis. O que definirá sua manifestação será como você vai controlar a ansiedade provocada nesse período.

- ASPECTOS FAVORÁVEIS: Sextil e Trígono

Não existe Trânsito, Progressão ou Direção de Urano que, depois da passagem, deixe a sua vida como era antes. Quando esse Planeta atuar sobre Mercúrio, a tendência será que você não se contente apenas com o que já sabe, pois sentirá uma enorme necessidade de buscar novas informações e, a propósito, rapidamente.

Estudar novos assuntos, começar um curso diferente dos seus interesses habituais ou mesmo tirar férias serão experiências extremamente bem-vindas nesse período. Será possível haver maior fascínio por conhecer outras pessoas, circular em ambientes não convencionais e descobrir algo novo que estimule as atividades intelectuais. Aliás, essa será uma excelente oportunidade para que deixe surgir uma grande ideia, lembrando-se de que ela deverá ser bem aproveitada, pois, certamente, trará boas perspectivas para o futuro.

Não há dúvidas também de que esse será um momento inspirador. A intuição fluirá melhor do que a lógica, e o raciocínio trabalhará tão depressa que não será preciso passar por muitas etapas para que você chegue às conclusões certas.

Além do mais, você poderá encontrar respostas adequadas para dúvidas aflitivas. Nada será melhor do que poder se libertar delas e partir para novos questionamentos.

Como acontece na maioria dos Trânsitos, das Progressões ou das Direções de Urano, a vida reservará algumas surpresas que serão as responsáveis por seu progresso e desenvolvimento. Sendo assim, você sentirá os resultados mais tarde, ainda que, na ocasião, sinta apenas euforia.

Os efeitos favoráveis dessa fase serão sentidos igualmente na comunicação, de modo semelhante a estar aprendendo uma nova língua com rapidez.

Por fim, conseguirá se expressar de maneira brilhante, já que o raciocínio encontrará caminhos inacreditáveis e as palavras ganharão força por dizerem aquilo que poucos ousaram expor até então. Aproveite, portanto, para se dedicar a tudo que exija muito da sua inteligência e do seu poder de se comunicar. Na prática, essa fase se mostrará extremamente favorável para fechar um negócio, assinar um contrato ou participar de encontros importantes que definirão o curso das coisas no futuro.

· ASPECTOS DESAFIADORES: Conjunção, Quadratura e Oposição

A tendência será a de que seus pensamentos oscilem de um extremo a outro, dificultando a concentração numa mesma atividade. Na prática, a dispersão poderá atrapalhar quem estuda, pesquisa ou precisa prestar uma prova. Por isso, o melhor a fazer será selecionar o que for mais difícil e tentar passar esses tópicos primeiro. Depois, aquilo que flui melhor será menos atingido pelos efeitos dessa agitação mental.

O fato é que sua mente estará inquieta, *levando-a/o* a se encantar por vários assuntos e, ao mesmo tempo, mudar de uma hora para outra o foco do seu interesse. O resultado será que você se desorganizará. Portanto, priorize o que tiver importância e deixe assuntos superficiais de lado.

A mente deverá operar numa velocidade tal que atrapalhará o modo como você se comunica e, por esse motivo, será provável que os outros não entendam com facilidade o que expressar. Mantenha a calma caso precise participar de alguma reunião, um encontro importante ou tenha que assinar algum contrato ou fazer uma negociação.

Poderá igualmente haver intolerância em relação ao que você considera ultrapassado. Procure ter paciência para escutar o ponto de vista das pessoas e evite se irritar, principalmente quando uma situação depender do diálogo e do mútuo entendimento. A propósito, nessa fase será comum haver rupturas por incompatibilidade de opiniões. Assim, será preciso aceitar que nem todos pensam do seu modo e que não é necessário concordar com ideias distintas das suas. O importante mesmo será respeitar a liberdade de pensamento e de expressão de *todas/os*. Sem ela, os problemas se tornarão mais graves.

Para terminar, lembre-se de aproveitar esse tempo para se desvencilhar dos antigos padrões intelectuais e mudar o jeito de agir com seu meio, adaptando-se às circunstâncias que fogem ao seu conhecimento. Essa dica também deverá ser observada caso esteja viajando ou planejando tirar férias. Abra-se para novas experiências e aproveite a folga para aliviar o estresse mental. Apenas faça com calma cada uma das atividades programadas e fique *ligada/o* à tendência à dispersão. Portanto, não descuide dos documentos ou das burocracias.

Urano em Aspecto com Vênus

Esses dois Astros possuem significados simbólicos bastante distintos — Urano trata da liberdade, e Vênus, do desejo de vinculação. A função da passagem de Urano sobre Vênus do Mapa do seu nascimento é provocar revoluções na sua forma de se relacionar, amar e receber amor.

· FORÇAS ATUANTES: renovação, inquietude, revolução e ruptura
· ÁREAS DE ATUAÇÃO: autoestima, amor, beleza, sexualidade e recursos materiais

· ASPECTOS FAVORÁVEIS: Sextil e Trígono

Não será apenas na afetividade dispensada ao outro que as mudanças representadas por esse Aspecto se manifestarão. Também seus efeitos serão sentidos na maneira como você lida com sua autoestima, que, nesse momento, ficará nova em folha. Dito isso, certamente você sentirá necessidade de abrir espaço para novas relações, conhecer pessoas diferentes e experimentar emoções até então desconhecidas. Nessa época você não se conformará com relacionamentos estagnados, considerando que a excitação por novidades será a razão para que queira sair da velha rotina emocional.

Como todo Trânsito, Progressão ou Direção de Urano exige mudança, as transformações deverão ocorrer na intimidade das relações. Tenha, pois, muita atenção, já que você terá uma excelente chance para renovar seus sentimentos, propor algo de novo na relação e arriscar conviver de forma insólita.

Além do mais, todo e qualquer tipo de desgaste de relacionamento poderá ser resolvido nessa fase. Haverá criatividade suficiente para encontrar alternativas e descobrir um caminho diferente que *a/o* levará a uma melhor satisfação emocional.

Também é possível que surjam pessoas totalmente diferentes das que costumeiramente captam sua atração. Os novos padrões de relacionamento ocuparão o lugar dos que já não *a/o* satisfazem mais, mesmo que você ainda não tenha se dado conta. A bem da verdade, essas pessoas que *a/o* ajudarão a abrir seu coração. A partir de então, haverá mais liberdade para você se entregar sem medo e mudar a direção da sua vida emocional sem muitas resistências. Será provável, ainda, que você enxergue os conhecidos por meio de um novo olhar, e isso mudará tudo entre vocês.

Se você estiver *aprisionada/o* a alguém e não tiver conseguido resolver os problemas decorrentes disso, essa será a ocasião ideal para entender por que você se deixou viver tal situação. Você saberá mais facilmente reconhecer quais são suas inseguranças e como lidar com os conflitos relativos a quem ama. No mais, certamente será um tempo de abertura no amor e de perspectiva de um novo tempo que estará por vir.

Não somente na esfera da afetividade a atuação favorável desse Aspecto será sentida, já que Vênus também se relaciona à materialidade das coisas, ao desejo de conforto e ao amor ao belo. A dica é aproveitar esse ciclo para reestruturar sua organização financeira e, caso surja alguma oportunidade de melhoria nessa área, tenha certeza de que será para abrir novos horizontes e produzir bons frutos no futuro.

· ASPECTOS DESAFIADORES: Conjunção, Quadratura e Oposição

Não há Trânsito, Progressão ou Direção de Urano que não cause a maior revolução na sua vida e, quando ele atuar fazendo pressão sobre Vênus do

Mapa Natal, tenha certeza de que será a área afetiva que ficará mexida. Todavia, não será apenas o amor ao outro que passará por mudanças, mas também a sua autoestima atravessará uma fase de instabilidade. A ideia é que, ao se questionar, você abra espaço para uma modificação que a/o leve a ter uma melhor imagem de si *mesma/o*.

A maior dificuldade que você encontrará durante esse período será a de conciliar liberdade com amor. Os relacionamentos pautados em jogos emocionais que geram insegurança e os que são aprisionadores sofrerão mais com as crises relacionadas a essas duas questões. Esse tempo exigirá, portanto, que você tenha criatividade para que *as/os duas/dois* caminhem *juntas/os* sem maiores atribulações.

Sabendo que a função de Urano é a de ser um libertador, se você estiver igualmente *presa/o* a sentimentos que atrapalhem sua tranquilidade emocional, para que possa encontrar as saídas, o apego excessivo deverá ser deixado de lado, pois, do contrário, toda e qualquer atitude precipitada poderá produzir algum arrependimento posterior. Diante disso, antes de agir, faça uma avaliação honesta dos seus sentimentos e das relações, principalmente das que se acomodaram e que não a/o satisfazem mais. O segredo será abrir espaço à chegada de novas experiências emocionais. Tente romper com antigos padrões para que possam surgir outras perspectivas de relacionamento, sejam com outras pessoas, sejam, se houver possibilidade de renovação, com as relações já construídas. Sem dúvida, esse será um momento crítico no ciclo de uma relação, mas será, igualmente, o marco do fim de uma velha fase e da chegada de um novo tempo. E, para atravessar essa mudança sem muitos conflitos, faça tudo o que estiver ao seu alcance para conseguir se libertar de idealizações e viver de acordo com o que dizem os seus sentimentos.

Outro sintoma será o da inconstância, com os desejos oscilando de um extremo a outro, o que sinalizará dificuldade de escolha e provocará mais facilmente desgaste em relação a algumas atitudes vindas por parte *da/o parceira/o*. Mais uma vez, uma revisão emocional se fará necessária. Será essencial aprender com esse Aspecto a se entregar com liberdade, mas sem perder a intimidade e o dom de ser sensível, tão fundamentais para manter a boa convivência a *duas/dois* e para que você possa se realizar plenamente num relacionamento amoroso.

Outro assunto associado à simbologia de Vênus é a importância da estabilidade material. Por ser essa uma ocasião de repensar valores, sua vida financeira poderá passar por algum tipo de turbulência para que encontre novos meios de produzir recursos. Sendo assim, seja *cuidadosa/o* com os gastos e os investimentos para amenizar a provável instabilidade desses tempos.

Urano em Aspecto com Marte

No seu Mapa Natal, Marte representa a força de que você dispõe para lutar por sua independência e pelo fortalecimento da sua autoconfiança, e Urano em Trânsito, Progressão ou Direção provocará sempre a necessidade e, até mesmo, a vontade de mudar. A ação de Urano sobre o Planeta guerreiro intensificará características comuns, como independência, liberdade e autonomia.

- FORÇAS ATUANTES: renovação, inquietude, revolução e ruptura
- ÁREAS DE ATUAÇÃO: autonomia, autoconfiança, competição, liderança, disposição física e saúde
- ASPECTOS FAVORÁVEIS: Sextil e Trígono

Sem dúvida, esse será um momento de mudanças importantes na sua vida, pois ele possibilitará a obtenção de um novo estilo de ser e uma nova maneira de enfrentamento dos desafios e das dificuldades.

Quando você passar por um Trânsito, uma Progressão ou uma Direção de Urano, haverá sempre uma renovação e, por nesse caso agir sobre Marte, as transformações serão sentidas com mais intensidade. Haverá grande liberação de energia, que poderá ser muito bem aproveitada em atividades físicas. Se você pratica esportes, será um excelente momento para treinamentos e competições. Mesmo em outras áreas, se houver disputa, como uma prova ou uma entrevista de trabalho, esse Aspecto *a/o* auxiliará a obter as conquistas desejadas. Se você precisar dar alguns passos importantes na aquisição de um lugar desejado, essa será a boa hora. Será um período propício para tomar decisões, ainda que de maneira inesperada. Surpreendentemente, você poderá acertar no alvo!

Devido a isso, tudo ocorrerá muito rapidamente e, quando você se der conta, as ações já terão acontecido. Outro aspecto presente nesse tempo será a possibilidade de você se libertar da constante exigência de autoafirmação.

Você sentirá mais segurança para agir do seu modo, sem precisar da aprovação alheia.

Por fim, dificilmente se deixará abater por uma eventual derrota ao longo do caminho, pois ela servirá como estímulo para renovar suas forças e seguir adiante mais *fortalecida/o*.

· ASPECTOS DESAFIADORES: Conjunção, Quadratura e Oposição

Dado que esse Aspecto provocará tensão, o desafio será manter a calma, principalmente em situações de estresse. Esse será um momento de pressão, e facilmente você ficará prestes a explodir. Aliás, é provável que você aja de forma agressiva, provocando turbulências ao seu redor. A impaciência estará constantemente presente, e suas atitudes poderão ser afobadas. Também o humor variará de um extremo a outro, sendo possível que você não controle os impulsos, ainda que seja essencialmente uma pessoa racional. Todavia, como fogo de palha, a empolgação de uma iniciativa rapidamente se consumirá mas dificilmente se manterá nas fases subsequentes. Por isso, os projetos dessa fase tenderão a ser descontínuos e inacabados. Na verdade, somente a novidade será excitante. Ao sentir que será preciso um pouco mais de esforço e dedicação para levar adiante o que foi começado, o estímulo poderá desaparecer e, em seguida, haver desistência.

Mas o que você poderá fazer para controlar um pouco esse excesso de intensidade? O segredo será aceitar que você pode sofrer contrariedades sem necessariamente dar início a brigas, conflitos, rupturas e hostilidades. Reconheça suas limitações, que raramente serão respeitadas em um momento como esse.

Além do mais, a falta de prudência será a causadora de alguns danos difíceis de serem reparados. Você poderá causar e sofrer ferimentos devido à inconsequência produzida por esse Aspecto. Eventualmente, você também sofrerá provocações, o que testará sua força e sua coragem. Nesse caso, o melhor a fazer será avaliar com calma se é mais adequado enfrentá-las ou simplesmente deixar baixar os níveis de tensão antes de tomar qualquer atitude.

Os desgastes físicos serão quase inevitáveis. Poderá haver diminuição de resistência e enfraquecimento das defesas. Por essa razão, respeite os seus

ASPECTOS EM TRÂNSITOS, PROGRESSÕES E DIREÇÕES

limites, descanse devidamente e recupere as energias antes de entrar novamente em ação.

Urano em Aspecto com Júpiter

Urano em Trânsito, Progressão ou Direção atuará como um renovador, e Júpiter do seu Mapa Natal representa o desejo de ir mais longe, evoluir como pessoa e progredir na vida. Se por um lado suas características se aproximam; por outro, são bem distintas. O anseio por liberdade e por romper fronteiras se intensificará, enquanto a frieza de Urano refrescará o fogaréu das verdades de Júpiter.

- FORÇAS ATUANTES: renovação, inquietude, revolução e ruptura
- ÁREAS DE ATUAÇÃO: metas, leis, crenças, ideais, justiça, estudos e viagens
- ASPECTOS FAVORÁVEIS: Sextil e Trígono

Esse será um momento especial no que diz respeito ao surgimento de novas perspectivas de vida. Como acontece em todo Trânsito, Progressão ou Direção de Urano, será um tempo de mudança, e, sendo ela em relação a Júpiter, afetará o jeito de conduzir sua vida. Você passará a dirigi-la com o objetivo de atingir uma nova meta e certamente terá um empurrãozinho da sua estrela da boa sorte.

Também será hora de romper com os preconceitos. Os novos referenciais impedirão que você mantenha os mesmos princípios, principalmente os que lhe foram impostos e em cuja autenticidade, no fundo, você nunca acreditou. Portanto, livre-se de tudo que *a/o* impedir de seguir adiante, desde que de modo justo. Liberte-se ainda de antigos padrões de comportamento, sobretudo aqueles que você acreditava jamais ser capaz de mudar. Uma nova fé, seja ela pessoal, seja espiritual, surgirá e será responsável por seu progresso, pelo desenvolvimento de uma melhor qualidade de vida e de uma nova maneira de encontrar a felicidade.

Como numa estrada ampla, você poderá enxergar mais à frente e visualizar os caminhos que *a/o* levarão a conhecer diferentes territórios. Dito isso, certamente essa será uma fase em que viagens ou férias serão extremamente bem-vindas.

Durante esse período, haverá interesse por novas ideias, aquelas que lhe servirão como referencial para além desse Aspecto. Por essa razão, será uma excelente oportunidade de começar novos estudos, abrir a mente para assuntos ainda não explorados ou prestar provas com boas chances de alcançar ótimos resultados.

Ainda em relação ao simbolismo representado por Júpiter, as questões que envolvam as leis ou a Justiça poderão ser resolvidas com desenvoltura. E, se você se sentir *injustiçada/o*, faça valer os seus direitos ou, caso tenha sido *injusta/o* com alguém, repare os danos causados por tal situação.

· ASPECTOS DESAFIADORES: Conjunção, Quadratura e Oposição

Dado que o Aspecto formado entre os dois Astros será gerador de tensões, a dificuldade que você enfrentará será a de controlar os seus limites. Será provável que você confie demasiadamente na ajuda da sua estrela da boa sorte e queira dar um passo maior do que o viável, comprometendo, futuramente, os resultados desejados.

A tendência será a de se ver às voltas com uma grande desordem e falta de objetividade. A ansiedade impedirá que você se concentre nas metas que pretende atingir, mudando a cada instante os seus objetivos.

Como um Trânsito, uma Progressão ou uma Direção de Urano exige mudança, esse será o momento certo para pensar em modificar o modo de conduzir a vida. Será importante questionar a validade dos seus ideais e, caso não os aprove mais, não hesite em encontrar novos referenciais para alimentar seus sonhos.

Será possível também que venha a sofrer algum tipo de injustiça, principalmente vinda de onde você menos esperar. Em contrapartida, você igualmente poderá ser *injusta/o* nessa época. Por isso, será importante que faça uma avaliação crítica e criteriosa dessas situações para evitar erros e para encontrar os meios adequados de se defender caso esteja com a razão.

Sendo Júpiter um Astro associado simbolicamente às leis, fique bem *atenta/o* às questões legais e tudo que envolver a Justiça. Como nessa configuração você poderá ser *pega/o desprevenida/o*, o melhor mesmo será ter um plano "b".

Urano em Aspecto com Saturno

Urano simbolicamente representa características opostas às de Saturno. Enquanto o primeiro reina no universo das certezas, da racionalidade e da segurança, o segundo clama por liberdade, revoluções e surpresas. O desafio desse Aspecto será liberar o que estiver enferrujado sem, entretanto, quebrar as estruturas sólidas necessárias para a sustentação de uma vida segura.

- FORÇAS ATUANTES: renovação, inquietude, revolução e ruptura
- ÁREAS DE ATUAÇÃO: responsabilidade, organização, produtividade e trabalho
- ASPECTOS FAVORÁVEIS: Sextil e Trígono

Ao atravessar um Trânsito, uma Progressão ou uma Direção favorável de Urano, a ideia é que você exerça sua liberdade sem atribulações. Entretanto, quando ele atuar sobre Saturno do Mapa Natal, essa liberdade deverá ser praticada sem que você deixe de lado seus compromissos e suas responsabilidades. Estas, além de serem de qualquer ordem, estarão associadas especialmente à esfera profissional. O segredo será se liberar do excesso de peso dos encargos, aproveitar melhor o tempo para realizar suas obrigações e agilizar sua produtividade. O sucesso dos seus empreendimentos será sentido sem demora, ficando, dessa maneira, mais fácil encontrar espaço para outras atividades.

Esse será um ciclo que, em geral, entusiasmará pelas boas perspectivas para o futuro. Se existir algo em sua vida paralisado ou de que já tenha enjoado, você será capaz de se desvencilhar desse desconforto ou modificar a situação para que ela traga novos ares e você passe a novamente se interessar por ela. Qualquer uma das duas atitudes será muito bem-vinda e será muito gratificante poder se abrir a novas experiências.

Além do mais, aproveite esse momento para quebrar a rigidez e organizar tudo de uma nova maneira, ou seja, dar uma cara diferente ao que estiver parado no tempo. Você poderá se surpreender com as mudanças que ocorrerão sem que seja preciso se desfazer, necessariamente, do que já tiver sido construído e estiver funcionando. Entretanto, se for necessário deixar algo para trás, essa será a hora ideal de fazê-lo. Você certamente encontrará um caminho mais promissor e capaz de produzir um enorme bem-estar.

- ASPECTOS DESAFIADORES: Conjunção, Quadratura e Oposição

Durante esse período, sua vida ficará fora do lugar, pois a desorganização será uma das características desse Aspecto e, certamente, será a responsável pelas pressões vividas nesse momento. A bem da verdade, poderá haver uma carga excessiva de responsabilidades, o que provocará dificuldade de realizar suas atividades com a tranquilidade de que necessitam.

O tempo não renderá ou, simplesmente, será mal-empregado. Aproveite essa fase para mudar o modo como você lida e assume funções e compromissos. Será preciso se dar uma folga para que não chegue ao limite. O segredo será romper com todos os padrões de organização que não lhe satisfaçam ou não funcionem mais. Decerto haverá uma enorme mudança, ainda que não seja feita de forma consciente. Entretanto, mesmo que deseje mudar, será difícil programar exatamente o modo como essa transformação será feita.

As estruturas nas quais você sustentou o seu jeito de ser no mundo deverão ser reformuladas para que as insatisfações não se prolonguem por muito tempo. Primeiro, tente pôr a rigidez de lado. Do contrário, o momento se encarregará de fazê-lo, porém de maneira bastante turbulenta. Essa época será uma prova de desprendimento, em que o velho deverá ser substituído pelo novo, mas o ideal será que você note o que deve ser modificado. De nada adiantará precipitar as atitudes quando ainda se sentir *insegura/o* e instável. Depois, liberte-se das responsabilidades excessivas ou, se houver falta de atividades produtivas, mexa-se para transformar tal situação. Ainda que isso não ocorra durante esse Aspecto, seguramente você estará investindo na abertura de novas possibilidades para o futuro.

Urano em Aspecto com Urano

Um Trânsito, uma Progressão ou uma Direção de Urano falará de mudanças e, quando ocorrer em relação a Urano do seu Mapa Natal, a urgência de mudar abarcará toda e qualquer área da vida que esteja paralisada, envelhecida ou acomodada.

- · FORÇAS ATUANTES: renovação, inquietude, revolução e ruptura
- · ÁREAS DE ATUAÇÃO: liberdade, mudança e quebra de padrões

ATENÇÃO: quando um Planeta lento forma, em Trânsito, um Aspecto com o mesmo Planeta do Mapa do seu nascimento, significa que todas as pessoas que tenham aproximadamente a mesma idade atravessarão, juntas, esse Aspecto. Por isso, ele é chamado de Trânsito Geracional.

A Conjunção de Urano em Trânsito com Urano do Mapa Natal será um marco na vida de quem chegar aos 84 anos, tempo que Urano leva para completar um ciclo em torno do Sol. Ela está incluída, especialmente, nos Aspectos desafiadores, já que indicará um momento de tensão provocado pela finalização de uma longa etapa da vida. Entretanto, poderá ser vivida de forma favorável caso haja disposição ainda para viver novas experiências. Será um período caracterizado pela sabedoria adquirida ao longo da jornada e pela consciência de ter passado pelas mais diferentes experiências que, na juventude, poderiam parecer impossíveis. Será uma liberdade adquirida, uma bênção concedida pela própria vida.

Na Progressão, a única possibilidade de Urano formar um Aspecto com Urano do Mapa Natal será em caso de retrogradação, e como uma Conjunção. Nesse caso, o tempo de duração será de um ano antes até um ano depois do grau exato.

A Direção de Urano em Sextil com Urano do Mapa de Nascimento ocorrerá para todos em torno dos sessenta anos, período aproximado que Urano leva para avançar 60°, e a Quadratura aos noventa anos, tempo para avançar 90°.

· ASPECTOS FAVORÁVEIS: Sextil e Trígono

O momento da passagem desse Aspecto marcará o fim de um velho tempo e o início de um novo. Um Trânsito, uma Progressão ou uma Direção de Urano sempre falará de mudanças, e, quando ele atuar favoravelmente sobre Urano do Mapa do seu nascimento, ficará evidente que uma nova fase estará começando. Durante esse período, haverá maior interesse por ideias inéditas, por conhecer pessoas diferentes e, principalmente, pensar num novo projeto de vida. Por esse motivo, será importante que você se abra para experiências que ainda não tiverem sido vividas, mas que um dia foram desejadas.

Será provável que surja alguma oportunidade inesperada. Sendo assim, não hesite em verificá-la, pois ela *a/o* conduzirá para novos caminhos e abrirá horizontes que, no futuro, serão mais explorados. Também será um tempo para conquistar mais liberdade naquilo que julgar necessário. Será por meio dela que você progredirá e encontrará melhores condições para um amplo desenvolvimento dessa época em diante.

· ASPECTOS DESAFIADORES: Conjunção, Quadratura e Oposição

Por ser um Aspecto desafiador, é possível que você seja *tomada/o* por ansiedade devido tanto às incertezas do momento quanto ao fato de tudo virar de cabeça para baixo. Seus valores, suas relações, seu trabalho e muitas outras áreas da sua existência ficarão remexidas nessa idade crítica. Será como uma tempestade que desarruma tudo, mas que renova a vida após cessar. A ideia é que seus valores sejam reciclados, para que essa fase que se inicia ganhe um novo sentido e você possa se abrir a outras experiências.

O importante será manter a calma e agir sem perder o controle. Como será necessário mudar, que isso seja feito com tranquilidade, a fim de amenizar os efeitos das tensões dessa etapa. Mas, veja bem, se modificações não forem feitas, será bastante difícil progredir e criar outras perspectivas para o futuro. Por esse motivo, mantenha-se *aberta/o* a novas experiências, não sem antes verificar se já se preparou para vivê-las. Caso não se sinta *pronta/o*, espere mais um pouco até que possa, então, abrir espaço para uma renovação importantíssima no seu jeito de construir e de levar a vida.

Urano em Aspecto com Netuno

A influência de Urano sobre Netuno exaltará a intuição, característica comum aos dois Planetas. Por outro lado, o primeiro rege um Signo de Ar; e o segundo, um do Elemento Água. Nesse sentido, ambos se diferenciam radicalmente, pois enquanto Urano atua abrindo a mente para um novo pensar, Netuno reina no universo das emoções profundas.

· FORÇAS ATUANTES: renovação, inquietude, revolução e ruptura
· ÁREAS DE ATUAÇÃO: intuição, sensibilidade, imaginação e espiritualidade

ATENÇÃO: O Trânsito de Urano com Netuno é considerado Geracional, e isso significa que, quando você estiver passando por ele, toda sua geração estará atravessando um momento semelhante ao seu.

· ASPECTOS FAVORÁVEIS: Sextil e Trígono

Durante esse período, sua sensibilidade estará aflorada, e quem ditará as ordens será sua intuição. Mesmo que haja algum outro Trânsito instigando o uso da razão, as duas forças passarão a operar em conjunto. Você será capaz também de compreender com mais clareza aquilo que, em geral, passa despercebido, é sutil e aparenta não ter muita importância. Todavia, serão essas descobertas que abrirão as portas de uma nova perspectiva de vida, dando um sentido renovado para a sua existência.

Os efeitos desse Aspecto também serão sentidos quando seus sentimentos mais profundos vierem à tona e você sentir alívio por expressá-los ou por estar *liberta/o* das pressões causadas por eles. Você terá as mesmas sensações em relação à sua espiritualidade. Se você não costuma fazer contato ou ter interesse por experiências espirituais, nessa fase poderá surgir algo que mude isso. Uma das maiores provas que você terá de que existem coisas que transcendem o que é visível ou que são incompreensíveis racionalmente será o fato de, nesse período, você constatar que nada acontece por acaso. Experimente estabelecer conexões entre acontecimentos que, aparentemente, não tenham nada a ver uns com os outros — você se surpreenderá com os resultados. Se, ao contrário, você já se dedicar às práticas e aos estudos espirituais, uma mudança de curso estará para acontecer e será muito bem-vinda.

Será igualmente um tempo apropriado para sonhar e acreditar ser possível alcançar o que, em geral, parece muito distante da sua realidade cotidiana. Aliás, não deixe de aproveitar essa oportunidade para viver o que for insólito. Renove sua fé, independente de suas crenças. O que terá valor será ter esperança e confiar que sempre se pode mudar para melhor.

· ASPECTOS DESAFIADORES: Conjunção, Quadratura e Oposição

Esse será um tempo de inquietação interior extremamente necessária para que você se abra para sua espiritualidade caso não tenha como costume se dedicar a essas práticas. Se, ao contrário, você for alguém que já tenha acesso às práticas e aos interesses espirituais, esse será um tempo de rupturas e de busca por novos caminhos.

Sua sensibilidade ficará aflorada, e a tensão gerada por ela poderá *deixá--la/o desorientada/o*. Para atravessar essa fase com menos estresse, o segredo será fazer contato com seus sentimentos mais profundos e, aos poucos, colocá-los, um a um, nos seus devidos lugares. Isso certamente *a/o* ajudará a enxergar com mais clareza o que estiver acontecendo e, principalmente, se passando dentro de você.

Também será possível que alguns velhos sonhos se desfaçam, isto é, algo na sua vida em que você sempre acreditou então perderá o encantamento. O importante será compreender que, se você continuasse se iludindo, dificilmente chegaria a realizá-los. Esse rompimento será tão necessário como a fé de que novos empreendimentos surgirão para que possa ir em frente. Nessa ocasião, o mais conveniente será não entrar de cabeça nesses novos projetos de vida. Logo, tenha calma, pois chegará a chance certa para executá-los. Será propício criá-los na mente mais do que trazê-los para a realização.

Urano em Aspecto com Plutão

A influência de Urano sobre Plutão intensificará o que há em comum entre as potências de ambos, ou seja, a força da mudança. A função desse Trânsito, dessa Progressão ou dessa Direção será libertar os sentimentos mais profundos do mundo da escuridão e trazê-los à luz.

- FORÇAS ATUANTES: renovação, inquietude, revolução e ruptura
- ÁREAS DE ATUAÇÃO: profundidade emocional, transformações, regeneração e revelações

ATENÇÃO: esse será um Trânsito que ocorrerá na mesma idade para todas as pessoas, portanto, chamado Geracional.

- ASPECTOS FAVORÁVEIS: Sextil e Trígono

A força de Plutão é a da transformação. Por ser um Aspecto que intensificará a potência de Urano, que é a de gerar grandes revoluções, significará que terá chegado a hora de mudar. Será a partir da sua força interior que você trará grandes e importantes mudanças para sua vida.

Será tempo de libertar-se das angústias, das tensões e dos medos, dando espaço para o surgimento de emoções renovadas e sem traumas. Se houver alguma situação obscura, principalmente que você repudia, esse será um excelente momento para modificá-la ou, simplesmente, romper com ela.

A liberdade será uma das mais importantes conquistas dessa época. Um Trânsito, uma Progressão ou uma Direção de Urano provocará no mínimo uma ruptura renovadora. Quando for com o Plutão do Mapa Natal, haverá uma maior e mais profunda necessidade de que isso aconteça. Por isso, não deixe de aproveitar essa oportunidade e livre-se dos tabus, dos medos e das dores. Tenha a certeza de que as modificações realizadas durante essa fase produzirão bons frutos no futuro. Com a alma aliviada, você terá espaço para criar perspectivas e poderá usufruir um novo estilo de ser e de viver.

- ASPECTOS DESAFIADORES: Conjunção, Quadratura e Oposição

O primeiro aprendizado desse momento será perceber que nem tudo o que acontece está sob o seu controle e que, quanto mais resistente você for às modificações, mais elas surgirão de forma inesperada. Todo Trânsito, Progressão ou Direção de Urano exigirá transformações, principalmente ao ocorrer com Plutão do Mapa de Nascimento. Tanto um Planeta quanto o outro desarrumam, causam destruição e deixam tudo fora do lugar. Portanto, aproveite esse período para reorganizar a vida segundo padrões diferentes e dê lugar a novos sentimentos.

Faça todo o esforço que estiver ao seu alcance para se libertar dos tabus, das angústias, dos medos, das dores e das emoções que estiverem reprimidas no fundo da sua alma.

O desafio será lidar com as turbulências que fazem aflorar sentimentos que geralmente não se manifestam, podendo ser essa uma das razões de você perder o controle. Procure manter a calma e não hesite em descartar o que for nocivo para sua vida ou a das outras pessoas.

Ainda que fique por algum tempo sem seus referenciais habituais, a insegurança será preferível a manter qualquer situação que possa ser destrutiva. Toda fase de transição implica instabilidade e incerteza. A confiança de que a tempestade cessará dará a você a força necessária para atravessar a ocasião crítica e confiar na chegada de um novo tempo, melhor do que o vivido até então.

Urano em Aspecto com o Ascendente e o Descendente

Urano atua como um estimulador de mudanças, e o Ascendente é um ponto no seu Mapa de Nascimento que trata da construção do seu estilo de ser. Esse Aspecto incentivará a independência e a liberdade para ser diferente de um "eu" idealizado pela sociedade.

Por outro lado, se opondo ao Ascendente, está o Descendente, que também é tocado com essa conexão. O resultado desse toque duplo é a possibilidade de promover mudanças que gerem equilíbrio entre a vontade do "eu" e a vontade do "outro", simbolizada pelo Descendente.

- FORÇAS ATUANTES: renovação, inquietude, revolução e ruptura
- ÁREAS DE ATUAÇÃO: autonomia, autoconfiança, bem-estar físico, saúde, afetividade e parcerias

ATENÇÃO: a Conjunção com o Ascendente deverá ser tratada essencialmente como um Aspecto desafiador. O que a diferenciará da Quadratura será o fato de ser mais intensa e marcar uma das maiores mudanças da vida.

A Conjunção com o Descendente (Oposição com o Ascendente) igualmente será considerada como sendo desafiadora. Entretanto, a área de atuação em que ela provocará transformações será a dos relacionamentos. Por haver uma influência mais marcante em um setor diferente dos de todos os demais Aspectos, ela será interpretada separadamente.

· ASPECTOS FAVORÁVEIS: Sextil e Trígono com o Ascendente

O fato de Urano em Trânsito, Progressão ou Direção atuar como um incentivador de mudanças e o Ascendente tratar, entre outros atributos, da autoconfiança e, acima de tudo, da individualidade significará que esse será um tempo de total e completa renovação, pois um novo ser estará para nascer. Haverá mudanças de toda natureza, mas, principalmente, aquelas diretamente relacionadas ao seu modo de ser e de agir no mundo. Será um período em que você terá a oportunidade de se libertar das suas antigas referências, dos seus velhos padrões de comportamento e de deixar surgir novos, que, provavelmente, surpreenderão tanto você quanto as outras pessoas.

As mudanças ocorridas ao longo dessa fase abrirão espaço para experiências ainda não vividas e que, certamente, acrescentarão muito à sua vida. Esse será o começo de um novo ciclo, marcado por entusiasmo e perspectivas interessantes. O importante será seguir adiante, recriar valores e lutar pela liberdade de ser você *mesma/o*.

Essa será uma época favorável para tomar decisões, especialmente aquelas que visem a mudanças e que estejam inspiradas no desejo de autoconhecimento. A propósito, você sentirá a intuição bater mais forte, e o grande segredo será usá-la sem restrições.

Esse Aspecto poderá ainda ser sentido por meio da disposição física, que se encontrará renovada. Mesmo que haja algum problema de saúde, essa ocasião deverá ser aproveitada para recuperar os desequilíbrios existentes. Novas atividades poderão estimular ainda mais as boas condições de saúde ou será possível que você encontre os meios necessários para obtê-las.

· ASPECTOS DESAFIADORES: Conjunção e Quadratura com o Ascendente

O fato de Urano fazer pressão sobre o ponto do seu Mapa Natal que trata da autoafirmação e da construção da sua singularidade significará que esse será um tempo de tempestades que anunciarão os primeiros sinais das mudanças que estiverem por vir. Passar por esse Aspecto indicará a conclusão de um grande ciclo e o início de outro, totalmente novo. O seu antigo "eu", acompanhado dos padrões de comportamento correspondentes, será deixado de lado, e o seu modo de ser e agir no mundo mudará de tal forma que você não voltará a ser como era antes.

Uma das maiores dificuldades desse período será conseguir manter a ordem das coisas, o que, a propósito, não será negativo. Porém, faça apenas o que for essencialmente necessário, evitando sobrecarregar os seus limites ou os das outras pessoas. Será provável que haja rupturas, umas geradas por você; outras alheias ao seu controle. O importante será compreender que essa será uma oportunidade de renovação que *a/o* tirará de qualquer tipo de acomodação.

Outra probabilidade nesse momento será de que haja desgaste físico. Como você tenderá a agir com certa precipitação, poderão ocorrer alguns incidentes desnecessários. Seja prudente, tente respeitar a sua saúde e, se possível, mude seus hábitos para que, dessa época em diante, ela permaneça estável. Mantenha a calma ao tomar algum tipo de decisão. A tranquilidade certamente será útil para descobrir o melhor caminho a seguir em meio a esse turbilhão de forças transformadoras.

· Conjunção com o Descendente ou Oposição com o Ascendente

Sabendo que Urano atua como um estimulador das grandes mudanças e o Descendente tem a ver com a forma de se relacionar, principalmente quanto a relacionamentos afetivos ou de parceria no trabalho, esse será um tempo em que o cenário no qual acontecem as relações deverá ficar, no mínimo, de ponta-cabeça. As turbulências do momento anunciarão as mudanças a serem feitas a partir dessa ocasião.

Passar por esse Aspecto significará concluir um longo ciclo de experiências nos relacionamentos e começar um totalmente novo. Os velhos padrões afetivos nos quais você estava *embasada/o* deverão ser deixados de lado, e o seu universo emocional mudará de tal forma que não voltará a ser o mesmo. O maior desafio dessa fase será lidar com a desordem, ainda que esta seja essencialmente necessária. A dica é manter o que for positivo, movimentar-se para mudar e, principalmente, respeitar os seus limites e os dos outros.

O período pedirá rupturas. Algumas serão produzidas por você; outras fugirão ao seu controle. A bem da verdade, o que importará de fato será que você não se recuse a remexer no que estiver acomodado. Você verá futuramente os benefícios gerados pelas transformações dessa etapa.

Devido às tensões emocionais típicas de um tempo de questionamentos, outra tendência será que você se sinta *desgastada/o* fisicamente. Tente respeitar o seu corpo e, se possível, mude seus hábitos para que se mantenha saudável.

O segredo valioso desse Aspecto será não agir com precipitação nas questões que envolverem relacionamento. Seja prudente em relação às outras pessoas, mantenha a calma na hora de tomar alguma decisão e só a faça se ela estiver amadurecida.

Urano em Aspecto com o Meio e o Fundo do Céu

Urano em Trânsito, Progressão ou Direção agirá sobre o Meio e o Fundo do Céu provocando mudanças na trajetória profissional e pessoal. A função desse Aspecto será de renovação quanto às escolhas que visem ao progresso no futuro e a uma melhor relação com os familiares. Será uma combinação que *a/o* levará ao exercício maduro da liberdade.

- FORÇAS ATUANTES: renovação, inquietude, revolução e ruptura
- ÁREAS DE ATUAÇÃO: profissional, carreira, vocação, projetos para o futuro, relações familiares e casa

ATENÇÃO: a Conjunção com o Meio do Céu deverá ser tratada essencialmente como um Aspecto desafiador. O que a diferenciará da Quadratura será o fato de indicar uma das maiores mudanças da vida, principalmente quanto ao destino profissional. Trata-se de um marco divisor que só ocorre a cada 84 anos, ou seja, uma única vez.

A Conjunção com o Fundo do Céu (Oposição com o Descendente) será igualmente considerada desafiadora e ocorrerá também a cada 84 anos. Entretanto, as mudanças que ela provocar terão relação com o cenário familiar. Por haver uma influência mais marcante em uma área diferente da de todos os demais Aspectos, será interpretada separadamente.

- ASPECTOS FAVORÁVEIS: Sextil e Trígono com o Meio do Céu

O Meio do Céu representa o propósito de vida que servirá como um guia na orientação dos seus caminhos, principalmente aqueles que dizem respeito à escolha e ao exercício de uma profissão. Por sua vez, Urano desperta a necessidade de mudanças e de libertação. Ao tocar o Meio do Céu, esse Planeta anunciará a chegada de ventos que trarão novos propósitos. Dê atenção às oportunidades que surgirem durante esse período, às intuições que apontarem para novas metas de vida e às novidades que refrescarem o ar viciado do seu trabalho. Será tempo de transformações e de liberdade para alçar novos voos. Principalmente na área profissional, as renovações serão bem-vindas. Você se sentirá desconfortável com a acomodação e, caso esteja *insatisfeita/o* com suas escolhas, não meça esforços para encontrar novas direções.

Por outro lado, será possível que as mudanças aconteçam sem que você tenha controle sobre elas. Ser *pega/o* de surpresa quando esse Aspecto estiver atuando será o sinal verde para que você entre num mundo onde as portas estarão abertas para impulsionar a sua carreira e até mesmo o futuro da sua vida dessa ocasião em diante.

A dica é estar *aberta/o* para conhecer novos caminhos e romper com os ideais profissionais que não corresponderem ao seu verdadeiro desejo de realização. Mesmo que seja difícil lidar com uma fase de transição e com toda a remexida que ela produzirá, os acontecimentos desse período serão um auxílio para que você consiga se libertar e começar com confiança uma nova fase de vida. Como dito anteriormente, ouça sua intuição, pois ela será uma poderosa ferramenta se a insegurança bater à sua porta.

· ASPECTOS DESAFIADORES: Conjunção e Quadratura com o Meio do Céu

Ao provocar de forma desafiadora o ponto mais alto do Mapa do seu nascimento, a função de Urano será remexer os propósitos que orientam a sua realização profissional, de modo que nada ficará como era antes. Esse Aspecto marcará o momento crítico de uma mudança necessária, a despeito de você a desejar ou não. Semelhante à natureza que se sujeita às tempestades que renovam a vida, a ideia é que, nesse período, você lance à sorte dos ventos as sementes que vingarão em novos territórios.

Quando Urano atuar, a ação dele virá acompanhada de tensão e urgência. Entretanto, o segredo para que você possa atravessar esses tempos com equilíbrio será não ter pressa, não precipitar suas decisões, e, em hipótese alguma, recusar-se a olhar para os horizontes que alargarão as chances de se sentir *realizada/o* no trabalho.

O mais provável será que as rupturas e pressões *a/o* peguem de surpresa e ocorram sem que você tenha controle sobre elas. Se escutar a intuição, você sentirá que os ares anunciarão ou já vinham anunciando um Céu turbulento. Não reaja contra as transformações, porém, ao mesmo tempo, busque alternativas para *ajudá-la/o* a atravessar essa fase de instabilidade. Passadas as tempestades, as sementes plantadas trarão perspectivas de realização no futuro.

· Conjunção com o Fundo do Céu ou Oposição com o Meio do Céu

Quando um Astro se opuser ao Meio do Céu, ele igualmente estará cruzando o Fundo do Céu do seu Mapa Natal. Este representa as referências emocionais que servirão para você definir seus caminhos, principalmente quando eles dizem respeito às relações familiares. Por sua vez, Urano em Trânsito, Progressão ou Direção provocará a necessidade de mudanças e de libertação. Ao atravessar esse ponto, ele deixará a marca de grandes revoluções na sua estrutura íntima e familiar. Durante esse período, começará uma das maiores transformações da sua vida, lembrando que esse Aspecto só ocorre a cada 84 anos. Portanto, caso você não esteja *satisfeita/o* com o lugar onde mora ou a maneira como você se relaciona com a família, não meça esforços para encontrar novas direções.

Tensões e rupturas de ordem familiar serão acontecimentos que fugirão ao seu controle e *a/o* pegarão de surpresa. Por mais que esses pareçam totalmente despropositados, abrirão as portas para o começo de uma nova trajetória emocional ou até mesmo de vida. Entretanto, ao escutar a intuição você compreenderá com clareza que a mudança de ares já vinha anunciando as tempestades desse presente. O segredo será encarar a urgência do momento com calma, porque a pressa nesse caso somente causará mais transtornos.

Outra manifestação desse Aspecto será a de libertação das redes que *a/o* aprisionavam ao seu passado. Essa será uma oportunidade única de seguir a vida nutrindo-se daquilo que realmente tenha a ver com o seu modo genuíno de ser e de viver.

Urano em Aspecto com os Nodos Lunares Norte e Sul

Sempre que Urano em Trânsito, Progressão ou Direção tocar um ponto do seu Mapa Natal, indicará um momento de se movimentar e modificar o que estiver acomodado. Quando esse contato for com os Nodos Lunares Norte e Sul, prepare-se para as mudanças, libertando-se do passado e abrindo novos horizontes que lhe servirão de direção para aquilo que verdadeiramente se relacionar ao seu desenvolvimento espiritual.

- FORÇAS ATUANTES: renovação, inquietude, revolução e ruptura
- ÁREAS DE ATUAÇÃO: espiritualidade, passado e caminho de evolução

ATENÇÃO: as Conjunções com os dois Nodos Lunares serão classificadas como sendo Aspectos desafiadores. No caso da Conjunção com o Nodo Lunar Norte, o que a diferenciará da Quadratura será que esta atuará em mesma proporção tanto na liberação das experiências passadas quanto nas expectativas futuras, enquanto a primeira estará focada especialmente em liberar o caminho que aponta para o porvir.

A mesma tensão será encontrada nas experiências vividas durante a passagem de Urano pelo Nodo Lunar Sul. Entretanto, ao contrário da Conjunção com o Nodo Lunar Norte, aquela se referirá à libertação do que tiver sido trazido do passado, para só depois dar os passos que *a/o* levarão para as mudanças futuras.

- ASPECTOS FAVORÁVEIS: Sextil e Trígono com os Nodos Lunares Norte e Sul

Ao agir favoravelmente sobre os Nodos Lunares Norte e Sul, Urano *a/o* conduzirá para caminhos que renovarão sua vida.

Semelhante às sementes que se libertam da mãe, esse será o momento certo para crescer por conta própria, realizando o seu destino. Interesses distintos, relações diferentes e ideias inovadoras serão experiências estimulantes no encontro de novos rumos. Com a mente aberta e a intuição aflorada, você poderá perceber os sinais que *a/o* guiarão ao seu verdadeiro propósito espiritual.

No que for necessário, o passado será deixado para trás, resultando num sentimento de liberdade e alívio por ter se desvencilhado das redes que *a/o* aprisionavam e que *a/o* impediam de seguir adiante na realização do seu destino.

Tudo tenderá a acontecer de maneira muito rápida e imprevisível nesse período, mas você não se desequilibrará. Muito pelo contrário, as coisas acharão seus devidos lugares e a sua alma ganhará uma nova arrumação.

Por fim, aproveite esse ciclo para renovar as conexões com pessoas e assuntos que estimulem o seu crescimento espiritual e experimente novas práticas no cotidiano que possam contribuir para maior sintonia com algum propósito que dê sentido amplo à sua existência.

- ASPECTOS DESAFIADORES: Conjunção e Quadratura com os Nodos Lunares Norte e Sul

Quando a ação de Urano sobre os Nodos Lunares for desafiadora, o segredo será se preparar para as mudanças, ainda que não programadas. A ideia é que você direcione seu desejo de crescimento espiritual para novos rumos. Entretanto, para que isso aconteça, serão necessárias rupturas e tensões. Assim como a natureza se agita pela ação das tempestades, também você precisará libertar as sementes da sua espiritualidade para que possam germinar em novos solos.

Muitas experiências trazidas do seu passado serão deixadas para trás. Esse será, portanto, um Aspecto de libertação, de novos interesses, de encontrar caminhos diferentes, apesar de apontar igualmente para a instabilidade natural dos tempos de transição.

Alguns momentos poderão ser muito turbulentos, embora sejam, também, excitantes. Suas energias ficarão desordenadas, causando frequentemente algum tipo de desequilíbrio físico ou mental. Será natural que isso aconteça ao longo de mudanças bruscas. Assim, se possível, poupe as energias e carregue as baterias quando sentir que elas estão se esgotando. Lembre-se de que, a partir dessa época, um novo projeto de vida fortalecerá o seu propósito espiritual.

Esse tempo marcará um ciclo se encerrando e dará os sinais do recomeço. Pense nas metas que deseja alcançar. Liberte-se de antigos padrões repetitivos e sinta o sabor da liberdade bater à sua porta.

Urano em Aspecto com a Roda da Fortuna

O papel da ação de um Trânsito, uma Progressão ou uma Direção de Urano sobre a Roda da Fortuna será manter a sua mente aberta e livre de ideias preconcebidas para facilitar o bom fluxo das suas energias e dos acontecimentos da vida.

- FORÇAS ATUANTES: renovação, inquietude, revolução e ruptura
- ÁREAS DE ATUAÇÃO: boa sorte e fluidez
- ASPECTOS FAVORÁVEIS: Sextil e Trígono

Sendo a Roda da Fortuna o simbolismo que aponta para a riqueza e Urano, por sua vez, o Astro que trata de renovação, passar por essa fase significará ter a oportunidade de compreender de um modo totalmente diferente do usual o que é, de fato, fortuna. A bem da verdade, os ventos que carregam a boa sorte soprarão na direção de experiências que vão muito além da imaginação. Sem dúvida, o brilho da sua estrela iluminará os caminhos que *a/o* conduzirão à conquista de liberdade.

Por outro lado, a Roda da Fortuna também diz respeito à fluidez da energia, sendo extremamente importante sua atuação nos momentos difíceis. Portanto, se você mantiver a mente aberta e livre de preconceitos, certamente encontrará boas soluções para os conflitos que estiver enfrentando nesse período.

Ainda que sinta a insegurança produzida por essas mudanças, a dica é saber acolher o imprevisível com sabedoria e aprender a lidar com a sorte como sendo um merecimento inesperado. Você poderá agir com liberdade *baseada/o* na sua intuição e, sendo assim, o fluxo dos acontecimentos fluirá de forma favorável para que você possa vencer desafios e usufruir as boas surpresas que a vida anunciar.

· ASPECTOS DESAFIADORES: Conjunção, Quadratura e Oposição

O maior aprendizado associado a esse Aspecto desafiador será o de descobrir que a riqueza pode ser um valor extremamente diferente daquele que você acreditou até então. O fato é que a sorte, assunto também tratado pela Roda, mudará de direção, e os bons ventos soprarão para outras bandas. No entanto, o que importará nesse momento será se libertar da dependência da ajuda da sua estrela da boa sorte, aprendendo a lidar com os reveses da vida sem se desesperar nem entregar os pontos.

Sabendo que a Roda da Fortuna está associada à fluidez da energia e, também, o quanto isso ajuda a enfrentar os períodos difíceis, a dica é manter a mente livre de preconceitos para deixar desobstruído o fluxo natural dos acontecimentos. Saiba ainda não reagir contra o imprevisível e acolha a insegurança se você se sentir *desprotegida/o*. Lembre-se de que enquanto você não confiar na sua intuição e não agir com liberdade, dificilmente se livrará de problemas que poderiam ser resolvidos sem muitos transtornos.

Urano em Aspecto com Quíron

A função de Urano em Aspecto com Quíron será mudar o seu jeito de cuidar de si e romper com hábitos que produzem mal-estar. Sempre que

Urano atuar, mudanças acontecerão e, quando for com Quíron, essas transformações visarão à sua cura.

- FORÇAS ATUANTES: renovação, inquietude, revolução e ruptura
- ÁREAS DE ATUAÇÃO: saúde e autoconhecimento
- ASPECTOS FAVORÁVEIS: Sextil e Trígono

Prepare-se para viver um período que deixará a marca de mudanças importantes no modo como você lida com a saúde, seja física, seja mental ou espiritual.

O Trânsito, a Progressão ou a Direção de Urano costuma ser *vivida/o* como uma grande revolução que abre caminhos e rompe com hábitos condicionados que, nesse caso, dirão respeito às dores decorrentes das feridas abertas pela vida. Evidentemente que elas existem e fazem parte da realidade de todos nós. Entretanto, será num momento como esse que uma brecha se abrirá para aliviar o que *a/o* faz sofrer, pois, ao atravessar esse Aspecto, você terá uma oportunidade ímpar de se libertar do mal-estar causado por elas.

O importante será aproveitar essa fase para mudar o jeito de se cuidar e romper com velhos vícios tanto físicos quanto comportamentais. Arrisque novas ferramentas que provoquem uma mexida radical nos hábitos que costumam causar sofrimento, de modo que você possa encontrar as saídas que *a/o* levarão a se curar. Tenha certeza de que um novo tempo estará por vir. Ao se renovar e aprender a lidar melhor com tais marcas da vida, você passará a viver de maneira muito mais saudável.

De mais a mais, Quíron também está associado à aquisição de conhecimento, principalmente o autoconhecimento. Assim, foque essa busca e sinta a liberdade de, *curada/o* das suas feridas, usufruir os benefícios de se conhecer melhor.

- ASPECTOS DESAFIADORES: Conjunção, Quadratura e Oposição

A atuação de Urano sobre Quíron em um Aspecto desafiador será a de *pressioná-la/o* a modificar a forma como lida com o seu bem-estar físico e sua saúde em geral — física, mental e/ou espiritual. As cicatrizes deixadas pelos ferimentos que a vida produziu doerão mais do que o habitual nesse momento. A função desse Aspecto será *alertá-la/o* para a necessidade de cuidar de si de uma nova maneira, portanto, essas dores serão as que *a/o* levarão a se curar dos seus desequilíbrios.

Sua saúde poderá passar por um momento de instabilidade, semelhante à mudança brusca de tempo comumente produzida pela natureza. O segredo será proteger-se das tempestades, mas lembrando-se de que, sem elas, não há renovação da vida. Tudo acontecerá para que quebre hábitos não saudáveis e, de preferência, simultaneamente nos planos físico, mental e espiritual. Passada a instabilidade dessa fase, você verá seus ferimentos se regenerarem e seu corpo se reorganizar de maneira muito mais saudável.

Quíron também simboliza *a/o mestra/e* que aponta para a direção a seguir. A dica é focar a busca do autoconhecimento e usufruir a liberdade de ser cada vez mais você *mesma/o*.

Urano em Aspecto com Lilith

Urano é o Astro que tem como função provocar renovação, nem que para isso seja necessário atravessar turbulências. Ao agir sobre a Lilith do Mapa do seu nascimento, ele remexerá o palácio dos desejos e de lá extrairá o que precisa ser liberado. Sua transformação será profunda e definitiva.

· FORÇAS ATUANTES: renovação, inquietude, revolução e ruptura
· ÁREAS DE ATUAÇÃO: sexualidade, desejo, insubordinação e emoções profundas
· ASPECTOS FAVORÁVEIS: Sextil e Trígono

Não há Trânsito, Progressão ou Direção de Urano que não provoque uma tremenda revolução na sua vida. Quando ele atuar sobre a Lilith do seu Mapa Natal, a revolução acontecerá para que os seus desejos mais profundos, aqueles que ficaram guardados a sete chaves, encontrem saída e venham à tona com a urgência de serem reconhecidos, conscientizados e acolhidos. Ainda que você possa ser *surpreendida/o* com a estranheza do caráter deles, esses mesmos anseios serão libertadores e servirão de preparo para um novo ciclo de vida, principalmente nos assuntos que dizem respeito aos afetos e à sexualidade. E, por falar nisso, esse será um tempo favorável para renovar a libido, abandonar preconceitos e abrir a alma e o corpo para o prazer.

Um novo âmbito da sua natureza psíquica abrirá as portas do reino das vontades, e estas chegarão à superfície da sua consciência e do seu corpo com toda a força acumulada durante o período em que ficaram contidas. Essa será uma experiência libertária, diferente de tudo o que já tiver sido vivido, e lhe dará o poder de se abrir para novos encontros e fazer escolhas diferentes.

As paixões ocuparão um lugar especial, trazendo vida e renovando o que emocionalmente tiver se acomodado. Será preciso, por isso, mudar seu estilo de escolhas e desenvolver outro modo de dar e receber amor. O segredo será quebrar os tabus que, como rede que se enrosca na hélice de um barco, retêm seus desejos e bloqueiam o seu navegar pelos mares do prazer.

Por fim, o grande aprendizado desse Aspecto será saber recusar o que fere sua sensibilidade, o que vai contra seus anseios mais profundos e o que ameaça a sua liberdade.

· ASPECTOS DESAFIADORES: Conjunção, Quadratura e Oposição

A pressão exercida por Urano sobre a Lilith do Mapa do seu nascimento provocará perturbações na ordem do palácio onde habitam os seus desejos mais profundos e verdadeiros, deixará marcas definitivas das mudanças que ocorrerão tanto na afetividade quanto na sexualidade e mexerá de algum modo com sentimentos nada confortáveis, mas que, libertados, farão uma grande alquimia emocional na sua vida.

Ainda que surpreendam com estranheza de caráter, esses mesmos anseios forçarão a abertura das portas da sua alma para que você possa dar os primeiros passos para o início de um novo ciclo de experiências sexuais e emocionais profundas. A dica é romper com seus preconceitos, quebrar os tabus e enterrá-los no jardim do seu reino interior e renovar a libido, seja esta associada à sexualidade em si, seja a que pode *motivá-la/o* a sentir prazer.

Algumas das experiências amorosas poderão *colocá-la/o* fora de cena, em um lugar de exílio e exclusão. A transição vivida nessa fase de tantas mudanças será atravessada com mais dignidade se você não depender de ninguém e puder seguir livremente o próprio caminho. A tendência desse Aspecto será de rompimentos, assim como na natureza as tempestades espalham as sementes da progenitora para germinarem longe das sombras.

Viver paixões intensas poderá ser libertador, mas não espere por promessas de vinculação. Como dito anteriormente, será caminhando *sozinha/o* que você conhecerá a sua força interior e dará às suas vontades a dignidade que merecem. O segredo será ficar *atenta/o* aos encontros que possam causar dor. Recuse-se a aceitar o que fere sua sensibilidade ou que ameaça a sua liberdade.

Trânsitos, Progressões e Direções de Netuno

A função dos Trânsitos, das Progressões e das Direções de Netuno será sensibilizar, aprofundar e dissolver as áreas representadas pelos Planetas ou Pontos Virtuais com os quais ele fizer uma conexão, favorável ou desafiadora. Esses Astros ou Pontos serão contemplados com a fantasia e a espiritualidade. Os desafios a serem enfrentados durante a vigência desses Aspectos estarão relacionados à confusão, à melancolia e à desorientação.

INTENSIDADE DO TRÂNSITO: 7

INTENSIDADE DA PROGRESSÃO: 4

INTENSIDADE DA DIREÇÃO: 7

Netuno em Aspecto com o Sol

Netuno é o Astro que em Trânsito, Progressão ou Direção amplificará a sensibilidade, dissolverá padrões e facilitará o contato com o universo psíquico e espiritual. Por seu turno, o Sol no seu Mapa Natal é responsável pela autoconsciência. A ação de Netuno sobre o Sol será a de trazer intuição ao campo da razão, *torná-la/o* mais *receptiva/o* a ser o que verdadeiramente é, e proporcionar uma boa dose de magia na maneira de viver.

· FORÇAS ATUANTES: intuição, sensibilidade, imaginação e espiritualidade
· ÁREAS DE ATUAÇÃO: consciência, vontade, vitalidade, vigor e autoconfiança

· ASPECTOS FAVORÁVEIS: Sextil e Trígono

Uma das maiores funções desse Aspecto será levar sensibilidade onde reina a racionalidade. Essa experiência reunirá duas qualidades opostas, resultando tanto no aprofundamento quanto na amplitude das suas avaliações. Pode-se comparar esse período com o refrescamento das sombras que *a/o* protegem do calor abrasante da razão sem, entretanto, provocar a escuridão nem o esfriamento da sua percepção de realidade. Na verdade, você intuitivamente captará o que comumente é difícil de identificar.

A grande vantagem desse momento será que, caso você venha a se deparar com preocupações ou conflitos da vida cotidiana, será possível ter tranquilidade para encontrar os caminhos certos que levem às boas soluções.

Haverá um bom fluxo de energia e uma atmosfera sensível que envolverá tudo e todos que estiverem perto de você.

Dado que o Sol representa o poder de comando e, nesse caso, o mar de Netuno será de águas tranquilas, não será preciso fazer muitos esforços para fazer valer a sua vontade, conquistar respeito e obter reconhecimento. A razão navegará deslizando com fluidez pelas águas da intuição, ainda que não seja muito fácil a navegação para aqueles que costumam usar exclusivamente a primeira. Para esses, será a chance de dar espaço para a intuição. Lembre-se de que ela será essencial para que aproveite melhor as oportunidades dessa fase luminosa.

Na prática, você poderá alcançar mais visibilidade e ter acesso a pessoas que admira ou que estejam sob o seu comando. A bem da verdade, você também poderá liderar com uma força especial que combinará intensidade com sensibilidade.

Sendo o Sol um símbolo da vitalidade, esse Aspecto apontará para um ótimo ajuste das energias, facilitando a organização da sua saúde. Aliás, o que melhor funcionará nessa época para a obtenção do seu bem-estar serão as práticas que desenvolverem uma boa relação entre o corpo e o estado de espírito. Não se abstenha de usá-las.

Todavia, o segredo será compreender que você terá meios para se proteger da influência das energias que não lhe fizerem bem. Também por se sentir mais *plena/o* de si *mesma/o*, a vida será muito mais facilmente conduzida. E mesmo que tenda a aceitar melhor a realidade, haverá muito a sonhar ainda. Talvez seja essa estranha união entre real e imaginário que tornará essa ocasião tão especial.

· ASPECTOS DESAFIADORES: Conjunção, Quadratura e Oposição

O sentimento produzido por esse Aspecto será o de estar caminhando *envolta/o* em um nevoeiro que embaça a racionalidade. Além disso, a intuição não dará pistas do que você encontrará logo adiante. *Insegura/o* de si, a nebulosidade poderá comprometer a avaliação correta da realidade, ou seja, a falta de foco produzirá distorções nas suas avaliações, dificultando identificar a fronteira que separa o que é real do que é fantasia.

Por estarem indefinidas, tanto a sensibilidade quanto a lógica deixarão de ser válidas, dando lugar a falsos julgamentos. Sendo assim, observe tudo o que tiver que ser feito com muito cuidado e tente, principalmente, distanciar-se um pouco das situações nas quais vier a se envolver. Talvez, ao observá-las de fora, será mais fácil avaliá-las.

Por mais que os valores relacionados ao Sol digam respeito à consciência, todo Aspecto envolvendo Netuno *a/o* levará a visitar a mansão onde habita a sua alma. Portanto, qualquer investimento que *a/o* ajude a mergulhar com segurança nesse mar psíquico ou espiritual será muito bem-vindo e *a/o* deixará muito mais *segura/o* para lidar com o turbilhão de emoções que você encontrará lá.

Como esse Aspecto não estimula o desejo de se expor, procure não ficar em evidência, salvo quando for absolutamente necessário. Se esse for o caso, exponha-se o mínimo possível e não tente fazer valer a sua vontade. Nesse momento será preferível ceder a manter firme uma posição que talvez não esteja bem estruturada. Além da exposição, essa não será uma época favorável para relações que envolvam posições de poder ou com pessoas que exerçam o comando. A dica será se proteger e evitar disputas e jogos de manipulação emocional.

Será possível ainda que haja um desgaste de energia tal que, fisicamente, você se sinta *cansada/o*. Na verdade, esse estresse terá um componente emocional que deverá ser considerado nas avaliações de saúde. Será muito provável que você absorva mais do que deveria as energias que *a/o* cercam e que são prejudiciais, o que será outro motivo do possível cansaço, mas que dificilmente será identificado. Portanto, filtre o que lhe fizer mal, aquilo que possa poluir seu corpo e sua alma. Busque não frequentar ambientes com clima pesado, com exceção daqueles em que sua presença e ajuda forem necessárias e que, efetivamente, estejam ao seu alcance.

Netuno em Aspecto com a Lua

Tanto Netuno quanto a Lua possuem qualidades similares, pois ambos são regentes de Signos do Elemento Água e navegam no fascinante oceano da imaginação. Esse Aspecto, portanto, amplificará a sensibilidade e a profundidade representadas pelos dois Astros.

- · FORÇAS ATUANTES: intuição, sensibilidade, imaginação e espiritualidade
- · ÁREAS DE ATUAÇÃO: intuição, sensibilidade, afetividade, lembranças do passado, família e casa

Como a ação de Netuno sobre a Lua será favorável, passar por esse Aspecto significará conhecer a senha que lhe dará o acesso aos seus desejos mais profundos, aqueles que estão cuidadosamente guardados no aconchego da sua alma. Você estará também muito mais *intuitiva/o* e sensível para interagir emocionalmente com equilíbrio. Saberá expressar o que sente com habilidade e será capaz de sensibilizar as outras pessoas com sua empatia e seu carisma, que, por sinal, estarão em alta.

Essa será uma oportunidade suprema de aprofundar os seus relacionamentos, especialmente os familiares. Devido à sensibilidade amplificada, será mais fácil se colocar no lugar das outras pessoas, compreender o que sentem e, se preciso, poderá auxiliá-las nas suas dificuldades. Além disso, por estar emocionalmente *receptiva/o*, elas ficarão mais próximas e, se houver necessidade, também estarão disponíveis para *ajudá-la/o*. Será um momento de doação, haverá compaixão e solidariedade. Você tenderá a perdoar *aqueles* que lhe causaram mágoa no passado recente ou distante, iniciando uma nova fase de relação. Mesmo que haja algum tipo de conflito durante esse período, você irá contemporizar para que volte a reinar a harmonia. Essa será uma excelente ocasião para superar os ressentimentos antigos, as emoções contidas e para restabelecer a paz emocional.

A Lua é uma espécie de celeiro onde estão armazenadas emoções, sentimentos, traumas ou medos. A função de Netuno nesse Aspecto será a de dissolver os nós que atrapalhem a boa fluidez do seu universo emocional. O estado de espírito dessa época será de tamanha entrega e compreensão que você abrirá os portões do seu armazém sem receio do que encontrará lá. Estará então *preparada/o* para acolher, analisar e ficar em paz com seu passado e suas forças interiores.

No aspecto prático, a Lua tem relação com a moradia e os bens imóveis, sendo essa, portanto, uma ocasião favorável para decisões sobre onde morar e fazer investimentos de natureza imobiliária.

· ASPECTOS DESAFIADORES: Conjunção, Quadratura e Oposição

Com a pressão exercida por Netuno sobre a Lua, o primeiro grande desafio desse Aspecto será lidar com a sensibilidade, que estará à flor da pele. Qualquer experiência que possa causar desconforto afetará sobremodo a sua estabilidade emocional. Depois, como uma esponja, você absorverá não só as energias prejudiciais, mas principalmente as do que acontecer com aqueles mais próximos, em especial se forem da sua família. Será bastante difícil separar seus sentimentos dos das outras pessoas e, consequentemente, organizar-se e colocar cada coisa no seu lugar. Se já estiver passando por algum tipo de angústia e, ainda por cima, envolver-se com problemas alheios, as preocupações se somarão e será muito mais complicado resolver tanto as suas adversidades quanto as do outro. Portanto, procure manter certa distância, evitando uma contaminação de ambos os lados.

Essa dica igualmente é válida para que você não se deixe levar por seus medos e suas fantasias. Será bem provável que acredite demais nas pessoas, projetando nelas as suas expectativas de relacionamento. Será preciso prestar atenção ao que pensam e sentem para que você não se desiluda posteriormente.

Todavia, o que poderá ser feito para amenizar esse estado excessivo de sensibilidade? O mais importante de tudo será tentar dissolver as mágoas e os ressentimentos decantados e acumulados no fundo do seu oceano psíquico. Não haverá melhor período para aprender a perdoar o que aconteceu no passado e compreender que todos somos humanos. As fragilidades existem, e as falhas também. O segredo será acolhê-las e, então, superar as pressões desses sentimentos que causam angústia, ansiedade e baixa autoestima. Ao emergir das profundezas as emoções que se ocultavam da sua consciência, você poderá compreender claramente quem lhe quer bem e avaliar em quem pode ou não confiar.

Outro efeito especial de Netuno será a produção de nebulosidade que, nesse caso, envolverá a esfera emocional. Diferenciar uma emoção da outra será mais um grande desafio desse momento intenso e, ao mesmo tempo, bastante confuso. Por causa dessa incerteza, provavelmente as outras pessoas não serão compreensivas ou farão uma interpretação errada do que você estiver sentindo. Busque se distanciar de situações conflituosas para reorganizar suas energias e se abastecer emocionalmente.

Nas questões práticas relacionadas a esse Aspecto, estão incluídas as que têm a ver com a moradia e os bens imóveis. O ideal será deixar passar esse nevoeiro que impede a visão clara das coisas para então tratar desses assuntos. Por isso, se for possível, espere para escolher um lugar para morar ou fazer algum tipo de investimento imobiliário. Caso contrário, faça tudo com os pés no chão, contenha as fantasias e use, acima de tudo, o bom senso.

Netuno em Aspecto com Mercúrio

Netuno e Mercúrio agem em planos diametralmente opostos. Enquanto o primeiro simboliza a sensibilidade e o campo da espiritualidade, o segundo trata do uso das faculdades intelectuais e da linguagem. Ao agir sobre o Planeta da comunicação, Netuno trará silêncio e unidade para um universo inquieto, bipartido e múltiplo.

- FORÇAS ATUANTES: intuição, sensibilidade, imaginação e espiritualidade
- ÁREAS DE ATUAÇÃO: comunicação, estudos, mobilidade, viagens e negócios
- ASPECTOS FAVORÁVEIS: Sextil e Trígono

O Trânsito, a Progressão ou a Direção favorável de Netuno com Mercúrio, Astro que carrega consigo a luz da razão, conduzirá a mente a visitar o fascinante território da imaginação. As palavras terão um poder inigualável de guiar a comunicação com a habilidade *das/os* poetas e *das/os encantadoras/encantadores* de serpentes. Com efeito, o que for dito nessa ocasião afetará a sensibilidade das pessoas e, ao mesmo tempo, você se emocionará com as informações às quais terá acesso. No entanto, não será apenas o que você falar que crescerá com a força do devaneio. Pensar será quase um rito de passagem que dará acesso a um lugar mágico onde se fabricam ideias fantásticas. Uma leitura, uma conversa, um espetáculo: tudo que chegar a você será inspirador e enriquecerá o seu estoque de conhecimento.

Esse será um momento em que você apresentará maior receptividade a aprender, principalmente se for um assunto associado diretamente às suas emoções. Quase sem perceber, as informações serão absorvidas facilmente e bastará muito pouco para que você se recorde do que aprendeu. Portanto, aproveite essa sensibilidade para aplicá-la nas atividades intelectuais que exijam o uso da imaginação. Seus interesses estarão, em geral, voltados para temas que desafiam a capacidade de compreensão, como os que tratam da espiritualidade, do oculto e que envolvem o psiquismo. Também essa fase favorecerá acordos, contratos e negociações. Se não houver nenhum outro

Aspecto com indicação contrária, eles fluirão com naturalidade e com o mínimo de desgaste possível.

As reflexões assumirão o lugar das discussões. Estas, longe de serem frequentes nessa época, se ocorrerem, serão orientadas com sabedoria. Essa ocasião será favorável para dissolver mal-entendidos e restabelecer a boa compreensão nos relacionamentos.

Viajar durante esse período poderá ser uma experiência inspiradora. Os horizontes se abrirão e um universo totalmente sedutor se descortinará aos seus olhos, em especial se as atividades principais da viagem envolverem estudos, contato com arte ou experiências espirituais.

· ASPECTOS DESAFIADORES: Conjunção, Quadratura e Oposição

Por haver tensão na influência de Netuno sobre Mercúrio do Mapa do seu nascimento, o primeiro grande desafio será lidar com as fantasias que a mente produzirá nessa hora. Os seus pensamentos pescarão na fábrica das suas habilidades mentais os medos escondidos nas áreas mais inacessíveis, que, então, estarão abertas para você visitar. De todo modo, durante a passagem desse Aspecto, a tendência será a de haver conflito entre a sensibilidade e a razão, e é possível que a última seja prejudicada.

Depois, como as ideias estarão confusas, será provável que sinta também dificuldade em se expressar e ser *compreendida/o*. Se isso ocorrer, existem duas possibilidades: uma será sair da cena das discussões, a outra será se confundir ainda mais tentando explicar o que não tiver ficado claro. De qualquer maneira, a comunicação poderá ser problemática durante esse Aspecto.

E como agir para se fazer entender? Primeiro, será preciso ser bastante *sintética/o*, sem se estender em argumentações infindáveis. Depois, o importante será explorar ao máximo a capacidade de usar imagens que sirvam de exemplo para exprimir suas reflexões.

Ainda ao longo dessa fase, será preferível ser testemunha dos fatos a emitir opiniões, pois elas poderão ser mal interpretadas e dar margem a confusões. Também será essencial dar atenção à organização, principalmente em relação aos seus papéis, documentos e materiais de estudo.

Evite ainda fazer de imediato acordos profissionais ou qualquer negócio de grande importância. Aproveite para conhecer mais profundamente tanto os seus interesses como os das pessoas envolvidas. Analise com cautela as propostas e reflita sobre seus prováveis resultados. Assim, poderá ganhar um pouco mais de segurança na validade deles.

A tendência será a de que haja dispersão e dificuldade de concentração em atividades intelectuais, como estudos, pesquisas, provas ou até mesmo na apresentação de algum tipo de trabalho. Para que você não seja *prejudicada/o*, evite tudo que possa *dispersá-la/o* e memorize usando a tática das analogias, que, nesse caso, poderá funcionar muito bem. Outro bom modo de organizar a mente será por meio de algum tipo de prática espiritual, por exemplo, a meditação.

Por fim, viajar nesse período poderá ser um ótimo aprendizado de como se esquivar dos mal-entendidos. Procure ficar *atenta/o* à burocracia e não deixe tudo para a última hora.

Netuno em Aspecto com Vênus

Netuno em Trânsito, Progressão ou Direção provocará a ampliação da sensibilidade e da espiritualidade e, quando ele atuar sobre Vênus do Mapa do seu nascimento, serão tocados por seu condão mágico o amor, a beleza, a arte e o conforto do mundo material.

· FORÇAS ATUANTES: intuição, sensibilidade, imaginação e espiritualidade
· ÁREAS DE ATUAÇÃO: autoestima, amor, beleza, sexualidade e recursos materiais
· ASPECTOS FAVORÁVEIS: Sextil e Trígono

Ao longo desse Trânsito, dessa Progressão ou dessa Direção, a imaginação dará as mãos ao amor, de modo que será possível realizar alguns de seus desejos emocionais. Tudo dependerá do uso que fizer da sensibilidade e da forma como aproveitará a boa maré trazida pela autoestima. Em primeiro lugar, navegando pelas águas da intuição, você saberá identificar com clareza o que poderá esperar da pessoa com quem estiver se relacionando ou daquela com quem gostaria de se relacionar. Em segundo, pode-se dizer que amar será uma experiência espiritual e uma viagem que *a/o* conduzirá a conhecer locais mais profundos do armazém dos seus anseios. Também a maneira como você lidará com a estética do seu corpo será afetada favoravelmente por esse Aspecto. Nas ondas favoráveis da autoestima, você surfará acreditando na sua beleza como única, e não como uma reprodução dos modelos idealizados pelo mundo onde você costuma transitar.

Será possível também que haja um pouco de idealização, mas não o suficiente para comprometer a realidade. Às vezes será benéfico imaginar o melhor para que sirva de exemplo. Se você fizer os esforços necessários para chegar mais perto dos seus sonhos, eles provavelmente ocorrerão.

Será mais fácil amar e ser *amada/o* no decorrer desse Aspecto. O amor fluirá com toques de encantamento e tranquilidade. Devido à sensibilidade que estará em alta, você absorverá os sentimentos da outra pessoa, sabendo compreender e socorrer quem necessitar de ajuda para superar dificuldades.

Ainda que se sacrifique para harmonizar um relacionamento, você não prejudicará o que de fato for importante para si. Haverá compaixão e compartilhamento dos sentimentos, e você saberá perdoar e dissolver mágoas provocadas pelas experiências afetivas. Assim, muitos problemas nas relações poderão ser resolvidos durante esse período.

A criatividade também estará estimulada. Portanto, para quem praticar atividades que dependam dela, será uma excelente oportunidade para desenvolvê-las. Quanto à sexualidade, assunto fundamental quando Vênus entra em cena, em função da sua sensibilidade, será mais fácil reconhecer os seus verdadeiros desejos e os *da/o sua/seu parceira/o*. Por isso, será possível obter maior satisfação e usufruir o prazer de um bom relacionamento sexual.

Por fim, como Vênus é associado igualmente ao conforto e ao bem-estar, um Aspecto como esse poderá se manifestar como um momento propício para você se equilibrar materialmente ou, se for o caso, definir estratégias para resolver questões financeiras.

- ASPECTOS DESAFIADORES: Conjunção, Quadratura e Oposição

De um lado, Netuno *a/o* incitará a fantasiar. De outro, Vênus *a/o* estimulará a querer amar e ser *amada/o*. Por ser um Aspecto tenso, a tendência será a de que ele atue causando dificuldade de definir as fronteiras que separam a realidade da fantasia, principalmente quando ela estiver relacionada ao território afetivo. Será bom lembrar que também a autoestima sofrerá com a nebulosidade característica de um Aspecto desafiador de Netuno. A bem da verdade, esse será um momento crítico no que toca os seus relacionamentos. Será importante que enfrente as crises com uma visão profunda, e não tente simplificar os problemas, muito menos fugir deles. As insatisfações serão comuns ao longo dessa época e será essencial avaliar as expectativas que você tem em relação às pessoas com as quais tiver se envolvido.

Quase sempre esse Aspecto será sentido com mais intensidade no relacionamento amoroso, mas outras relações sofrerão um processo semelhante. Poderá haver frustrações por não se sentir *correspondida/o* nas expectativas que você projetou naqueles que estima. Será hora de avaliar até que ponto você não esperava demais dos outros, se suas fantasias não ultrapassaram os limites da realidade e se não houve ilusão acerca dos próprios sentimentos. Será preciso também compreender que *todas/os*, até mesmo você, são *humanas/os* e, certamente, falham. Por isso, o melhor será perdoar a si *própria/o* e desculpar quem lhe tiver causado mágoa, dissolver os ressentimentos e liberar as emoções acumuladas.

É possível ainda que você venha a se sentir *confusa/o* emocionalmente. As águas emocionais se misturarão, remexerão as profundezas da sua alma e você já não saberá qual sentimento estará sendo acessado ou não. A dica é olhar para o todo, como o mar que recebe água de cada canto do Planeta. O que valerá será essa síntese. Ou as águas estarão calmas, ou o mar estará revolto. No entanto, o grande segredo será deixar tudo se aquietar antes de tomar qualquer decisão que esteja relacionada à afetividade. Um bom modo de apaziguar as angústias levantadas pelo tridente do senhor dos mares será praticar alguma atividade que seja de natureza espiritual ou fazer algum tipo de psicoterapia.

Por Vênus ser associado igualmente ao conforto e ao bem-estar, um Aspecto como esse poderá indicar um desequilíbrio material, dificultando, portanto, o controle dos gastos, a definição exata do valor do seu trabalho e, até mesmo, uma remuneração justa. Sendo assim, busque definir o que precisa ser feito para resolver esses problemas. O que você não poderá fazer será ficar esperando que as coisas se solucionem sozinhas. Será necessário vencer o desânimo e lutar para se organizar financeiramente.

Netuno em Aspecto com Marte

As dinâmicas desses dois Planetas são muito distintas. Enquanto Netuno reina no Elemento Água, Marte está à vontade no calor das chamas do Elemento Fogo. No caso desse Trânsito, dessa Progressão ou dessa Direção, a função de Netuno será refrescar o que estiver inflamado pelas lutas da vida.

- FORÇAS ATUANTES: intuição, sensibilidade, imaginação e espiritualidade
- ÁREAS DE ATUAÇÃO: autonomia, autoconfiança, competição, liderança, disposição física e saúde
- ASPECTOS FAVORÁVEIS: Sextil e Trígono

Sendo esse um Aspecto favorável, passar por ele significará não precisar forçar nenhuma barra para sair *vitoriosa/o* nas lutas e para enfrentar os desafios da vida. Você terá acesso a uma região da sua consciência que *a/o* deixará *segura/o* quanto ao tamanho da sua potência e à qualidade das suas capacidades. O efeito positivo dessa percepção será que as iniciativas serão conduzidas pelas boas marés da sensibilidade e atingirão os alvos desejados.

Todo Trânsito, Progressão ou Direção de Netuno ativará a intuição. Quando for com Marte, indicará a conquista de independência e o comparecimento da coragem. Haverá uma associação de princípios antagônicos que, por se unirem com equilíbrio, produzirão resultados encantadores. Será possível agir com calma e pulso firme, e a impulsividade se manifestará de modo quase imperceptível. As ações fluirão com facilidade surpreendente, de modo que esse será um período excelente para iniciar algo diferente do habitual, mas que, sobretudo, contenha algumas das suas fantasias.

Também suas energias físicas e sexuais se harmonizarão e serão liberadas com naturalidade. Se por algum motivo se encontrarem bloqueadas, essa será uma boa oportunidade para desobstruir o que *a/o* impede de ter um bom desempenho nessas áreas.

Será durante uma época como essa que os conflitos serão enfrentados com sabedoria. Dificilmente você reagirá a uma provocação com agressividade, e tentará fazer tudo o que estiver ao seu alcance para evitar uma briga. Entretanto, se for necessário defender-se, usará a sensibilidade no lugar da força. A intuição e a coragem se aliarão, e você saberá quando será a hora de enfrentar e quando deverá recuar. Por isso, se precisar se impor, procure fazê-lo de forma amena, pois será esta a sua mais poderosa ferramenta de sedução.

Psicoterapias, práticas que trabalham o seu equilíbrio espiritual e atividades físicas que produzem o equilíbrio entre o corpo, a mente e a alma serão extremamente bem-vindas — não perca a chance de iniciá-las. E, caso já tenha o hábito de desempenhá-las, fique *certa/o* de que os resultados serão positivos.

· ASPECTOS DESAFIADORES: Conjunção, Quadratura e Oposição

Sendo esse um Aspecto tenso, o primeiro desafio desse momento será o de levar adiante um propósito, provavelmente porque, entre outros fatores, as inseguranças quanto à sua força de vontade surgirão com as ressacas de um turbulento mar emocional. Essa dificuldade poderá ser decorrente tanto da ausência de estímulos que *a/o* tirem de um cenário de acomodação quanto da existência de conflitos maiores do que você se sente capaz de suportar. Em ambas as situações, será necessário que você faça uma boa avaliação da sua disposição física e emocional antes de iniciar algo que exija um esforço maior do que o habitual.

A segunda grande adversidade será escolher em quais lutas você deverá entrar. Fique ciente de que, devido à nebulosidade desses tempos, não será fácil fazer valer o seu querer. E quais serão os motivos prováveis para a existência desse problema? Talvez você esteja sem ânimo devido à ausência de uma atividade dinâmica que estimule o seu espírito de luta e conquista. Mas poderá ser também que a competição acirrada possa ser a causa desse estado de estresse e desmotivação. Durante esse período, o melhor será não entrar em batalhas alheias e não se deixar contaminar pelos conflitos.

Por outro lado, a disputa, mesmo que complicada, poderá ser a motivação que você estava precisando, desde que ela seja justa e que você constate a viabilidade de realização dos seus desejos. Se for necessário, mude a estratégia. Entretanto, se possível, evite competir usando as mesmas ferramentas *da/o* oponente. O segredo será provocar-lhe surpresa, e imaginação para isso não faltará. Pelo contrário, ela será excessiva e deverá, até mesmo, ser controlada. Tampouco será raro não haver decepção. Quanto mais você investir no seu equilíbrio psíquico e espiritual, mais evitará embarcar nas tormentas dos seus devaneios.

A tendência à baixa imunidade alertará para que você dê atenção à saúde. No entanto, por ser o estresse causado praticamente por preocupações de ordem emocional, antes de tudo será preciso equilibrar corpo e espírito para manter a resistência em alta. A dica é que você introduza hábitos saudáveis e possa adquirir qualidade de vida. Esquive-se de qualquer tipo de alimentação ou ambiente que seja intoxicante. O bom mesmo nesse momento será fazer um detox físico e espiritual — você sentirá como seu corpo e sua alma agradecerão.

Netuno em Aspecto com Júpiter

Tanto Netuno quanto Júpiter regem o Signo de Peixes, reino da fantasia e da sensibilidade. Ao atuar sobre o Planeta gigante, Netuno intensificará a profundidade psíquica, assim como a amplitude do mar onde navegam a fé e a esperança.

- FORÇAS ATUANTES: intuição, sensibilidade, imaginação e espiritualidade
- ÁREAS DE ATUAÇÃO: metas, leis, crenças, ideais, justiça, estudos e viagens

ATENÇÃO: a Conjunção deverá ser interpretada levando em consideração as tendências favoráveis e desafiadoras. Se excessos forem cometidos, haverá predominância das tensões e do estresse. Entretanto, havendo equilíbrio e desenvolvimento espiritual, prevalecerá a natureza harmoniosa do Aspecto.

- ASPECTOS FAVORÁVEIS: Conjunção, Sextil e Trígono

Quando a ação de Netuno sobre Júpiter se der de forma a melhorar a sua potência, você poderá confiar tanto na proteção da sua estrela da sorte que será capaz de levá-la por toda a vida. Dito isso, você terá a bênção de poder contar com a intuição de tal maneira que a mente estará pronta para receber conhecimentos elevados. Será durante uma época como essa que você descobrirá a importância dos valores espirituais. Será tempo de aprimoramento, compreensão e fé.

O horizonte se alargará, dando espaço para novos caminhos e metas. Pensamento e inspiração se associarão formando uma poderosa aliança, dilatando sua visão de mundo e suas possibilidades intelectuais. Você se aprofundará também nas suas buscas interiores. O mar de Netuno é tão amplo quanto profundo. Portanto, faça a sua parte e transmita esperança também às outras pessoas, estimulando-as a seguir em frente e a não desanimarem nos momentos difíceis. Essa sabedoria, que não é apenas sua, mas de todo o Universo, é fruto de tudo o que você desenvolveu anteriormente, das suas buscas espirituais e do conhecimento adquirido. Será uma época de merecimento e de paz.

Tudo isso poderá ser igualmente aproveitado na vida prática, a saber, nos estudos, nas pesquisas ou em qualquer tipo de atividade intelectual. Será possível ainda que, se for o caso, problemas jurídicos se resolvam ou que seus direitos sejam reconhecidos e respeitados.

Também em viagens você será capaz de sentir os efeitos favoráveis desse Aspecto. As informações absorvidas valerão muito mais do que qualquer aquisição material. Por fim, essa será a fase ideal para construir um projeto de vida e escolher um caminho que possa contribuir para sua expansão intelectual e sua realização interior.

· ASPECTOS DESAFIADORES: Conjunção, Quadratura e Oposição

Devido à semelhança existente entre as qualidades dos dois Planetas, a pressão de Netuno sobre Júpiter provocará os excessos de toda ordem, mas, especialmente, nas tendências compulsivas e nas áreas em que existir insatisfação.

Outra experiência associada a esse período será a dificuldade de dar uma direção à sua vida e encontrar um propósito que a/o oriente. A sensação de estar *perdida/o* porá em dúvida a existência de algum tipo de proteção ou de sorte. O fato é que, no momento, o brilho da sua estrela estará embaçado pela presença dos seus nevoeiros emocionais. Se der um passo de cada vez, viver o aqui e agora, você terá seu caminho iluminado pela luz difusa da sua estrela. Ainda mais, ao fazer uma reflexão profunda sobre suas crenças e seus ideais, você verá que a sorte tem relação com a espiritualidade. Nessa época (e sempre) será importante também questionar aquilo que você acredita ser absolutamente verdadeiro.

É provável que algumas decepções provoquem uma revisão completa das regras, das leis e das posturas nas quais você tenha fundamentado seu jeito de ser no mundo. Muitas vezes, os acontecimentos transcenderão a sua compreensão, parecendo não fazer sentido. Esse será também o motivo provável para que você experimente certa confusão. O denso nevoeiro gerado pelas fantasias impedirá a visão clara e objetiva das coisas. Por isso, não será a melhor ocasião para definição, e sim para reflexão. Será aconselhável deixar o conflito se dissipar antes de prosseguir. Evite, ainda, dar grandes passos. Será preferível avançar pouco a ter que enfrentar a frustração de não atingir os objetivos traçados.

Tenha zelo com o excesso de imaginação, pois ele poderá provocar avaliações incorretas, o que será injusto com você ou com as outras pessoas. O efeito desse Aspecto poderá ser sentido em algumas áreas objetivas da vida. Nos estudos e nas atividades intelectuais, a tendência será a de faltar concentração. As viagens poderão ser pouco aproveitadas. E, se for o caso de haver problemas judiciais, esse será um período difícil para serem resolvidos. Portanto, ao longo dessa fase, fique *atenta/o* e seja realista sem perder a fé.

Netuno em Aspecto com Saturno

Netuno e Saturno dirigem reinos muito distintos. Enquanto Netuno navega nas ondas da intuição, da sensibilidade e da busca espiritual, Saturno habita a fria montanha da razão, da estabilidade e da prudência. Ao atuar sobre o senhor do tempo, Netuno trará revelações importantes durante a escalada das rochas em direção ao topo.

- FORÇAS ATUANTES: intuição, sensibilidade, imaginação e espiritualidade
- ÁREAS DE ATUAÇÃO: responsabilidade, organização, produtividade e trabalho

- ASPECTOS FAVORÁVEIS: Sextil e Trígono

Essa será uma época extremamente interessante na qual você poderá enxergar a realidade com as lentes da sensibilidade, transformando o que for árido em experiência acolhedora. Quanto aos desafios da longa jornada de empreendimentos e realizações, você saberá acolhê-los, ainda que sejam difíceis de ultrapassar. Essa visão de tranquilidade será responsável pelo encontro das boas soluções caso os problemas venham a se agravar.

A associação das qualidades representadas por esses dois Planetas fará com que você não se perca nas fantasias e, em contrapartida, não se prenda exclusivamente à realidade. Por conseguir distinguir facilmente as intuições das experiências palpáveis, cada uma terá o seu lugar próprio e, principalmente, poderá auxiliar a outra. Os resultados poderão ser sentidos tanto no momento em que seus sonhos se tornarem realidade quanto na confiança de que você poderá sonhar sem medo de se frustrar no futuro.

Outra boa associação das qualidades representadas por esses Astros será a de tranquilidade e perseverança. Portanto, esse será um excelente período para empreendimentos que visem a resultados a longo prazo.

Na área profissional, o efeito desse Aspecto será sentido quando você resolver ampliar seu campo de atuação — essa será a época certa para fazê-lo.

No âmbito pessoal, será mais fácil perdoar, aceitar as falhas e dissolver as mágoas acumuladas pelo tempo. A dica é aproveitar a paz interior e a força espiritual.

· ASPECTOS DESAFIADORES: Conjunção, Quadratura e Oposição

A tendência de Netuno a dar asas à imaginação poderá provocar uma enorme confusão ao agir sobre o universo palpável da realidade representado por Saturno. O limite que separa a fantasia da segurança de pisar em solo seguro se dissolverá. Ora você poderá se perder nos seus sonhos, ora deixará de acreditar que o Universo conspira a seu favor. A bem da verdade, não será positivo nesse momento depositar toda a expectativa na boa sorte dos acontecimentos, imaginando que magicamente a vida resolverá os seus problemas.

Entretanto, o mais provável será que a imaginação distorça a realidade, principalmente quando esta for dura e difícil de ser encarada e as adversidades aparentemente não tiverem solução. O segredo será não fugir e, ao mesmo tempo, não tornar a situação mais difícil do que ela na realidade for. Mas, veja bem, antes de tudo, será preciso compreender e aceitar as falhas cometidas. Somente ao dissolver as redes nas quais os sentimentos estiverem aprisionados será possível sentir mais segurança para enfrentar esse período. Procure se organizar e solucionar cada coisa a seu tempo. Ao misturar os conflitos, cada um deles se contaminará com o que não lhe pertence e, por isso, o caos se amplificará.

Os efeitos desse Aspecto também poderão ser sentidos objetivamente. Em especial no trabalho, tudo parecerá paralisado ou, como um barco sem leme, ao sabor das correntezas. Evite, portanto, assumir responsabilidades que fujam ao seu domínio ou se envolver em empreendimentos que visem a resultados a longo prazo, pois será bem possível que você se frustre no futuro.

Na vida pessoal, os ressentimentos virão à tona com a força de um mar de ressaca. O melhor a fazer será aprender a perdoar, cessar as mágoas e dissolver as culpas, o que certamente dará a você mais alívio e liberdade em relação às aflições provocadas por essas tormentas. Determinadas ferramentas, como as práticas espirituais e as psicoterapias, serão excelentes para lidar com as angústias que emergirem das profundezas do seu oceano emocional.

Netuno em Aspecto com Urano

Netuno e Urano dominam reinos opostos. Enquanto o primeiro comanda a profundidade dos oceanos psíquicos, por sua vez, Urano reina nas alturas onde reluzem os Astros do firmamento. A sensibilidade de Netuno fará a mente viajar por regiões desconhecidas, revelando uma luminosidade até então não experimentada.

- FORÇAS ATUANTES: intuição, sensibilidade, imaginação e espiritualidade
- ÁREAS DE ATUAÇÃO: liberdade, mudança e quebra de padrões

ATENÇÃO: esse será um Trânsito considerado Geracional, o que significa que, quando você estiver passando por ele, toda sua geração estará atravessando um momento semelhante ao seu.

- ASPECTOS FAVORÁVEIS: Sextil e Trígono

Netuno em Trânsito, Progressão ou Direção irrigará com sensibilidade os projetos representados por Urano. Esse será um momento especial para efetuar toda e qualquer mudança que você sinta ser necessária para dar impulso à sua vida e colher os bons frutos plantados no solo das realizações futuras.

Durante essa fase, sua mente será tocada pelos ares úmidos da imaginação e abrirá os portais das grandes revelações. Você despertará o interesse por assuntos que fogem do seu conhecimento habitual, até mesmo aqueles que estimulam a conexão com sua espiritualidade. Tudo que estiver relacionado à compreensão do que está além do campo objetivo será valorizado. O período será de crescimento tanto interno quanto do tipo que leva a mente a terras distantes.

É possível que você dê uma grande guinada nessa fase e venha a modificar por completo o modo de conduzir a vida. Será tempo de ampliar os horizontes, enxergar mais longe e projetar o futuro. A dica é que você se abra a novas experiências e a tudo que seja insólito. Assim será mais fácil encontrar os caminhos que regerão os seus passos dessa ocasião em diante.

Faça suas escolhas *guiada/o* pela intuição. No futuro, elas serão mais bem compreendidas do que no presente. Por ora, apenas entenda que nada acontece por acaso e que haverá experiências mágicas que, se acolhidas, mudarão o curso da sua história.

- ASPECTOS DESAFIADORES: Conjunção, Quadratura e Oposição

Uma inquietação provocada por fantasias poderá *deixá-la/o desorientada/o* em relação às perspectivas do futuro. Essa será a primeira manifestação da potência de Netuno agindo sobre Urano do Mapa do seu nascimento. Depois, muitas das expectativas criadas sem embasamento na realidade se dissolverão, e você perceberá o quão distante estavam de serem alcançadas.

Na prática, a vida ficará desorganizada e manter um ritmo constante será um desafio. Você facilmente desviará sua atenção do que estiver fazendo, perdendo-se em divagações, deixando-se conduzir pela imaginação.

Se suas atividades exigirem concentração, será preciso evitar qualquer coisa que *a/o* distraia, a fim de focar os seus objetivos e, desse modo, poder concluí-los. Se possível, pondere bastante antes de dar início a algum novo projeto. Será importante estar com os pés bem plantados no chão, canalizar as fantasias para a criatividade e não cometer enganos nesse momento, pois eles certamente comprometerão a sua realização.

Na verdade, quando esse Aspecto atuar, haverá o desejo de encontrar novos rumos, deixando para trás tudo que não lhe satisfizer mais. Aproveite essa época para fazer os questionamentos necessários sobre as possibilidades do futuro. No entanto, não se defina ainda em relação a nenhuma especificamente. Apenas se mostre *aberta/o* para conhecê-las e, após passar a confusão, poderá escolher a mais adequada.

Netuno é o Astro que, além de tratar da intuição, é responsável simbolicamente pelo desenvolvimento da espiritualidade. Na medida em que Urano também representa a inspiração, abra-se para o intangível, para o que não é material e que, ainda assim, é possível ser sentido.

Netuno em Aspecto com Netuno

Além de simbolizar a espiritualidade, Netuno é o Planeta que se encarrega da fabricação das fantasias e da produção da sensibilidade. Quando ele atuar em Trânsito, Progressão ou Direção sobre Netuno do Mapa do seu nascimento, sua força ficará potencializada.

- FORÇAS ATUANTES: intuição, sensibilidade, imaginação e espiritualidade
- ÁREAS DE ATUAÇÃO: intuição, sensibilidade, imaginação e espiritualidade

ATENÇÃO: quando um Planeta lento forma, em Trânsito, um Aspecto com o mesmo Astro do Mapa do seu nascimento, significa que todas as pessoas que tenham aproximadamente a mesma idade atravessarão juntas esse Aspecto. Por isso, ele é chamado de Trânsito Geracional.

A Conjunção de Netuno em Trânsito com Netuno Natal não é possível de ser vivida, pois só ocorreria aproximadamente aos 160 anos.

Na Progressão, a única possibilidade de Netuno formar um Aspecto com Netuno do Mapa Natal será em caso de retrogradação, e será uma Conjunção. Nesse caso, o tempo de duração será de um ano antes até um ano depois do grau exato.

A Direção de Netuno Sextil com Netuno do Mapa de Nascimento ocorrerá para todos em torno dos sessenta anos, período aproximado que o Planeta leva para avançar 60°, e a Quadratura aos noventa anos, tempo para avançar 90°.

· ASPECTOS FAVORÁVEIS: Sextil e Trígono

Um Trânsito favorável de Netuno com Netuno do Mapa Natal ocorrerá duas vezes ao longo da vida, sendo, portanto, um momento bastante especial.

Todo Aspecto de Netuno apurará a sensibilidade e, nesse caso, ela será responsável pela compreensão de alguns dos seus questionamentos existenciais. Por que nascemos? De onde viemos e para onde vamos? Qual é o significado da vida? Para que servem as experiências e os acontecimentos ao longo da nossa existência? Muitas respostas chegarão para tranquilizar a alma inquieta.

Não será raro haver interesse por assuntos que fujam dos temas cotidianos, do trabalho e dos afazeres habituais. Será um momento de buscas espirituais, de compreensão e de querer desenvolver algo mais agradável para si e para a sua vida como um todo. Mais do que nunca, faça uso da sensibilidade e canalize sua intuição para tudo o que demandar criatividade. Será tempo de sonhar e ter esperança de um mundo melhor e uma existência vivida com emoção e profundidade.

· ASPECTOS DESAFIADORES: Quadratura e Oposição

O Trânsito da Quadratura de Netuno com Netuno ocorrerá para todas as pessoas por volta dos quarenta e poucos anos de idade, enquanto a Oposição acontecerá quando se atingir em torno de oitenta anos.

Esses dois momentos da vida marcarão o fim de um ciclo e o começo de um novo, e não chegarão sem antes desarrumar tudo o que parecia estar no seu devido lugar. Será um período crítico de mudança de valores, principalmente os espirituais. Será possível, até mesmo, que você se sinta *desorientada/o*, tendo perdido os antigos referenciais. Pode-se falar de uma crise existencial que porá em xeque o sentido da vida e trará à tona tudo o que estava submerso para ser questionado.

Evidentemente que a intensidade de como isso será vivido variará de acordo com cada pessoa, como em qualquer outro Aspecto. Dependerá do quanto você tem ou não se dedicado à sua espiritualidade. Pois, se você vinha adiando suas buscas, nessa época o melhor mesmo será não protelar. Será preferível ver tudo fora do lugar a continuar sendo *atormentada/o* pelas angústias. Tenha esperança no novo ciclo que estará por surgir. Você certamente usufruirá os resultados numa ocasião posterior, quando suas forças internas estiverem restauradas e sua mente livre das dúvidas que afligem a sua alma.

Netuno em Aspecto com Plutão

Tanto Netuno quanto Plutão comandam o reino das profundezas, o palácio da alma. Ao tocar Plutão, Netuno se encarregará de dissolver e apaziguar a escuridão, de oferecer a mão para *conduzi-la/o* a conhecer a potência alquímica das forças regeneradoras representadas pelo regente do Signo de Escorpião.

· FORÇAS ATUANTES: intuição, sensibilidade, imaginação e espiritualidade
· ÁREAS DE ATUAÇÃO: profundidade emocional, transformações, regeneração e revelações

ATENÇÃO: a Conjunção e o Sextil de Netuno em Trânsito com Plutão do Mapa Natal não ocorrerão, pois não viveremos o suficiente para experimentá-los. Os outros Aspectos de Trânsitos acontecerão para todas as pessoas quando tiverem aproximadamente a mesma idade. Isso significa que as que fizerem parte da sua geração passarão por esse Trânsito em tempos muito próximos.

Nas Progressões, em alguns casos, será possível que ocorra um Sextil, e deverá ser considerado como tempo de atuação de um ano antes até um ano depois do auge. Já nas Direções, poderá haver Sextil, Quadratura e Trígono.

· ASPECTOS FAVORÁVEIS: Sextil e Trígono

Esse Aspecto ocorrerá num momento de plenitude, e você terá a grande oportunidade de apreciar a sabedoria alcançada pelas profundas transformações, crises e superações vividas até então. Dito isso, tanto Netuno quanto Plutão são Astros que reinam nas regiões profundas, na moradia da alma. A conexão entre os dois significará que você compreenderá a razão de tantas mudanças na vida, aquelas que exigiram de você força interior para enfrentar os tormentos que toda transformação é capaz de gerar. E, como você poderá acolher essa alquimia com tranquilidade, a dica é mudar mais ainda, buscar novas motivações e limpar tudo o que você não desejar mais para si.

O Universo conspirará a seu favor, e haverá um fluxo favorável colaborando na efetivação das transformações que ansiar para si. Será também um tempo de descobertas, de conhecer suas forças criativas, regeneradoras e alquímicas. Elas emergirão com uma facilidade tal que você passará a acreditar que é possível sempre recomeçar. Na verdade, será isso que deverá fazer durante a passagem desse Aspecto.

Também haverá equilíbrio emocional para deixar fluir sua sensibilidade e sua intuição, que certamente indicarão quando e onde as transformações deverão ocorrer. Aliás, esse Aspecto poderá ser aproveitado em diversos campos, como: no trabalho, na vida pessoal e, especialmente, na esfera espiritual, ampliando as perspectivas em tudo o que precisar se expandir e se modificar.

· ASPECTOS DESAFIADORES: Quadratura e Oposição

Tanto Netuno quanto Plutão são Astros que simbolizam as profundezas, sendo que, pelo fato de haver pressão do primeiro sobre o segundo, você mergulhará nas regiões nas quais habitam suas angústias e turbulências interiores. Os temores ficarão mais aflorados, e sentimentos sombrios virão à tona com muita intensidade.

Primeiro, será preciso entender que, apesar de se manterem adormecidos e fazerem parte do seu universo emocional, tais receios exercem imensa pressão. As emoções que se ocultavam da consciência emergirão para que você compreenda mais claramente os motivos das suas inseguranças e dos seus medos e aceite-os como próprios da sua organização psíquica. Depois, uma das maiores necessidades e grandes dificuldades será a de efetuar uma ampla e profunda modificação no que estiver acomodado ou aprisionado em vícios emocionais. A bem da verdade, o momento exigirá uma atenção especial a tudo que diga respeito à sua espiritualidade e ao seu psiquismo.

É provável que você sinta certo descrédito em relação aos resultados e às consequências das mudanças. Será difícil prever se serão melhores do que os obtidos até então. No entanto, o importante será descobrir o que deve ser eliminado, aquilo que tiver perdido o valor. Enquanto isso não acontecer, será preferível não forçar a barra e esperar até que você sinta mais segurança.

Por estar com a sensibilidade muito aflorada, não se exceda na fantasia, principalmente quando os pensamentos tenderem a ser negativos. Saiba distinguir os receios justificáveis dos que são fruto da imaginação. Isso significa que muitos medos poderão ser criados sem que sejam, de fato, reais. A dica é canalizar a intuição e a imaginação de forma criativa, passando a dominá-las em vez de ser *escrava/o* delas. Por fim, ainda que essa seja uma época propícia para o recolhimento, procure ter cuidado para não se isolar em demasia e perder os próprios referenciais.

Netuno em Aspecto com o Ascendente e o Descendente

O Ascendente é um ponto no seu Mapa Natal que simboliza o bem-estar físico e o processo da construção da autoafirmação. Por sua vez, Netuno em Trânsito, Progressão ou Direção atuará ampliando sua sensibilidade. A função desse Aspecto será a de tocar mais fundo o desejo de ser você *mesma/o* e de aceitar o seu corpo com generosidade.

De outro modo, no lado oposto ao Ascendente se encontra o Descendente, ponto que representa as experiências de parceria e de casal. Quando o Ascendente é tocado, também o Descendente o é, indicando que tal sensibilidade deve proteger e influenciar na vida a *duas/dois*.

· FORÇAS ATUANTES: intuição, sensibilidade, imaginação e espiritualidade
· ÁREAS DE ATUAÇÃO: autonomia, autoconfiança, bem-estar físico, saúde, afetividade e parcerias

ATENÇÃO: a Conjunção com o Ascendente deverá ser tratada essencialmente no viés desafiador. O que a diferenciará da Quadratura será o fato de ser um marco divisor na aproximação com a espiritualidade e a grande intensidade com a qual o Aspecto se manifestará.

A Conjunção com o Descendente (Oposição com o Ascendente) igualmente será considerada como sendo desafiadora. Entretanto, a área de atuação das mudanças que ela provocará será a dos relacionamentos. Por haver uma influência mais marcante em um setor diferente do de todos os demais Aspectos, ela será interpretada separadamente.

· ASPECTOS FAVORÁVEIS: Sextil e Trígono com o Ascendente

Sendo o Ascendente o ponto no Mapa do seu nascimento que simboliza a criação de uma identidade própria e tendo Netuno em Trânsito, Progressão ou Direção a função de amplificar a sensibilidade, significa que, ao atravessar esse período, você terá a fantástica experiência de se harmonizar consigo *mesma/o*, agindo com autoconfiança, e acreditar mais facilmente nas suas intuições. Elas estarão afloradas e será possível enxergar o que habitualmente lhe escapa à visão. A boa dica do momento é agir *guiada/o* pela sensibilidade. Ainda que todo Aspecto com o Ascendente trate especificamente das questões pessoais, quando ele é de Netuno a tendência será que haja maior compreensão dos problemas sociais e até mesmo espirituais. É provável que você sinta compaixão por todas as pessoas sem excluir aquilo que lhe for próprio.

Certamente, essa será uma fase especial que marcará um novo ciclo na sua existência. Você poderá integrar-se melhor socialmente e aceitar o seu modo de ser no mundo.

Aproveite para encontrar um equilíbrio físico e, se necessário, melhorar o seu estado de saúde. Você será capaz de descobrir o que se afina com o bem-estar de seu corpo e, a partir disso, incluir tais descobertas na sua rotina.

Por fim, não se esqueça de investir nas buscas espirituais ou nas práticas que organizam o seu universo psíquico e emocional. Experimente o sabor de sentir mais tranquilidade ao lidar com questões que fogem à racionalidade e à lógica.

· ASPECTOS DESAFIADORES: Conjunção e Quadratura com o Ascendente

Em primeiro lugar, será importante que você dê nesse momento uma atenção especial à sua saúde. Sua resistência poderá ficar enfraquecida por causa das tensões emocionais e da vulnerabilidade ocasionada pela absorção de energias maléficas. Será indispensável, também, que você aproveite esse período para fazer uma pausa nos excessos físicos. O melhor será mudar alguns hábitos e, caso você não pratique nenhuma atividade física, introduzir uma para obter uma nova e boa qualidade de vida. Mas, veja bem, o ideal será que possa se dedicar a uma prática que equilibre o corpo e a mente.

Depois, quase tudo que tiver relação diretamente com sua vida poderá ficar muito confuso, assim como você. A causa dessa nebulosidade provavelmente terá a ver com a falta de estímulo e energia para levar um propósito adiante. Essa não será, pois, a melhor época para tomar decisões, pelo menos enquanto você não sentir clareza bastante para fazê-lo.

O importante será compreender que essa fase marcará o fim de um grande ciclo e o começo de um novo. Ao longo dele, você viverá uma transição considerável. Os antigos padrões de comportamento serão dissolvidos e abrirão espaço para as modificações. Muitas vezes esse Aspecto será vivido como uma crise de ordem pessoal, e será possível que você se sinta sem identidade própria. Na verdade, sua personalidade se transformará com o passar do tempo e, durante esse período, não haverá como definir o que exatamente você se tornará. O certo é que será necessário mergulhar mais profundamente em si *mesma/o* e reconhecer o que há de especial no seu modo de ser e de agir no mundo. Para que possa atravessar esse momento sem grandes tempestades, será aconselhável fazer uma boa terapia ou algum tipo de prática espiritual que possa *organizá-la/o* internamente.

· Conjunção com o Descendente ou Oposição com o Ascendente

A Conjunção com o Descendente marcará uma etapa importante no cenário dos seus relacionamentos. Será um divisor de águas gerado pelo que emergirá das profundezas da sua alma e, igualmente, da alma *da/o companheira/o*. Como essas regiões são obscuras e lá habitam memórias que se escondem da sua consciência, tudo ficará mais nebuloso. Será preciso que dê atenção às suas relações, pois elas ficarão mais sensíveis às turbulências emocionais tanto suas como *da/o parceira/o*.

É possível que você fique *confusa/o* em relação à vida em casal ou até mesmo à solidão, se for o caso de estar *sozinha/o* nesse período. Uma das maiores dificuldades será, por um lado, vivenciar a falta de estímulo, e, por outro, ter que lidar com desilusões. Isso significa que, em algum momento do seu passado, você se iludiu ou não enxergou bem o que estava acontecendo. Todavia, você poderá criar fantasias em relação a alguém ou mesmo em relação ao amor. Portanto, essa não será a melhor época para tomar decisões, pelo menos enquanto você não sentir esclarecimento.

O importante será compreender que esse será o fim de um grande ciclo e o começo de um novo, e que, durante essa fase, você viverá grandes transições. Os antigos padrões de relacionamento serão superados, e você abrirá espaço para as modificações. O que ocorrerá será que sua personalidade se modificará no convívio com as outras pessoas e, ao longo dessa transformação, não haverá definição do que exatamente você se tornará nem o que se tornarão as suas relações. Por essa razão, será necessário que você reconheça o que há de verdadeiro ou não no seu modo de ser e de agir perante os outros.

O fato de ter que lidar com problemas que envolvem a autoconfiança poderá tirar sua energia e provocar enfraquecimento. Portanto, preste atenção à sua saúde e aproveite para cortar os excessos. O importante será mudar alguns hábitos e, de preferência, praticar uma atividade que ponha em equilíbrio o corpo e a mente. Se você ficar *abastecida/o* energeticamente, também ficará mais resistente para enfrentar questões acerca dos seus relacionamentos, principalmente no caso das relações amorosas.

Nesse tempo será aconselhável contar com alguma prática que possa *estruturá-la/o* psicológica e espiritualmente.

Netuno em Aspecto com o Meio e o Fundo do Céu

Netuno em Trânsito, Progressão ou Direção atuará sobre o Meio do Céu e, igualmente, no Fundo do Céu, dilatando o desejo de encontrar um propósito que dê sentido tanto à sua carreira quanto à sua vida pessoal. As águas representadas pelo Planeta que reina nas profundezas do oceano banharão de sonhos seus projetos de realização profissional e familiar.

- · FORÇAS ATUANTES: intuição, sensibilidade, imaginação e espiritualidade
- · ÁREAS DE ATUAÇÃO: profissional, carreira, vocação, projetos para o futuro, relações familiares e casa

ATENÇÃO: a Conjunção com o Meio do Céu deverá ser tratada igualmente como um Aspecto favorável e desafiador. O que decidirá se a experiência se mostrará mais inclinada a uma qualidade ou outra será o quanto seu projeto de carreira estará sólido ou não. Também haverá o fato de ser um marco divisor que ou dissolverá o que for frágil, ou presenteará o que estiver estruturado com uma grande dose de esperança para o futuro.

Já a Conjunção com o Fundo do Céu (Oposição com o Meio do Céu) será um destaque na sua história afetiva e familiar. Por haver uma influência mais marcante em uma área diferente da de todos os demais Aspectos, ela será interpretada separadamente.

· ASPECTOS FAVORÁVEIS: Conjunção, Sextil e Trígono com o Meio do Céu

Netuno em Trânsito, Progressão ou Direção tem como função provocar a abertura da sua intuição. Quando ele estiver conectado ao Meio do Céu, tal sensibilidade poderá ser usada a serviço do seu desenvolvimento profissional ou da construção de uma carreira bem-sucedida. Portanto, ao fazer um bom uso dessas forças poderosas, será possível ampliar as perspectivas desenhadas para o seu futuro. Aproveite esse tempo para deixar fluir sua potência de trabalho e construir os sonhos que deseja alcançar um dia.

Faça suas escolhas com base nas suas inspirações. Dilate o seu olhar e vise ao topo da montanha. O segredo será não deixar escapar das mãos o que a vida vier a lhe oferecer nesse momento. As oportunidades mais parecerão um milagre do que qualquer outra coisa. Você poderá ter certeza de que, se seguir essas orientações, será mais do que merecido colher os frutos de tais esforços.

Será possível equilibrar as responsabilidades da vida profissional com as da esfera familiar. Esta colaborará garantindo a estabilidade emocional necessária para um ótimo desempenho no trabalho.

Por fim, esse será um período extremamente especial para o seu desenvolvimento espiritual, psíquico e emocional. Portanto, as práticas que envolvam o seu bem-estar interior serão mais do que bem-vindas nessa fase.

· ASPECTOS DESAFIADORES: Conjunção e Quadratura com o Meio do Céu

A ação provocada por um Aspecto desafiador de Netuno se manifestará como nebulosidade, como uma experiência que se distancia da realidade. Quando o ponto afetado do Mapa for o Meio do Céu, ficará confuso definir o destino que você anseia dar à sua carreira ou aos seus empreendimentos.

Antes de tudo, essa época marcará o fim de um ciclo e o começo de um novo. O que acontecerá nessa fase de transição será um alargamento tal dos seus horizontes que você poderá sentir dificuldade de identificar para onde deseja ou pode ir dessa ocasião em diante. Principalmente na área profissional, você terá vontade de se realizar de maneira plena, com mais sonhos e melhores perspectivas para o futuro. O maior problema estará no impedimento de ver as coisas de forma clara. Antes de definir novos caminhos, será preciso dissolver os padrões que até então serviram como orientadores dos seus objetivos. Somente a partir disso será possível reconhecer o que está faltando para que você sinta uma realização integral.

Além do mais, a vida pessoal ficará embaralhada com a profissional, *deixando-a/o contaminada/o* por problemas que deveriam ser resolvidos separadamente.

Atenção também ao lidar com sua sensibilidade, já que ela ocupará um espaço importante no seu jeito de ser e de conduzir a vida nesse momento especial. Ainda que essa não seja a etapa mais adequada para definições, procure fazer o melhor uso desse sentimento, tentando descobrir caminhos que enriqueçam a construção de um bom futuro profissional.

Por fim, os valores materiais deixarão de ocupar um lugar de destaque para dar espaço aos valores sensíveis e espirituais, tanto associados ao seu projeto de carreira quanto aos seus propósitos de vida.

- Conjunção com o Fundo do Céu ou Oposição com o Meio do Céu

Antes de tudo, é importante compreender que, quando um Astro se opuser ao Meio do Céu, lugar no seu Mapa de Nascimento que simboliza o propósito da sua carreira, significará igualmente que ele estará fazendo Conjunção com o Fundo do Céu, área que representa a sua relação com as raízes e com seus familiares.

É preciso saber ainda que um Trânsito, uma Progressão ou uma Direção de Netuno terá como função acionar a intuição. E, por estar esse Astro conectado ao Fundo do Céu, tal sensibilidade será usada a serviço do seu desenvolvimento emocional e para escolher caminhos que levarão à construção de um relacionamento familiar baseado em valores elevados.

Entretanto, esse período será vivido de maneira bastante confusa, apesar de você poder colher bons resultados da sua atuação. Esse Aspecto marcará o fim de um ciclo e o começo de um novo, e toda transição consome muita energia e causa certa confusão.

Haverá um mergulho profundo nos oceanos emocionais com a intenção de vasculhar seu passado, suas raízes e suas origens. Será uma época de introspecção, em que os sentimentos guardados virão à tona e a sensibilidade será extrema.

Priorize as questões emocionais, encare-as com o máximo de tranquilidade e compreensão possíveis. Se você sentir insegurança, proteja-se das contaminações sentimentais sem, no entanto, deixar de vivenciar as experiências íntimas que essa fase reservará para você. Devido ao estado de nebulosidade em que provavelmente você se encontrará, será bastante difícil definir ou decidir qualquer coisa. O melhor será refletir sobre as questões angustiantes para ter uma visão mais ampla do que estiver ocorrendo.

As insatisfações emergirão para que possam lhe servir como referências da nova etapa que estará por iniciar. Tudo parecerá se dissolver, causando incertezas acerca de como conduzir a vida pessoal e, em alguns casos, até mesmo a profissional. Será essencial usar sua sensibilidade criativamente a fim de compreender o que estará faltando para uma plena realização, tanto no que diz respeito à esfera emocional quanto à de trabalho.

Netuno em Aspecto com os Nodos Lunares Norte e Sul

Netuno e os Nodos Lunares têm em comum tratar de questões associadas à espiritualidade. A função do primeiro sobre a linha dos Nodos Lunares será sensibilizar a alma para que essa reconheça o caminho que *a/o* conduzirá ao autodesenvolvimento.

· FORÇAS ATUANTES: intuição, sensibilidade, imaginação e espiritualidade
· ÁREAS DE ATUAÇÃO: espiritualidade, passado e caminho de evolução

ATENÇÃO: as Conjunções com os dois Nodos Lunares serão classificadas como sendo Aspectos desafiadores. No caso da Conjunção com o Nodo Lunar Norte, o que a diferenciará da Quadratura será que esta atuará diluindo e aprofundando, na mesma proporção, tanto as experiências passadas quanto as expectativas futuras, enquanto a primeira estará focada especialmente em dissolver e aprofundar o caminho que apontará para o porvir.

A mesma tensão será observada nas experiências vividas durante a passagem de Netuno pelo Nodo Lunar Sul. Entretanto, ao contrário da Conjunção com o Nodo Lunar Norte, ela se referirá primeiro à dissolução do que tiver sido trazido do passado, para só depois dar os primeiros passos que *a/o* levarão ao aprofundamento do seu propósito espiritual.

· ASPECTOS FAVORÁVEIS: Sextil e Trígono com os Nodos Lunares Norte e Sul

Esse será um momento significativo para você reconhecer a importância de seus passos serem guiados por um propósito elevado. O Nodo Lunar Norte trata da sua trajetória espiritual e, como Netuno provoca a dilatação da sua percepção, você poderá compreender mais facilmente qual será o melhor caminho a ser trilhado dessa ocasião em diante.

Com a sensibilidade ampliada, a existência ganhará sentido e *a/o* ajudará a definir projetos, sonhos e desejos que alimentem sua alma e que colaborem para sua evolução. Aproveite esse tempo para se libertar das marcas provocadas pelas vivências que, apesar de terem sido importantes no passado, já não servem mais. Aliás, já que esse Aspecto será muito importante no sentido espiritual, tente olhar a vida como um todo, como um rio que, ao chegar ao seu destino, contém todos os afluentes que auxiliam para a sua formação.

Será igualmente numa época como essa que você terá a oportunidade de compreender o quanto é possível crescer com os erros cometidos. Depois de tudo transformado, um novo rumo será dado à vida e um verdadeiro sentido será adquirido. Além disso, os acontecimentos que possam vir a ocorrer durante esse período estarão relacionados com a sua espiritualidade, mesmo que você tenha dificuldade em reconhecer o seu significado mais profundo. Sentir o quanto tudo poderá fluir naturalmente e, até mesmo, magicamente, será um ótimo sinal de que você estará trilhando o caminho que mais tenha a ver consigo *mesma/o*.

Por fim, estabeleça boas conexões, seja com pessoas, seja com certas esferas da sua vida que estejam desconectadas de um propósito maior, ou seja, aquele para o qual a sua alma foi preparada a realizar nesta existência.

· ASPECTOS DESAFIADORES: Conjunção e Quadratura com os Nodos Lunares Norte e Sul

Quando Netuno pressionar a linha dos Nodos Lunares Norte e Sul, um denso nevoeiro impedirá que você enxergue com clareza qual o rumo deverá tomar para prosseguir no caminho do seu desenvolvimento espiritual. Será necessário reconsiderar seus objetivos de vida. Como tudo estará difuso, será provável que você se sinta *desorientada/o*. No entanto, não se inquiete com isso. Aproveite esse tempo para superar as marcas das experiências que, embora tenham sido importantes no passado, já não servirão mais nesse momento. O segredo será dar um passo de cada vez e baixar o farol da angústia de definir o seu futuro para que caminhe com segurança durante essa fase de questionamento. Reflita profundamente se o caminho escolhido é verdadeiramente o que tem trilhado na sua jornada espiritual e se tem de fato a ver com o destino que sua alma escolheu viver ao ingressar nesta existência.

Pense na vida como um todo, semelhante ao rio que, ao chegar ao seu destino, reúne-se a todos os outros que formam as águas do grande oceano espiritual. Usufrua essa época para soltar a hélice da sua embarcação das redes do passado, para que possa navegar em paz na direção certa. Compreenda, por fim, o quanto você é capaz de crescer com o reconhecimento e o perdão dos erros passados. Depois de tudo transformado, uma nova rota será dada à vida e um verdadeiro sentido espiritual emergirá das profundezas do palácio onde habita a sua alma.

Netuno em Aspecto com a Roda da Fortuna

A Roda da Fortuna é um Ponto Virtual no Mapa do seu nascimento que representa o bom fluxo das energias, além da bênção de ser *contemplada/o* com a boa sorte. Netuno, por sua vez, é o Astro que, em Aspecto com a Roda, provocará a compreensão profunda de como desobstruir os caminhos e a consciência de ser *merecedora/merecedor* das dádivas recebidas.

· FORÇAS ATUANTES: intuição, sensibilidade, imaginação e espiritualidade
· ÁREAS DE ATUAÇÃO: boa sorte e fluidez

ATENÇÃO: a tendência será a de que a Conjunção atue de forma desafiadora, mas, se houver a prática de se dedicar ao seu desenvolvimento espiritual, ela também fornecerá as qualidades de um Aspecto favorável. Portanto, não deixe de avaliá-lo nesse viés.

· ASPECTOS FAVORÁVEIS: Conjunção, Sextil e Trígono

Netuno em Trânsito, Progressão ou Direção com a Roda da Fortuna, ponto do seu Mapa Natal que denota riqueza, dilatará, entre outras faculdades, a sensibilidade, e certamente trará um significado bem mais profundo do que, em geral, costuma ser fortuna ou sorte para você.

Estar com o coração e a mente abertos para o misterioso, características também do planeta Netuno, dará a você a oportunidade de usufruir os benefícios gerados pelo bom fluxo das energias, porque a sua sensibilidade se tornará uma excelente ferramenta para que possa enfrentar com tranquilidade os momentos mais difíceis. Então, se você confiar na sua intuição, direcionar seus interesses para o campo espiritual e mantiver vivos seus sonhos, encontrará ótimas soluções para os problemas difíceis de serem solucionados.

Além do mais, saber fazer silêncio e ficar em estado de contemplação *a/o* ajudará a desobstruir os impedimentos e abrir seus caminhos para que as suas energias fluam de forma positiva e que a sua estrela da boa sorte opere a seu favor.

· ASPECTOS DESAFIADORES: Conjunção, Quadratura e Oposição

Como Netuno provocará o aumento da sensibilidade e da imaginação, um dos grandes aprendizados adquiridos com as experiências vividas nesse Aspecto será descobrir que tanto a falta quanto o excesso de confiança nas suas intuições podem atrapalhar o bom fluxo das suas energias e dos acontecimentos. Ademais, se você absorver como uma esponja energias prejudiciais, será bem mais difícil superar as dificuldades provocadas pelos momentos turbulentos.

O importante será regular suas expectativas de sorte e proteção para não haver frustrações desnecessárias. Não espere que, debaixo de um Céu pesado, você consiga enxergar o que ilumina o seu caminho. O segredo será direcionar seus interesses para o campo espiritual para que, mais *tranquila/o*, encontre as boas soluções para os problemas angustiantes. Por fim, fazer silêncio e praticar a contemplação *a/o* ajudarão a limpar as energias e a levantar o nevoeiro que esconde o brilho da sua estrela da boa sorte.

Netuno em Aspecto com Quíron

A função de Netuno é, principalmente, aumentar a sensibilidade e a intuição, e, quando estiver em Aspecto com Quíron, essa ampliação se dará na percepção de tudo o que estiver relacionado à sua saúde, seja ela física, seja mental ou até mesmo espiritual.

- FORÇAS ATUANTES: intuição, sensibilidade, imaginação e espiritualidade
- ÁREAS DE ATUAÇÃO: saúde e autoconhecimento
- ASPECTOS FAVORÁVEIS: Sextil e Trígono

Passar por Netuno em Trânsito, Progressão ou Direção com Quíron será ter nas mãos a chance de acolher mais profundamente as dores causadas pelas feridas abertas ao longo da vida. O fato é que todas as pessoas são marcadas por cicatrizes que, vira e mexe, doem. Entretanto, um momento como esse poderá *levá-la/o* a ter a consciência de que é possível diluir o seu sofrimento, e, portanto, se algum problema costuma lhe causar mal-estar, você receberá sinais sutis indicando o que não tem funcionado bem para que possa alcançar a cura.

Um Trânsito, uma Progressão ou uma Direção de Netuno sempre exigirá que você use melhor a sensibilidade e, por isso, a dica é adotar uma postura mais contemplativa e deixar de lado o burburinho da vida cotidiana. Privilegie as terapias holísticas, as que integram o corpo físico ao sutil. Aliás, Quíron, na mitologia, além de ser médico, é igualmente professor e, portanto, seu simbolismo está associado ao conhecimento, sobretudo o autoconhecimento. Sendo assim, foque essa busca e sinta a plenitude de, minimizado seu sofrimento, usufruir o benefício de uma vida saudável e repleta de bem-estar.

- ASPECTOS DESAFIADORES: Conjunção, Quadratura e Oposição

A pressão exercida por Netuno sobre Quíron denunciará o grau de intoxicação ao qual seu corpo, tanto físico como sutil, estiver submetido. A constante absorção das energias pesadas e negativas *a/o* empurrarão para as profundezas obscuras em que se depositam os restos nocivos produzidos por elas. O momento será, portanto, de limpar o organismo e a alma das impurezas. O ideal será que você repense seus hábitos e passe a introduzir no seu cotidiano costumes física e espiritualmente saudáveis. A dica é se alimentar com leveza, dormir bem, evitar ambientes energeticamente densos e trabalhar de forma saudável. Se algumas dessas práticas forem aplicadas, você sentirá sua energia melhorar e sentimentos como a melancolia, a tristeza ou a depressão serão dissipados.

Outra observação importante é quanto a Quíron ser, na mitologia, não só um excelente professor, mas um autodidata em relação ao poder de cura. Isso significará que, nesse período, se você investir no autoconhecimento, poderá encontrar os bálsamos que aliviarão as dores responsáveis pelo seu sofrimento.

Netuno em Aspecto com Lilith

O universo comandado por Netuno tem afinidade com algumas regiões em que Lilith é soberana. A profundidade acerca de como são vividos os desejos será uma das mais importantes qualidades produzidas pela ação do senhor dos oceanos sobre a Lua Negra.

- FORÇAS ATUANTES: intuição, sensibilidade, imaginação e espiritualidade
- ÁREAS DE ATUAÇÃO: sexualidade, desejo, insubordinação e emoções profundas
- ASPECTOS FAVORÁVEIS: Sextil e Trígono

As fantasias produzidas pela ação de Netuno sobre Lilith tomarão conta das paixões e da sexualidade, principais tópicos tratados no simbolismo da Lua Negra. Os desejos mais íntimos e inconfessáveis serão sentidos com enorme intensidade, e a grande vantagem desse Aspecto favorável será que aquilo que se escondia nas frestas da fábrica dos desejos será muito bem recebido. As dúvidas serão pacificadas; as pressões, dissipadas; e os tabus, diluídos. Você descobrirá vontades que haviam sido reprimidas por medo ou pressões culturais. O momento será propício para você desatar os nós emocionais criados por preconceitos, além de superar os traumas causados por experiências de desamparo e exclusão.

Lance um olhar generoso para o que lhe atrai, mas que, ao mesmo tempo, desperta insegurança. Aliás, essa dica é válida também para os sentimentos que você tende a rejeitar, seja porque acionam seus preconceitos, seja porque mexem com tabus sociais.

Todavia, será na libido que você sentirá a fluidez provocada por esse Aspecto. Ela poderá ser vivida com muito mais vigor, assim como com a profundidade que fará dela uma experiência espiritual. Essa será uma época favorável para que obtenha bastante esclarecimento sobre sua sexualidade.

Haverá mais motivação igualmente em outras áreas da vida, o que tornará tudo agradável. Faça do prazer o seu guia para o que você tiver que viver e experimentar. No dia a dia cheio de atividades e, em geral, estresse, haverá uma excelente oportunidade para relaxar um pouco, deixar tempo livre para o lazer e fazer tudo com mais calma e tranquilidade.

Por fim, as paixões tenderão a ser sentidas de forma intensa, mas sem muito estardalhaço. Assim, não negue espaço para tudo que encher a alma e alegrar o coração.

· ASPECTOS DESAFIADORES: Conjunção, Quadratura e Oposição

Nesse Aspecto, a fantasia invadirá o território das paixões e da sexualidade, tornando os desejos notadamente confusos. A primeira providência para que você possa lidar melhor com esse momento será dar vazão aos seus desejos sem, no entanto, perder a capacidade de discernir o que é realidade do que é ilusão. Caso você venha a se perder nesse turbilhão de sentimentos, será aconselhável se afastar do motivo que tiver causado o transtorno emocional.

Fique bem *atenta/o* às questões de relacionamento. Será muito importante que você não se sujeite a nada que fira seus princípios, e que tenha bastante cuidado para não machucar ninguém. Em contrapartida, você poderá descobrir vontades que haviam sido abafadas e reprimidas por medo, preconceitos ou pressões sociais. Tenha a certeza de que essa será uma boa oportunidade para dilatar sua visão acerca de assuntos que, em geral, são considerados tabus.

Por outro lado, poderá haver falta de clareza quanto àquilo que costumava *motivá-la/o*, podendo, até mesmo, surgir certa apatia. Será como se a alma se entristecesse e tudo ficasse pouco atrativo. Se for assim, não force demais a barra, não se deixe abater e procure recursos para se sentir melhor.

Outro aspecto dessa configuração diz respeito às paixões que possam estar fora do seu alcance. Você poderá querer conquistar a todo o custo a pessoa que tiver despertado tal sensação. Atenção para não fugir da realidade e acabar vivendo frustrações decorrentes de sentimentos não correspondidos, enganos e jogos emocionais.

Por fim, por haver muita sensibilidade nessa época, será fundamental evitar tudo o que possa ser tóxico, fisicamente ou no território no qual habitam suas emoções mais profundas.

Trânsitos, Progressões e Direções de Plutão

A função dos Trânsitos, das Progressões e das Direções de Plutão será transformar, regenerar, remexer e aprofundar as áreas representadas pelos Planetas ou Pontos Virtuais com os quais ele fizer uma conexão, favorável ou desafiadora. Esses Astros ou Pontos serão contemplados com desapego e revelações. Os desafios a serem enfrentados durante a vigência desses Aspectos estarão relacionados à angústia, ao medo e à destrutividade.

INTENSIDADE DO TRÂNSITO: 7

INTENSIDADE DA PROGRESSÃO: 4

INTENSIDADE DA DIREÇÃO: 7

Plutão em Aspecto com o Sol

Entre os reinos comandados por Plutão e o Sol existe um imenso abismo, e a função desse Trânsito, dessa Progressão ou dessa Direção será a de aproximá-los, levar sombra onde existir calor, profundidade onde houver espaço e intuição onde a razão imperar.

- FORÇAS ATUANTES: desapego, transformação, regeneração e aprofundamento
- ÁREAS DE ATUAÇÃO: consciência, vontade, vitalidade, vigor e autoconfiança
- ASPECTOS FAVORÁVEIS: Sextil e Trígono

O Trânsito, a Progressão ou a Direção de Plutão sempre indicará um período de transformações. Quando for com o Sol, as mudanças tocarão a autoconfiança e o modo como você conduz a vida. Estará para nascer um novo ser, totalmente renovado e pronto para iniciar um novo ciclo de realizações pessoais. Portanto, a primeira grande dica desse período é mergulhar nas profundezas do seu interior e mudar a si *mesma/o*. Também esse será um tempo de descobertas, e o desejo de viver plenamente cada momento desabrochará e será possível compreender no fundo da alma que, para estar de bem com a vida, será preciso, antes, estar bem consigo. A segunda dica é confiar nas próprias capacidades, ter mais domínio sobre sua vontade e consciência do seu poder. Por esse motivo, se for preciso fazer qualquer tipo de mudança profunda, daquelas que exigem uma boa dose de força emocional, essa será a hora indicada.

Esse Aspecto poderá ser vivido como um auge do seu desenvolvimento pessoal, adequando-o, é claro, à sua idade e às condições da sua vida. De qualquer maneira, os seus efeitos serão tangíveis, e a sensação de plenitude e a força interior que emergirão durante essa época independerão de qualquer fator externo. Por existir tamanho poder, essa será uma excelente fase para criar algo diferente em qualquer área de sua vida que necessite ser transformada, como o trabalho, a saúde ou o emocional.

Não hesite em iniciar algo que vinha amadurecendo havia um tempo, tampouco em acolher aquilo que surgir de repente e que não havia sido planejado antes. Ambas as situações terão o sabor de novidade. Exponha suas ideias, pois seu magnetismo atrairá a atenção das demais pessoas.

Finalmente, será ao longo de um Aspecto como esse que você recuperará todas as forças perdidas em momentos de pressão e estresse. Portanto, se houver necessidade de restabelecer o bem-estar físico, aproveite essa chance para se reorganizar e viver de forma saudável.

· ASPECTOS DESAFIADORES: Conjunção, Quadratura e Oposição

Um Trânsito, uma Progressão ou uma Direção de Plutão produzirá, invariavelmente, uma transformação profunda. Quando ele atuar sobre o Sol do seu Mapa de Nascimento, símbolo da vitalidade e da autoconsciência, significará que haverá uma época de pressões que, dependendo de como forem conduzidas, poderão *levá-la/o* a um grande desgaste. A tendência será a de haver insatisfações de toda ordem, principalmente no que dirão respeito à autoconfiança e ao modo como você dirige a própria vida. Será bem possível que não seja nada fácil administrá-la nessa ocasião, pois muita coisa poderá fugir do seu controle.

E quais serão os prováveis motivos dessas dificuldades? O primeiro e, talvez, o mais importante, será o acúmulo de responsabilidades. Quanto mais você tiver se habituado a resolver tudo por conta própria e assumir o comando das situações, mais notará que existe um limite que deverá ser respeitado. Será durante um Aspecto como esse que a percepção de que nem tudo acontece de acordo com o planejado ficará evidente, além de que as perdas fazem parte da realidade da vida.

O segundo motivo será a estagnação. Como o Aspecto exigirá transformações psíquicas profundas, será aconselhável começar a se mexer antes que as pressões externas *a/o* obriguem a fazê-lo. Certamente algo deverá mudar, mas será provável que você não saberá identificar exatamente o quê. Comece a se desvencilhar de tudo que for supérfluo, deixe os velhos padrões de vida de lado e, aos poucos, as modificações necessárias começarão a acontecer. Você renascerá para uma nova fase que, mais tarde, será bem mais próspera do que a desse tempo.

Se for possível, evite se expor demais, pois será difícil manter o controle quando suas capacidades não forem justamente reconhecidas. Você poderá se sentir *enfraquecida/o* ou se transformar numa fera ferida. De uma forma ou de outra, suas potências não estarão facilmente à disposição. O resultado poderá ser frustrante se você forçar a barra e, por isso, o melhor será se proteger. Vá com a mão mansa quando quiser fazer valer a sua vontade. E, diante de alguém que exerça algum tipo de autoridade, não bata de frente. Mas, veja bem, também não será o caso de baixar a cabeça se receber algum tipo de humilhação.

Embora você possa causar alguma desordem, será possível igualmente que os acontecimentos desse período produzam transformações inesperadas. Ainda que seja desgastante, essa será uma excelente oportunidade de, com o tempo, encontrar saídas para um novo modo de ser e de viver.

Como a tendência será que haja muito desperdício de energia, preste atenção à saúde. Procure não extrapolar, pois, numa ocasião como essa, haverá mais dificuldade de recuperar as forças perdidas.

Por fim, o grande aprendizado será o de que uma hora tudo acaba, e, se você souber se desapegar, uma nova vida e uma nova consciência chegarão para iluminar o seu coração.

Plutão em Aspecto com a Lua

Tanto Plutão quanto a Lua são regentes de Signos do Elemento Água, símbolo das faculdades da intuição, da sensibilidade e da profundidade com a qual a realidade é sentida. A ação desse Trânsito, dessa Progressão ou dessa Direção será percebida por meio da alquimia desencadeada pelas transformações às quais os sentimentos e as emoções ficarão sujeitos.

- · FORÇAS ATUANTES: desapego, transformação, regeneração e aprofundamento
- · ÁREAS DE ATUAÇÃO: intuição, sensibilidade, afetividade, lembranças do passado, família e casa

· ASPECTOS FAVORÁVEIS: Sextil e Trígono

Plutão em Trânsito, Progressão ou Direção é o Astro responsável pelas limpezas profundas. Por sua vez, a Lua no seu Mapa de Nascimento simboliza as bases em que sua estrutura emocional está apoiada. Portanto, passar por esse Aspecto significará que, ao longo desse período, haverá mudanças intensas, algo imprescindível para um novo desabrochar da sua afetividade. Feitas as transformações necessárias, suas experiências emocionais ganharão um brilho especial e provocarão um estado de espírito renovado.

Essa será uma época de grandes revelações, e seus desejos mais íntimos aflorarão com intensidade maior do que o habitual. Além do mais, será preciso se reorganizar emocionalmente, de modo que os problemas de natureza afetiva e familiar possam ser minimizados, ou até mesmo resolvidos. O segredo será modificar o que *a/o* impede de viver seus relacionamentos com firmeza e leveza ao mesmo tempo. Os velhos padrões deverão ceder espaço para surgirem os que estarão prontos para despertar. Nessa fase, você viverá suas experiências até o fim, extraindo delas tudo o que possam lhe oferecer.

Haverá uma espécie de renascimento emocional, dando início a um novo ciclo. Portanto, abra-se para novos relacionamentos aproveitando para transformar sua vida íntima e pessoal. Será possível também que, ao sondar a própria história, você descubra uma série de coisas que desconhecia até então. Elas serão extremamente importantes para a compreensão das suas inseguranças psicológicas e da sua força emocional.

Será provável ainda que relacionamentos perdidos no passado ressurjam, mesmo que sob a forma de lembranças e recordações. Será um tempo de resgates que darão um novo curso à sua história pessoal.

Em relação à família, haverá maior integração, e você se encontrará mais *receptiva/o* às mudanças. Muitas das arestas existentes nessas relações serão lapidadas e, se você tiver *filhas/os*, esse será também um excelente momento para transformar a interação com *elas/es*, pois existirá mais consciência de como *educá-las/os* e, principalmente, como expressar seus sentimentos por *elas/es*.

Em questões práticas, não deixe de apontar para tudo que possa envolver o seu lar, pois será uma fase propícia para mudanças e negociações.

Portanto, se você pretende morar em outro lugar, reformar a sua casa ou negociar um imóvel, aproveite os bons ventos que estarão soprando nessa hora.

· ASPECTOS DESAFIADORES: Conjunção, Quadratura e Oposição

As pressões sentidas ao longo desse período serão responsáveis por fazer vir à tona sentimentos acumulados de forma tão intensa que, dificilmente, será possível controlá-los. Muito do que estiver retido nas profundezas das águas passadas deverá ser eliminado, ainda que isso provoque alguns transtornos que, aliás, costumam ser bem acentuados. Também sua sensibilidade se encontrará excessivamente aflorada, de modo que qualquer contrariedade poderá *afetá-la/o* emocionalmente. Ademais, você viverá as emoções com extrema intensidade, resultando em sofrimento e dor. A propósito, essa poderá ser a razão da dificuldade de manter o equilíbrio.

Durante essa época, tente efetuar uma modificação na sua vida íntima e pessoal. Desapegue das angústias, dos ressentimentos, das mágoas ou das culpas para dar lugar a um novo padrão emocional, a uma nova forma de se relacionar intimamente. O fato é que os relacionamentos ou se transformarão, ou não irão adiante para que você possa iniciar esse novo ciclo. Entretanto, dê atenção a como os conduzirá, pois, via de regra, as inseguranças emergirão com uma força tal que, por pura defesa, poderá destruir relações que apenas precisariam ser transformadas. Noutros casos, o medo da perda poderá *impedi-la/o* de reconhecer os reais problemas de uma relação, cedendo ao que não deveria. De qualquer maneira, será uma fase delicada em que tanto você quanto as pessoas poderão sofrer. Se possível, tente aceitar e acolher as mudanças sem causar danos a ninguém.

Também nas relações familiares não será muito diferente. Esse será um tempo de reconhecer o que estava nos bastidores e trazer à tona os problemas existentes nessas relações. As dificuldades surgirão para serem melhor administradas, para que a convivência seja viável. É provável que você se dedique a alguém que precise de ajuda, sacrificando uma boa parte da sua vida pessoal. O aprendizado será o de que nem sempre temos o domínio completo da nossa estabilidade emocional.

Em questões acerca da sua casa ou dos bens imóveis, não será o momento mais favorável para agir impulsivamente em uma situação de mudança ou de negociação. Entretanto, será comum haver problemas no local, ou mesmo a necessidade de se mudar. Se for assim, o primeiro passo será se desapegar; o segundo, ter frieza para tomar as decisões acertadas.

Plutão em Aspecto com Mercúrio

Mercúrio reina nas terras da comunicação, das faculdades mentais, da agilidade e do movimento. Por sua vez, Plutão em Trânsito, Progressão ou Direção atuará provocando profundas modificações e desapego. O resultado desse Aspecto será remexer os labirintos da mente de forma a transformar alquimicamente o seu modo de raciocinar, falar e conviver com a diversidade.

- FORÇAS ATUANTES: desapego, transformação, regeneração e aprofundamento
- ÁREAS DE ATUAÇÃO: comunicação, estudos, mobilidade, viagens e negócios

- ASPECTOS FAVORÁVEIS: Sextil e Trígono

Ao atravessar esse Aspecto, você não se contentará apenas com o que já sabe, mas desejará obter novas informações e, principalmente, aprofundar o seu conhecimento. Como a mente operará com potencialidade máxima e em parceria com os seus mais profundos recursos emocionais, você acessará recursos mentais que estavam latentes e que ainda não haviam desabrochado.

Na medida em que os Aspectos com Mercúrio tratam também da comunicação, as palavras ganharão poder e, se for preciso, aproveite ao máximo esse momento para esclarecer dúvidas. Alguns desentendimentos serão resolvidos, e os relacionamentos passarão a fluir melhor após isso. O importante será compreender que o valor das palavras não deverá ser medido pelo que dizem, e sim pelo que sugerem, ou seja, pelo significado que se oculta nas entrelinhas. Desse modo, será possível conduzir muito bem uma discussão, e o seu poder de argumentação aumentará quando a sua fala for atravessada pela emoção.

Em reuniões de trabalho ou em uma entrevista, expresse suas opiniões, já que elas serão convincentes, assegurando, até mesmo, uma boa aceitação social. De mais a mais, novas relações serão bem-vindas, pois serão, também, fonte de grande aprendizado.

Essa será uma época favorável para executar atividades que exijam concentração, como estudos, provas ou algum tipo de apresentação de projeto. Do mesmo modo, a criatividade se manifestará por meio de ideias brilhantes e, evidentemente, deverá ser estimulada. Poderá surgir alguma oportunidade capaz de mudar a situação atual, sendo a motivação para que um novo ciclo seja iniciado.

Se houver espaço, usufrua essa fase para programar férias ou viagens, porque tanto a capacidade de assimilação das informações quanto a curiosidade e a flexibilidade estarão em alta.

Desde a Antiguidade, Mercúrio está associado aos negócios e às transações comerciais. Portanto, essa poderá ser uma excelente ocasião para negociações, para fazer contatos e solucionar tudo que dependa de acordos ou que esteja relacionado à burocracia.

· ASPECTOS DESAFIADORES: Conjunção, Quadratura e Oposição

A pressão exercida por Plutão sobre o Planeta da comunicação será a causadora das inúmeras transformações que você passará a viver dessa etapa em diante. O primeiro grande desafio será lidar com o turbilhão mental decorrente das tensões do momento. Estando a mente pressionada pela inquietação emocional, sentimentos como os medos, a ansiedade ou a angústia tomarão conta do seu imaginário. A sabedoria de lidar com a dispersão quando você estiver diante de atividades que exijam concentração será o próximo obstáculo. Estudos, provas ou reuniões de trabalho poderão ser prejudicados se você se deixar dominar pelas pressões emocionais. Nessas condições, será bem mais difícil memorizar as informações, podendo haver episódios de lapso de memória. Os pensamentos escaparão e, como se costuma dizer, estarão na ponta da língua, mas se recusarão a se manifestar. Para melhores resultados, deixe de lado os assuntos menos áridos e concentre-se naqueles que você tenha mais dificuldade.

Sem dúvida, esse será um período de muita agitação. Haverá problemas de organização, perda de tempo, e você poderá ficar bastante *atrapalhada/o* com tarefas muito simples. Por isso, evite se comprometer com algo sem antes ter certeza de que será capaz de cumprir. Você poderá aliviar as tensões tirando uns dias de folga ou até mesmo gozando suas férias. Todavia, lembre-se de que essa ocasião deverá ser aproveitada para limpar a mente do estresse e não para aumentá-lo. A mesma dica é válida para caso esteja programando uma viagem ou já estiver viajando. Se possível, adie. Do contrário, fique *ligada/o* na burocracia, nos seus documentos e nas más informações.

Será também preciso prestar atenção às palavras, pois elas poderão ser o motivo de sérios desentendimentos. Isso ocorrerá principalmente se suas opiniões não forem aceitas ou se você receber críticas de alguém. Com isso, você ficará vulnerável, haverá perda do controle e, quanto mais tentar se justificar, mais difícil será conduzir um diálogo tranquilo. Nessa época, o valor das palavras não deverá ser medido pelo que dizem em si, mas em função do que fica subentendido. Ainda que inconscientemente, será possível que você as manipule para convencer os outros das suas ideias. O inverso será igualmente verdadeiro, e você se sentirá *traída/o*. Portanto, não discuta quando não estiver *segura/o* emocionalmente. Busque falar o menos possível, apenas ouça, em especial durante reuniões de trabalho.

Os antigos relacionavam Mercúrio ao comércio e aos negócios. Por isso, se for possível, evite assinar contratos e fazer acordos. Caso contrário, será imprescindível analisar o que estiver escrito nas entrelinhas. Aproveite esse tempo para estudar as possibilidades e detectar falhas, a fim de que, no futuro, num melhor momento, você realize o que pretendia fazer.

Plutão em Aspecto com Vênus

Sempre que Plutão atuar em Trânsito, Progressão ou Direção, ocorrerão transformações extremamente profundas. Quando a conexão se der com Vênus, a área atingida será a da autoestima e da afetividade. Portanto, prepare-se para um período de grandes mudanças, principalmente acerca da esfera amorosa e sexual e da que trata da autoimagem.

- FORÇAS ATUANTES: desapego, transformação, regeneração e aprofundamento
- ÁREAS DE ATUAÇÃO: autoestima, amor, beleza, sexualidade e recursos materiais
- ASPECTOS FAVORÁVEIS: Sextil e Trígono

Esse será um tempo de grande fertilidade no solo em que você cultiva suas experiências amorosas. Tanto a afetividade quanto as experiências sexuais passarão por profundas transformações. Haverá espaço para novos relacionamentos, desejo de experimentar sentimentos desconhecidos ou necessidade de modificar completamente uma relação já estabelecida. Em todo caso, um novo ciclo emocional estará para começar.

Suas emoções serão vividas com muita intensidade, e você passará a não se conformar com relações acomodadas. Por esse motivo, proponha algo de novo à/*ao parceira/o* e fuja completamente dos padrões habituais. Entretanto, se você estiver só, haverá boas chances de surgir alguém atraente e que lhe proporcione experiências ainda não vividas. Durante esse período, o amor e a sexualidade ficarão intensificados, e os seus desejos serão bem mais profundos do que o habitual. Será difícil você se satisfazer com trocas superficiais mesmo que, para isso, seja necessário quebrar os tabus do sexo e das relações. Ademais, essa será uma excelente oportunidade para mudar por completo os seus antigos referenciais afetivos e fazer uma profunda modificação emocional, principalmente na autoimagem e, consequentemente, na autoestima.

Por tratar dos anseios, evidentemente que esse Aspecto se manifestará também em outras áreas da vida, em especial naquela que diz respeito aos recursos materiais. Os seus antigos valores cairão por terra e novos assumirão o lugar. Essa será, por excelência, uma época fértil, e o que for cultivado ao longo dela crescerá com vigor e produzirá bons frutos.

· ASPECTOS DESAFIADORES: Conjunção, Quadratura e Oposição

Ao iniciar esse Trânsito, essa Progressão ou essa Direção, provavelmente você já estará percebendo as evidências que denunciam a necessidade de transformar algo no seu jeito de se relacionar. Entretanto, para conseguir se libertar dos antigos modelos que, até então, regiam como era para você dar e receber amor, será preciso se desapegar e, inevitavelmente, aceitar algum tipo de perda. A bem da verdade, haverá uma profunda insatisfação em relação ao amor e à sexualidade e será importante você tentar resolvê-la, seja modificando-se, seja propondo mudanças a quem estiver ao seu lado. Para que isso ocorra com o mínimo de sofrimento, aceite com carinho as imperfeições e os conflitos que naturalmente existem em qualquer relacionamento.

Sendo um momento de crise, você ficará mais sensível às dificuldades que nem sempre serão tão drásticas assim. Por esse motivo, procure estar consciente do que é ou não relevante nessa época antes de fazer qualquer tipo de movimento de que possa vir a se arrepender mais tarde. Certamente, você não deverá responder com passividade a seus problemas emocionais e de relacionamento. Assim, uma faxina será bem-vinda nesses setores, mesmo que seja preciso lidar com sentimentos delicados. Durante esse Aspecto, uma verdade será indiscutível: ou as relações se transformarão, ou acabarão. Será fundamental iniciar um novo ciclo a partir de então, e o que não estiver bem deverá ser eliminado.

Essa fase poderá igualmente se manifestar em outras áreas da vida, sobretudo no cenário financeiro. Os efeitos não serão muito distintos dos que ocorrem no emocional, ou seja, ou os antigos valores materiais se alterarão, ou haverá, fatalmente, perdas. Portanto, dê atenção aos seus gastos, aos investimentos e ao valor do seu trabalho. Deverá haver ainda reformulações para que surjam oportunidades mais promissoras.

Plutão em Aspecto com Marte

Passar por um Trânsito, uma Progressão ou uma Direção de Plutão será necessariamente ter que enfrentar algum tipo de transformação, mas, quando for com Marte, as mudanças serão bem mais intensas do que a maioria das outras já enfrentadas na vida. Nesse caso, será a/o sua/seu guerreira/o interior que será acionada/o para sofrer a alquimia transformadora apontada por esse Aspecto.

- FORÇAS ATUANTES: desapego, transformação, regeneração e aprofundamento
- ÁREAS DE ATUAÇÃO: autonomia, autoconfiança, competição, liderança, disposição física e saúde
- ASPECTOS FAVORÁVEIS: Sextil e Trígono

A reunião das forças representadas por esses dois Astros gerará um grande potencial de transformação, e você sentirá vir de dentro uma poderosa força guerreira que se manifestará por meio de atitudes ousadas e assertivas. A coragem, a autoconfiança e a autonomia estarão fortalecidas. A dica é aproveitar a ocasião para tomar decisões e fazer valer a sua vontade — aquela que vem da alma e é verdadeira.

Será tempo de seguir adiante e enfrentar com firmeza os desafios da vida, servindo-se deles para aumentar a disposição quando desejar alcançar algum objetivo. Por haver muita potência disponível, aja de acordo com os seus instintos, afastando os medos e adquirindo poder.

Durante esse período, será possível que você fique intolerante à acomodação e passe a agir de modo a desconstruir tudo o que possa estimular a preguiça. A ideia é que esta se transforme em entusiasmo, vigor e destemor. A agressividade também deverá passar por uma alquimia profunda para que seja direcionada para as ações criativas.

Quanto às inseguranças, nessa fase será mais fácil vencê-las ou mesmo eliminá-las. No mínimo, você saberá enfrentá-las melhor dessa ocasião em diante. Se seu temperamento for passivo, você poderá se surpreender ao tomar certas atitudes imperativas. Caso, ao contrário, você tenda a se descontrolar com facilidade, será a chance de mudar e usar a força de forma positiva.

O Trânsito, a Progressão ou a Direção com Marte tratará também das energias físicas. Quando for com Plutão, elas se regenerarão com tal facilidade que você manterá intactas suas reservas. Por isso, essa será uma ótima época para o restabelecimento da saúde caso haja algum problema dessa natureza. Os tratamentos produzirão excelentes resultados, e o organismo reagirá prontamente.

· ASPECTOS DESAFIADORES: Conjunção, Quadratura e Oposição

À semelhança de uma erupção vulcânica, as mudanças produzidas por esse Aspecto trarão à superfície de forma explosiva a raiva, a intolerância e a agressividade, interna ou externa. O destempero ocorrerá por pressão emocional e poderá ser altamente prejudicial a você e aos outros. Para que possa lidar melhor com ele, será preciso autoconfiança, que, no momento, estará instável.

Na verdade, sua paciência será posta à prova, e somente por meio dela será possível agir sem causar grandes danos. As explosões também poderão ser decorrentes de arrependimento por ter fugido de um desafio ou por ter errado em alguma iniciativa. Então, essa será a hora de acertar o passo.

Durante esse período, você deverá dar atenção à sua impulsividade, pois qualquer decisão precipitada poderá ser razão de frustração posterior. Se você se envolver em algum conflito, espere a temperatura baixar e esfrie a cabeça antes de agir. No entanto, ainda assim, as mudanças serão inevitáveis, porém você poderá vivenciá-las de forma mais equilibrada. Havendo ponderação, certamente será mais fácil mudar. Lembre-se de que a calma não deve significar fraqueza, e sim temperança.

Também será possível que algumas situações que fujam ao seu controle transformem completamente o seu modo de encarar a vida. Mesmo que se sinta sem forças para enfrentar os desafios desse momento, você segura-mente conseguirá recuperá-las quando for necessário.

Todo esse movimento turbulento anunciará a chegada de um novo ciclo, no qual você experimentará uma substancial modificação. Entretanto, por haver tensão, será preciso ficar de olho no desgaste físico, que será quase inevitável, além da provável baixa de resistência. Sendo assim, será impor-tante respeitar seus limites e ser prudente com suas atitudes, evitando inci-dentes. Se der, descanse para recuperar as energias perdidas antes de entrar novamente em ação.

Plutão em Aspecto com Júpiter

Júpiter no seu Mapa Natal representa a boa sorte e a força que impul-siona seu crescimento. Plutão em Aspecto com o Planeta gigante atuará como um grande transformador e revelador dos ideais que iluminarão o seu caminho.

- FORÇAS ATUANTES: desapego, transformação, regeneração e aprofundamento
- ÁREAS DE ATUAÇÃO: metas, leis, crenças, ideais, justiça, estudos e viagens

- ASPECTOS FAVORÁVEIS: Sextil e Trígono

Nessa conexão, a boa notícia será que o brilho da sua estrela estará mais forte e guiará seus passos na direção dos propósitos que regerão a sua vida desse ponto em diante. O Trânsito, a Progressão ou a Direção com Júpiter estimulará o encontro com *as/os suas/seus mentoras/es* e *as/os suas/seus mes-tras/es*. Descubra quem são *suas/seus verdadeiras/os* guias e fique *ligada/o* nos seus ensinamentos. *Elas/es a/o* motivarão a seguir confiante e a acreditar no poder do autoconhecimento.

Nesse Aspecto, crescerá a persistência, que se tornará uma força alta-mente poderosa. Esse será um período de grandes mudanças que alargarão seus horizontes e trarão oportunidades para sonhar mais longe. E, já que es-tudar ou viajar são meios bastante eficientes para ampliar as fronteiras, esse momento os favorecerá. Será provável que você descubra novos saberes, tão importantes que poderão *orientá-la/o* na maioria das áreas da sua vida.

Aproveite também esse tempo de tantas faxinas para eliminar todos os ex-cessos, dar espaço a novas experiências e organizar o que for preciso, ou até mesmo tirar férias. Acredite num novo caminho e abra mão do desnecessário.

ASPECTOS EM TRÂNSITOS, PROGRESSÕES E DIREÇÕES

Durante essa época, haverá reformulação dos seus conceitos, principalmente os que lhe parecerem injustos. Nesse sentido, qualquer assunto que envolva leis ou Justiça será beneficiado por esse Aspecto.

Aja com sinceridade, pois seu poder se encontrará exatamente no fato de acreditar plenamente naquilo que estiver fazendo. Evidentemente que essa força será um impulso para que você vá mais longe. A esperança e a fé caminharão juntas. Por isso, não hesite em contar com elas para tudo o que for preciso.

· ASPECTOS DESAFIADORES: Conjunção, Quadratura e Oposição

Nessa conexão, dois grandes desafios deverão ser enfrentados. O primeiro será aceitar que haverá momentos em que a sua estrela não *a/o* protegerá tanto quanto você gostaria. A ideia é que você saiba que ela voltará a brilhar quando você tiver passado por essa fase, considerada uma iniciação espiritual. O segundo será o de levar um objetivo até o fim, sendo que um dos prováveis motivos da descontinuidade será o esgotamento das forças necessárias para você perseverar no caminho. A dica é não insistir quando estiver *exausta/o* e parar um pouco para recuperar as energias perdidas antes de retomar sua jornada. Entretanto, se o percurso a ser trilhado demandar um esforço impossível de ser empregado, será um período propício para desapegar e começar a procurar um propósito totalmente novo que sirva de estímulo para reiniciar as suas buscas. Essa mudança transformará completamente o curso da sua vida.

Outra tendência a ser vivida ao longo dessa época será reconhecer que certos conceitos que julgava verdadeiros são, na realidade, discutíveis. Algumas crenças poderão desabar, enquanto outras se afirmarão. Um exemplo disso será em relação à Justiça. Você poderá sofrer alguma injustiça e, ao perceber o quão é difícil passar por uma situação dessa, valorizará ainda mais os seus próprios princípios. Em contrapartida, descobrirá que determinadas convicções não são tão justas quanto imaginava e que será preciso modificar as regras do jogo. De qualquer maneira, será necessário prestar muita atenção ao julgamento que você faz das pessoas e até de si *mesma/o*. Antes de condenar, tente compreender os motivos que as levaram a agir de um modo que você considera errado. O importante será lutar para que seus direitos e os alheios sejam reconhecidos e respeitados.

Além disso, Júpiter se associa à expansão dos horizontes do conhecimento e do saber. Haverá nessa fase fortes pressões emocionais que poderão ser prejudiciais tanto aos estudos quanto às viagens. Se não puder evitá-los, a grande ferramenta para a obtenção de bons resultados será adotar práticas que ponham em equilíbrio sua estrutura emocional, como as psicoterapias. E, para completar, férias poderão ser essenciais para descansar e recuperar as energias perdidas.

Plutão em Aspecto com Saturno

Plutão é o senhor da morte e do renascimento, responsável pela regeneração e pelas transformações produzidas na profundidade da alma. Assim, quando ele agir sobre Saturno, o que será desconstruído para renascer em uma nova organização serão as estruturas rígidas criadas pela razão, as certezas adquiridas com o tempo.

· FORÇAS ATUANTES: desapego, transformação, regeneração e aprofundamento
· ÁREAS DE ATUAÇÃO: responsabilidade, organização, produtividade e trabalho

· ASPECTOS FAVORÁVEIS: Sextil e Trígono

A primeira sensação que você terá ao atravessar esse Trânsito, essa Progressão ou essa Direção será descobrir uma força psíquica poderosa agindo sobre os seus passos durante a escalada da montanha das suas realizações. Medos e barreiras serão destruídos de tal forma que a confiança passará a ser o seu guia nessa jornada. De posse de uma segurança pouco experimentada até então, será possível se organizar e pôr a vida nos eixos. Você poderá sentir os efeitos benéficos dessa força de vontade ao se dispor a levar adiante ações que habitualmente são proteladas, como começar uma dieta, parar de fumar ou introduzir um exercício físico na sua rotina.

Esse Aspecto indicará excelentes oportunidades em relação à vida profissional, além de atuar também em outras áreas. Essa será uma fase de realizações em que novas responsabilidades serão assumidas, sempre resultado dos seus esforços e desempenhos pessoais. E, por falar nisso, aproveite esse momento para se livrar dos excessos de compromissos, dando espaço para uma melhor administração das suas atividades. Faça as modificações de forma lenta e progressiva. Com o tempo, se tornarão estáveis e definitivas e serão aproveitadas por um longo período.

ASPECTOS EM TRÂNSITOS, PROGRESSÕES E DIREÇÕES

Por fim, o mais interessante será você se sentir capaz de enfrentar qualquer tipo de pressão mantendo a frieza e a racionalidade, o que significará que não será difícil manter os problemas sob controle.

· ASPECTOS DESAFIADORES: Conjunção, Quadratura e Oposição

Passar por esse Aspecto significará ter que enfrentar um tempo de desordem e conturbações. Aquilo que parecia anteriormente sólido, atributo associado a Saturno, tenderá a desabar e dará início a uma fase de profundas mudanças em sua vida. A propósito, transformação será a experiência sempre presente durante um Trânsito, uma Progressão ou uma Direção de Plutão.

A razão de haver tal modificação poderá ser a pressão emocional e psíquica devido ao acúmulo de responsabilidades assumidas por você que, ao ultrapassarem o limite do suportável, simplesmente desabarão. A consequência imediata será o estresse, o não rendimento de atividades e o esgotamento das energias. Certamente, você precisará se libertar dos excessos para honrar seus compromissos inegociáveis. No entanto, não desanime. Essas modificações serão muito bem-vindas e produzirão excelentes resultados mais tarde, ainda que no presente possam lhe custar alguns sacrifícios.

Esse período atuará como uma grande prova de desprendimento para que você reveja os seus valores. Você deverá aprender a ceder, reconhecer que nem sempre está com a razão e que, eventualmente, pode errar. Será uma excelente oportunidade de superar algumas frustrações e aprender a administrar as dificuldades pessoais.

A área profissional será provavelmente a mais atingida. Será um tempo de rupturas, revisão das ambições e, se necessário, preparo para trilhar novos caminhos. Entretanto, essa não será a melhor época para iniciar um grande empreendimento, principalmente se houver expectativas de resultados a longo prazo. Aproveite essa ocasião para rever seus projetos e descobrir possíveis falhas. Evidentemente, haverá um grande amadurecimento e, por meio dele, você se sentirá mais confiante nos seus êxitos e não se desgastará tanto quando algo lhe fugir do controle.

Plutão em Aspecto com Urano

Quando o senhor da morte e do renascimento agir em Trânsito, Progressão ou Direção sobre o Planeta que também se encarrega das grandes mudanças, a força transformadora gerada por esse encontro potencializará o desejo de alcançar a liberdade de forma definitiva.

· FORÇAS ATUANTES: desapego, transformação, regeneração e aprofundamento
· ÁREAS DE ATUAÇÃO: liberdade, mudança e quebra de padrões

· ASPECTOS FAVORÁVEIS: Sextil e Trígono

Qualquer Trânsito, Progressão ou Direção de Plutão apontará para mudanças emocionais profundas e, quando for com Urano, as transformações serão muito mais intensas e radicais. Tanto um Astro quanto o outro indicarão urgência em encontrar novos caminhos. Sendo assim, a tendência será que suas potencialidades desabrochem, principalmente as que estiverem associadas à criatividade.

Além do mais, esse será um tempo de libertação, de ousar correr riscos e de se desvencilhar dos padrões impostos. A descoberta de novos valores dará impulso a uma fase totalmente diferente das já vividas até então. Todas as experiências se intensificarão, a sensibilidade ficará apurada e a intuição aflorará com o máximo vigor.

Aproveite esse momento para experimentar a liberdade sem medo. É provável que você consiga extrair tudo que ela tiver a oferecer. Por isso, será difícil que algo seja empecilho para que você siga adiante. A sensação será de como se os limites deixassem de existir, e você descobrirá os caminhos que levam a esse novo tempo.

Essa época será atiçadora, remexerá com todas as energias, desejos e emoções. Ao sair do lugar em que você costuma ficar, a acomodação será deixada de lado, e você recobrará um novo sentido para a sua existência. Mesmo que sinta essas alterações em determinadas áreas da sua vida, seu efeito será bem mais profundo do que poderá parecer. Com as energias renovadas e as emoções afloradas, muita coisa se modificará, e talvez o melhor efeito seja você deixar de se preocupar exclusivamente com o seu universo pessoal e estender suas atenções para as questões coletivas.

· ASPECTOS DESAFIADORES: Conjunção, Quadratura e Oposição

A ação de um Trânsito, uma Progressão ou uma Direção que envolve os Astros responsáveis pela mudança de consciência será deixar tudo fora do lugar e efetuar transformações profundas, intensas e radicais. Um dos maiores motivos que *a/o* levará a revolucionar sua vida será a falta de liberdade. Não somente de uma liberdade externa, mas, principalmente, a que se refere ao seu modo de ver e encarar a vida.

Durante esse período, as pressões emocionais representadas por Plutão se tornarão quase insuportáveis, de maneira que tudo será questionado. Você se verá diante da provocação de encontrar novos caminhos e, o mais importante, rever o seu papel no mundo. Evidentemente que, como nos demais Aspectos, tudo dependerá de como você vinha conduzindo sua vida até então. Se você tiver se ocupado exclusivamente com o seu universo pessoal, esse será o momento para estender suas atenções para as questões sociais. Do contrário, é possível que precise descobrir outros objetivos pelos quais lutar.

Por fim, as prováveis frustrações que você viverá nessa época serão motivadoras, mais do que nunca, para que acredite nas mudanças. Ainda que, de início, seja difícil enxergar alguma perspectiva nova, certamente você abrirá as portas para a chegada de um novo tempo que estará por vir.

Plutão em Aspecto com Netuno

A simbologia tanto de Plutão quanto de Netuno está associada ao Elemento Água, reino das intuições, da sensibilidade e, principalmente, da intensidade emocional. A atuação do primeiro sobre o segundo fará suas experiências visitarem regiões de potência psíquica até então inacessíveis.

- FORÇAS ATUANTES: desapego, transformação, regeneração e aprofundamento
- ÁREAS DE ATUAÇÃO: intuição, sensibilidade, imaginação e espiritualidade

ATENÇÃO: a Oposição de Netuno em Trânsito, Progressão ou Direção não será considerada, pois não viveremos o suficiente para experimentá-la.

Os demais Aspectos em Trânsito ocorrerão para todas as pessoas quando tiverem aproximadamente a mesma idade. Isso significa que as que fizerem parte da sua geração passarão por esse mesmo Aspecto em tempos muito próximos.

- ASPECTOS FAVORÁVEIS: Sextil e Trígono

Esse será um tempo para compreender que as transformações podem e devem ser efetuadas com grande dose de tranquilidade e que será possível estendê-las para todas as áreas da vida. É provável que você sinta seus efeitos mais internamente do que por meio de acontecimentos externos.

Haverá, também, necessidade de liberar sentimentos que, em geral, não costumam se manifestar. Sua sensibilidade e sua espiritualidade, assuntos que têm a ver com a posição de Netuno no seu Mapa de Nascimento, ficarão afloradas e você se sentirá mais capaz de se sintonizar com questões humanitárias.

Passar por esse tipo de Aspecto significará deixar um pouco de lado suas preferências pessoais e estender suas preocupações para a área social, o que acontecerá após alguns questionamentos existenciais: "De onde viemos e para onde vamos?"; "Que sentido tem a existência humana?"; "Qual é o nosso papel na sociedade em que vivemos?"; "Por que há tanta injustiça?". Certamente, será quase impossível responder a todas essas perguntas. Entretanto, você provavelmente terá mais conhecimento sobre essas questões e se sentirá *apta/o* a fazer alguma coisa que colabore com as transformações necessárias para um mundo melhor.

· ASPECTOS DESAFIADORES: Conjunção e Quadratura

Esse tipo de Aspecto acontecerá em fases de questionamento, quando a vida se encontrar conturbada. Será uma época de mudança de valores tal que você precisará remexer e limpar tudo que estiver nebuloso ou enrolado na sua existência.

Por ser um período crítico, será considerado como um marco divisor. Após o término dessa fase de transição, muita coisa será deixada para trás para iniciar, então, um novo tempo. É provável que você precise descobrir um motivo mais profundo para seguir adiante. Entretanto, essa descoberta só ocorrerá após terem sido efetuadas as transformações necessárias para que o novo ciclo desabroche com vigor.

Até então, alguns sonhos que eram estimulantes, território que tem a ver com Netuno, deverão ser reformulados. Para isso, será necessário que você mergulhe mais profundamente dentro de si e encontre novos significados espirituais.

Você também se dará conta de que deve se preocupar com as questões sociais, valorizar mais a solidariedade e fazer algo que beneficie as outras pessoas. Além disso, será preciso igualmente ir mais fundo no entendimento de que existem muito mais coisas além do universo material. A causa das suas angústias terá relação, principalmente, com fatores internos e incompreensíveis à racionalidade do que com pressões e problemas externos. Em suma, certamente esse será um período especial. Será um tempo de amadurecimento, ainda que, para isso, seja necessário passar por grandes tempestades na travessia da sua jornada espiritual.

Plutão em Aspecto com Plutão

Além de simbolizar a morte e o renascimento, Plutão é o Planeta que se encarrega das transformações alquímicas no seu universo psíquico. Quando ele atuar sobre Plutão do Mapa do seu nascimento, sua força ficará potencializada.

- FORÇAS ATUANTES: desapego, transformação, regeneração e aprofundamento
- ÁREAS DE ATUAÇÃO: profundidade emocional, transformações, regeneração e revelações

ATENÇÃO: quando um Planeta em Trânsito forma um Aspecto com o mesmo Astro do Mapa do seu nascimento, significa que todas as pessoas que tenham aproximadamente a mesma idade atravessarão, juntas, esse Aspecto. Por isso, ele é chamado de Trânsito Geracional.

A Conjunção de Plutão em Trânsito com Plutão Natal não será possível ser vivida, pois só ocorrerá aproximadamente passados 249 anos.

Na Progressão, a única e rara possibilidade de Plutão formar um Aspecto com Plutão do Mapa Natal será em caso de retrogradação, e será uma Conjunção. Nesse caso, o tempo de duração será de um ano antes até um ano depois do grau exato.

A Direção de Plutão Sextil com Plutão do Mapa de Nascimento ocorrerá para todos em torno dos sessenta anos, período que Plutão levará para avançar 60°, e a Quadratura aos noventa anos, tempo para avançar 90°.

- ASPECTOS FAVORÁVEIS: Sextil e Trígono

Esse tipo de Aspecto indicará que essa será uma fase de descobertas e, principalmente, de mudança de valores. Haverá transformações emocionais profundas, ainda que sejam efetuadas sem muitos sofrimentos ou atribulações.

A ideia será que você descarte coisas da sua vida que não sejam mais necessárias ou valiosas. A grande vantagem de atravessar esse Aspecto favorável será que dificilmente você vivenciará a sensação de perda. Ao contrário, saberá computar os ganhos, sentirá o alívio de descartar os excessos e seguirá bem mais leve para iniciar uma nova e importante jornada de aprofundamento espiritual. Saiba que o maior ganho será descobrir o quanto você é capaz de praticar o desapego. Aprender a não acumular será a mais importante fórmula para cuidar do que é seu e, ao mesmo tempo, não sofrer quando as coisas já não lhe pertencerem.

Assim, aproveite a vida em toda sua extensão e profundidade, não colocando barreiras e se entregando ao que for capaz de mexer com suas emoções mais profundas — tal entrega será possível por você saber enfrentar melhor suas inseguranças pessoais. Abra espaço para que possa estender as suas atenções também aos problemas sociais. Será, decerto, uma época de amadurecimento. O seu universo de atuação será ampliado e você poderá encontrar um significado maior para sua existência.

· ASPECTOS DESAFIADORES: Quadratura e Oposição

Como em toda crise, esse será um período de turbulências e questionamentos, uma época de transformações emocionais profundas, provavelmente uma das maiores já vividas até então. Não estranhe se muita coisa perder o sentido, pois esse será um longo ciclo que terminará para dar início a um novo. Será a mudança do seu olhar que derrubará os velhos valores e que ansiará por um novo modo de compreender a sua existência.

A intensidade com que esse Trânsito será vivido dependerá da maneira como você tiver conduzido a sua vida nas fases anteriores. Quanto mais *apegada/o* e *receosa/o* do desconhecido, mais difícil será efetuar as transformações que o momento exigirá. Todavia, o fato é que aquilo que se ocultava da sua consciência, seja por medo, seja por trauma, precisará vir à tona para produzir um alívio das pressões emocionais. Entretanto, se ficar *submetida/o* aos seus fantasmas, a travessia será bem mais dificultosa do que realmente é.

Você sentirá a estagnação como uma pedra no sapato que *a/o* incomodará de tal forma que só restará livrar-se dela. E, se ela já tiver causado algum ferimento que impeça o seu caminhar, cuide para que ele não inflame e espere um pouco para começar a nova jornada. *Curada/o* da dor, você estará *preparada/o* para dar os primeiros passos em direção a um novo tempo que estará por vir e que será o marco de uma enorme mudança na história da sua existência.

Fará parte dessa época viver sob pressão, sentir com mais evidência as suas inseguranças e encarar com sabedoria a ideia de que as modificações implicarão perdas. Certamente, você precisará extrair forças para recomeçar.

Por fim, será preciso ceder lugar a experiências que ainda não tiverem sido vividas, abandonar os modelos que já não lhe sirvam mais como referenciais de satisfação e aprender a se desapegar de tudo que for desnecessário. Será um renascer para a vida, totalmente diferente da já conhecida.

Plutão em Aspecto com o Ascendente e o Descendente

O Ascendente é um ponto no seu Mapa Natal que simboliza estar bem consigo e com o corpo. Por sua vez, Plutão em Trânsito, Progressão ou Direção atuará provocando profundas revoluções interiores. A sua função será a de cutucar mais fundo o desejo de autenticidade e transformar a relação com o corpo, aceitando-o como ele é.

- FORÇAS ATUANTES: desapego, transformação, regeneração e aprofundamento
- ÁREAS DE ATUAÇÃO: autonomia, autoconfiança, bem-estar físico, saúde, afetividade e parcerias

ATENÇÃO: a Conjunção com o Ascendente deverá ser tratada essencialmente como um Aspecto desafiador. O que a diferenciará da Quadratura será o fato de ser um marco divisor acerca da autoimagem, além da grande intensidade com a qual se manifestará.

A Conjunção com o Descendente (Oposição com o Ascendente) igualmente será considerada desafiadora. Entretanto, a área de atuação das mudanças que ela provocará será a dos relacionamentos. Por haver uma influência mais marcante em um setor diferente do de todos os demais Aspectos, ela será interpretada separadamente.

- ASPECTOS FAVORÁVEIS: Sextil e Trígono com o Ascendente

A ideia desse Aspecto será remexer o que há de mais profundo em você, principalmente os padrões sobre os quais construiu a imagem que faz de si *mesma/o.* Não será difícil nessa fase reconhecer o que não é seu, o que não lhe pertence e o que é produto de uma idealização criada pela influência do mundo exterior sobre o seu jeito de ser e se posicionar no mundo. Será uma oportunidade rara de deixar emergir uma pessoa mais *autêntica/o* e mais *segura/o.*

O desejo de se modificar passará pela consciência de que, mantendo uma identidade engessada, você não será nada além de mais *uma/um* no meio de todos os demais. Suas forças crescerão, você se sentirá mais *adequada/o* ao seu corpo, saberá decidir de forma arrojada e se posicionar do modo certo e no momento apropriado.

As novas descobertas estimularão a tomada de decisões que, certamente, indicarão o marco do início de um novo ciclo, repleto do vigor natural de um ser que estará nascendo. Será tempo de dar impulso a tudo que, de alguma maneira, você tiver concebido anteriormente.

O Trânsito, a Progressão ou a Direção com o Ascendente tratará também das energias físicas. Quando for com Plutão, elas serão regeneradas com tal facilidade que você reporá facilmente as suas reservas. Será um excelente período para o restabelecimento da saúde, caso você esteja com algum problema dessa natureza. O seu organismo reagirá bem aos tratamentos, e os resultados serão animadores.

· ASPECTOS DESAFIADORES: Conjunção e Quadratura com o Ascendente

Este será um Aspecto de prováveis desgastes físicos que, se não controlados, poderão produzir algum desequilíbrio na sua saúde, assunto que tem a ver com o Ascendente. Será importante que você saiba repor as energias gastas e não exceda os seus limites. Aproveite esse tempo para repousar um pouco e se abastecer, porque precisará enfrentar uma época de profundas, significativas e exaustivas modificações.

Essa será uma fase de transição, o fim de um ciclo em que todos os antigos padrões de comportamento serão postos em xeque, até mesmo o de reconhecimento do seu próprio valor. Será preciso quebrar as cascas que engessam o seu verdadeiro modo de ser, desapegar-se da velha imagem que fez de si, e confiar que sairá bem mais autoconfiante do que estava quando iniciou esse período de transformações. Todavia, não se esqueça de que toda mudança levará a um conflito. Aproveite esse tempo para se desvencilhar do que você não quiser mais carregar. Esse será um dos primeiros passos para o nascimento desse novo ser que habitará e preencherá plenamente a sua existência.

As tensões do momento servirão para provocar a inquietude que, por sua vez, ajudará na sua automodificação. Desse modo, enfrente com garra e coragem o seu desejo de mudar. No término desse Aspecto, você se dará conta de já não ser mais a mesma pessoa. Por fim, essa etapa deixará um marco que passará a simbolizar o começo de um novo tempo, em que você será mais você do que era até então.

· Conjunção com o Descendente ou Oposição com o Ascendente

Quando um Astro cruzar a linha definida pelo Descendente, apontará para o fim de um ciclo e o começo de um novo no que diz respeito às experiências afetivas. Entretanto, sendo Plutão esse Planeta, esse momento crítico exigirá mudanças, mas não quaisquer, e sim profundas transformações.

Nessa fase de transição, todos os antigos padrões de referência de um bom relacionamento serão postos em xeque. As relações que estiverem machucadas ou se transformarão, ou acabarão. As transformações serão tão intensas que conseguirão até mesmo desarrumar um relacionamento que aparentemente estava bem. Todas as tensões que você viverá ao longo desse período também poderão auxiliar no desencadeamento de tais mudanças, já que não será fácil passar por perdas decorrentes de toda essa movimentação.

Esse será, sem dúvida, um momento crítico, aquele que definirá a nova fase que estará por vir. No término desse Aspecto, perceberá que sua vida emocional já não será mais a mesma, assim como a pessoa que você foi um dia. Para concluir, como haverá muito consumo de energia nesses tempos de transição, será provável que o desgaste físico, se não for controlado, produza algum desequilíbrio na sua saúde. O importante será que você saiba repor as energias gastas e que não exceda os seus limites. Por sinal, não se esqueça de manter a autoestima em dia para deixar os pratos da balança afetiva em equilíbrio.

Plutão em Aspecto com o Meio e o Fundo do Céu

Plutão em Trânsito, Progressão ou Direção atuará sobre o Meio do Céu transformando o rumo da sua carreira na busca de uma verdadeira realização. As forças representadas pelo Planeta que reina nas profundezas do oceano psíquico despertarão o desejo de escalar a montanha da sua realização profissional.

Do mesmo modo que Plutão atua na transformação relacionada ao trabalho, também provocará mudanças profundas na vida familiar e pessoal, áreas representadas pelo Fundo do Céu.

- FORÇAS ATUANTES: desapego, transformação, regeneração e aprofundamento
- ÁREAS DE ATUAÇÃO: profissional, carreira, vocação, projetos para o futuro, relações familiares e casa

ATENÇÃO: a Conjunção com o Meio do Céu será sentida no viés desafiador, mas se diferenciará da Quadratura por sua intensidade e pela possibilidade de ser vivida também como um Aspecto favorável. O que definirá tal condição será o quanto você estará ou não *segura/o* das suas conquistas e dos seus desejos profissionais.

A Conjunção com o Fundo do Céu (Oposição com o Meio do Céu) será considerada um Aspecto desafiador e um marco na sua história afetiva e familiar. Por haver uma influência mais marcante em uma área diferente da dos demais Aspectos, ela será interpretada separadamente.

- ASPECTOS FAVORÁVEIS: Sextil e Trígono com o Meio do Céu

Esse será um dos momentos mais marcantes na vida, pois o Trânsito, a Progressão ou a Direção de Plutão transformará o curso da sua história. Por seu turno, o Meio do Céu diz respeito ao seu propósito de vida e, para a maioria das pessoas, esse propósito se realizará por meio do trabalho. Portanto, provavelmente será a área profissional a mais atingida nesses tempos de renovação.

Plutão reina no mundo para onde as almas migram após a morte física. Por analogia, você poderá compreender essas mudanças como sendo a morte de um período e o nascimento de um novo, totalmente imbuído de vigor e disposição para escalar a verdadeira montanha das suas realizações.

Pela importância que essa época terá, encare o momento como uma excelente oportunidade de se reinventar e encontrar um novo sentido para a existência. Aliás, mudanças sempre serão bem-vindas quando anunciarem uma melhora de condição de vida. Pois será exatamente o que deverá ocorrer durante a passagem desse Aspecto. Haverá novas perspectivas, possibilidades surgirão e você será *tomada/o* por um sentimento profundo de realização.

Quanto à área profissional, a dica é estar *dispostalo* a reformular suas antigas referências, desfazer-se de preconceitos e abrir o coração para acolher caminhos diferentes daqueles que tiver trilhado até então. Ao renovar suas metas de carreira, você estará investindo no aumento da sua produtividade tanto na intensidade quanto na qualidade.

Essa época será marcada por um grande avanço profissional, por maior reconhecimento das suas capacidades e por proporcionar a chance de encontrar um propósito que dará sentido às suas realizações.

· ASPECTOS DESAFIADORES: Conjunção e Quadratura com o Meio do Céu

A pressão de Plutão sobre o ponto mais alto do Mapa do seu nascimento será indicadora de transformações que, na maioria das vezes, fugirão ao seu controle. Quando forem provocadas por suas ações, será porque as possibilidades de crescimento se esgotaram e só restará a alternativa de procurar novos rumos. A área que mais se aproxima do significado do Meio do Céu é a profissional, mas a ele também cabe todo e qualquer empreendimento que exija esforço e determinação. Portanto, será esse setor da sua vida que será afetado pelas mudanças que estarão para acontecer.

Tente encarar esse momento relevante como uma oportunidade de se reinventar, encontrar um novo sentido para a existência, e não necessariamente como uma fase só de perdas. Quando ocorrerem, ainda que possam contrariar os seus desejos, farão surgir um espaço que facilitará a construção desse novo ciclo. Aliás, tudo que se encontrar num estado de estagnação ou que possa estar *a/o* consumindo ao extremo deverá vir abaixo. Igualmente, o que estiver errado ou insatisfatório ruirá para que novos ideais surjam no lugar e tragam um desejo renovado de realização.

Além do mais, o desgaste decorrente das pressões do dia a dia e da exigência de manter uma posição social a qualquer custo deverá ser considerado nocivo. Por isso e para minimizar os prováveis danos vividos nesse período, será necessário haver desapego e desejo de mudança. Assim, a vida apresentará o começo de uma nova e promissora fase, enriquecendo o que estiver insatisfatório. Por fim, tenha cautela e compreenda que muito do que ocorrerá nessa etapa não estará sob o seu domínio. Sendo assim, os novos caminhos deverão ser considerados como uma bênção quando seus problemas aparentarem não ter saída ou solução.

· Conjunção com o Fundo do Céu ou Oposição com o Meio do Céu

Esse será um dos grandes divisores de águas da sua vida, pois o Trânsito, a Progressão ou a Direção de Plutão provoca mudanças emocionais profundas. Por seu turno, o Fundo do Céu diz respeito às suas raízes e, para a maioria das pessoas, esse Aspecto atingirá em cheio as questões familiares. Portanto, será na esfera da sua intimidade que provavelmente você sentirá tal transformação.

O importante nesse momento será que você compreenda que as modificações nem sempre ocorrerão sob o seu controle, como no caso dessa época. O Planeta que simboliza a finitude da vida trará o aprendizado do desapego, e esse será o meio mais potente para lidar com as transformações que estarão para acontecer.

Pelo valor que esse tempo terá na sua vida, tente encarar o momento como uma oportunidade de reinventar seus relacionamentos, de mudar a relação com a sua casa e de encontrar um novo sentido para a existência, mas não, necessariamente, como uma fase de perdas. Se elas ocorrerem, ainda que possam contraditar completamente o seu desejo, abrirão caminhos para a construção dessa nova fase. Aliás, tudo que no seu cenário afetivo estiver cristalizado ou que possa estar consumindo suas energias ao extremo deverá desabar para que não continue sendo destrutivo. Por esse motivo, os velhos padrões de relacionamento se transformarão ou a insatisfação acabará provocando rupturas e separações.

Além do mais, é possível que você se sinta sem chão ou que tenha vontade de pisar em outros solos, como se mudar para um lugar diferente. Entretanto, qualquer que seja a situação que a/o leve a fazer tal movimento, tenha em mente que apenas com frieza emocional você poderá fazer uma escolha consciente e bem-sucedida.

Por haver muita demanda da vida pessoal, não deixe de lado suas responsabilidades com seu trabalho e a sua carreira. O desafio será pôr em equilíbrio as exigências de ambas as áreas. Em qualquer um dos casos, a intimidade que nutre o seu desenvolvimento pessoal será tocada, abrindo espaço para o surgimento de um novo tempo.

Plutão em Aspecto com os Nodos Lunares Norte e Sul

Plutão tem como função remexer o lodo decantado nas profundezas da alma, e, quando ele atuar sobre os Nodos Lunares, o que será atiçado para se transformar será a trajetória que define o seu desenvolvimento espiritual.

- FORÇAS ATUANTES: desapego, transformação, regeneração e aprofundamento
- ÁREAS DE ATUAÇÃO: espiritualidade, passado e caminho de evolução

ATENÇÃO: as Conjunções com os dois Nodos Lunares serão classificadas como sendo Aspectos desafiadores. No caso da Conjunção com o Nodo Lunar Norte, o que a diferenciará da Quadratura será que nesta as transformações atuarão na mesma proporção, tanto nas experiências passadas quanto nas que definirão o futuro, enquanto aquela estará focada especialmente em remexer e transformar o caminho que apontará para o porvir.

A mesma tensão será observada nas experiências vividas durante a passagem de Plutão pelo Nodo Lunar Sul. Entretanto, ao contrário da Conjunção com o Nodo Lunar Norte, primeiramente atuará como uma despedida do passado, para só depois iniciar a reorganização do seu propósito espiritual.

- ASPECTOS FAVORÁVEIS: Sextil e Trígono com os Nodos Lunares Norte e Sul

O Nodo Lunar Norte do Mapa do seu nascimento aponta para a direção que a alma escolheu seguir e, por meio desse trajeto, realizar a sua evolução espiritual. Por sua vez, o Trânsito, a Progressão ou a Direção de Plutão será responsável pelas experiências que mudam o curso da sua história. Eis, portanto, um momento em que sua vida será afetada por grandes transformações que revelarão o verdadeiro caminho que conduzirá ao desenvolvimento da sua espiritualidade.

Esse Aspecto indicará uma fase de importante transição na sua vida. Novos percursos serão traçados, e uma paisagem diferente surgirá como cenário de um tempo que estará para começar. Você sentirá as peças do quebra-cabeça do destino se encaixarem, concluindo o jogo iniciado em tempos muito distantes — será a aurora de uma jornada que fortalecerá seu espírito e alimentará sua alma.

As descobertas feitas durante esse caminho poderão *surpreendê-la/o* por mostrarem o propósito que dará um sentido mais profundo para a sua existência. Você, nessa metamorfose, será como uma lagarta que, transmutada, alçará voo em direção ao seu novo destino. Portanto, aproveite ao máximo as oportunidades oferecidas ao longo dessa época, acolha com generosidade os apoios que receber e reconheça a importância das felizes conexões que poderão acontecer e que *a/o* ajudarão a fazer as escolhas necessárias.

Por fim, desapegue-se do seu passado, desobstrua a alma de sentimentos nocivos ao seu crescimento pessoal e espiritual. A libertação dessas amarras será de fundamental importância para dar início a essa fase tão significativa que estará prestes a começar.

· ASPECTOS DESAFIADORES: Conjunção e Quadratura com os Nodos Lunares Norte e Sul

Para começar, o mais importante acontecimento nessa fase será o processo de limpeza e purificação espiritual ao qual você estará *sujeita/o*. Muitas memórias de experiências passadas deverão ser eliminadas para que haja uma verdadeira libertação dos vínculos que impedem seu crescimento e para que você possa, enfim, começar um novo ciclo. Por esse motivo, redirecione suas motivações, principalmente aquelas que levarão sua vida a estar mais de acordo com o seu real destino.

Depois, será preciso lembrar que esse será um momento único e relevante na sua existência, um marco divisor que deverá ser explorado ao máximo por você. Além do mais, será possível que, durante esse ciclo de limpeza, muita coisa relacionada ao passado seja perdida, podendo ocorrer rompimentos para que o seu caminho fique desobstruído e você possa seguir em frente.

Por essas mudanças serem de grande importância para o seu desenvolvimento, a ideia será que você mergulhe nas regiões mais profundas da sua espiritualidade, fazendo contato com sentimentos e sensações submersos nessas esferas obscuras. Para facilitar, procure se desapegar do que for desnecessário e busque compreender que esse processo, por mais difícil que seja, renovará suas energias e mostrará mais claramente qual é o seu verdadeiro propósito espiritual.

Plutão em Aspecto com a Roda da Fortuna

A função da Roda da Fortuna é facilitar o curso dos acontecimentos e igualmente da sorte. Como Plutão se encarrega de provocar transformações profundas nos seus valores, nesse Aspecto a vida fluirá melhor com a faxina à qual seus canais de fluxo energético estarão sujeitos.

- FORÇAS ATUANTES: desapego, transformação, regeneração e aprofundamento
- ÁREAS DE ATUAÇÃO: boa sorte e fluidez
- ASPECTOS FAVORÁVEIS: Sextil e Trígono

Uma das maiores transformações dessa fase será a que redefinirá o que é sorte ou fortuna para você. A alteração será tamanha que você se surpreenderá com o surgimento de espaços que possibilitarão a desobstrução de algumas das suas mais importantes dificuldades. Outra mudança importante será a compreensão mais profunda de que a vida conspira, sim, a seu favor, seja no oferecimento de benefícios, seja na aquisição de conhecimento e maturidade.

A dica é se entregar ao fluxo dos acontecimentos e apreciar com gratidão o que a vida tiver de novidade a oferecer. Para facilitar mais ainda o tempo em que esse Aspecto agir, bastará mergulhar nas profundezas do seu ser e ficar disponível para transformar seus valores e sua visão de realidade.

Essa será também uma oportunidade incomparável para se despedir da falta de confiança na bondade da vida, colaborando para que tudo passe a fluir mais facilmente, sem obstruções nem atropelos. Será uma descoberta única dos caminhos e das ferramentas que *a/o* aproximarão da proteção da sua estrela da sorte. Não deixe de reconhecer os sinais da presença dela tanto por meio de um profundo bem-estar interior como por intermédio dos anjos que *a/o* acompanharão e protegerão sempre que for necessário.

- ASPECTOS DESAFIADORES: Conjunção, Quadratura e Oposição

Será essencial compreender nessa etapa que os ventos da boa sorte nem sempre soprarão a seu favor. Para *a/o boa/bom navegadora/navegador*, essa será a melhor maneira de aprender a manejar bem as velas e se tornar *uma/ um* ótima/o comandante, principalmente nos momentos em que as tormentas surgirem na travessia. A grande mexida provocada por esse Aspecto será a ressignificação do que é sorte e fortuna para você. Ela será de tal tamanho que, por um tempo, você se sentirá *desprotegida/o*. No entanto, mais tarde absorverá que o Universo conspira a seu favor, só que de um modo completamente diferente do que era conhecido até então.

Será preciso, para facilitar o fluxo dos acontecimentos, fazer uma intensa desintoxicação dos sentimentos que *a/o* colocam para baixo, os que têm a ver com a desesperança, os que *a/o* paralisam diante dos desafios da vida. O medo de não poder contar sempre com proteção deverá igualmente ser transformado em coragem e. confiança na bondade da vida. Muitos bloqueios de energia estarão associados a ressentimentos e mágoas. A dica é se despedir da falta de fé e praticar o desapego, que serão as ações mais eficientes para abrir seus caminhos, fazer a roda das energias girar a seu favor e permitir que o fluxo dos acontecimentos facilite a realização dos seus propósitos.

Plutão em Aspecto com Quíron

Passar por um Trânsito, uma Progressão ou uma Direção de Plutão será se dispor a fazer uma profunda faxina, e, quando esse Astro atuar sobre Quíron, o objetivo da limpeza será melhorar a qualidade de vida e proporcionar uma boa saúde.

- FORÇAS ATUANTES: desapego, transformação, regeneração e aprofundamento
- ÁREAS DE ATUAÇÃO: saúde e autoconhecimento
- ASPECTOS FAVORÁVEIS: Sextil e Trígono

Uma das mais potentes forças associadas aos Trânsitos, às Progressões ou às Direções de Plutão são as regeneradoras. Quanto a Quíron, também se pode relacionar o seu simbolismo às forças curativas. Ao atuar sobre Quíron, Plutão potencializará o poder de cicatrizar as feridas produzidas com inigualável intensidade ao longo da vida. A dica é cuidar mais de si e de tudo o que possa lhe causar mal-estar físico, mental ou espiritual. Essa será uma excelente época para tratamentos, e as chances de cura estarão aumentadas.

O momento será de limpeza e de eliminação das causas de muitos dos seus desconfortos e sofrimentos. Você passará por períodos de metamorfose que proporcionarão melhor qualidade de vida e saúde. Evidentemente, a maneira como experimentará esse Aspecto dependerá dos seus hábitos e da atenção dispensada aos sintomas que denunciam quando alguma coisa não anda bem. Em todo caso, aproveite para avaliar o que dói, lembrando mais uma vez que tais dores podem ser tanto no corpo físico como no espiritual. Entretanto, o mais importante será reconhecer que poderá sanar as causas dos seus desequilíbrios ao conhecer a fundo o que gera o mal-estar.

Por fim, Quíron, na mitologia, além de médico, é também professor e, portanto, seu simbolismo está associado ao conhecimento, mas, principalmente, ao autoconhecimento. Sendo assim, mergulhe fundo nessa busca e faça dela um caminho de transformação.

· ASPECTOS DESAFIADORES: Conjunção, Quadratura e Oposição

Não haverá época mais adequada do que essa para tratar as feridas que a vida tiver deixado e que, nesse período, passarão a doer mais do que em qualquer outro tempo. Tanto Plutão quanto Quíron se referem à cura, portanto aproveite para cuidar de tudo o que possa ser causador de algum tipo de mal-estar físico, mental e até mesmo espiritual. Ainda que sinta um recrudescimento das suas dores, essa será uma excelente oportunidade para eliminar as causas do seu desconforto e do seu sofrimento.

O Trânsito, a Progressão ou a Direção de Plutão sempre causará uma profunda remexida na vida, e esta terá a ver com os hábitos que definem o seu bem-estar. Evidentemente, como você experimentará esse Aspecto dependerá de como você tem se cuidado e o quanto dá ou não atenção aos sintomas que denunciam alguma enfermidade. Caso não costume perceber tais sinais, nessa fase ficará mais claro o que dói tanto no corpo físico como no espiritual. Entretanto, o mais importante a fazer depois de averiguar o que gera o mal-estar será buscar as causas dos seus desequilíbrios, pois somente assim será possível se curar ou, ao menos, manter a saúde sob controle.

Por fim, Quíron, na mitologia, além de ser médico, é também professor, e, já que a função de Plutão é desconstruir o que não serve mais, reconheça se os caminhos escolhidos para a evolução do seu autoconhecimento estarão ou não adequados. Provavelmente, seus mitos cairão por terra e, apesar das dores da perda, serão elas que proporcionarão a chance de restaurar suas buscas na direção correta.

Plutão em Aspecto com Lilith

Sempre que Plutão atuar sobre um Planeta ou Ponto Virtual, provocará mudanças extremamente profundas e significativas no curso da sua história pessoal, e, quando for com Lilith, tais modificações incluirão, entre outras questões, a sua sexualidade e a sua liberdade de escolha.

- FORÇAS ATUANTES: desapego, transformação, regeneração e aprofundamento
- ÁREAS DE ATUAÇÃO: sexualidade, desejo, insubordinação e emoções profundas

- ASPECTOS FAVORÁVEIS: Sextil e Trígono

Fique bem *ligada/o* ao início desse Trânsito, dessa Progressão ou dessa Direção porque será o anúncio de que deverá se entregar ao prazer, superando preconceitos e tabus e libertando desejos reprimidos. Você terá uma grande chance de se desvencilhar das marcas deixadas por experiências de desamparo e exclusão, um momento de diversas e profundas transformações.

Esse será também um tempo para visitar a morada dos seus anseios e descomprimir emoções que inibem a libido. Por essa razão, mergulhe com coragem nas regiões mais profundas e obscuras da sua alma e descubra quais vontades haviam sido reprimidas, mas que você gostaria de concretizar. Entretanto, se tiver muita dificuldade para acessar esses locais sombrios, tenha certeza de que os acontecimentos da vida *a/o* ajudarão a realizar tal contato. Como em geral não é fácil fazê-lo, será excelente contar com práticas que auxiliem na lida com esses conteúdos psicológicos. Nada será melhor do que uma boa terapia para dar conta de tudo o que for preciso trabalhar para liberar-se dos tabus, principalmente acerca da sua sexualidade.

Nessa época igualmente as paixões poderão ser intensas, sejam por alguém, sejam por coisas aparentemente atrativas. Serão em momentos como esse que você poderá viver com bastante intensidade sentimentos que costumam estar guardados a sete chaves, normalmente por insegurança.

Por fim, aproveite essa fase para fazer uma faxina no celeiro onde estão armazenadas as suas emoções e nas relações não prazerosas.

- ASPECTOS DESAFIADORES: Conjunção, Quadratura e Oposição

O primeiro grande desafio anunciado por esse Trânsito, essa Progressão ou essa Direção de Plutão será ficar cara a cara com seus preconceitos e dar um basta à ação deles. Você compreenderá que estar refém dos tabus é o caminho certo para a produção de neuroses que só *a/o* atrapalharão a dar vazão aos seus desejos verdadeiros e a usufruir as experiências prazerosas.

O cenário em que Lilith atua é principalmente o da libido, sendo, portanto, esse um momento crucial para rever a forma como você lida e acolhe a sua sexualidade. Evidentemente que, por ser um assunto permeado por sérios tabus, será fundamental desvencilhar-se deles antes de destruir o que tiver potência ou ser *destruída/o* por experiências prejudiciais. A propósito, fique *atenta/o* para não cair nas armadilhas dos jogos de sedução e de poder. A prioridade deverá ser sua liberdade, e, se você perceber algum sinal do que possa comprometê-la, recuse o convite para participar da perigosa brincadeira.

O segundo desafio será aprender a apreciar a solidão. O segredo será compreender que você poderá ser feliz sem depender de um relacionamento que preencha suas faltas. Será você *mesma/o a/o sua/seu própria/o parceira/o* nessa travessia alquímica pelo deserto criativo dos seus desejos. Até mesmo as paixões deverão ser encaradas como ferramentas iniciáticas, despertando as forças de que você precisa dispor para conduzir a alma nessa que será uma das jornadas mais importantes para a conquista da sua autorrealização.

Trânsitos, Progressões e Direções dos Nodos Lunares

A finalidade dos Trânsitos, das Progressões e das Direções dos Nodos Lunares será orientar espiritualmente as experiências relacionadas aos Planetas ou Pontos Virtuais com os quais formarem um Aspecto, favorável ou desafiador. Esses Planetas ou Pontos ficarão sujeitos a resgates e ao redirecionamento da sua vida espiritual. Os desafios a serem enfrentados durante a vigência desses Aspectos estarão relacionados à desorientação causada pelas repetições de modelos trazidos do passado e que travam a sua evolução.

INTENSIDADE DO TRÂNSITO: 5

INTENSIDADE DA PROGRESSÃO: 3

INTENSIDADE DA DIREÇÃO: 5

ATENÇÃO: as Conjunções dos Nodos Lunares Norte e Sul produzirão maior efeito nas suas experiências do que os demais Aspectos, pois são considerados momentos de redirecionamento decisivo da trajetória de desenvolvimento espiritual relacionada ao simbolismo do Astro ou do Ponto Virtual com o qual ele forma tal Aspecto.

Nodos Lunares Norte e Sul em Aspecto com o Sol

Os Nodos Lunares em Trânsito, Progressão ou Direção auxiliarão na reorientação do seu propósito espiritual, e, quando ocorrerem com o Sol, será por meio da consciência, do trabalho de equilíbrio do ego e da alegria de viver que você recuperará experiências passadas e encontrará a direção certa para seguir sua jornada.

· FORÇAS ATUANTES: propósito espiritual e referências do passado
· ÁREAS DE ATUAÇÃO: consciência, vontade, vitalidade, vigor e autoconfiança
· ASPECTOS FAVORÁVEIS: Conjunção do Nodo Lunar Norte, Sextil e Trígono dos Nodos Lunares Norte e Sul

A conexão favorável dos Nodos Lunares com o Sol do Mapa do seu nascimento marcará um momento de fortalecimento da autoconfiança, e você poderá ser *colocada/o* diante de experiências em que haverá maior exposição do seu poder, dos seus talentos e das suas qualidades pessoais. Entretanto, será preciso estar bem *afinada/o* com o equilíbrio da sua vaidade para que isso passe a ser verdadeiramente um processo de evolução espiritual.

Você enfrentará situações que exigirão força de vontade para que se reoriente espiritualmente e passe a conduzir a vida com mais força e vigor. O importante será aprender a viver com bastante intensidade, porém regulando bem as ações do seu ego. De todo modo, você encontrará facilidade para exercer o poder de comando e para viver com plenitude.

· ASPECTOS DESAFIADORES: Conjunção do Nodo Lunar Sul (Oposição do Nodo Lunar Norte) e Quadratura dos Nodos Lunares Norte e Sul

Esse momento será marcado pelo resgate de experiências vividas no passado que envolvam o uso do poder. Trata-se de padrões repetitivos e que dizem respeito à atuação do ego, em que você se exporá esperando aplausos que, no fundo, em nada contribuirão para a sua evolução espiritual.

Esses tempos estarão sujeitos à atração por figuras que você considera brilhantes, mitos que construiu, mas que representam um passado longínquo que deverá ser deixado definitivamente para trás. Os jogos de poder acerca de tais relacionamentos poderão ser revividos, porém com o objetivo espiritual de serem reeditados e de *libertá-la/o* das forças de dominação exercidas por você ou que *a/o* façam se sentir inferior. Por um lado, você deverá reparar os danos causados pelo poder; por outro, recuperar a autoestima para que não se repita a subserviência.

Nodos Lunares Norte e Sul em Aspecto com a Lua

Sempre que os Nodos Lunares Norte e Sul atuarem em Trânsito, Progressão ou Direção sobre a Lua do Mapa do seu nascimento, apontarão para um resgate e um propósito espiritual que têm relação com sua história familiar, com suas origens e com a constituição da sua estabilidade emocional.

- FORÇAS ATUANTES: propósito espiritual e referências do passado
- ÁREAS DE ATUAÇÃO: intuição, sensibilidade, afetividade, lembranças do passado, família e casa

ATENÇÃO: a conexão dos Nodos Lunares com a Lua, mais do que qualquer outra união, representará um grande resgate do passado, reeditando padrões repetitivos que necessitem ser atualizados.

- ASPECTOS FAVORÁVEIS: Conjunção do Nodo Lunar Norte, Sextil e Trígono dos Nodos Lunares Norte e Sul

O Trânsito, a Progressão ou a Direção favorável dos Nodos Lunares com a Lua colocará diante do seu caminho pessoas, situações e experiências que, ainda que possam ser consideradas na prática atuais, soarão antigas e familiares. O elo com aqueles que não necessariamente você já tenha tido algum tipo de relacionamento será sentido como se existisse quase a vida toda e será um importante meio para resgatar emoções perdidas no tempo que só a alma sabe mensurar. A ideia será trazer o passado para o presente, dar as mãos a ele e seguir, juntos, numa jornada de evolução espiritual.

A bem da verdade, será preciso dar um sentido afetivo para sua evolução, e nesse período isso acontecerá para que você prossiga no seu caminho *nutrida/o* de amor, afetividade e cuidado.

- ASPECTOS DESAFIADORES: Conjunção do Nodo Lunar Sul (Oposição do Nodo Lunar Norte) e Quadratura dos Nodos Lunares Norte e Sul

Será extremamente importante que nesse momento você dê atenção às situações que emocionalmente se repetem, em especial se forem associadas às pessoas da família ou a relacionamentos muito próximos. Você se sentirá *presa/o* a esses padrões e, se eles não forem liberados, transformados e resolvidos, dificilmente conseguirá evoluir na sua jornada espiritual.

De todo modo, o Aspecto desafiador dos Nodos Lunares sobre a Lua será indicador de que essas relações fazem parte do histórico que sua alma trouxe ao ingressar nesta existência e que será chegada a hora de fazer a prestação de contas com o seu passado para que possa caminhar livre no cumprimento do seu destino. Será preciso repensar a relevância da sua carga emocional e da sua história afetiva para que, resolvidas as picuinhas, dissolvidas as mágoas, você torne a sua bagagem mais leve para conseguir sair do lugar.

Nodos Lunares Norte e Sul em Aspecto com Mercúrio

Passar por um Trânsito, uma Progressão ou uma Direção dos Nodos Lunares Norte e Sul será se dispor a resgatar seu passado e se reorientar espiritualmente, e, quando ele atuar sobre Mercúrio, esse resgate e essa busca de um propósito que dê sentido à existência terão a ver com o uso da linguagem e da liberdade de ir e vir.

- FORÇAS ATUANTES: propósito espiritual e referências do passado
- ÁREAS DE ATUAÇÃO: comunicação, estudos, mobilidade, viagens e negócios

- ASPECTOS FAVORÁVEIS: Conjunção do Nodo Lunar Norte, Sextil e Trígono dos Nodos Lunares Norte e Sul

As experiências vividas durante o Aspecto favorável dos Nodos Lunares com Mercúrio serão conexões que atualizarão o cenário da sua jornada espiritual. O caminho se multiplicará em curiosidade e inquietude por novas informações e interesses. Muita gente cruzará o seu percurso com a função de abrir seus olhos para um novo nível de desenvolvimento mental.

A mesma função de arejar a mente ficará também ao encargo das eventuais viagens, das mudanças de lugar, que, por sua vez, serão ligações importantes entre os trechos que compõem o destino da sua evolução espiritual.

Você igualmente aprenderá a importância do papel da boa comunicação na busca de um propósito maior que dê sentido à existência, a exemplo de uma simples conversa que acaba por *direcioná-la/o* para metas até então desconhecidas. Do mesmo modo, sua maneira de se comunicar passará a ter mais profundidade, e você se comprometerá muito mais com a fala.

- ASPECTOS DESAFIADORES: Conjunção do Nodo Lunar Sul (Oposição do Nodo Lunar Norte) e Quadratura dos Nodos Lunares Norte e Sul

Um dos primeiros sintomas da passagem de um Aspecto desafiador dos Nodos Lunares com Mercúrio será o da dúvida, a que se repete, que põe a mente em estado de tensão e estresse. Haverá inquietudes vindas do passado que atrapalham o caminhar espiritual. Você se sentirá *trapaceada/o* pelo seu estado mental, sem saber escolher a direção que dará um sentido mais profundo e verdadeiro à sua existência.

Uma observação importante nesse momento será quanto à forma de se comunicar, que estará sujeita a antigos hábitos ou experiências passadas que tiveram, no uso da palavra, um impacto que pode ser sentido até o tempo presente. Haverá um grande aprendizado espiritual acerca da importância do que é dito e a responsabilidade de arcar com as consequências. Você poderá reparar erros do passado, libertar a mente de pensamentos tóxicos e prosseguir sua jornada com a sabedoria de escolher bem as oportunidades que cruzarem o seu caminho.

Nodos Lunares Norte e Sul em Aspecto com Vênus

A função de Vênus do Mapa Natal será promover os encontros, despertar o desejo amoroso e proporcionar conforto material. Como os Nodos Lunares se encarregam de apontar a direção da sua jornada espiritual, você se sentirá mais bem *preparada/o* para o amor, para a sexualidade e para a estabilidade financeira quando tais experiências forem tocadas por esse Trânsito, essa Progressão ou essa Direção.

- · FORÇAS ATUANTES: propósito espiritual e referências do passado
- · ÁREAS DE ATUAÇÃO: autoestima, amor, beleza, sexualidade e recursos materiais
- · ASPECTOS FAVORÁVEIS: Conjunção do Nodo Lunar Norte, Sextil e Trígono dos Nodos Lunares Norte e Sul

Quando o Nodo Lunar Norte em Trânsito, Progressão ou Direção entrar em Aspecto favorável com Vênus, o amor passará a ser seu guia espiritual. As experiências amorosas e sexuais desse momento colaborarão para sua evolução e *a/o* direcionarão para sua verdadeira jornada de autoconhecimento. Parcerias cruzarão o seu caminho, o alinhamento com os ideais de *uma/um parceira/o* dará maior sentido aos encontros e você ampliará a potência de um relacionamento por meio da harmonia amorosa.

De outra maneira, esse Aspecto *a/o* ensinará a fazer dos seus recursos materiais uma ferramenta de crescimento espiritual. Fará parte do seu caminho nessa fase valorizar o que lhe pertence, seu trabalho e, especialmente, seus talentos. Em contrapartida, quanto mais você estiver *afinada/o* com sua espiritualidade, mais condições terá de equilibrar sua balança financeira.

- ASPECTOS DESAFIADORES: Conjunção do Nodo Lunar Sul (Oposição do Nodo Lunar Norte) e Quadratura dos Nodos Lunares Norte e Sul

Esses Aspectos apontarão para experiências de profundo aprendizado no campo do amor e da arte de bem se relacionar. Por ser um período de resgate de padrões repetitivos de afetividade e que precisam ser liberados para que sua vida evolua, tanto os novos encontros quanto os já existentes apresentarão sintomas dificilmente irreconhecíveis. Haverá a sensação de já ter passado inúmeras vezes por isso, ainda que não esteja fresco na sua memória recente.

Algo relacionado ao amor será resgatado nesse momento. Em um relacionamento que já faça parte da sua vida, você viverá algum episódio especial que *a/o* marcará mais especificamente por parecer familiar. Você terá a oportunidade de acertar contas com seu passado afetivo e, *liberta/o*, seguirá o seu percurso espiritual.

Do mesmo modo, você deverá ficar *atenta/o* aos excessos ou às faltas materiais recorrentes, reconectando-se com hábitos antigos para que, resolvidas as questões que desequilibram sua balança financeira, você possa ter o conforto necessário para seguir adiante *nutrida/o* materialmente.

Nodos Lunares Norte e Sul em Aspecto com Marte

Os Nodos Lunares têm como função resgatar e reorientar a sua jornada espiritual, e, quando atuarem sobre Marte, o que colaborará para o seu desenvolvimento será o fortalecimento da coragem e a conquista da sua autonomia.

- FORÇAS ATUANTES: propósito espiritual e referências do passado
- ÁREAS DE ATUAÇÃO: autonomia, autoconfiança, competição, liderança, disposição física e saúde

ATENÇÃO: a Conjunção do Nodo Lunar Norte poderá ser vivida tanto de forma favorável quanto desafiadora. Por isso, será importante estudar as duas posições. O que influenciará a qualidade da experiência será o uso da coragem ou da agressividade, ambos associados ao Planeta guerreiro.

Já a Conjunção do Nodo Lunar Sul com Marte será vivida de forma desafiadora.

· ASPECTOS FAVORÁVEIS: Conjunção do Nodo Lunar Norte, Sextil e Trígono dos Nodos Lunares Norte e Sul

Nesses tempos, você será *colocada/o* diante de situações que *a/o* convocarão a tomar decisões importantes que definirão os próximos passos da sua jornada espiritual. As experiências desafiadoras representadas pelo deus guerreiro farão parte do seu processo de amadurecimento e evolução, *fortalecendo-a/o* e dilatando a sua coragem.

Será essencial se afinar com suas forças combativas e defensivas para que possa enfrentar com sabedoria os conflitos, a competitividade, os tombos e as vitórias sem perder a cabeça. Ademais, você precisará ter vigor e energia física para encarar algum trecho mais espinhoso do caminho espiritual. Caso lhe faltem, essa será a hora de pôr em equilíbrio seu corpo, pois ele é parte importante da evolução da sua alma nesta existência.

· ASPECTOS DESAFIADORES: Conjunção e Quadratura dos Nodos Lunares Norte e Sul

Durante o tempo em que vigorar esse Aspecto, você resgatará ações do seu passado que implicaram uso de força, seja força de vontade, sejam as carregadas de agressividade. Essas experiências virão acompanhadas não apenas de raiva, intolerância ou violência, mas também de fraquezas ou batalhas perdidas que marcaram sua história espiritual. O que será vivido nesse período remeterá a conflitos que se perderam no tempo, porém que não se perderam da sua memória mais profunda.

Será fundamental que você refaça a conexão com *a/o sua/seu guerreira/o* e reconheça em quais campos e guerras lutou para *afiná-la/o* com seu percurso atual de desenvolvimento. Ao se libertar das memórias dos conflitos passados ou da arrogância comum *às/aos vitoriosas/os*, você poderá dar os próximos passos confiante de que saberá atravessar com sabedoria os desafios que tiver pela frente. Fortaleça seu corpo e, ao mesmo tempo, respeite-o. Reconheça seus limites, mas não se dobre diante das adversidades.

Nodos Lunares Norte e Sul em Aspecto com Júpiter

Júpiter reina nas terras da justiça e da sabedoria. Por sua vez, os Nodos Lunares em Trânsito, Progressão ou Direção apontam para o caminho que a/o levará ao seu desenvolvimento espiritual. Os dois simbolismos tratam de valores importantes para sua evolução e, portanto, o encontro entre ambos intensificará a procura por um propósito que ilumine a sua jornada espiritual nesta existência.

- FORÇAS ATUANTES: propósito espiritual e referências do passado
- ÁREAS DE ATUAÇÃO: metas, leis, crenças, ideais, justiça, estudos e viagens
- ASPECTOS FAVORÁVEIS: Conjunção do Nodo Lunar Norte, Sextil e Trígono dos Nodos Lunares Norte e Sul

Mais do que em qualquer outro momento, os Aspectos favoráveis do Nodo Lunar Norte com Júpiter definirão com mais consciência e sabedoria um propósito que a/o redirecionará para o seu verdadeiro caminho espiritual. Será um tempo de grande crescimento, e os horizontes que se mostrarão abertos nesse período só agregarão mais estímulo para você prosseguir na sua jornada. Nessa época, a busca de um conhecimento que abra as portas para o seu futuro será muito bem recompensada. Você também colherá os frutos das sementes cultivadas no solo da sabedoria, e a colheita promete ser generosa.

Mestras/es, professoras/es, orientadoras/es ou uma filosofia de vida cruzarão o seu caminho espiritual iluminando seus passos, guiando sua alma para cumprir com o propósito dela. Você poderá ser *convocada/o* a visitar terras distantes, dando impulso ao seu autodesenvolvimento. Lembre-se de que essas viagens, geográficas ou intelectuais, serão mais vantajosas se houver a consciência de absorver ensinamentos elevados.

- ASPECTOS DESAFIADORES: Conjunção do Nodo Lunar Sul (Oposição do Nodo Lunar Norte) e Quadratura dos Nodos Lunares Norte e Sul

Você precisará nessa época resgatar os ensinamentos trazidos do passado para que se afinem com os propósitos dos tempos atuais. Na sua jornada espiritual, você será *desafiada/o* a repensar antigas crenças, ideais que já lhe serviram como propósito de vida, mas que nesse momento poderão impedir o bom fluxo da sua evolução. Os caminhos serão abertos quando você resgatar *suas/seus mestras/es* e puder ter um diálogo franco sobre os ensinamentos que carrega na alma. Essa será uma fase de ajuste da rota que possa ter se perdido no passado.

Os Aspectos desafiadores dos Nodos Lunares com Júpiter colocarão em xeque valores que você talvez considerasse imutáveis, mas, com o amadurecimento adquirido nesse período, poderá questioná-los e reconsiderar o que pensava ser verdade até então.

Você também poderá se ver às voltas com a Justiça para recuperar o estado de direito e a liberdade de pensamento e opinião que eventualmente tenham ficado comprometidas no passado. Igualmente, se você trouxer na bagagem alguma ação injusta cometida, essa será a chance do acerto de contas e do pedido de perdão.

As viagens que venham a ocorrer nesse período serão a revisitação a lugares que a alma reconhecerá assim que pisar, mesmo em terras distantes. Lá, poderá resgatar experiências que ficaram perdidas no tempo e que, liberadas, ajudarão no trajeto da sua jornada espiritual.

Nodos Lunares Norte e Sul em Aspecto com Saturno

Os Nodos Lunares em Trânsito, Progressão ou Direção têm como função apontar o caminho da sua evolução espiritual, e, quando atuarem sobre Saturno do Mapa do seu nascimento, tocarão, por meio da sabedoria, o senso de responsabilidade, a chance de corrigir as falhas do passado e a conquista de maturidade.

· FORÇAS ATUANTES: propósito espiritual e referências do passado
· ÁREAS DE ATUAÇÃO: responsabilidade, organização, produtividade e trabalho

· ASPECTOS FAVORÁVEIS: Sextil e Trígono dos Nodos Lunares Norte e Sul

Ao fazer uma conexão favorável com Saturno, o Nodo Lunar Norte apontará para um caminho aberto no cumprimento dos seus deveres espirituais, para o amadurecimento da alma e, se for necessário, de ajustes importantes na rota do seu destino. A propósito, você aprenderá mais do que em qualquer outro momento a se responsabilizar pelo destino que sua alma trouxe na bagagem ao entrar nesta existência, afirmando o seu caminho e persistindo na sua evolução.

Será um tempo dedicado a aliviar suas culpas, de ter a oportunidade de prestar contas com o passado, de reconhecer seus limites e de reorientar seus passos para um percurso seguro, principalmente liberto dos erros recorrentes. Você avançará com desenvoltura no seu projeto espiritual e terá a sabedoria para vencer as provas que marcarão etapas importantes na jornada que *a/o* levará ao autoconhecimento.

- ASPECTOS DESAFIADORES: Conjunção e Quadratura dos Nodos Lunares Norte e Sul

Quando o Nodo Lunar Norte fizer Conjunção com Saturno do Mapa do seu nascimento, você ouvirá um chamado para que tome nas mãos a responsabilidade do seu destino. Será um tempo de longo amadurecimento, de organização da sua vida, e os encontros, os fatos e as experiências vividas nessa época servirão como *mestras/es* que lhe imporão provas para prosseguir *segura/o* rumo a essa nova etapa da sua jornada espiritual. O momento será o de olhar para a frente, não sem aproveitar o que você tiver aprendido até então. Entretanto, você deverá carregar na bagagem apenas o conhecimento indispensável que garantirá o acesso às ferramentas que *a/o* ajudarão a vencer os obstáculos que terá pelo caminho.

A Conjunção com o Nodo Lunar Sul e a Quadratura *a/o* conduzirão para o passado, resgatando o que não tiver sido cumprido, para que corrija as falhas cometidas e pague as faturas espirituais que estiverem em atraso. Você sentirá o tempo transcorrer mais lentamente, e a vida poderá dar uma travada enquanto não forem resolvidas as questões pendentes durante a caminhada da sua jornada espiritual. Será preciso igualmente se libertar das culpas, transformando-as em responsabilidade e prudência.

Nodos Lunares Norte e Sul em Aspecto com Urano

O contato dos Nodos Lunares com Urano indicará um tempo de libertação espiritual provocada por mudanças imprevistas e, muitas vezes, radicais. É um valoroso passo para o seu desenvolvimento interior e para o rompimento com padrões repetitivos do seu passado.

- FORÇAS ATUANTES: propósito espiritual e referências do passado
- ÁREAS DE ATUAÇÃO: liberdade, mudança e quebra de padrões

ATENÇÃO: a Conjunção poderá ser vivida tanto de forma favorável quanto desafiadora. O que a inclinará mais para um lado do que para o outro será a maneira como você encara as mudanças, as surpresas e a liberdade. Portanto, será importante que você analise as duas tendências.

- ASPECTOS FAVORÁVEIS: Conjunção do Nodo Lunar Norte, Sextil e Trígono dos Nodos Lunares Norte e Sul

Durante a passagem desse Aspecto, você sentirá o seu percurso mudar radicalmente de direção, e quem estará no comando dessa mudança serão os ventos imprevisíveis que chegarão para renovar os pactos de liberdade feitos pela alma ao ingressar nesta existência. Será uma guinada na sua jornada espiritual e que fará parte da rota que a/o conduzirá à sua evolução.

Você será *tomada/o* por uma intensa inquietude, será *chamada/o* a contestar velhos padrões e não suportará mais se moldar às formas que aprisionem sua liberdade de pensamento e expressão. As novidades dessa época abrirão seus caminhos, você sentirá o ar expandir seus pulmões e o coração palpitar por uma nova vida. Todas essas experiências orientarão seus próximos passos rumo ao encontro de um propósito maior que dê sentido à sua existência.

- ASPECTOS DESAFIADORES: Conjunção e Quadratura dos Nodos Lunares Norte e Sul

Resgatar as emoções causadas pelas tempestades vividas no passado e ainda carregadas na sua memória será uma das funções destinadas a esse Aspecto. A intranquilidade gerada pelos tempos turbulentos lhe servirá como bússola na orientação do seu novo caminho. Nessa fase, você renovará sua bagagem e nela carregará uma alma bem mais preparada para lidar com a imprevisibilidade e as guinadas da vida e usufruir o ar puro da liberdade.

O que tiver sido tratado com negligência também entregará sua fatura para que possa quitá-la antes de prosseguir no caminho da sua evolução espiritual. Será possível que você repita algumas dessas transgressões e analise a recorrência delas. A consciência de que será necessário romper com tais padrões a/o ajudará a fazer da liberdade um instrumento de responsabilidade.

Nodos Lunares Norte e Sul em Aspecto com Netuno

Tanto Netuno quanto os Nodos Lunares possuem qualidades similares, pois estão relacionados à espiritualidade e navegam nas águas que conduzem à sua evolução. Esse Aspecto, portanto, amplificará a busca por um propósito que a/o oriente na sua jornada espiritual.

- FORÇAS ATUANTES: propósito espiritual e referências do passado

- ÁREAS DE ATUAÇÃO: intuição, sensibilidade, imaginação e espiritualidade

ATENÇÃO: a Conjunção poderá ser vivida tanto de forma favorável quanto desafiadora. O que definirá para que lado ela penderá será a forma com que você viverá a sua espiritualidade, como lidará com o imponderável e se entregará às suas fantasias. Por esse motivo, será importante analisar as duas tendências.

- ASPECTOS FAVORÁVEIS: Conjunção do Nodo Lunar Norte, Sextil e Trígono com os Nodos Lunares Norte e Sul

Os Trânsitos, as Progressões ou as Direções favoráveis dos Nodos Lunares com Netuno indicarão que experiências não compreensíveis no campo da razão atravessarão o seu caminho de evolução espiritual. Nessa época, você será *convocada/o* a buscar um sentido maior para a existência, e qualquer contato com a esfera mística *a/o* ajudará a definir os próximos passos na direção do autoconhecimento.

Haverá o direcionamento do seu desejo para mergulhar nas regiões profundas do seu psiquismo, o que poderá *levá-la/o* a obter resultados importantes com psicoterapias ou práticas que tenham como objetivo o seu bem-estar espiritual. Uma das funções desse Aspecto será *afiná-la/o* com sua intuição e sua sensibilidade, de modo que possam *orientá-la/o* na trajetória do seu amadurecimento. Outra atribuição será a de *colocá-la/o* em contato com seus sonhos, abrindo uma grande porta para que possam ser realizados.

- ASPECTOS DESAFIADORES: Conjunção e Quadratura dos Nodos Lunares Norte e Sul

Primeiramente, será importante compreender esse período como sendo de resgate de experiências místicas que, sem aprofundamento da espiritualidade, possam ter sido vividas como algo incompreensível e, ao mesmo tempo, assustador. Por isso, esse Aspecto poderá ser atravessado por medos aparentemente sem sentido, mas que reproduzirão vivências perdidas no passado. Da mesma maneira, angústias do presente, na verdade, serão aquelas trazidas da sua bagagem espiritual e, se libertadas, também *a/o* libertarão para que prossiga em paz a sua jornada de autoconhecimento.

Os Aspectos desafiadores dos Nodos Lunares com Netuno porão em xeque o modo como você lida com sua intuição ou sua mediunidade. Será possível que você reproduza nessa época o hábito de fugir do que não compreende, porém, de posse da consciência adquirida com a evolução espiritual, poderá se abrir para um mergulho mais profundo nas regiões em que habitam essas energias. Igualmente, algumas experiências tóxicas ou a tendência a absorver o que polui a alma ou o corpo poderão ser liberadas, tornando mais clara a visão do seu caminho.

Nodos Lunares Norte e Sul em Aspecto com Plutão

O encontro entre os Nodos Lunares e Plutão será desencadeador de mudanças profundas no seu processo de evolução espiritual. É um tempo de limpeza, despedidas e renovação.

- FORÇAS ATUANTES: propósito espiritual e referências do passado
- ÁREAS DE ATUAÇÃO: profundidade emocional, transformações, regeneração e revelações
- ASPECTOS FAVORÁVEIS: Sextil e Trígono dos Nodos Lunares Norte e Sul

No tempo em que vigorar o Trânsito, a Progressão ou a Direção favorável dos Nodos Lunares com Plutão, você será *colocada/o* diante de situações que exigirão uma mudança profunda de valores. O desejo de evoluir espiritualmente será uma ferramenta poderosa para o exercício do desapego e *a/o* orientará em decisões acerca de transformações.

Nessa fase, vivenciará experiências que tocarão o que houver de mais intenso em sua essência e que despertarão forças que, em geral, costumam ficar adormecidas. Será uma oportunidade importante para liberar emoções contidas, vencer o medo da perda e transmutar o que estiver reprimido por ordem de preconceitos ou tabus, até mesmo os relacionados à sexualidade.

Você passará por modificações que indicarão o caminho que deverá ser percorrido na direção da sua evolução espiritual.

- ASPECTOS DESAFIADORES: Conjunção e Quadratura dos Nodos Lunares Norte e Sul

Nesse período, você precisará resgatar as emoções produzidas por transformações que remexeram profundamente com sua vida no passado. Será possível haver a reprodução de experiências de término, perda ou separação, que *a/o* levará a se conectar com as forças regeneradoras ocultas na escuridão de tempos que só a alma é capaz de mensurar. Ao se libertar de temores antigos que ainda interferem na sua paz emocional, caminhos se abrirão e você sentirá o poder produzido por sua evolução espiritual.

A repetição de velhos tabus, associados principalmente à morte e à sexualidade, despertarão a necessidade de bani-los do seu psiquismo para que você continue a trilhar sua trajetória *liberta/o* dessa pesada bagagem trazida do seu passado espiritual.

Um dos maiores ganhos desse momento será compreender que o desapego é uma ferramenta fundamental para acolher as experiências que fugirem ao seu controle e que perder faz parte da realidade da própria vida, mas que sempre haverá potências para regeneração e reinvenção de si *mesma/o*, continuando o cumprimento do destino ao qual a alma se propôs a cumprir ao ingressar nesta existência.

Nodos Lunares Norte e Sul em Aspecto com o Ascendente e o Descendente

Os Aspectos formados pelos Nodos Lunares com o Ascendente e Descendente marcam o fechamento de um ciclo que envolve, por um lado, o reencontro com sua individualidade; e por outro, a renovação e reparação das questões que envolvem os seus relacionamentos.

- FORÇAS ATUANTES: propósito espiritual e referências do passado
- ÁREAS DE ATUAÇÃO: autonomia, autoconfiança, bem-estar físico, saúde, afetividade e parcerias
- ASPECTOS FAVORÁVEIS: Conjunção, Sextil e Trígono dos Nodos Lunares Norte e Sul

Para começar, as passagens dos Nodos Lunares Norte e Sul pela linha do horizonte deverão ser interpretadas separadamente, ou seja, a Conjunção do Nodo Lunar Norte com o Ascendente será vivida de forma diferente da Conjunção com o Descendente. Os dois outros Aspectos, Sextil e Trígono, apontarão para a possibilidade de equilibrar as experiências vividas nas duas Conjunções.

Dito isso, vamos primeiro analisar a Conjunção do Nodo Lunar Norte com o Ascendente, que será um momento importante das suas conquistas pessoais vinculadas à experiência espiritual. Você dará os primeiros passos de um novo ciclo de evolução que começará com um chamado ao autoconhecimento.

Outra maneira de analisar esse Aspecto será direcionar sua busca espiritual para o desenvolvimento de autoconfiança e o exercício de autonomia. Porém, devido à passagem do Nodo Lunar Sul no Descendente, a indicação será a de que a independência e a autoestima só sejam alcançadas se houver o resgate e a liberação de dependências afetivas constituídas em tempos passados e que são responsáveis por suas inseguranças.

No sentido contrário, quando o Nodo Lunar Norte cruzar o Descendente e o Nodo Lunar Sul o Ascendente, o que deverá ser resgatado dos padrões antigos serão, além das ações egocêntricas, também aquelas em que a incerteza a/o impede de ser independente. A época pedirá soluções que ponham em equilíbrio sua autoconfiança, *direcionando-a/o* para tornar o seu encontro com o outro uma experiência de desenvolvimento espiritual.

· ASPECTO DESAFIADOR: Quadratura dos Nodos Lunares Norte e Sul

A Quadratura dos Nodos Lunares com o Ascendente indicará a dificuldade de harmonizar o "eu" e o "nós". Você viverá o desequilíbrio dessa balança em que ora cederá quando não deveria, ora se imporá sem levar em consideração o desejo do outro. Na verdade, essas experiências reproduzirão padrões trazidos na bagagem da sua memória espiritual que precisam ser resgatados para liberar os caminhos da sua jornada de autoconhecimento.

O aprendizado nessa fase será se relacionar de maneira que ambos respeitem o espaço e a autonomia um do outro, sem que, por isso, deixem de lado a força da parceria. A repetição de vivências em que o desequilíbrio seja predominante será um estímulo para que você rompa com aquilo que no passado marcou seu modo de se relacionar.

Nodos Lunares Norte e Sul em Aspecto com o Meio e o Fundo do Céu ·

Os Aspectos formados pelos Nodos Lunares Norte e Sul com o Meio do Céu e o Fundo do Céu são indicadores de um período de fechamento de ciclo e começo de uma nova fase. Esse tempo será marcado pela reparação e reorientação tanto da sua relação com o trabalho quanto com a vida familiar.

· FORÇAS ATUANTES: propósito espiritual e referências do passado
· ÁREAS DE ATUAÇÃO: profissional, carreira, vocação, projetos para o futuro, relações familiares e casa

- ASPECTOS FAVORÁVEIS: Conjunção, Sextil e Trígono dos Nodos Lunares Norte e Sul

A travessia dos Nodos Lunares Norte e Sul pelo Meridiano do Mapa do seu nascimento deverá ser interpretada separadamente, ou seja, a Conjunção do Nodo Lunar Norte com o Meio do Céu será vivida diferentemente da Conjunção com o Fundo do Céu. O Sextil e o Trígono serão experimentados como a conquista do equilíbrio representado nas vivências das duas Conjunções.

Isso posto, a Conjunção do Nodo Lunar Norte com o Meio do Céu e a do Nodo Lunar Sul com o Fundo do Céu a/o convocará a abrir o baú de memórias que a/o vincula à sua ancestralidade e que determina a forma como, no presente, você se relaciona em família. O resgate de emoções recorrentes originadas da bagagem que a alma trouxe ao ingressar nesta vida a/o ajudará a redirecionar seu propósito espiritual.

A libertação das dependências afetivas a/o fortalecerá para enfrentar a escalada da montanha das suas realizações, principalmente as que tiverem a ver com sua vida profissional. O caminho que a/o conduzirá à evolução nesta existência será marcado por experiências que a/o auxiliarão a alcançar o merecido reconhecimento dos seus talentos e da sua competência no trabalho.

Na via contrária, quando o Nodo Lunar Norte cruzar o Fundo do Céu e o Nodo Lunar Sul o Meio do Céu, deverão ser resgatadas da sua memória espiritual as experiências relacionadas ao uso do poder, seja o da sua responsabilidade, seja o alheio.

Sentimentos associados à exposição social ou a frustrações por não ter alcançado o justo reconhecimento dos seus esforços terão relação com memórias trazidas de um passado que só a alma poderá reconhecer. O resgate de tais emoções a/o libertará para prosseguir sua jornada espiritual na direção de acolhimento emocional, de fortalecimento dos laços familiares e no desejo de se dedicar mais à vida pessoal.

- ASPECTO DESAFIADOR: Quadratura dos Nodos Lunares Norte e Sul

A Quadratura formada entre os Nodos Lunares e o Meio do Céu apontará para a dificuldade de equilibrar vida social e pessoal em função de hábitos trazidos do seu passado espiritual. O desafio será se libertar das recorrências de priorizar ora o desejo de ascensão profissional, ora o de se dedicar aos seus relacionamentos familiares, pois um deles ficará em desvantagem.

Frustrações associadas à falta de reconhecimento da sua competência no trabalho ou o mal-estar gerado pela força dos jogos de poder deverão ser resolvidos nesse momento, assim como as carências ou as dificuldades relacionadas ao seu alimento emocional. Com a libertação dos modelos aos quais sua alma se enclausurou, você encontrará um caminho também livre dos obstáculos que dificultam a sua evolução espiritual.

Nodos Lunares Norte e Sul em Aspecto com os Nodos Lunares Norte e Sul

A conexão dos Nodos Lunares com os Nodos Lunares do Mapa de Nascimento marca um momento importante de reorientação do seu propósito espiritual. É um tempo de resgate, reparação e correção da sua trajetória de evolução interior.

- FORÇAS ATUANTES: propósito espiritual e referências do passado
- ÁREAS DE ATUAÇÃO: espiritualidade, passado e caminho de evolução

ATENÇÃO: quando os Nodos Lunares em Trânsito formam um Aspecto com os Nodos Lunares do Mapa do seu nascimento, significa que todas as pessoas que tenham aproximadamente a mesma idade atravessarão, juntas, esse Aspecto. Por isso, ele é chamado de Trânsito Geracional.

A Conjunção do Nodo Lunar Norte em Trânsito com o Nodo Lunar Norte do Mapa Natal ocorrerá aproximadamente a cada dezenove anos.

A Direção do Nodo Lunar Norte em Sextil com o Nodo Lunar Norte do Mapa de Nascimento ocorrerá para todos em torno dos sessenta anos, tempo que o Nodo Lunar Norte leva para avançar 60°, e a Quadratura aos noventa anos, tempo para avançar 90°.

- ASPECTOS FAVORÁVEIS: Conjunção do Nodo Lunar Norte com o Nodo Lunar Norte, Sextil e Trígono dos Nodos Lunares Norte e Sul

A Conjunção do Nodo Lunar Norte com o Nodo Lunar Norte do Mapa do seu nascimento será o fechamento de um ciclo referente à jornada de evolução iniciada pela alma ao ingressar nesta vida. Nesse período as contas com o passado serão zeradas, abrindo caminhos para a reconexão com o seu verdadeiro propósito espiritual. Toda e qualquer experiência nesse momento *a/o* reconectará com sua memória, resgatará o que tiver ficado para trás e reorientará os seus próximos passos. Pode-se dizer que haverá uma grande chance de corrigir a rota do seu desenvolvimento espiritual.

Os dois outros Aspectos favoráveis possibilitarão a harmonização entre o passado e o presente, incrementando potência ao seu processo de amadurecimento espiritual. As conexões, os encontros ou as experiências vividas nessa fase serão reedições atualizadas da história que relata a jornada do seu desenvolvimento nesta existência.

- ASPECTOS DESAFIADORES: Conjunção do Nodo Lunar Norte com o Nodo Lunar Sul (Oposição do Nodo Lunar Norte com o Nodo Lunar Norte) e Quadratura dos Nodos Lunares Norte e Sul

No sentido contrário, quando o Nodo Lunar Norte se opuser ao Nodo Lunar Norte ou fizer a Conjunção com o Nodo Lunar Sul, o que for passado se tornará presente, e este se guiará pelas experiências daquele. Haverá, então, uma inversão da orientação que define o seu caminho de evolução espiritual. A sensação será semelhante à de olhar pelo espelho retrovisor. Será andar para a frente orientada/o pelas memórias que marcaram a sua alma num passado que só ela será capaz de mensurar.

No caso da Quadratura, o desafio será se libertar das recordações que ainda a/o aprisionem no passado e que a/o impeçam de caminhar na direção do seu desenvolvimento espiritual. Você precisará encontrar meios para que passado e presente entrem num acordo harmonioso para tornar a sua jornada mais leve.

Nodos Lunares Norte e Sul em Aspecto com a Roda da Fortuna

Os Aspectos dos Nodos Lunares com a Roda da Fortuna indicam uma oportunidade para aprender a deixar fluir as energias e os propósitos que a/o orientam na sua jornada espiritual.

- FORÇAS ATUANTES: propósito espiritual e referências do passado
- ÁREAS DE ATUAÇÃO: boa sorte e fluidez
- ASPECTOS FAVORÁVEIS: Conjunção do Nodo Lunar Norte, Sextil e Trígono dos Nodos Lunares Norte e Sul

Você aprenderá com a passagem desse Trânsito, dessa Progressão ou dessa Direção a usar as ferramentas que ajudarão a vida a fluir, facilitando o seu desenvolvimento espiritual. Episódios de sorte farão parte das experiências pelas quais você provavelmente passará, mostrando-lhe o quanto será importante confiar no brilho da sua estrela e que o jogo virará a seu favor quando ele estiver quase acabando.

Assim, terá nas mãos a parcela do tesouro que trouxe consigo ao chegar neste mundo, e este ficará então à disposição da sua evolução. Aquela carta na manga tantas vezes usada no passado será perfeita para os momentos em que você precisar de um auxílio extra.

Você também direcionará suas buscas para caminhos que sejam menos espinhosos, aproveitando esse tempo em que os ventos soprarão a seu favor. Nesse sentido, bastará ser *uma/um boa/bom navegadora/navegador* e levantar as velas com confiança de que a maioria da rota programada se realizará sem grandes transtornos.

· ASPECTOS DESAFIADORES: Conjunção do Nodo Lunar Norte e Quadratura dos Nodos Lunares Norte e Sul

Ao atravessar um Trânsito, uma Progressão ou uma Direção dos Nodos Lunares com a Roda da Fortuna do Mapa do seu nascimento de forma desafiadora, você resgatará experiências trazidas no âmago da sua alma que colocaram em xeque a confiança da ação da sua estrela da sorte, seja por ter depositado nela toda a responsabilidade pelos acontecimentos da vida, seja por não ter tido a proteção dela em desafios enfrentados *sozinha/o*.

Os ganhos dessa fase serão manejar melhor as ferramentas que ajudam a vida a fluir com menos complicações e entender que faz parte dos ensinamentos aprender a navegar contra a maré.

Haverá a necessidade de reprogramar a sua rota espiritual, evitando que os modelos passados continuem a se reproduzir e dificultem a sua jornada atual. Os desafios serão facilitar o fluxo dos acontecimentos de modo a aproveitar os momentos em que os ventos soprarem a favor, ter a sabedoria de manejar bem as velas quando soprarem contra e saber esperar a chegada dos tempos de calmaria.

Nodos Lunares Norte e Sul em Aspecto com Quíron

No período em que atuarem os Aspectos dos Nodos Lunares com Quíron, você terá a oportunidade de direcionar seu propósito espiritual para promover a cura do que estiver em desequilíbrio na sua vida.

· FORÇAS ATUANTES: propósito espiritual e referências do passado
· ÁREAS DE ATUAÇÃO: saúde e autoconhecimento

ATENÇÃO: a Conjunção do Nodo Lunar Norte poderá ser vivida tanto de forma favorável quanto desafiadora. O que definirá para que lado que ela se inclinará será a maneira com que você tratará da sua saúde e como lidará com suas dores. Por isso, será importante analisar as duas tendências.

· ASPECTOS FAVORÁVEIS: Conjunção do Nodo Lunar Norte, Sextil e Trígono dos Nodos Lunares Norte e Sul

Durante a passagem desse Aspecto, você fará contato com o poder da cura, tendo a chance de tratar suas dores e ser *bem-sucedida/o*. As experiências e os encontros ocorridos nesses tempos serão terapêuticos, e não será por acaso que certas pessoas chegarão à sua vida ocupando-se do que precisa ser cuidado.

Você igualmente descobrirá que pode curar e que esse poder estará a serviço da sua jornada de desenvolvimento espiritual. Você encontrará as ferramentas que aliviarão a sua dor ou que curarão os desequilíbrios que *a/o* fazem sofrer.

Tratar da saúde em qualquer nível, nesse momento, será um passo importante na sua busca de autoconhecimento. *Mestras/es* cruzarão o seu caminho, *orientando-a/o* nessa trajetória. Você terá a impressão de ter sido *aluna/o delas/ es* em algum outro tempo, abrindo um portal de acesso a um passado em que provavelmente iniciou o aprendizado que deverá ser levado adiante.

· ASPECTOS DESAFIADORES: Conjunção e Quadratura dos Nodos Lunares Norte e Sul

As experiências vividas durante a passagem desse Trânsito, dessa Progressão ou dessa Direção envolverão a repetição de certos sofrimentos e dores que tanto física como espiritualmente pedirão tratamento. As feridas produzidas em tempos passados se abrirão e *a/o* convocarão a cuidar de si. Não importará o setor da vida que não esteja saudável, o que valerá será a consciência da necessidade de se dedicar à cura.

Ao se libertar do que produz as dores recorrentes, você igualmente estará curando feridas que dificultam ou até mesmo impedem a continuidade da sua jornada de desenvolvimento espiritual. Esse será um passo importante para o avanço do seu autoconhecimento. Nesse sentido, será importante também que atualize os conhecimentos adquiridos no passado e se esquive de caminhos que já não fizerem mais efeito no alívio da sua dor.

Nodos Lunares Norte e Sul em Aspecto com Lilith

Quando os Nodos Lunares tocarem a Lilith do seu Mapa de Nascimento, você será *direcionada/o* a reparar e corrigir a trajetória da sua evolução espiritual aprendendo a respeitar os seus mais profundos e íntimos desejos.

· FORÇAS ATUANTES: propósito espiritual e referências do passado
· ÁREAS DE ATUAÇÃO: sexualidade, desejo, insubordinação e emoções profundas
· ASPECTOS FAVORÁVEIS: Sextil e Trígono dos Nodos Lunares Norte e Sul

Os Aspectos favoráveis do Nodo Lunar Norte com Lilith propiciarão encontros que *a/o* ensinarão a não se subordinar mais àquilo que contrariar o seu desejo, principalmente os que se referirem à sexualidade e à intuição, seja por força dos tabus, seja por carências que, adquiridas no passado, ficaram incrustadas na sua alma.

Você também aprenderá que na rota do seu desenvolvimento espiritual haverá sempre momentos em que precisará atravessar o deserto da solidão. Ao se libertar do medo da travessia, você exercerá os poderes que lhe foram negados no passado, confiará nas percepções que seriam inalcançáveis pela razão e se apropriará da sua sexualidade.

Haverá um direcionamento da sua vontade para experiências que contemplem a liberdade emocional e que *a/o* afastem das dependências e submissões. Esses também serão passos importantes que *a/o* levarão a encontrar um propósito maior que dê sentido à sua existência.

· ASPECTOS DESAFIADORES: Conjunção e Quadratura dos Nodos Lunares Norte e Sul

Quando os Nodos Lunares em Trânsito, Progressão ou Direção fizerem Conjunção com Lilith, você receberá um chamado para viver com liberdade os seus desejos mais íntimos, normalmente reprimidos, como o sexual. Será um tempo de afastamento necessário de todo e qualquer relacionamento baseado nos jogos de poder, principalmente aqueles que provocam desamparo e despertam o pavor do abandono.

Esse será um momento de redirecionamento do seu caminho de evolução, em que você levará consigo a conquista de independência emocional. As experiências vividas nesse tempo trarão o aprendizado de que será melhor caminhar *sozinha/o* a seguir a jornada em companhia de pessoas que aflijam a sua alma. Do mesmo modo, será preciso se afastar de quem estiver sofrendo nas suas mãos, não sem antes reconhecer a sua responsabilidade por provocar dor.

Na Conjunção do Nodo Lunar Sul (Oposição do Nodo Lunar Norte) e na Quadratura dos dois Nodos, você será *redirecionada/o* ao passado e reavivará sentimentos produzidos por encontros em que se submeteu a manipulações. O objetivo será que, ao chegar ao ponto crítico do sofrimento causado por esses padrões recorrentes de relacionamento, você aprenda a respeitar a sua vontade e a não ser *submissa/o* à dominação do outro — respeite a liberdade de quem estiver ao seu lado e, enfim, liberte-se para prosseguir em paz o seu percurso espiritual.

Trânsitos, Progressões e Direções de Quíron

A finalidade dos Trânsitos, das Progressões e das Direções de Quíron será curar o que estiver adoecido e que tenha relação com as experiências simbolizadas pelos Planetas ou Pontos Virtuais com os quais ele formar um Aspecto, favorável ou desafiador. Esses Planetas ou Pontos serão tomados pela dor que levará ao autoconhecimento. Os desafios a serem enfrentados durante a vigência desses Aspectos estarão associados ao descuido com a saúde e com o que faz sofrer.

INTENSIDADE DO TRÂNSITO: 5

INTENSIDADE DA PROGRESSÃO: 3

INTENSIDADE DA DIREÇÃO: 5

Quíron em Aspecto com o Sol

A passagem de Quíron em Aspecto com o Sol terá como função curar as feridas provocadas tanto pela ilusão de onipotência quanto pela dificuldade de reconhecimento do seu real valor.

· FORÇAS ATUANTES: regeneração, cura e autoconhecimento
· ÁREAS DE ATUAÇÃO: consciência, vontade, vitalidade, vigor e autoconfiança

· ASPECTOS FAVORÁVEIS: Sextil e Trígono

Ao tocar favoravelmente o Sol do Mapa do seu nascimento, Quíron, o mestre e terapeuta, atingirá igualmente a força da sua individualidade. A presença desse Aspecto será indicativa de um tempo dedicado à cura das feridas abertas por força da ação do ego, seja por excessos produzidos devido à necessidade de reconhecimento, seja por baixa autoestima.

A restauração do seu equilíbrio lhe trará convicção para se expor sem hesitações, reconhecimento de seus talentos e alegria de viver. Ademais, a autoconfiança a/o ajudará a manter sua saúde estável física, psíquica e/ou espiritualmente.

Essa será uma época importante para investir no autoconhecimento, uma prática que mantém viva a consciência de que é preciso sempre saber cuidar de si.

· ASPECTOS DESAFIADORES: Conjunção, Quadratura e Oposição

A passagem desse Aspecto apontará para um desequilíbrio no sistema psicológico que regula a ação do ego, sendo possível haver sofrimento por causa de baixa autoestima ou, ao contrário, por excesso de autoconfiança. A vaidade e a falta de amor-próprio provocarão ações que inflamarão as cicatrizes das feridas produzidas pela dificuldade de afirmar o que você verdadeiramente é. Nesse tempo será preciso tratar o que estiver causando esse desajuste, aliviando assim as dores relacionadas a essas inseguranças.

A tomada de consciência do próprio valor poderá ser alcançada com autoconhecimento e o despertar das forças luminosas que fazem brilhar os seus dons. Ter domínio sobre o ego será o melhor caminho para manter sua saúde estável.

Quíron em Aspecto com a Lua

As feridas a serem tratadas durante a passagem desse Aspecto dizem respeito àquelas provocadas pela carência e pelas inseguranças emocionais, trazendo a oportunidade de regeneração dos males causados pelos ressentimentos e mágoas produzidos no passado.

· FORÇAS ATUANTES: regeneração, cura e autoconhecimento
· ÁREAS DE ATUAÇÃO: intuição, sensibilidade, afetividade, lembranças do passado, família e casa

· ASPECTOS FAVORÁVEIS: Sextil e Trígono

A ação fluente de Quíron sobre a Lua do Mapa do seu nascimento indicará um tempo de cura das feridas emocionais produzidas no passado e que estarão prestes a cicatrizar no presente. O efeito desse Aspecto será trazer o alívio das dores decorrentes dos desequilíbrios em relacionamentos próximos e a imediata aproximação das pessoas que poderão *acolhê-la/o*.

Também você poderá ser *convocada/o* a usar seus poderes curativos naqueles que necessitem de ajuda não somente os beneficiando, mas também promovendo o bem-estar da própria alma.

Será hora de tratar o que dói em assuntos acerca da família, evitando, desse modo, o acúmulo de mal-estar. Você estará colaborando com a melhora das condições de saúde dos seus familiares e, ao mesmo tempo, das suas.

· ASPECTOS DESAFIADORES: Conjunção, Quadratura e Oposição

O desafio desse Aspecto será tratar as feridas emocionais que, então abertas, reproduzirão as dores vividas no passado. Você será *convocada/o* a se cuidar psicologicamente para se libertar de sentimentos guardados que, além de *machucá-la/o* internamente, também provocam danos ao bom convívio com pessoas que fazem parte da sua vida íntima e familiar.

A ideia será aliviar as pressões emocionais e deixar de acumular ressentimentos e mágoas gerados devido a dificuldades de relacionamento. Além do mais, será possível que você precise cuidar de quem se encontrar *fragilizada/o*, compreendendo que a dor do outro igualmente doerá em você.

Quíron em Aspecto com Mercúrio

As conexões estabelecidas por Quíron com Mercúrio tratarão de reparar as dores causadas pela comunicação e pelas trocas com as demais pessoas. De outro modo, haverá a oportunidade de empregar as palavras como meio de cura e regeneração.

· FORÇAS ATUANTES: regeneração, cura e autoconhecimento
· ÁREAS DE ATUAÇÃO: comunicação, estudos, mobilidade, viagens e negócios

· ASPECTOS FAVORÁVEIS: Sextil e Trígono

Atravessar esse Aspecto significará ter a oportunidade de tratar questões acerca da comunicação e que nessa fase estarão propícias à resolução. Você terá à sua disposição o dom de curar pela palavra, além de ser *precisa/o* ao se expressar e cuidar das relações com pessoas do seu convívio cotidiano.

Dores provocadas por mal-entendidos, mau uso da linguagem ou comentários invasivos serão aliviadas ao longo desse período. Também os encontros ocorridos nesse tempo serão terapêuticos, assim como discussões ou informações que alimentem a sua curiosidade. Ao prestar atenção à maneira como se comunica e focar as boas trocas, você estará igualmente colaborando para o bem-estar da sua saúde em geral.

· ASPECTOS DESAFIADORES: Conjunção, Quadratura e Oposição

Por ser Quíron o símbolo da dor que cura, sua ação sobre Mercúrio provocará dores na forma de se comunicar, em assuntos que exijam concentração e agilidade em se movimentar. Serão essas as experiências que, ao mesmo tempo que produzirão sofrimento, também serão terapêuticas.

O segredo será ficar *atenta/o* ao modo como as palavras incomodam, provocam insegurança ou incerteza. Evite, portanto, envolver-se em comentários sem a certeza de que sejam justos ou verdadeiros, comunique-se com delicadeza, mova-se com cuidado e tente não dispersar a atenção em assuntos que não acrescentarão nada ao seu autoconhecimento.

Quíron em Aspecto com Vênus

A função dos Aspectos de Quíron com Vênus é tratar o que está inflamado e dói nos seus relacionamentos, no amor e na autoestima. Também poderão ser reparados os problemas relativos à administração dos seus recursos materiais.

· FORÇAS ATUANTES: regeneração, cura e autoconhecimento
· ÁREAS DE ATUAÇÃO: autoestima, amor, beleza, sexualidade e recursos materiais

· ASPECTOS FAVORÁVEIS: Sextil e Trígono

Nesse momento, as dores produzidas pelas experiências amorosas serão as que *a/o* levarão a curar o que houver de desequilíbrio nos seus relacionamentos. Haverá uma ótima chance de tratar suas carências e os males que o amor costuma causar e, também, de cicatrizar as feridas abertas pelas dificuldades relacionadas à sexualidade.

Os encontros nesse período serão terapêuticos, além de despertar no seu interior o dom de curar o que leva sofrimento aos que são amados por você.

Ademais, como Vênus se refere também às questões materiais, essa será uma época propícia para cuidar da saúde das suas finanças e resolver problemas relativos ao consumo ou à má administração dos seus recursos.

· ASPECTOS DESAFIADORES: Conjunção, Quadratura e Oposição

Com a pressão exercida por Quíron sobre Vênus, você sentirá arder as cicatrizes produzidas pelas dificuldades de relacionamento e estará mais sensível a se machucar com os desequilíbrios amorosos. Entretanto, a mesma dor provocada por essas experiências será a que *a/o* levará a curar a origem delas. Portanto, carências, desarmonias, dependências, mágoas e ressentimentos deverão ser tratados durante a passagem desse Aspecto.

Além das questões afetivas, também a saúde das suas finanças merecerá cuidados. As dificuldades em se organizar materialmente serão transformadas em força terapêutica. Tanto a busca de alívio das dores emocionais quanto das relacionadas às questões materiais serão extremamente importantes para a evolução do seu autoconhecimento.

Quíron em Aspecto com Marte

Os Trânsitos, as Progressões ou as Direções de Quíron com Marte apontarão para a oportunidade de tratar os desequilíbrios causados pelas ações agressivas, pela impaciência e pela raiva, transformando esses sentimentos em coragem e assertividade.

· FORÇAS ATUANTES: regeneração, cura e autoconhecimento
· ÁREAS DE ATUAÇÃO: autonomia, autoconfiança, competição, liderança, disposição física e saúde

· ASPECTOS FAVORÁVEIS: Sextil e Trígono

Lutar por sua autonomia e pela apropriação do seu espaço será nesse momento o melhor instrumento para tratar das dores causadas devido à falta de segurança em si *mesma/o*. Passar por esse Aspecto será uma oportunidade de fortalecer a autoconfiança, além de obter uma melhor disposição física. Ao agir em acordo com sua própria vontade, consciente da sua potência, você colocará suas energias em estado de equilíbrio.

Aproveite esse tempo para se exercitar, decidir o que for preciso e fazer valer o seu desejo. Todas essas experiências *a/o* ajudarão a se autoconhecer e a se sentir *fortalecida/o* tanto fisicamente quanto em relação à sua independência.

- ASPECTOS DESAFIADORES: Conjunção, Quadratura e Oposição

Esse Aspecto apontará para um desequilíbrio das forças vitais sendo, portanto, necessário dar maior atenção à baixa de imunidade e ao desperdício de energia. Uma das razões para essas alterações provavelmente terá relação com as pressões provocadas devido a disputas por espaço, impaciência e alterações de humor. Qualquer frustração vivida em um momento como esse provocará sofrimento, e este o levará, por sua vez, a tratar das causas que dificultem o exercício da sua autonomia, a tomada de decisões assertivas ou a confiança em si *mesma/o*.

O segredo será evitar entrar em rota de colisão, discussões sobre quem tem ou não razão ou excessos físicos que possam prejudicar a saúde do seu corpo. Canalize suas forças para atividades criativas sem, assim, abrir as cicatrizes marcadas por conflitos, brigas ou competições.

Quíron em Aspecto com Júpiter

Quíron é o Astro que trata da cura e do autoconhecimento, este também associado ao simbolismo de Júpiter. Sua ação, portanto, sobre o Planeta gigante é a de expandir os horizontes, principalmente aqueles que abrem a mente para o seu desenvolvimento e para a cura dos males que afligem sua mente.

- FORÇAS ATUANTES: regeneração, cura e autoconhecimento
- ÁREAS DE ATUAÇÃO: metas, leis, crenças, ideais, justiça, estudos e viagens

- ASPECTOS FAVORÁVEIS: Sextil e Trígono

Ao atravessar esse Trânsito, essa Progressão ou essa Direção, você conhecerá o poder que um propósito tem de *curá-la/o* das suas dores físicas, psíquicas ou espirituais. O despertar da sua consciência por meio dos instrumentos de autoconhecimento será o grande caminho para recuperar as esperanças perdidas ao longo do seu caminho de evolução. Nesse momento, o encontro com pessoas que venham a lhe ampliar os horizontes será terapêutico, e você poderá aliviar as dores provocadas por feridas abertas devido a experiências acerca da sua autoestima intelectual que, vira e mexe, inflamam.

As viagens que eventualmente ocorrerem durante esse período também serão associadas ao seu autoconhecimento, ao desenvolvimento de áreas do saber que abrem portas para a realização dos seus sonhos no futuro ou ao seu amadurecimento espiritual.

· ASPECTOS DESAFIADORES: Conjunção, Quadratura e Oposição

A atuação de Quíron sobre Júpiter do Mapa do seu nascimento se dará por intermédio de todo e qualquer aprendizado que demandar atenção, a exemplo do próprio autoconhecimento. Você sentirá cicatrizes deixadas por experiências relacionadas ao despertar da consciência doerem mais durante esse período, sendo necessário buscar o alívio desse sofrimento.

Não só o campo do saber será mexido e remexido pela passagem desse Aspecto, como também o contato com pessoas que considere *mestras/es*, referências para o seu desenvolvimento intelectual ou espiritual. Tanto a sua relação com o conhecimento quanto os encontros com tais pessoas deverão ser cuidados para que você não sofra com a ação destrutiva de dogmas que engessem a sua visão de vida. Será uma boa oportunidade de tratar a parte da saúde que envolve o poder mental.

Quíron em Aspecto com Saturno

O Astro que simbolicamente trata da cura e da regeneração, quando forma um Aspecto com Saturno, oferece a oportunidade para você cuidar das feridas e dores não só causadas pelo peso da responsabilidade e da disciplina, como também da culpa e do arrependimento.

· FORÇAS ATUANTES: regeneração, cura e autoconhecimento
· ÁREAS DE ATUAÇÃO: responsabilidade, organização, produtividade e trabalho

· ASPECTOS FAVORÁVEIS: Sextil e Trígono

Primeiramente, você ganhará com a passagem desse Aspecto a bênção de poder curar as feridas abertas pelas culpas e, aliviada a sua dor, de sentir os ombros leves, livres do fardo pesado dos sentimentos que carregava.

Depois, também estará *pronta/o* para se curar do que estiver em desequilíbrio, assumindo suas responsabilidades com mais leveza e com respeito aos seus limites, dando um basta para todo o tipo de excesso que o ego possa ter criado. Ao sentir que algo não anda bem, tente se organizar, reduzir tarefas desnecessárias e cumprir com seus compromissos. Isso ajudará a promover seu bem-estar. Você compreenderá que culpas, desorganização ou exigência elevada também fazem adoecer. Esse período será um grande passo para o seu amadurecimento.

- ASPECTOS DESAFIADORES: Conjunção, Quadratura e Oposição

O Trânsito, a Progressão ou a Direção de Quíron por Saturno do Mapa do seu nascimento apontará para a necessidade de ter maior cuidado com suas responsabilidades, ainda que isso possa causar alguma forma de sofrimento. Toda e qualquer exigência excessiva será muito dura para você e poderá culminar em um desequilíbrio na saúde. A dica é tirar dos ombros o peso das culpas que carrega consigo, restaurar a confiança na sua competência e reparar os erros que eventualmente tiverem sido cometidos e que geraram consequências que então *a/o* adoecem.

Empenhe-se em aprimorar seu desempenho sem se sobrecarregar e tenha consciência dos seus limites sem ficar *ressentida/o*. Com essas atitudes, você ajudará a sua saúde a entrar em ordem, seja ela física, seja psíquica ou espiritual.

Quíron em Aspecto com Urano

A conexão de Quíron com Urano promove a chance de cura das feridas e dores geradas pelas situações da vida que, sem aviso, mudam o rumo, desarrumam tudo e lançam as sementes da renovação.

- FORÇAS ATUANTES: regeneração, cura e autoconhecimento
- ÁREAS DE ATUAÇÃO: liberdade, mudança e quebra de padrões

- ASPECTOS FAVORÁVEIS: Sextil e Trígono

Você terá com esse Aspecto a chance de curar as dores causadas pela ansiedade e promover o bem-estar de se sentir livre, sem pressões e *aberta/o* para renovações. Toda e qualquer dificuldade que você possa ter com a imprevisibilidade das mudanças nessa fase poderá ser tratada, para que você restabeleça a tranquilidade de deixar os acontecimentos que fogem ao seu controle transcorrerem sem grandes atribulações.

Preste atenção às suas intuições, pois apontarão para escolhas de terapias eficientes e para caminhos que *a/o* curarão do sofrimento, principalmente o causado pelos desequilíbrios associados à falta de liberdade.

- ASPECTOS DESAFIADORES: Conjunção, Quadratura e Oposição

A função desse Trânsito, dessa Progressão ou dessa Direção será alertar para mudanças que possam estar doendo na alma e *a/o* ajudar a descobrir os meios adequados para se tratar, isto é, situações turbulentas provocarão desequilíbrios que *a/o* convocarão, por sua vez, a buscar alívio para o sofrimento que provocarem.

Serão as mesmas revoluções que, ao *pegá-la/o* de surpresa, guiarão a organização das suas energias e *a/o* libertarão da ansiedade marcada por esse momento. A dica é que você entenda a urgência com que deve tratar o que estiver fora do lugar, mas que seja sem pressa e atropelos.

Dê uma averiguada na sua relação com a liberdade e, caso sinta que está comprometida, busque a causa e trate-a para manter a sua saúde equilibrada.

Quíron em Aspecto com Netuno

Nesse encontro, o poder da cura associado a Quíron age sobre Netuno que, por sua vez, é responsável pela expressão da sua sensibilidade e imaginação. O resultado será a possibilidade de tratar as dores causadas pelas pressões emocionais, psíquicas e espirituais, regenerando o seu bem-estar interior.

- FORÇAS ATUANTES: regeneração, cura e autoconhecimento
- ÁREAS DE ATUAÇÃO: intuição, sensibilidade, imaginação e espiritualidade

- ASPECTOS FAVORÁVEIS: Sextil e Trígono

Com a experiência desse Trânsito, dessa Progressão ou dessa Direção, você entenderá mais profundamente que sonhar faz bem para a saúde, principalmente para a psíquica e a espiritual. Como a estrutura psíquica costuma ser pouquíssimo acessada, qualquer angústia será compreendida como alerta para que você cuide dos sofrimentos da alma. Os fantasmas que atormentam a sua paz interior passarão a *deixá-la/o* em paz, aliviando a dor produzida pela ansiedade e, principalmente, pelo medo do desconhecido. O inexplicável terá um papel importante no modo como você tratará a sua saúde, e você buscará meios ou métodos que fujam da lógica e que incluam um olhar sensível e espiritualizado.

Esse será um momento importante de procurar a cura pela espiritualidade e compreender que aquilo que parece não fazer sentido, no fundo, faz parte da sua experiência neste mundo.

- ASPECTOS DESAFIADORES: Conjunção, Quadratura e Oposição

Esse Trânsito, essa Progressão ou essa Direção indicará que provavelmente você sentirá sua intuição afetada, falhando ao buscar usá-la de forma assertiva. As forças chamadas milagrosas, que serão nada mais nada menos do que sua sensibilidade ao inatingível pela razão, precisarão ser tratadas para que você restabeleça o equilíbrio.

Você poderá sofrer por questões subjetivas, como angústia, ansiedade ou medo. Quíron é o Astro da cura e do autoconhecimento, portanto, será por meio dessas buscas que você aliviará as pressões internas que estarão mais intensas nesse momento.

Será essencial entender que deverá tratar, além das dores físicas, do sofrimento psíquico e espiritual e do mal-estar da alma. Evite intoxicar-se tanto fisicamente quanto emocionalmente. A sua saúde nessa fase dependerá de modo especial da manutenção do seu equilíbrio emocional.

Quíron em Aspecto com Plutão

Os Aspectos entre esses dois Astros aproximam tendências semelhantes, ou seja, o poder de cura e de regeneração. Esse será um momento especial para mergulhar nas profundezas da sua alma e lá curar as feridas causadas pelo medo, pela angústia e por toda a sorte de sentimentos que escapam ao seu controle.

· FORÇAS ATUANTES: regeneração, cura e autoconhecimento
· ÁREAS DE ATUAÇÃO: profundidade emocional, transformações, regeneração e revelações

· ASPECTOS FAVORÁVEIS: Sextil e Trígono

Reconhecer o que dói e encontrar recursos dentro de si para aliviar a dor serão os grandes ganhos desse momento. Esse Aspecto apontará para a descoberta de um alto potencial de cura, e tais forças terão a ver com sua disponibilidade para se transformar e mudar seu olhar e seus valores. Outra conquista considerável será conseguir transformar as forças destrutivas em poder de regeneração. Qualquer experiência nessa fase que abra feridas causadas por perdas já vividas provocará o despertar de potências adormecidas nas profundidades do seu ser.

Você saberá enfrentar seus temores com garra e, por intermédio da força adquirida por seu autoconhecimento, as energias vitais se manterão em equilíbrio. Ademais, será por meio do desapego e da eliminação dos excessos que você obterá o alívio de qualquer tipo de sofrimento associado ao medo de perder.

· ASPECTOS DESAFIADORES: Conjunção, Quadratura e Oposição

Atravessar os tempos em que vigorar a força desse Aspecto será cutucar as feridas produzidas por experiências que, além de estarem relacionadas às perdas, também tenham a ver com o medo de enfrentar o que foge ao seu controle. As mudanças vividas nessa época despertarão tais inseguranças, mas, igualmente, sinalizarão um caminho para tratar suas resistências.

A cura dos sofrimentos da alma será possível por meio da mobilização dos seus recursos internos, e, para isso, será necessário despertá-los do sono profundo ao qual foram submetidos. As transformações serão terapêuticas, ainda que impliquem trabalhar na direção do autoconhecimento, desenvolver o hábito de não se apegar e acolher os temores em vez de lutar desesperadamente contra eles.

Quíron em Aspecto com o Ascendente e o Descendente

A função desse Aspecto será buscar o alívio para o sofrimento causado pelos desequilíbrios relacionados tanto à construção da sua individualidade, autonomia e autoafirmação quanto às experiências de relacionamento e afetividade.

· FORÇAS ATUANTES: regeneração, cura e autoconhecimento
· ÁREAS DE ATUAÇÃO: autonomia, autoconfiança, bem-estar físico, saúde, afetividade e parcerias

· ASPECTOS FAVORÁVEIS: Sextil e Trígono com o Ascendente

Quando Quíron atuar favoravelmente sobre o Ascendente do Mapa do seu nascimento, você terá a chance de tratar todo e qualquer desequilíbrio que esteja relacionado à autoconfiança. Você sentirá que seu estilo de ser e se expressar no mundo estará saudável, possibilitando que aja em acordo com sua vontade.

As decisões tomadas durante esse período serão cuidadas para que não tragam problemas nem para si, nem para os outros. Serão ações firmes, porém em sintonia com o desejo das demais pessoas.

Outro ponto importante será o de você ter disponível nessa época forças para manter a saúde do seu corpo, e, caso haja alguma desarmonia ou incômodo, essa será a hora certa de cuidar de si e restabelecer o seu bem-estar.

- ASPECTOS DESAFIADORES: Conjunção, Quadratura e Oposição com o Ascendente

O grande desafio de um Aspecto tenso de Quíron com o Ascendente será tratar dos desequilíbrios provocados pelas diferenças entre o seu desejo e o anseio alheio. Você sentirá que as inseguranças relacionadas à autoestima doerão mais nesse período do que em outros momentos. Entretanto, a dor será o alerta para que você recupere sua estabilidade e, ao mesmo tempo, possa também curar o sofrimento produzido pelos problemas de relacionamento.

No caso da Conjunção com o Ascendente, o que precisará ser tratado em primeiro lugar será a sua autoconfiança e o exercício da sua autonomia. Na Oposição ou na Conjunção com o Descendente, a prioridade será cuidar do que não anda bem no seu encontro com o outro.

Quíron em Aspecto com o Meio e o Fundo do Céu

Quando Quíron toca a linha do meridiano marcada pelas posições do Fundo do Céu e do Meio do Céu, os desequilíbrios relacionados tanto às suas ambições profissionais quanto à sua vida pessoal e familiar deverão ser cuidados e tratados, aliviando a dor e o sofrimento causados por problemas relativos a essas áreas da sua vida.

- FORÇAS ATUANTES: regeneração, cura e autoconhecimento
- ÁREAS DE ATUAÇÃO: profissional, carreira, vocação, projetos para o futuro, relações familiares e casa
- ASPECTOS FAVORÁVEIS: Sextil e Trígono com o Meio do Céu

Ao tocar favoravelmente o Meio do Céu do Mapa do seu nascimento, seus projetos profissionais serão beneficiados pelo poder de cura associado a Quíron. O sofrimento causado por desgastes e pressões será aliviado durante esse período, bem como os desafios relacionados à manutenção de um equilíbrio entre a construção de uma carreira sólida e o bem-estar íntimo e familiar. Se você precisar decidir algo acerca do trabalho sem prejuízo à sua estabilidade emocional, também será *favorecida/o* pela ação do Astro que, além de representar o poder de cura, terá igualmente o papel de mestre, apontando para o melhor caminho a seguir.

A propósito, o autoconhecimento servirá nessa fase como uma poderosa ferramenta para alcançar não só o merecido reconhecimento profissional, como também o bom convívio familiar.

· ASPECTOS DESAFIADORES: Conjunção, Quadratura e Oposição com o Meio do Céu

O desafio apontado por esse Aspecto será o de tratar todo e qualquer desequilíbrio causado pelo desgaste na manutenção da boa produtividade no trabalho e, ao mesmo tempo, do seu bem-estar emocional. O sofrimento por não ser *reconhecida/o a/o* levará a cuidar das causas que produzem tal dor. Haverá a necessidade de regenerar sua autoconfiança para obter bons resultados de trabalho e alcançar estabilidade em relação à vida familiar.

No caso da Conjunção com o Meio do Céu, a área mais atingida pela ação de Quíron será a profissional, ao passo que na Conjunção com o Fundo do Céu (Oposição com o Meio do Céu), serão a emocional e a familiar. Nos dois casos será preciso reparar os danos causados por pressões em todos os âmbitos.

Quíron em Aspecto com os Nodos Lunares Norte e Sul

Esse Aspecto se refere a um tempo que deverá ser dedicado ao tratamento dos desequilíbrios e das dores relacionados à sua vida espiritual. Haverá um redirecionamento e a restauração das forças que *a/o* orientam na busca de um propósito que sirva de guia para o seu desenvolvimento interior.

· FORÇAS ATUANTES: regeneração, cura e autoconhecimento
· ÁREAS DE ATUAÇÃO: espiritualidade, passado e caminho de evolução
· ASPECTOS FAVORÁVEIS: Sextil e Trígono com os Nodos Lunares Norte e Sul

Nesse tempo você será *contemplada/o* com uma espécie de cura espiritual, podendo tratar as dores do seu passado e abrir os caminhos para prosseguir sua viagem na direção da sua evolução. Ao tocar nas cicatrizes que marcaram suas experiências passadas, você reconhecerá a força da regeneração, garantindo a confiança de que sempre será possível transformar o sofrimento em processo de cura.

Além disso, um dos mais importantes ganhos dessa fase será o redirecionamento do seu propósito existencial, mecanismo este associado às suas buscas interiores e ao autoconhecimento. Quíron servirá como um guia que balizará sua jornada, mostrando com clareza os passos a serem dados dessa época em diante.

- ASPECTOS DESAFIADORES: Conjunção e Quadratura com os Nodos Lunares Norte e Sul

Você aprenderá ao longo desse período a importância da função da dor no processo de evolução espiritual. Nesse momento, as cicatrizes causadas pelos ferimentos produzidos pela vida doerão mais do que de costume e, no entanto, serão essas mesmas dores que apontarão o caminho da cura dos sofrimentos da alma. Você visitará o seu passado e lá reconhecerá as causas do que não estiver lhe fazendo bem no presente, além de tratar igualmente o que estiver em desequilíbrio em relação ao seu propósito espiritual.

No caso da Conjunção com o Nodo Lunar Norte, a ênfase da necessidade da cura estará mais diretamente associada à busca de orientação para o seu autoconhecimento, enquanto na Conjunção com o Nodo Lunar Sul (Oposição com o Nodo Lunar Norte) o que precisará ser cuidado será especialmente o que diz respeito às dores que você carrega do seu passado.

Quíron em Aspecto com a Roda da Fortuna

Sendo a Roda da Fortuna o Ponto Virtual que simboliza o bem fluir dos acontecimentos, quando Quíron forma em Trânsito, Progressão ou Direção um Aspecto com ela, a sua função é a de tratar e curar o que obstrui o bom fluxo da sua vida.

- FORÇAS ATUANTES: regeneração, cura e autoconhecimento
- ÁREAS DE ATUAÇÃO: boa sorte e fluidez

- ASPECTOS FAVORÁVEIS: Sextil e Trígono

Nesse tempo você poderá achar solução para tudo que possa estar obstruindo os seus caminhos e compreenderá que as dores produzidas pela má fluência das suas energias será sua grande bênção, pois elas sinalizarão os caminhos que a/o levarão ao conhecimento das causas desses desequilíbrios.

A busca por autoconhecimento terá o papel de iluminar os seus passos e ser uma estrela guia no curso da sua jornada de experiências nessa vida. Você terá nas mãos as ferramentas adequadas para tratar do que impede o bom fluxo dos acontecimentos, aprendendo a usá-las quando se deparar com um desafio maior.

· ASPECTOS DESAFIADORES: Conjunção, Quadratura e Oposição

Esse Aspecto será indicador da presença de desequilíbrios no fluxo das suas energias que, no momento, provavelmente estarão bloqueadas, dificultando o curso natural dos acontecimentos. A confiança na presença da sorte não estará funcionando muito bem e deverá ser cuidada para que você restabeleça uma conexão melhor com o brilho da sua estrela.

Ainda que você sofra por sentir que o momento não será afortunado, serão essas dores que *a/o* ajudarão a encontrar o caminho para recuperar a boa fluência das ocorrências dessa época. O segredo será buscar o autoconhecimento, pois será por meio dele que você receberá as bênçãos tão desejadas.

Quíron em Aspecto com Quíron

Esse Aspecto aponta para um momento da vida em que é necessário tratar da saúde — física, mental e/ou espiritual. Nesse tempo, o que incomodar e doer deverá ser compreendido como um sinal para que você se cuide e trate dos seus desequilíbrios.

· FORÇAS ATUANTES: regeneração, cura e autoconhecimento
· ÁREAS DE ATUAÇÃO: saúde e autoconhecimento

ATENÇÃO: quando Quíron no Céu em Trânsito ou em Direção formar um Aspecto com Quíron do Mapa do seu nascimento, significará que todas as pessoas que tenham aproximadamente a mesma idade atravessarão, juntas, esse período. Por isso, ele é chamado de Aspecto Geracional.

A Conjunção de Quíron em Trânsito com Quíron do Mapa Natal ocorrerá aproximadamente a cada cinquenta anos.

Na Progressão, a única possibilidade de Quíron formar um Aspecto com Quíron do Mapa de Nascimento será em caso de retrogradação, e será uma Conjunção. Dessa forma, o tempo de duração será de um ano antes até um ano depois do grau exato.

A Direção do Quíron em Sextil com Quíron do Mapa Natal ocorrerá para todos em torno dos sessenta anos, período que Quíron levará para avançar 60°, e a Quadratura aos noventa anos, tempo para avançar 90°.

· ASPECTOS FAVORÁVEIS: Sextil e Trígono

Quando Quíron em Trânsito, Progressão ou Direção agir favoravelmente sobre Quíron do Mapa do seu nascimento, você será *convocada/o* a usar o seu poder de cura, especialmente por ter consciência da origem da sua dor. Você saberá regenerar as feridas abertas pelas circunstâncias da vida e terá a sabedoria de buscar auxílio para aliviar as pressões do que costuma produzir sofrimento.

Do mesmo modo, será possível encontrar caminhos e *mestras/es* que *a/o* conduzirão ao autoconhecimento, que, por sua vez, *a/o* protegerá das adversidades. Tenha em mente que você é capaz de tratar do que lhe causa mal-estar e que a mesma dor que *a/o* fizer sofrer será a que *a/o* levará a se curar. Esse será um excelente momento para pôr em equilíbrio a sua saúde física, mental e/ou espiritual.

· ASPETOS DESAFIADORES: Conjunção, Quadratura e Oposição

Nesse tempo, você precisará ficar *atenta/o* a todo e qualquer desequilíbrio que esteja gerando sofrimento e, caso constate que algo não vai bem, deverá tratá-lo para restabelecer o bem-estar da sua saúde física, mental e/ou espiritual. O importante será descobrir as causas das suas dores, para que não continue sendo *incomodada/o* por elas.

O momento também pedirá que mergulhe mais profundamente no autoconhecimento, o que *a/o* ajudará a tornar a relação com a vida uma experiência saudável. Esse será um excelente caminho para solucionar o problema da falta de recursos para poder lidar com o que traz sofrimento.

Quíron em Aspecto com Lilith

Nessa conexão, o que está em jogo é a oportunidade de tratar e curar as feridas causadas pelas experiências de desamparo, de exclusão ou de repressão dos desejos.

· FORÇAS ATUANTES: regeneração, cura e autoconhecimento
· ÁREAS DE ATUAÇÃO: sexualidade, desejo, insubordinação e emoções profundas

- ASPECTOS FAVORÁVEIS: Sextil e Trígono

Curar o sofrimento causado pelo desamparo será a grande potência apontada pelo Aspecto formado por Quíron com Lilith do Mapa do seu nascimento. *Fortalecida/o* e *segura/o* de que *sozinha/o* você estará melhor do que *envolvida/o* em relacionamentos prejudiciais, aprenderá durante esse período a dizer "não" a tudo que contrarie os seus mais profundos e íntimos desejos, ganhando a cura pela liberdade.

Como Lilith traz na sua simbologia as questões relativas à sexualidade, também nesse tempo você saberá tratar das dores causadas por encontros que não corresponderam às suas vontades e daquelas geradas por repressões, seja por tabus e preconceitos, seja devido à dificuldade de se entregar. Você poderá se apropriar com dignidade do seu corpo, cuidando dele para que seja não um veículo de sofrimento, mas um canal de experiências prazerosas.

- ASPECTOS DESAFIADORES: Conjunção, Quadratura e Oposição

Nesse período, você estará mais vulnerável a desequilibrar suas energias por se submeter a jogos de dominação emocional, até mesmo aos que envolverem as experiências sexuais. O sofrimento causado por não se sentir *respeitada/o* no seu desejo ou se sentir *excluída/o* da cena amorosa despertará em você a necessidade de se curar da dor do desamparo.

Os encontros pautados na manipulação deverão ser evitados. Afaste-se de quem estiver *a/o* deixando *insegura/o* e compreenda que, nesse momento, a cura para seus males será mais facilmente alcançada se você souber tirar proveito do estado de solidão. Lembre-se de que sair de cena por livre vontade será a melhor atitude para se manter saudável.

O resultado desse aprendizado será a consciência de que você dispõe de poderosas ferramentas de regeneração e que estas serão despertadas pela busca do autoconhecimento.

Trânsitos, Progressões e Direções de Lilith

A finalidade dos Trânsitos, das Progressões e das Direções de Lilith será libertar o desejo tolhido e as emoções reprimidas referentes às experiências simbolizadas pelos Planetas ou Pontos Virtuais com os quais ela formar um Aspecto, favorável ou desafiador. Esses Planetas ou Pontos serão estimulados a quebrar tabus e preconceitos. Os desafios a serem enfrentados durante a vigência desses Aspectos estarão relacionados à solidão e ao desamparo.

INTENSIDADE DO TrÂNSITO: 5

INTENSIDADE DA PROGRESSÃO: 3

INTENSIDADE DA DIREÇÃO: 5

Lilith em Aspecto com o Sol

Os Aspectos de Lilith com o Sol sinalizam uma busca mais profunda de quem você é e qual o seu propósito de vida. São momentos de interiorização e de resgate do valor da sua autonomia e da autoconfiança, compreendendo conscientemente a importância de sair de cena por alguns momentos para reconhecer a sua verdadeira vontade.

- FORÇAS ATUANTES: libido, insubordinação e liberdade
- ÁREAS DE ATUAÇÃO: consciência, vontade, vitalidade, vigor e autoconfiança
- ASPECTOS FAVORÁVEIS: Sextil e Trígono

Quando Lilith em Trânsito, Progressão ou Direção formar um Aspecto favorável com o Sol do Mapa do seu nascimento, você exercerá a autonomia de forma livre, longe dos jogos perigosos do exercício do poder. Você poderá fazer jus à vida que escolheu para si e honrará seus valores essenciais, desprezando aqueles que lhe tiverem sido impostos e que comprometem sua liberdade de escolha.

A força da libido atuará em máxima potência, além de ser essa fase um dos melhores momentos para a afirmação da sua sexualidade. A autenticidade, a alegria e o coração aberto exercerão um papel importante nas suas conquistas. Essas mesmas virtudes atuarão de forma favorável em encontros com pessoas que você admira e que estejam em evidência. Do mesmo modo, ainda que sutilmente, você se destacará pela força da sua sensibilidade e sua intuição.

- ASPECTOS DESAFIADORES: Conjunção, Quadratura e Oposição

O grande desafio de um Trânsito, uma Progressão ou uma Direção de viés desafiador entre Lilith e o Sol será se manter fiel àquilo que você verdadeiramente é, ainda que para isso precise escolher ficar só. Você será *convocada/o* a fortalecer a autoconfiança escapando das armadilhas da carência e, consequentemente, da submissão aos jogos de controle e de poder.

O momento poderá ser marcado por falta de luz própria, ausência de alegria e de vontade de usufruir a vida. O segredo será isolar-se de toda e qualquer situação ou pessoa que *a/o* exponha às suas fragilidades e resgatar dos lugares mais profundos do seu ser a autoestima perdida. Você reconhecerá os danos produzidos pela perda da dignidade e do amor-próprio e, no exílio, encontrará o brilho que *a/o* fará ser quem de fato é.

Lilith em Aspecto com a Lua

Esse encontro associa dois simbolismos relacionados ao afeto. Entretanto, o poder de Lilith, que é o da recusa a se submeter àquilo que contraria o seu desejo, atuando sobre a Lua, que trata do acolhimento e do conforto emocional, mostrará a necessidade de equilibrar os dois polos por elas representadas, ou seja, o da liberdade de expressão emocional e o do sentimento de segurança e proteção.

- FORÇAS ATUANTES: libido, insubordinação e liberdade
- ÁREAS DE ATUAÇÃO: intuição, sensibilidade, afetividade, lembranças do passado, família e casa
- ASPECTOS FAVORÁVEIS: Sextil e Trígono

Esse encontro equilibrará dois fatores importantes para que você se sinta emocionalmente *acolhida/o* e, ao mesmo tempo, não se submeta aos jogos emocionais que têm o poder de *torná-la/o* refém do medo da solidão. Será um tempo em que você poderá se insubordinar aos padrões emocionais que contradigam o seu desejo e que orientem a vida das pessoas com as quais você tiver um relacionamento íntimo e, ainda assim, saberá fazer respeitar os seus valores ou, ao menos, com que não seja *discriminada/o* por eles.

Haverá também um espaço confortável para lidar com sua sexualidade, além de ter ao seu alcance os seus melhores atributos de sedução, usufruindo do prazer de conquistar o que deseja para si e de ser *desejada/o* pelo outro. Haverá disponibilidade para acolher e ser *acolhida/o*, deixando para trás as inseguranças emocionais e as carências produzidas por encontros que não alimentem o que sua alma precisa para o seu desenvolvimento saudável.

- ASPECTOS DESAFIADORES: Conjunção, Quadratura e Oposição

Um dos primeiros sinais dados por esses Aspectos será o da carência, que poderá *submetê-la/o* a situações ou relacionamentos que contrariem os seus mais profundos e verdadeiros desejos. Além de ficar *atenta/o* à falta de cuidado por parte de pessoas com as quais você tenha um relacionamento íntimo, também será importante não descuidar da qualidade das suas relações. Uma saída eficiente será afastar-se por um tempo para que você não dê prosseguimento a um padrão de relacionamentos vazios de nutrientes afetivos e encontre o alimento na fertilidade da solidão.

Possivelmente o afastamento não será uma escolha sua e, nesse caso, você deverá compreender que as separações igualmente serão necessárias para o restabelecimento do seu bem-estar emocional.

Quanto à sexualidade, haverá pouco espaço de acolhimento, o que deverá ser compensado com a recusa a se relacionar com padrões contrários às suas vontades.

Lilith em Aspecto com Mercúrio

A função dos Aspetos de Lilith com o Mercúrio do Mapa de Nascimento é libertar o que não se consegue dizer, é dar profundidade à palavra e aos pensamentos e deixá-los livres das repressões e tabus.

- FORÇAS ATUANTES: libido, insubordinação e liberdade
- ÁREAS DE ATUAÇÃO: comunicação, estudos, mobilidade, viagens e negócios

- ASPECTOS FAVORÁVEIS: Sextil e Trígono

Experimentar os efeitos de um Trânsito, uma Progressão ou uma Direção de Lilith com Mercúrio será usufruir do prazer de confessar os seus desejos mais íntimos para quem estiver *disposta/o* a *ouvi-la/o* e acolhê-los. De outro modo, você estará *receptiva/o* a escutar o que vier do mais profundo de pessoas que *a/o* vejam como um porto seguro onde podem ancorar sem receio os seus segredos.

Também será prazeroso trocar opiniões sem se sujeitar às armadilhas das disputas intelectuais, que só servem para medir forças e não acrescentam nada à sua malha de conhecimento ou informações. Além do mais, você será capaz de usar a linguagem como meio de sedução, atraindo para si grupos com os quais as trocas serão criativas.

Você viverá a sexualidade com maleabilidade e estará *aberta/o* a novas experiências que enriquecerão a forma de se relacionar afetivamente.

· ASPECTOS DESAFIADORES: Conjunção, Quadratura e Oposição

Durante a passagem desse Trânsito, dessa Progressão ou dessa Direção, será preferível ficar fora da cena das discussões, seja por força da falta de espaço para o diálogo, seja por compreender que, nesse momento, discutir será cair na armadilha dos jogos de manipulação pela palavra.

Outra atitude importante será deixar fechada a caixa na qual você guarda os seus segredos e os seus desejos mais íntimos. Abri-la nessa fase será dar margem a mal-entendidos ou a falatórios que possam *prejudicá-la/o* ou outras pessoas.

Haverá muitas chances de você se sentir *desamparada/o* em relação às suas opiniões ou habilidades intelectuais. O melhor exílio será o silêncio, e será nesse lugar que você se fortalecerá. De lá, sairá mais *segura/o* para exercer o que houver de melhor na arte de se comunicar.

Quanto à sexualidade, esta será questionada, mas o importante será não se deixar seduzir pelos jogos emocionais que gerem mais dúvidas, inseguranças e ciúmes.

Lilith em Aspecto com Vênus

Quando Lilith faz um Aspecto com Vênus do Mapa Natal, você terá a oportunidade de acessar os mais inconfessáveis desejos, compreenderá suas repressões afetivas e sexuais, *deixando-a/o* livre do que, em geral, bloqueia ou dificulta que viva livremente seus relacionamentos e suas paixões.

· FORÇAS ATUANTES: libido, insubordinação e liberdade
· ÁREAS DE ATUAÇÃO: autoestima, amor, beleza, sexualidade e recursos materiais

· ASPECTOS FAVORÁVEIS: Sextil e Trígono

A ação de Lilith sobre Vênus do Mapa do seu nascimento, quando se der de forma favorável, proporcionará a satisfação dos seus desejos amorosos e sexuais sem pudores, preconceitos ou repressões. A libido ficará intensificada, e a sexualidade poderá ser vivida de forma vigorosa, profunda e, ao mesmo tempo, acolhedora.

Os encontros durante esse período provocarão imenso prazer e fortalecerão a sua autoestima. Um dos grandes ganhos desse momento será a tomada de posse do seu corpo, não se sujeitando a contrariar os seus desejos mais íntimos, seja por força dos tabus, seja por medo do abandono. Você saberá distinguir o que é repressão do que é desejo liberto de preconceitos, tornando o amor e a sexualidade experiências guiadas por sua inteligência emocional.

· ASPECTOS DESAFIADORES: Conjunção, Quadratura e Oposição

As experiências que mais marcarão sua alma com a passagem desse Trânsito, dessa Progressão ou dessa Direção serão as que virão acompanhadas do sentimento de desamparo, entre elas, a de submissão aos jogos de manipulação afetiva. Tais artimanhas se configurarão na vontade de agradar o outro contrariando os seus desejos e darão o alerta para o perigo de se relacionar devido à carência.

Na via contrária, você também poderá produzir inseguranças em pessoas pelas quais você tenha um carinho especial. O aprendizado será respeitar a sua vontade e a alheia, de forma que tenha a liberdade de expressá-la sem receio de ser *depreciada/o*. O que talvez mais fique em destaque nesse momento será lidar com as repressões produzidas por preconceitos e tabus, especialmente acerca da sexualidade.

A ocasião pedirá que você se afaste das relações tóxicas e que alimente sua autoestima no exílio que *a/o* protegerá dos jogos de poder e dominação emocional.

Lilith em Aspecto com Marte

A função de um Aspecto de Lilith com Marte é liberar suas intuições e seus desejos mais profundos, impulsionando decisões importantes. É um momento especial para conhecer na intimidade sua agressividade, mas, ao mesmo tempo, sua força e sua coragem.

· FORÇAS ATUANTES: libido, insubordinação e liberdade

- ÁREAS DE ATUAÇÃO: autonomia, autoconfiança, competição, liderança, disposição física e saúde

- ASPECTOS FAVORÁVEIS: Sextil e Trígono

Para começar, esse Aspecto apontará para um momento de decisões e iniciativas tomadas na base da intuição e da sensibilidade. Tais atributos garantirão a assertividade dos impulsos que surgirão do que houver de mais profundo do seu ser e que clamarão por independência.

Depois, falar de Lilith será também tratar de sexualidade, e, quando houver uma conexão favorável com Marte, a libido se intensificará e o desejo será liberado e afirmado sem restrições. A força da sedução será por causa da expressão de autoconfiança, da firmeza das decisões e da disposição de enfrentar desafios que ponham em xeque sua força de vontade.

Essa será ainda uma época benéfica para lidar com atividades competitivas e que impliquem a habilidade de exercer a liderança. E a vitória será obtida graças ao emprego do sexto sentido, característica associada ao simbolismo de Lilith.

- ASPECTOS DESAFIADORES: Conjunção, Quadratura e Oposição

A ação desafiadora de Lilith sobre Marte do Mapa do seu nascimento poderá ser vivida como descontrole da razão e com episódios de revolta por força de pressões que *a/o* levem a agir contra o seu desejo. Todavia, no íntimo, a origem da negação da sua vontade será a ameaça de ser *banida/o* do território da disputa por espaço, atitude que já *a/o* colocará em desvantagem antes mesmo de partir para a conquista do lugar que lhe garantirá a autonomia. Desse modo, será preferível lutar *sozinha/o* e vencer os próprios desafios a cair nas armadilhas de disputas desleais e da pressão de forças autoritárias.

Quanto à sexualidade, esse será um período de incertezas, e as ações dirigidas às conquistas poderão resultar em frustrações e perda de energia libidinal. O melhor será se recusar a entrar no jogo de manipulações, preferindo usar esse tempo para restaurar as forças perdidas.

Lilith em Aspecto com Júpiter

A conexão de Lilith com Júpiter aponta para um momento de mergulho profundo em questões que envolvem o julgamento, a fé e a busca por evolução. A função desse Ponto Virtual, nesse caso, é tirar da cena da razão verdades inabaláveis e, muitas vezes, preconcebidas, e revelar valores que estavam submersos no obscurantismo dos seus medos.

- FORÇAS ATUANTES: libido, insubordinação e liberdade
- ÁREAS DE ATUAÇÃO: metas, leis, crenças, ideais, justiça, estudos e viagens

- ASPECTOS FAVORÁVEIS: Sextil e Trígono

Durante a ação desse Trânsito, dessa Progressão ou dessa Direção, você será *levada/o* pela intuição a visitar terras longínquas, lugares onde não conhecerá ninguém, mas que encherão sua alma de prazer. Serão viagens preferencialmente realizadas *sozinha/o* ou, se *acompanhada/o*, com a liberdade de ir e vir sem ser *incomodada/o*. Essa movimentação não será necessariamente geográfica, podendo ser também intelectual ou espiritual. O que importará será que suas motivações se direcionem a alcançar novos horizontes, a abrir sua mente para novos saberes e para o encontro com pessoas que lhe mostrarão um novo mundo.

A sexualidade será vivida de forma abundante e generosa e servirá igualmente como meio de autoconhecimento. Você não deixará que seus desejos sejam reprimidos por força dos tabus ou preconceitos que carrega na intimidade do seu ser, mas saberá bani-los do campo de referências que limitam o exercício da sua verdadeira sexualidade.

- ASPECTOS DESAFIADORES: Conjunção, Quadratura e Oposição

A falta de ideais será um dos temas importantes a serem trabalhados durante a ação de um Trânsito, uma Progressão ou uma Direção de viés desafiador de Lilith com Júpiter. Você poderá se sentir carente de metas, de propósitos que *a/o* orientem para a evolução do seu autoconhecimento e do seu desenvolvimento intelectual. Igualmente, é possível que você sinta a fé *a/o* abandonar, o que *a/o* levará a buscar forças em terras distantes das que nesse momento se apresentarem inférteis.

Será preciso nesse tempo ficar longe dos conflitos ideológicos. Estes serão armadilhas que *a/o* aprisionarão ao desamparo, que dissiparão suas forças e *a/o* deixarão *vazia/o* de objetivos que possam dar um sentido maior à existência.

Na sexualidade, haverá a tendência a excessos e consequente insatisfação do prazer de estar *nutrida/o* com um encontro de boa qualidade. Evite entrar em jogos em que as regras contradigam os seus desejos, preferindo ficar só a se submeter a experiências que *a/o* distanciem da sua verdadeira sexualidade.

Lilith em Aspecto com Saturno

Os Aspectos de Lilith com Saturno provocam um tempo de amadurecimento desencadeado pela descoberta dos seus mais íntimos desejos. Haverá um mergulho profundo em questões que envolvem suas responsabilidades, dando impulso a experiências que alicerçarão a realização de tais desejos.

· FORÇAS ATUANTES: libido, insubordinação e liberdade
· ÁREAS DE ATUAÇÃO: responsabilidade, organização, produtividade e trabalho

· ASPECTOS FAVORÁVEIS: Sextil e Trígono

Durante a passagem desse Trânsito, dessa Progressão ou dessa Direção, você compreenderá que a sexualidade possui um alto poder de amadurecimento. Você se sentirá *segura/o* para exercer sua libido *alicerçada/o* nas próprias experiências, na certeza de ser capaz de superar seus limites, suas restrições e suas inibições. Você estará *apta/o* a assumir a responsabilidade por suas conquistas, o que as tornarão parte essencial da bagagem de referências que você carregará por muito tempo.

Outro grande ganho será sentir mais firmeza para resolver seus problemas e superar seus limites. Não depender do outro para construir seus alicerces de trabalho também fará parte das aquisições emocionais desse período.

· ASPECTOS DESAFIADORES: Conjunção, Quadratura e Oposição

A falta de estabilidade poderá ser a razão das suas carências nesse momento. Você se sentirá pisando em falso no terreno da sexualidade, podendo se sujeitar a manipulações que, em vez de resolver o problema, só o agravarão. Será preciso manter um distanciamento seguro para ficar *protegida/o* dos danos que os relacionamentos instáveis podem causar. Também o que estará engessado em normas duras deverá ser flexibilizado, para que você se sinta livre para exercer os seus desejos.

O grande desafio desse momento será o de fortalecer a autonomia para superar as dificuldades sem depender do outro. Isso será particularmente válido no que diz respeito aos obstáculos encontrados ao longo da escalada da montanha das suas realizações, especialmente aquelas acerca do seu trabalho.

Lilith em Aspecto com Urano

Lilith e Urano, cada um a seu modo, tratam da conquista de liberdade. A primeira, por meio de mergulhos profundos na intimidade dos seus desejos. O segundo, na direção do alto, na busca de experiências inovadoras que impulsionam a vida e trazem novos ares. Portanto, o seu encontro intensificará o desejo por mudanças libertadoras.

- FORÇAS ATUANTES: libido, insubordinação e liberdade
- ÁREAS DE ATUAÇÃO: liberdade, mudança e quebra de padrões

- ASPECTOS FAVORÁVEIS: Sextil e Trígono

Essa será a hora certa para dar vazão aos seus desejos mais íntimos sem pudor e para viver sua sexualidade com liberdade, especialmente livre dos preconceitos e dos tabus que *a/o* aprisionam. Entretanto, em qualquer área da sua vida, o desejo por liberdade comandará os tempos em que você estiver atravessando esse Aspecto.

Nessa fase, você será *convocada/o* a romper com laços que comprometam o exercício da sua autonomia, do seu livre pensar e da liberdade de ir e vir. Haverá forças disponíveis no mais íntimo da sua alma para mudar o curso da sua vida. Será preciso apenas acessá-las para que você se sinta *fortalecida/o* pela intuição e pela sensibilidade que apontarão o novo caminho a seguir.

Serão poucos os momentos como esse em que você se sentirá *segura/o* para andar na contramão do senso comum com firmeza de propósito e com as garantias de que esse será o seu verdadeiro caminho.

- ASPECTOS DESAFIADORES: Conjunção, Quadratura e Oposição

As experiências dos tempos em que vigorar esse Trânsito, essa Progressão ou essa Direção virão acompanhadas por sentimentos acerca da exclusão e do desamparo. Tais vivências poderão produzir inseguranças, repressão à sua liberdade e dificuldades ao expressar os seus desejos mais íntimos. Mais do que em outros momentos, o afastamento das armadilhas de sedução será o melhor jeito de evitar transtornos maiores em seus encontros afetivos.

Sempre que Lilith estiver envolvida em um Trânsito, uma Progressão ou uma Direção, a sexualidade igualmente será atingida. Nesse caso, a energia sexual se apresentará instável ou você vivenciará experiências contrárias à liberdade de escolher o que deseja para si.

Essa fase pedirá que experimente ficar só e acolha o que houver de diferente em seu interior, libertando-se da necessidade de agradar o outro com um modo de ser que não é seu apenas para não perdê-lo.

Lilith em Aspecto com Netuno

Tanto Lilith quanto Netuno navegam nas águas da sensibilidade e intuição. Ambos tratam dos mergulhos profundos na obscuridade do inconsciente, no universo oculto e nas forças interiores. Portanto, esse encontro amplia os seus valores e provoca uma onda de emoções e sentimentos até então desconhecidos.

- FORÇAS ATUANTES: libido, insubordinação e liberdade
- ÁREAS DE ATUAÇÃO: intuição, sensibilidade, imaginação e espiritualidade

- ASPECTOS FAVORÁVEIS: Sextil e Trígono

Esse Aspecto indicará o quanto será importante poder investir nos seus sonhos sem pudores, sem restrições e, principalmente, sem medo de se frustrar caso não venha a realizá-los. Será essencial ter a liberdade de dar asas à sua imaginação, deixar livre seus desejos mais irracionais, confiante de que neles haverá grande potência psíquica e espiritual.

A libido será direcionada ao universo das fantasias e retirará das profundidades do seu ser forças de empatia, sedução e amorosidade que em outros tempos pareciam inalcançáveis. Esses momentos poderão ser considerados uma bênção para o acolhimento da sua sexualidade, e você deverá compreendê-la como força que transcende a materialidade do corpo, que eleva sua alma às alturas do prazer espiritual.

- ASPECTOS DESAFIADORES: Conjunção, Quadratura e Oposição

Nesse momento, o seu maior desafio será libertar suas fantasias do exílio ao qual foram submetidas, seja por medo do que elas representam, seja por tabus aos quais elas foram aprisionadas. De outro modo, exilar-se na fuga não será o melhor caminho para lidar com a realidade, especialmente a que estiver relacionada às suas experiências amorosas e sexuais. Será preciso se desintoxicar do que tiver sido absorvido em relacionamentos que tenham por hábito jogar com a manipulação e que despertem temores que impedem um encontro pacífico e prazeroso.

A ideia será que você se afaste um pouco de tudo e de todos e exercite a prática da solidão como meio de desenvolvimento espiritual, da descoberta da compaixão e da importância de haver profundidade e envolvimento de almas nas relações amorosas.

Lilith em Aspecto com Plutão

Esse encontro pode ser interpretado como sendo a força de um olhar que arrisca mergulhar em zonas obscuras do seu ser e da descoberta de potências que, até então, se encontravam adormecidas ou reprimidas pela força do medo e/ou dos tabus.

· FORÇAS ATUANTES: libido, insubordinação e liberdade
· ÁREAS DE ATUAÇÃO: profundidade emocional, transformações, regeneração e revelações
· ASPECTOS FAVORÁVEIS: Sextil e Trígono

Atravessar um Trânsito, uma Progressão ou uma Direção favorável de Lilith com Plutão do Mapa do seu nascimento será ter a oportunidade de viver a sexualidade na sua mais intensa forma e extrair o que de mais profundo ela puder oferecer. A quebra de tabus será possível diante da força do seu desejo, que nesse momento pedirá maior fidelidade, entrega e paixão sem restrições.

Você terá a chance de se desvencilhar dos jogos de dominação que tantos danos causam aos relacionamentos, ao corpo e à integridade da alma. A seu favor, haverá a intuição e a sensibilidade que a/o orientarão para que desvie dos caminhos obscuros pelos quais circulam as forças da destruição.

Será uma época importante também para reconhecer que você é capaz de se regenerar das feridas e das dores do desamparo por conta própria, fortalecendo-se para os períodos em que estiver só.

· ASPECTOS DESAFIADORES: Conjunção, Quadratura e Oposição

O medo de perder poderá ser o principal motivo de você se submeter a experiências que firam os seus desejos, de inibir o que houver de mais intenso na sua sexualidade ou de se entregar de forma inconsciente a padrões destrutivos de relacionamento. O sofrimento produzido por manipulações emocionais a/o despertará para a necessidade de promover mudanças profundas no seu jeito de se relacionar, seduzir e ser seduzida/o.

Será preferível enfrentar seus fantasmas com a força do seu manancial psíquico a depender do outro para afugentá-los. A dica é evitar caminhar por trilhas que incitem sentimentos destrutivos em você e na outra pessoa, de modo a preservar a boa qualidade dos relacionamentos.

Nesse momento, a alma *a/o* convocará a curar as feridas abertas pelas experiências de desamparo e de perda, para que prossiga seu caminho emocional com a alma saudável e fortalecida pela prática do desapego.

Lilith em Aspecto com o Ascendente e o Descendente

Quando Lilith se conecta com o Ascendente e Descendente, ela provoca a liberação daquilo que você é, mas que ainda não se manifestou. Por outro lado, também irá libertar um modo de se relacionar que se ocultava atrás dos tabus e preconceitos impetrados pela sociedade. Sua função é despertar um equilíbrio entre a força do "eu" e a do "nós", de modo que torne o seu encontro consigo e com os demais um encontro libertário.

- FORÇAS ATUANTES: libido, insubordinação e liberdade
- ÁREAS DE ATUAÇÃO: autonomia, autoconfiança, bem-estar físico, saúde, afetividade e parcerias
- ASPECTOS FAVORÁVEIS: Sextil e Trígono com o Ascendente

Atravessar um Trânsito, uma Progressão ou uma Direção favorável de Lilith com o Ascendente será experimentar na forma mais pura o prazer que seu corpo pode lhe proporcionar. A sexualidade se intensificará, e você saberá ser fiel ao seu desejo, não se deixando dominar pelos jogos de manipulação emocional, tanto os seus quanto os do outro. Será uma oportunidade ímpar de conciliar seus impulsos com os *da/o parceira/o*, fazendo da sedução uma coreografia profunda e, ao mesmo tempo, transformadora.

Haverá espaço para você afirmar a sua forma singular de ser, assim como saber acolher as marcas que definem a identidade do outro. Com a mesma harmonia, as autonomias serão respeitadas, sem que comprometam a boa qualidade de um encontro. Aliás, as pessoas que cruzarem seu caminho despertarão forças adormecidas que, ao se tornarem ativas, estimularão o cuidado das mágoas e das feridas produzidas por experiências relacionadas à baixa autoestima.

- ASPECTOS DESAFIADORES: Conjunção com o Ascendente e o Descendente (Oposição com o Ascendente) e Quadratura com o Ascendente

Todos esses Aspectos trarão à tona mágoas e ressentimentos decorrentes do desamparo gerado por padrões destrutivos de relacionamento. O momento pedirá por cura, e esta só será possível por meio do afastamento de pessoas ou situações baseadas em jogos de manipulação de poder. Ainda que seja difícil enfrentar *sozinha/o* esse processo, somente você, com suas forças intuitivas, poderá promover sua reabilitação emocional.

No caso da Oposição com o Ascendente ou na Conjunção com o Descendente, você poderá igualmente ter que lidar com o desamparo do outro e ajudá-lo, sem ser *invasiva/o*, a se regenerar. De qualquer maneira, a condição essencial para atravessar esse Aspecto de forma construtiva será manter o respeito pela individualidade e pela autonomia, tanto suas quanto as alheias.

Lilith em Aspecto com o Meio e o Fundo do Céu

A função dos Aspectos de Lilith com o Meio do Céu e Fundo do Céu é proporcionar a liberdade de desejar o sucesso profissional e o equilíbrio familiar sem a influência de preconceitos e tabus, principalmente aqueles que se referem à esfera social.

- FORÇAS ATUANTES: libido, insubordinação e liberdade
- ÁREAS DE ATUAÇÃO: profissional, carreira, vocação, projetos para o futuro, relações familiares e casa
- ASPECTOS FAVORÁVEIS: Sextil e Trígono com o Meio do Céu

Você terá suas forças direcionadas a promover o equilíbrio entre o prazer de conviver intimamente e o de alcançar a merecida projeção social. A boa distribuição das energias criativas lhe dará um melhor aproveitamento tanto do seu território afetivo quanto do profissional. As escolhas que envolverão o destino da sua carreira ou a organização da sua vida familiar estarão pautadas nos seus mais profundos e verdadeiros desejos, a despeito das pressões externas ou emocionais.

Além disso, a sexualidade será experimentada de forma a equilibrar a necessidade de segurança afetiva com os desafios que estimularão o aprimoramento do seu desempenho sexual.

- ASPECTOS DESAFIADORES: Conjunção com o Meio do Céu e com o Fundo do Céu (Oposição com o Meio do Céu) e Quadratura com o Meio do Céu

Todos os Aspectos desafiadores de Lilith com o Meio do Céu poderão ser vividos como desamparo de reconhecimento profissional e, ao mesmo tempo, rejeição afetiva. Na Conjunção com o Meio do Céu, predominará o que diz respeito à carreira, enquanto na Conjunção com o Fundo do Céu (Oposição com o Meio do Céu) estará aberta a ferida do desamparo familiar. O ideal será que suas escolhas em ambas as áreas respeitem os seus desejos mais profundos e verdadeiros ao invés de se submeterem às artimanhas do poder social ou emocional.

Nesse momento, você deverá evitar se expor muito, seja publicamente, seja em ambiente familiar. A dica é encontrar amparo em espaços que respeitem sua livre escolha.

Sexualmente, o momento pedirá para que você se aprofunde e resgate o que estiver reprimido por força de preconceitos e tabus sociais e familiares, a fim de que vivencie o seu desejo de forma plena, sem traços autodestrutivos provocados pela carência.

Lilith em Aspecto com os Nodos Lunares Norte e Sul

A força exercida por Lilith sobre os Nodos Lunares se manifestará como libertação do seu caminho espiritual por meio da expressão dos seus mais profundos e íntimos desejos. Nesse momento, sua jornada de autodesenvolvimento tomará rumos não trilhados até então.

· FORÇAS ATUANTES: libido, insubordinação e liberdade
· ÁREAS DE ATUAÇÃO: espiritualidade, passado e caminho de evolução

· ASPECTOS FAVORÁVEIS: Sextil e Trígono com os Nodos Lunares Norte e Sul

A ação favorável de Lilith sobre os Nodos Lunares indicará um tempo de boa caminhada na direção do seu desenvolvimento espiritual. Passado e presente se harmonizarão por força do seu desejo, liberando-se dos nós que ainda poderiam atrapalhá-lo no avançar do seu caminho. Você será *movida/o* pela intuição, corrigindo sua rota espiritual caso se encontre em uma direção errada.

Outro aspecto importante será poder fazer da sexualidade uma experiência que contribuirá para o seu autoconhecimento. Os encontros nesse momento serão um resgate de boas experiências já vividas no passado e, ao mesmo tempo, novas possibilidades que criarão uma ótima sintonia com essa fase.

- ASPECTOS DESAFIADORES: Conjunção com o Nodo Lunar Norte e Nodo Lunar Sul (Oposição com o Nodo Lunar Norte) e Quadratura com os Nodos Lunares Norte e Sul

Esse será o momento mais difícil da caminhada em direção à sua evolução espiritual. *Sozinha/o*, você deverá superar os desafios que ponham em xeque suas dependências emocionais e consequentes submissões a experiências contrárias ao seu mais íntimo e verdadeiro desejo.

Nesse tempo será importante se afastar dos encontros que não colaborem com o seu crescimento, mas que, ao contrário, suguem suas energias preciosas e necessárias para o seu equilíbrio psíquico e espiritual. Será um tempo de exílio em terras inóspitas, entretanto fundamental para que você corrija a rota da sua caminhada.

Lilith em Aspecto com a Roda da Fortuna

Ao formar um Aspecto com a Roda da Fortuna, Lilith desencadeia a liberação do que, por bloqueio emocional ou preconceitos, impede que o fluxo dos acontecimentos da sua vida transcorra sem maiores atribulações.

- FORÇAS ATUANTES: libido, insubordinação e liberdade
- ÁREAS DE ATUAÇÃO: boa sorte e fluidez
- ASPECTOS FAVORÁVEIS: Sextil e Trígono

A conexão favorável entre Lilith e a Roda da Fortuna facilitará a liberação dos seus desejos mais íntimos e *a/o* ajudará a viver com mais prazer e motivação. A intuição será uma poderosa ferramenta para encontrar meios de fazer a vida fluir com facilidade e de desimpedir os obstáculos. A sensibilidade será um tesouro nas suas mãos.

Ao não se sujeitar a entrar nos jogos de dominação, também você colaborará para que os acontecimentos transcorram sem sobressaltos.

As experiências acerca da sua sexualidade serão facilitadas pela confiança de que as energias envolvidas nos seus encontros estarão à disposição do desejo por prazer.

- ASPECTOS DESAFIADORES: Conjunção, Quadratura e Oposição

Nesse período, você será *desafiada/o* a liberar os seus desejos, mas deverá igualmente respeitar o fluxo natural dos encontros. A tendência será que você não encontre as facilidades que lhe asseguram a boa receptividade da sua sexualidade, e, por essa razão, você poderá se submeter a experiências que irão na direção contrária do prazer. A dica é evitá-las ou torná-las vivências ricas de aprendizado.

Como a Roda da Fortuna pode ser entendida como o seu quinhão de sorte, você se sentirá *desamparada/o* por sua estrela. Entretanto, o objetivo desse Aspecto será que você aprenda a usar sua intuição com sabedoria, transformando-a na sua melhor e mais bem-aventurada companheira de viagem.

Lilith em Aspecto com Quíron

A força instintiva de Lilith irá operar nesses Aspectos como desencadeadora das dores que precisam ser tratadas, principalmente aquelas que se referem aos sentimentos oprimidos e excluídos da esfera do prazer e que adoecem a alma, o corpo e o espírito.

- FORÇAS ATUANTES: libido, insubordinação e liberdade
- ÁREAS DE ATUAÇÃO: saúde e autoconhecimento

- ASPECTOS FAVORÁVEIS: Sextil e Trígono

Passar por esse Trânsito, essa Progressão ou essa Direção significará que sua libido estará direcionada para a cura das feridas abertas pelas circunstâncias da vida e que, nesse momento, estarão prestes a fechar. Estarão disponíveis forças associadas à sabedoria do cuidar, sem depender de ninguém para fazê-lo. Quando houver dor, você saberá como e onde se tratar.

A cura será intuitiva e o alívio virá acompanhado do fortalecimento da sua capacidade de estar só consigo *mesma/o*, ser fiel ao seu desejo e evitar as armadilhas criadas pelos jogos de dominação que adoecem o corpo e a alma.

- ASPECTOS DESAFIADORES: Conjunção, Quadratura e Oposição

Nesse momento, você se verá *sozinha/o* com suas dores, tendo que se cuidar e descobrir forças para aliviar o sofrimento produzido pelas feridas que a vida se encarregou de criar. Você se sentirá um pouco *desamparada/o* por quem costuma *tratá-la/o*, seja porque não estará disponível, seja porque no momento não estará computando bons resultados dos tratamentos. A propósito, as dores poderão ser tanto físicas quanto emocionais.

O segredo será cuidar da sua saúde antes que seja *tomada/o* pelas fantasias sombrias representadas pelo símbolo de Lilith. No lugar dos temores, invista na afinação da sua sensibilidade e aprimore sua capacidade intuitiva — isso também fará parte do seu processo de cura.

Lilith em Aspecto com Lilith

Quando Lilith faz uma conexão com Lilith do Mapa Natal, o momento reforça a consciência de que há repressões e sentimentos bloqueados pelos preconceitos e medos. De outro modo, essa é uma oportunidade de libertação dos desejos que *a/o* impedem de exercer sua autonomia emocional.

- FORÇAS ATUANTES: libido, insubordinação e liberdade
- ÁREAS DE ATUAÇÃO: sexualidade, desejo, insubordinação e emoções profundas

ATENÇÃO: quando Lilith no Céu em Trânsito ou em Direção formar um Aspecto com o mesmo Ponto Virtual do Mapa do seu nascimento, significará que todas as pessoas que tenham aproximadamente a mesma idade atravessarão, juntas, esse momento. Por isso, ele é chamado de Trânsito ou Direção Geracional.

A Conjunção de Lilith em Trânsito com Lilith do Mapa Natal ocorrerá a cada nove anos. Não é possível haver nenhum Aspecto de Progressão de Lilith com Lilith Natal.

A Direção de Lilith em Sextil com Lilith do Mapa de Nascimento ocorrerá para todos em torno dos sessenta anos, período que Lilith leva para avançar 60°, e a Quadratura por volta dos noventa anos, tempo que Lilith precisa para avançar 90°.

- ASPECTOS FAVORÁVEIS: Sextil e Trígono

Quando Lilith em Trânsito, Progressão ou Direção se conectar favoravelmente com Lilith do Mapa do seu nascimento, sua libido ficará intensificada e seu desejo sexual poderá ser experimentado fora do território dos preconceitos e tabus. Toda e qualquer inibição da sua sexualidade poderá ser vencida nesse momento, acolhendo com liberdade a sua forma de amar e ser *amada/o*, de sentir e dar prazer.

Um ganho considerável nesse período será adquirir segurança de que você poderá ser feliz *sozinha/o*, libertando-se das suas carências, dos jogos de manipulação emocional e deixando livre o espaço para os encontros que mexam com as profundezas do seu ser, despertando o que estiver reprimido e clamando por se expressar.

· ASPECTOS DESAFIADORES: Conjunção, Quadratura e Oposição

Você deverá ficar *atenta/o* às experiências às quais você se submeter e que contrariem os seus mais profundos e verdadeiros desejos, especialmente os associados à sexualidade. Haverá a tendência de cair nas armadilhas da manipulação emocional por carência de afeto ou falta de acolhimento e aceitação do que você verdadeiramente é.

Será um tempo de exílio, e somente distante de territórios conhecidos você terá suas forças revigoradas, já que, ao se envolver em jogos de poder, você esgotará um potencial de fundamental importância para a garantia da sua independência emocional.

O segredo nesse momento será se afastar completamente das pessoas ou situações que *a/o* excluam da cena amorosa. Você evitará dessa maneira se sentir *menosprezada/o* no que houver de mais íntimo em seu interior.

Progressões e Direções do Ascendente e do Meio do Céu

INTENSIDADE DA PROGRESSÃO E DA DIREÇÃO: 5

As Progressões e as Direções do Ascendente e do Meio do Céu serão marcos de transição, momentos cruciais que darão início a um novo ciclo de vida relacionado ao Planeta ou Ponto Virtual do seu Mapa Natal com o qual eles fizerem uma conexão, favorável ou desafiadora. Entretanto, será nas Conjunções que o efeito será mais percebido.

O Ascendente e o Meio do Céu em Aspecto com o Sol

Ao fazer uma conexão com o Sol, tanto o Ascendente quanto o Meio do Céu provocam experiências de autoafirmação e de consciência da força exercida pelo ego.

· FORÇAS ATUANTES: estímulo e impulsão

· ÁREAS DE ATUAÇÃO: consciência, vontade, vitalidade, vigor e autoconfiança

· ASPECTOS FAVORÁVEIS: Conjunção, Sextil e Trígono

Quando o Ascendente ou o Meio do Céu formar um Aspecto favorável com o Sol, você atravessará um período de importantes decisões sobre questões relacionadas à sua autonomia e ao reconhecimento das suas potencialidades criativas. Será o início de um ciclo em que você se sentirá mais *segura/o* de si e estará em equilíbrio com sua autoconfiança.

Essa época será marcada pela força da sua presença, você conseguirá se expor melhor e receberá a merecida admiração por ser *verdadeira/o* e *autêntica/o*.

Também será uma fase em que você dará início a um estilo de viver que promoverá mais alegria, *fazendo-a/o* ficar de bem com a vida.

· ASPECTOS DESAFIADORES: Quadratura e Oposição

Nos tempos em que vigorarem os Aspectos desafiadores do Ascendente ou do Meio do Céu com o Sol do Mapa do seu nascimento, sua primeira providência será fazer uma pausa para restaurar suas energias vitais. Por causa de pressões que exijam esforços que ultrapassam seus limites, você deverá rever sua autoexigência. Por outro lado, muitos desequilíbrios do momento serão decorrentes da falta de confiança no seu estilo próprio de ser e se expressar no mundo.

Essa configuração apontará para o fim de um ciclo e o início de outro, mas indicará igualmente o ponto de tensão provocado pela fase de transição. O segredo será evitar se expor, mas, caso não possa, faça-o com cuidado. Reveja sua relação com experiências que envolvam o exercício de poder, tanto o seu próprio como o alheio.

O Ascendente e o Meio do Céu em Aspecto com a Lua

A conexão do Ascendente ou do Meio do Céu com a Lua indica uma fase de sensibilização emocional e de experiências que envolvem os laços de afeto, principalmente os familiares.

· FORÇAS ATUANTES: estímulo e impulsão
· ÁREAS DE ATUAÇÃO: intuição, sensibilidade, afetividade, lembranças do passado, família e casa
· ASPECTOS FAVORÁVEIS: Conjunção, Sextil e Trígono

Com essa configuração, você dará início a um novo ciclo emocional, que poderá ser experimentado com a chegada de novos relacionamentos, renovação familiar ou mudanças de lugar. Decisões relacionadas à melhoria das condições afetivas, de espaço e às experiências vividas no passado poderão ser tomadas.

Esse será um momento favorável para impulsionar o que estiver parado por acomodação ou por obstrução gerada por ressentimentos, angústias ou mágoas. Portanto, será uma época importante para resolver questões que aflijam sua alma e, assim, prosseguir com muito mais segurança do que você tinha até então.

· ASPECTOS DESAFIADORES: Quadratura e Oposição

O desafio nesse momento será atravessar uma fase de transição entre um antigo ciclo de experiências emocionais e a chegada de um novo. As tensões vividas nesse período serão consequência da dificuldade de se desapegar do passado e, ao mesmo tempo, medo do que viverá desse ponto em diante. Isso valerá especialmente para experiências que envolverem a relação familiar, com sua casa e com sentimentos acumulados que necessitem ser renovados.

A dica é dar um tempo e refletir antes de tomar alguma decisão importante. Ainda que você se sinta *pressionada/o* a sair do lugar, tente fazer tudo com calma, entretanto sem procrastinar as resoluções dos seus conflitos emocionais. As situações críticas dessa época serão a força impulsionadora da construção de uma nova fase de bem-estar para sua alma.

O Ascendente e o Meio do Céu em Aspecto com Mercúrio

Os Aspectos do Ascendente ou do Meio do Céu com Mercúrio indicarão uma fase de inquietude, principalmente por conhecimento, comunicação e movimento.

· FORÇAS ATUANTES: estímulo e impulsão
· ÁREAS DE ATUAÇÃO: comunicação, estudos, mobilidade, viagens e negócios
· ASPECTOS FAVORÁVEIS: Conjunção, Sextil e Trígono

Você dará início a uma fase movimentada, cheia de novidades, encontros, trocas, viagens e informações. Haverá uma grande demanda envolvendo suas capacidades mentais, o que lhe dará a chance de impulsionar produções que exijam concentração, agilidade e o bom uso da linguagem.

Na transição entre um ciclo e outro, você se verá às voltas com oportunidades que poderão mudar o curso das suas experiências dessa época em diante. Uma nova maneira de olhar a realidade, uma curiosidade diferente da habitual e uma flexibilidade notável marcarão os novos tempos que estarão por vir.

- ASPECTOS DESAFIADORES: Quadratura e Oposição

A transição entre o fim de um antigo ciclo de aprendizado e a chegada de um novo anunciada por esse Aspecto será marcada por tensões provenientes da dificuldade de adaptação às diferentes condições do momento e igualmente à dispersão produzida pela grande mistura entre os velhos conceitos e os que estarão despertando a sua curiosidade no período. O jeito será observar a movimentação à qual sua vida ficará sujeita e ter a sabedoria de esperar a oportunidade para prosseguir nos novos caminhos.

A dica é evitar discussões enquanto você não se sentir *segura/o* do que pensa, mas será importante trocar ideias para abrir espaço para as descobertas que virão durante a passagem desse Aspecto. Da mesma maneira, será preciso ficar *atenta/o* às negociações, pois, se você estiver mal *informada/o*, a tendência será não fazer bons acordos e acabar sendo *lesada/o*.

O Ascendente e o Meio do Céu em Aspecto com Vênus

Ao formar um Aspecto com Vênus, o Ascendente ou o Meio do Céu revelará a potência do amor, dos encontros e da necessidade de estabilidade no campo material.

- FORÇAS ATUANTES: estímulo e impulsão
- ÁREAS DE ATUAÇÃO: autoestima, amor, beleza, sexualidade e recursos materiais
- ASPECTOS FAVORÁVEIS: Conjunção, Sextil e Trígono

Durante esse período, você viverá o início de uma nova fase afetiva e sexual que será marcada pela melhoria dos seus relacionamentos ou pela chegada de alguém que despertará o seu desejo. Caso você esteja se sentindo afetivamente *acomodada/o* ou *desanimada/o*, prepare-se para uma virada que estará acompanhada de motivações e novos desejos.

Você poderá tomar decisões importantes para aprimorar o cenário amoroso ou as parcerias de trabalho. Esse será um tempo favorável para dar início a novos modelos de relacionamento ou até mesmo a novas relações.

Materialmente falando, essa será também uma época de impulso, de maior chance de prosperidade e de valorização das suas capacidades produtivas.

· ASPECTOS DESAFIADORES: Quadratura e Oposição

Você viverá nesse período uma fase crucial para seus relacionamentos, principalmente os que envolverem o amor e a sexualidade. Será um tempo de transição entre a partida de velhos padrões emocionais e a chegada de novidades no cenário amoroso. A passagem de um ciclo para outro produzirá tensões típicas dos momentos em que não há ainda a segurança necessária e fundamental para dar impulso aos novos tempos.

A autoestima demandará atenção especial para que as decisões dessa época não precipitem experiências para as quais você não estará ainda suficientemente *madura/o*. Quanto mais você valorizar a si como alguém que é capaz de mudar, mais firme estará para viver essa transição.

Em relação à forma como você lida com seus recursos e valoriza suas capacidades, haverá modificações necessárias para estimular a sua estabilidade material.

O Ascendente e o Meio do Céu em Aspecto com Marte

Ao tocar Marte em Aspecto, o Ascendente ou o Meio do Céu provocará a necessidade de conquistar autonomia e independência, assim como estimulará a autoconfiança e a tomada de decisões importantes.

· FORÇAS ATUANTES: estímulo e impulsão
· ÁREAS DE ATUAÇÃO: autonomia, autoconfiança, competição, liderança, disposição física e saúde
· ASPECTOS FAVORÁVEIS: Sextil e Trígono

Ao agir favoravelmente sobre o Planeta guerreiro, o Ascendente ou o Meio do Céu provocará sua inquietude por autonomia e independência. Essa será uma fase importante em relação às decisões que você vier a tomar. Desse momento em diante, você sentirá sua vida progredir, estará mais *segura/o* de si e dará início a um novo ciclo de conquistas pessoais.

Também será uma época importante para tomar algumas atitudes que visem ao seu bem-estar físico. Aproveite esse tempo para iniciar atividades que produzam uma boa disposição, o que facilitará o enfrentamento dos desafios que farão parte do seu crescimento pessoal.

· ASPECTOS DESAFIADORES: Conjunção, Quadratura e Oposição

Sob a influência desse Aspecto, você será *convocada/o* a lidar com suas forças impulsivas, já que o momento *a/o* colocará diante de experiências relacionadas a disputas, conflitos e enfrentamento de desafios. O período será marcado pela transição de velhos modelos de autoafirmação para uma nova fase em que será necessário repensar o modo como você defende e se apropria da sua independência.

A dica é evitar qualquer rota de colisão para preservar sua integridade física, mental e espiritual. Entretanto, será preciso manter-se firme diante de divergências ou hostilidades. Poupe suas energias, pois elas serão extremamente úteis para atravessar esses tempos com boas condições de saúde.

O Ascendente e o Meio do Céu em Aspecto com Júpiter

Os Aspectos formados entre o Ascendente ou o Meio do Céu com Júpiter apontam para uma fase de determinações e metas que tanto podem ser o resultado de investimentos já feitos como sementes que darão frutos no futuro.

· FORÇAS ATUANTES: estímulo e impulsão

· ÁREAS DE ATUAÇÃO: metas, leis, crenças, ideais, justiça, estudos e viagens

· ASPECTOS FAVORÁVEIS: Conjunção, Sextil e Trígono

Esse Aspecto será indicador do início de um novo ciclo de grandes movimentações, a exemplo de viagens, estudos, autoconhecimento e encontros com *mestras/es* e pessoas notáveis que farão a diferença na sua vida. Uma das marcas desses novos tempos será a da presença do brilho da sua estrela da sorte, do merecimento e de um período de boas colheitas.

A partir dessa época, você sentirá o progresso acompanhar suas experiências, haverá claramente uma evolução no caminhar em direção aos seus maiores propósitos e a certeza de que, ainda que surjam adversidades, você estará *protegida/o* pela autoconfiança e pela esperança de alcançar as merecidas bênçãos.

· ASPECTOS DESAFIADORES: Quadratura e Oposição

O desafio a ser enfrentado ao longo do período em que durar esse Aspecto será o de mudar a direção das grandes metas de vida, passando evidentemente por uma fase de transição em que haverá incertezas e inseguranças. Será o fim de um tempo em que vigoraram as crenças que até então balizaram seu caminho e o começo de novos objetivos que renovarão o sentido da sua existência. Você provavelmente se sentirá um pouco *perdida/o*, deixará de acreditar em certos ideais e poderá se indispor com pessoas que tenham opiniões diferentes das suas.

Até mesmo experiências que você não considerar justas deverão servir como estímulo para afirmar um novo modo de lidar com determinado assunto. Por algum momento, você se sentirá *desprotegida/o*, pondo em xeque a fé nas suas crenças. Como essa será uma etapa de transição, reflita antes de decidir qual rumo tomar. Entretanto, não deixe de manter firme o propósito de buscar caminhos desconhecidos para o seu autodesenvolvimento.

O Ascendente e o Meio do Céu em Aspecto com Saturno

A conexão do Ascendente ou do Meio do Céu com Saturno aponta para um período de estruturação, revisões e reparações. Haverá cobranças e, como resultado, amadurecimento.

· FORÇAS ATUANTES: estímulo e impulsão
· ÁREAS DE ATUAÇÃO: responsabilidade, organização, produtividade e trabalho

· ASPECTOS FAVORÁVEIS: Sextil e Trígono

Sob a influência dessa configuração, você dará início a um novo ciclo de amadurecimento marcado por novas responsabilidades. Atravessará um tempo de decisões importantes no que diz respeito à conquista de alicerces que sustentarão seus projetos de vida em direção ao futuro. Será o começo de uma nova fase em que você sentirá o chão firme sob seus pés e caminhará com segurança na via que *a/o* conduzirá à autorrealização.

Será um tempo importante para cortar os excessos e fortalecer o seu crescimento. Você também sentirá o prazer de ter cumprido uma etapa importante da sua vida e, por esse motivo, estará *segura/o* diante dos novos compromissos que serão assumidos.

- ASPECTOS DESAFIADORES: Conjunção, Quadratura e Oposição

Em primeiro lugar, você deverá diminuir consideravelmente o seu ritmo e refletir sobre a mudança de rumo à qual você estará sendo *convocada/o* quando passar por esse momento. Depois, essa configuração marcará o fim de um tempo, mas, para iniciar o novo ciclo, você precisará prestar contas com suas responsabilidades, reparar os erros cometidos e se preparar para assumir os novos compromissos que estarão por vir.

O segredo será não ter pressa, embora você não deva deixar completamente de se movimentar para resolver o que possa estar *a/o* impedindo de iniciar o novo ciclo. Não seja *dura/o* demais consigo, mas não passe a mão na própria cabeça, desvalorizando a sua capacidade de solucionar os problemas.

O Ascendente e o Meio do Céu em Aspecto com Urano

Ao tocar Urano, tanto o Ascendente quanto o Meio do Céu indicarão uma fase de grandes revoluções e mudanças, *libertando-a/o* e *levando-a/o* a alçar grandes voos.

- FORÇAS ATUANTES: estímulo e impulsão
- ÁREAS DE ATUAÇÃO: liberdade, mudança e quebra de padrões
- ASPECTOS FAVORÁVEIS: Sextil e Trígono

Ao tocar favoravelmente Urano, o Ascendente e o Meio do Céu provocarão o início de um tempo de grandes revoluções na sua vida. Será uma época marcada por guinadas que produzirão um progresso considerável e que mudarão o curso do seu futuro.

Aproveite esse período para se libertar do que *a/o* impedia de evoluir. Feche o ciclo de incertezas e ingresse no de inovações. Com a mente aberta ao que a vida vier a lhe oferecer, a chance de experimentar o não planejado preencherá sua vida de uma energia eletrizante e estimuladora da liberdade.

- ASPECTOS DESAFIADORES: Conjunção, Quadratura e Oposição

Sob a força dessa configuração, você será *requisitada/o* a mudar seu estilo de vida. Entretanto, durante a vigência desse Aspecto, a vida será marcada por incertezas, dúvidas e uma inquietude que se aproximará muito da ansiedade.

Certamente esse será um tempo de fechamento de ciclo, mas a transição para a nova fase será feita desordenadamente. A ideia será que você não precipite decisões das quais possa vir a se arrepender posteriormente. Porém, quanto mais resistir às mudanças, mais a vida provocará tormentas para agitar o que estiver ora estagnado, ora desestabilizado.

Provavelmente você se sentirá fora do prumo, no entanto essa será uma experiência necessária para que possa alterar sua visão de mundo e começar a viver um novo tempo baseado na prática da liberdade.

O Ascendente e o Meio do Céu em Aspecto com Netuno

O que será estimulado com essas conexões serão as experiências psíquicas e espirituais. Essas ligações indicam uma fase de extrema sensibilidade, intuição e compreensão dos mistérios aos quais estamos *sujeitas/os*.

- FORÇAS ATUANTES: estímulo e impulsão
- ÁREAS DE ATUAÇÃO: intuição, sensibilidade, imaginação e espiritualidade
- ASPECTOS FAVORÁVEIS: Sextil e Trígono

Com essa configuração, você atravessará a experiência de fechar um ciclo e impulsionar a chegada de uma nova fase relacionada às suas buscas espirituais. Atitudes importantes que terão como objetivo a melhora das suas condições psíquicas deverão ser tomadas.

Esses tempos serão marcados pelo prazer obtido por sonhos que alimentarão o bem-estar da sua alma, por confiança na sua intuição e pelo bom uso da sua sensibilidade.

As decisões que determinarão o futuro das suas realizações serão fruto da inspiração e, até quem sabe, de premonições. Aproveite esse momento para se dedicar a novas práticas que engrandeçam o seu espírito e organizem sua estrutura emocional.

- ASPECTOS DESAFIADORES: Conjunção, Quadratura e Oposição

As experiências desse período serão marcadas pela nebulosidade à qual sua visão ficará submetida. A transição que definirá o fim de um ciclo e o começo de um novo será percebida de forma confusa e complicada.

Para facilitar essa passagem, será preciso elaborar o que estiver perturbando a sua alma, dissolver os sentimentos guardados e ocultos no fundo da sua estrutura psíquica e investir um tempo em desintoxicação física, mental e espiritual.

Após ser feita uma reorganização emocional, você se abrirá para uma nova fase em que os sonhos serão os condutores das suas realizações, alimentando seu espírito, e alcançará um alto nível de satisfação psíquica e espiritual.

O Ascendente e o Meio do Céu em Aspecto com Plutão

Ao fazer uma conexão com Plutão, tanto o Ascendente quanto o Meio do Céu acionam um processo de aprofundamento, limpeza, transformação e desapego. Será um tempo de descobertas do que estava adormecido ou trancafiado nas profundezas do seu inconsciente. Assim, esses Aspectos apontam para uma fase de profundas transformações e de desapego.

- FORÇAS ATUANTES: estímulo e impulsão
- ÁREAS DE ATUAÇÃO: profundidade emocional, transformações, regeneração e revelações
- ASPECTOS FAVORÁVEIS: Sextil e Trígono

No período em que vigorar o Aspecto favorável do Ascendente ou do Meio do Céu com Plutão do Mapa do seu nascimento, haverá o início de uma nova fase de descobertas, a começar pelo despertar de forças internas que até então se mantinham adormecidas. Com um novo olhar, você saberá identificar as oportunidades de mudanças que desse momento em diante marcarão esse novo ciclo.

Aproveite ao máximo a oportunidade de se desfazer do que for desnecessário e de alcançar um estado de desapego que trará muito mais tranquilidade psíquica e emocional. As transformações que ocorrerão nessa época lhe tornarão muito mais potente para enfrentar os términos, pois você se sentirá confiante de ser capaz de se regenerar e se reinventar.

- ASPECTOS DESAFIADORES: Conjunção, Quadratura e Oposição

Fazer a travessia de um velho ciclo para um novo será um dos grandes desafios desse momento, especialmente quando o assunto em questão for o enfrentamento do medo da perda. Será preciso deixar para trás as revoltas, as mágoas ou os ressentimentos provocados por experiências que deixaram fendas na sua alma. O desprendimento e a libertação do mal-estar por eles causados será a condição essencial para que um novo ciclo de regeneração e de superação dos conflitos internos possa ser iniciado.

A dica é não forçar a barra para controlar o que não estiver ao seu alcance e se aprofundar no autoconhecimento para despertar as forças adormecidas no seu interior e que serão as responsáveis pela construção de um novo olhar diante da vida.

O Ascendente e o Meio do Céu em Aspecto com o Ascendente e o Meio do Céu

Esses Aspectos reforçam a construção de um eixo de referência importante para o equilíbrio do seu bem-estar físico, emocional e de trabalho.

- FORÇAS ATUANTES: estímulo e impulsão
- ÁREAS DE ATUAÇÃO: autonomia, autoconfiança, bem-estar físico, saúde, afetividade, parcerias, profissional, carreira, vocação, projetos para o futuro, relações familiares e casa
- ASPECTOS FAVORÁVEIS: Conjunção, Sextil e Trígono

Nesse período, você reorientará sua vida para a direção que a/o levará às suas metas originais. Você iniciará um novo ciclo, de modo a afirmar seu estilo próprio de ser e se expressar no mundo, além de definir quais ambições desejará perseguir desse momento em diante.

Esse será um tempo de decisões cruciais que impulsionarão o que estiver parado ou com dificuldade de realização nas áreas mais importantes da sua vida.

- ASPECTOS DESAFIADORES: Quadratura e Oposição

Durante a passagem desse Aspecto, você será *convocada/o* a mudar alguns campos essenciais da sua vida. Entretanto, a transição entre uma antiga forma de ser e se realizar no mundo e a nova fase que virá será um desafio, já que haverá resistências devido à instabilidade do período.

O segredo será investir profundamente no autoconhecimento para que se sinta *segura/o* das escolhas que fizer a partir desse momento.

O Ascendente e o Meio do Céu em Aspecto com os Nodos Lunares Norte e Sul

A conexão do Ascendente ou do Meio do Céu com os Nodos Lunares reforça a importância de haver um propósito que oriente seus passos na direção do seu desenvolvimento espiritual.

- FORÇAS ATUANTES: estímulo e impulsão
- ÁREAS DE ATUAÇÃO: espiritualidade, passado e caminho de evolução
- ASPECTOS FAVORÁVEIS: Conjunção, Sextil e Trígono com os Nodos Lunares Norte e Sul

Sob a ação desse Aspecto, você dará início a um novo ciclo de realização do seu propósito espiritual. A transição entre o que tiver a/o orientado até então e o que valerá desse momento em diante será feita de modo gradual e equilibrado. Passado e presente se alinharão de tal maneira que você poderá corrigir as falhas já cometidas ao longo da sua jornada espiritual.

Esse será um tempo favorável para definir metas rumo à direção do seu processo de evolução, sendo fundamental o aproveitamento de tudo o que tiver sido investido e poderá ser em termos de autoconhecimento.

- ASPECTOS DESAFIADORES: Conjunção com o Nodo Lunar Sul e Quadratura com os Nodos Lunares Norte e Sul

A transição pela linha divisória que marca a relação entre o passado e o presente exigirá de você a capacidade de adaptação e flexibilidade, a fim de evitar os danos causados pelas tensões naturais produzidas devido ao fechamento de um ciclo e o começo de um novo.

Essa passagem diz respeito à sua jornada espiritual, que a/o convocará nesse momento a redirecionar seus propósitos de modo a prosseguir a sua realização com foco no que dará um sentido maior à sua existência.

O Ascendente e o Meio do Céu em Aspecto com a Roda da Fortuna

Os Aspectos formados pelo Ascendente ou Meio do Céu com a Roda da Fortuna apontam para a necessidade de encontrar meios que permitam que as energias fluam sem grandes transtornos.

- FORÇAS ATUANTES: estímulo e impulsão
- ÁREAS DE ATUAÇÃO: boa sorte e fluidez
- ASPECTOS FAVORÁVEIS: Conjunção, Sextil e Trígono

O efeito da ação favorável desse Aspecto será sentido na facilidade com que você decidirá sobre questões fundamentais da sua vida. Esse tempo marcará o início de um novo ciclo em que os ventos soprarão a seu favor.

A partir desse momento, a sua estrela da sorte iluminará os seus caminhos e você se sentirá mais confiante nos passos que decidirão o que se tornará e realizará no futuro.

· ASPECTOS DESAFIADORES: Quadratura e Oposição

O desafio será o de reparar a sua conexão com a estrela da sorte, o que significará um tempo de inseguranças, já que não haverá facilidades que a/o ajudem a abrir os seus caminhos. Essa será uma fase de transição entre um ciclo que então termina e um novo que estará para começar.

Essa passagem definirá uma nova sabedoria responsável pela melhora do fluxo das suas energias e pelo restabelecimento da sintonia com o brilho da sua estrela que, depois de atravessado esse tempo, iluminará o seu caminho e facilitará o curso dos acontecimentos.

O Ascendente e o Meio do Céu em Aspecto com Quíron

Ao fazer uma conexão com Quíron, o Ascendente ou o Meio do Céu provoca um ponto na sua estrutura de vida que dói, mas que também cura.

· FORÇAS ATUANTES: estímulo e impulsão
· ÁREAS DE ATUAÇÃO: saúde e autoconhecimento

· ASPECTOS FAVORÁVEIS: Sextil e Trígono

Nesse período, você dará início a uma nova fase de regeneração e cura do que costuma doer e é sintoma das feridas abertas pelas circunstâncias difíceis da vida. Decisões importantes serão tomadas para melhorar sua qualidade de vida e proporcionar equilíbrio para sua saúde, seja ela física, psíquica ou espiritual.

Também será o começo de um longo processo de autoconhecimento, fortalecendo sua capacidade de superar o sofrimento sempre que for necessário. As interações com pessoas ou *mestras/es* que surgirem nesse momento a/o ajudarão a encontrar o caminho que aliviará as pressões causadas por desequilíbrios.

· ASPECTOS DESAFIADORES: Conjunção, Quadratura e Oposição

Esse será o momento de atravessar o ponto crítico do término de um ciclo e do começo de uma nova fase relativa ao bem-estar físico e à saúde em geral. A instabilidade vivida durante o período da transição deverá ser tratada com flexibilidade, evitando a desordem energética e o consequente desgaste físico, psíquico e/ou espiritual.

Provavelmente você sentirá doer as cicatrizes produzidas por experiências que desafiaram a sua resistência, mas será esse mesmo sofrimento que dará fim a uma etapa de fragilidades e incertezas na sua saúde.

O Ascendente e o Meio do Céu em Aspecto com Lilith

As conexões do Ascendente ou do Meio do Céu com Lilith indicam uma fase de contato com seus mais profundos e verdadeiros desejos, em geral, reprimidos. Será um tempo dedicado a liberá-los para que você se equilibre emocionalmente.

- FORÇAS ATUANTES: estímulo e impulsão
- ÁREAS DE ATUAÇÃO: sexualidade, desejo, insubordinação e emoções profundas
- ASPECTOS FAVORÁVEIS: Sextil e Trígono

A ação favorável do Ascendente ou do Meio do Céu com a Lilith do Mapa do seu nascimento provocará um impulso considerável na sua vida sexual e afetiva. Esse será o começo de um novo ciclo marcado pela libertação dos tabus ou preconceitos que inibem a expressão dos seus mais profundos e íntimos desejos.

Desse momento em diante, você poderá usufruir de um tempo no qual se recusará a se submeter a jogos de manipulação emocional e saberá enfrentar suas carências sem a necessidade de ser *preenchida/o* por relacionamentos que, no fundo, não atendem às suas vontades.

- ASPECTOS DESAFIADORES: Conjunção, Quadratura e Oposição

Sob a influência de um Aspecto desafiador entre o Ascendente ou o Meio do Céu com a Lilith do Mapa do seu nascimento, você será *convocada/o* a lidar com as pressões produzidas por desejos reprimidos, especialmente os relacionados à sua sexualidade. Esse será um período crítico da transição entre um antigo modo de se relacionar e um novo ciclo que exigirá de você independência emocional.

O segredo será afastar-se de relacionamentos invasivos e de experiências contrárias ao que de mais profundo vem da sua alma e do seu corpo, preparando-se para uma nova fase que definirá o que você viverá desse momento em diante.

Eclipses

Em todo Eclipse, seja do Sol, seja da Lua, a luz solar acaba perdendo o seu lugar de protagonismo, o que pode causar bastante espanto, pois, ao considerar a sociedade patriarcal na qual vivemos, sabemos que os valores luminosos relacionados ao Sol são entronizados por serem associados à dinâmica masculina.

Dito isso, no Eclipse solar, observa-se que a luz do Sol é atravessada pela Lua, Astro que, por sua vez, é o símbolo dos valores femininos. O poder masculino representado pela estrela do nosso Sistema Solar é ocultado pelo satélite associado às forças femininas. Na fase de Lua Nova em que ocorre um Eclipse do Sol, a Lua se destaca, pondo-se à frente do poder dominador da razão e da autoridade.

Já no Eclipse da Lua, em um primeiro olhar, pode-se considerar que ela perde seu brilho. Entretanto, cabe ressaltar que essa luminosidade perdida, na verdade, é nada mais nada menos do que a luz solar nela refletida. Assim como a Terra, Planeta que simboliza a fertilidade da natureza em sua mais perfeita representação feminina, também a Lua é um Astro associado ao feminino, como mencionado anteriormente, e é o satélite que circunda a terra que nos alimenta, o que faz dela, tanto quanto o Sol, um Astro absolutamente especial.

No caso do Eclipse lunar, a Terra, feminina, esconde a Lua dos raios solares e projeta sua poderosa sombra nela, criando um fenômeno que, ao contrário do que se pensa, não faz a Lua desaparecer, mas sim demonstra o que ela verdadeiramente é: uma bola de matéria solta no espaço. É justamente isso que faz desse um momento de revelação daquilo que nunca fomos capazes de enxergar.

Trata-se de uma revelação da ordem da percepção e dispensa, ainda que momentaneamente, a racionalidade solar. Esse tipo de Eclipse traz à tona poderes mágicos e alquímicos, assim como a força transformadora tão frequente e intensamente represada pelos preconceitos para com as qualidades femininas da intuição e da sensibilidade.

Diante de um Eclipse solar ou lunar, deveríamos honrar as potências femininas. *Abençoadas/os* sejam *as/os* pajés. *Abençoadas/os* sejam *as/os bruxas/os*. *Abençoadas/os* sejam *as/os feiticeiras/os*. *Abençoadas/os* sejam *as/os* xamãs. *Abençoadas/os* sejam *as/os* médiuns. *Abençoadas/os* sejam *as/os mães/pais* de santo. *Abençoadas/os todas/os aquelas/es* que estão *conectadas/os* com as forças cósmicas, com as forças da natureza.

Trânsitos dos Eclipses

· INTENSIDADE DO TRÂNSITO: 4

Atenção: serão analisadas exclusivamente as Conjunções de um Eclipse em Aspecto com um Planeta ou um Ponto Virtual do Mapa do seu nascimento, pois será nesse âmbito que a influência dessa configuração se mostrará eficiente. O tempo de atuação desse Trânsito será em torno de seis meses a partir do momento em que ele ocorrer.

Eclipses em Aspecto com o Sol

· FORÇA ATUANTE: intuição
· ÁREAS DE ATUAÇÃO: consciência, vontade, vitalidade, vigor e autoconfiança

Quando um Eclipse se alinhar ao Sol numa Conjunção, será a consciência de quem você verdadeiramente é que estará em jogo. A ideia será que você aprenda a dar uma baixada na bola do ego, percebendo que não se pode tudo e que as coisas nem sempre sairão como deseja.

É possível que você venha a lidar com a obscuridade e a complexidade das relações de autoridade, analisando o preço que se paga quando se age com o pulso mais firme do que deveria. A dica, nesse caso, é sair um pouquinho de cena. Você será *tocada/o* pelo que envaidece e de forma desconhecida, portanto inconsciente.

Também sua vitalidade ficará mexida para que você aprenda a economizar sua energia vital e a repor as reservas sempre que possível. Caso seus hábitos comprometam a sua saúde, essa será uma época de enfraquecimento e de baixa resistência. Se sua energia estiver em alta, você se apropriará das forças vitais e se posicionará com mais vigor diante da vida. Entretanto, para que isso aconteça, isto é, para que o Eclipse disponibilize o acesso às suas reservas de energia, será necessário que esteja muito *afinada/o* consigo *mesma/o* e com o seu maior propósito de vida.

Eclipses em Aspecto com a Lua

- FORÇA ATUANTE: intuição
- ÁREAS DE ATUAÇÃO: intuição, sensibilidade, afetividade, lembranças do passado, família e casa

Quando o Eclipse entrar em Conjunção com a Lua, suas questões íntimas estarão envolvidas nos efeitos provocados por esse fenômeno planetário. Serão experiências importantes que *a/o* levarão a aprender a lidar com forças ocultas que fogem ao seu controle. Em primeiro lugar, você será *obrigada/o* a mergulhar mais fundo na zona obscura do seu passado e retirar os esqueletos guardados nos armários da sua alma. O segredo será se preservar emocionalmente e extrair forças de onde você nem imaginava existir para lidar com relações afetivas que remexerão o lodo das águas emocionais.

Em segundo, também terá que enfrentar o que houver de mais sombrio nas suas relações de afetividade, sendo possível, até mesmo, que venha a ter revelações sobre sua ancestralidade que explicarão muito do que até então não fazia sentido no modo de você lidar com determinados sentimentos e emoções. No fim das contas, você sairá ganhando por tomar consciência de forças que agiam à sua revelia e que nessa época estarão muito mais sobre o seu domínio, o que permitirá que faça suas escolhas com liberdade.

Eclipses em Aspecto com Mercúrio

- FORÇA ATUANTE: intuição
- ÁREAS DE ATUAÇÃO: comunicação, estudos, mobilidade, viagens e negócios

Ao se alinhar com Mercúrio em Trânsito, um Eclipse a/o conduzirá a conhecer aquela zona sombria onde a mente age por conta própria, aquele ninho de gatos que é a rede de pensamentos, imaginação e conexões. Será uma época marcada por muita dispersão, e, para obter concentração, você terá que ir a fundo na sua estrutura psíquica para entender os mecanismos mentais que roubam a tranquilidade da sua alma. Você poderá ser *atravessada/o* por um período de notícias que despertarão medos adormecidos que não *a/o* deixarão em paz. Isso *a/o* levará a entender que os mecanismos mentais são bem mais profundos do que imaginava.

Nessa fase você deverá ter muita cautela com o que falar e com o modo de se expressar. Em situações de interação social, o cuidado deverá ser dobrado para que não acabe sendo *traída/o* por alguma força sombria desconhecida, ou seja, pelo próprio inconsciente. Além disso, seus movimentos ficarão mais atrapalhados, a não ser que você seja uma pessoa muito disciplinada com o corpo e a mente.

Ainda que seja difícil lidar com as pressões e as revelações do momento, você aprenderá a usar seu poder mental de tal forma que será um ganho para o restante da sua vida.

Eclipses em Aspecto com Vênus

- FORÇA ATUANTE: intuição
- ÁREAS DE ATUAÇÃO: autoestima, amor, beleza, sexualidade e recursos materiais

Ao se alinhar com Vênus, o Eclipse *a/o* conduzirá a conhecer os aspectos sombrios da sua afetividade. Por um lado, os relacionamentos passarão por um momento crítico; por outro, muito do que você não queria ver ou que era inconsciente subirá à superfície da sua consciência com grandes chances de resolver desejos que estavam reprimidos e guardados atrás das grades dos seus preconceitos ou tabus. O maior aprendizado dessa fase será dispor de uma força amorosa até então desconhecida, entendendo que amar é uma experiência extremamente profunda. Amar e ser *amada/o a/o* levará a mundos inacessíveis, e a chave de acesso a eles será dada por alguém que estiver ao seu lado ou que chegar inesperadamente.

Quanto ao âmbito material, a dica é buscar meios que *a/o* ajudem a se organizar melhor. É possível que nessa fase não seja fácil atravessar os problemas financeiros, restando como aprendizado a importância de ter reservas para suprir os gastos emergenciais. Por fim, revelações sobre o estado das suas finanças poderão ser feitas para que você tome as rédeas da administração delas.

Eclipses em Aspecto com Marte

- FORÇA ATUANTE: intuição
- ÁREAS DE ATUAÇÃO: autonomia, autoconfiança, competição, liderança, disposição física e saúde

Na Conjunção do Eclipse com Marte, você mergulhará no depósito das emoções sombrias e conhecerá a dimensão da raiva, da indignação, da intolerância e da agressividade. Você ficará *sujeita/o* a agir de forma agressiva, muitas vezes até violenta, sem que consiga conter suas forças. Por estar *desatenta/o* da sua proteção, você poderá se tornar alvo de agressões e de ações que possam *machucá-la/o*. A dica é se expor o mínimo possível e evitar as rotas de colisão. Seja por carência, seja por vaidade, será importante não tentar se afirmar pondo em risco a sua segurança física, psíquica e/ou espiritual. Esquive-se igualmente de situações competitivas, pois também produzirão efeitos destrutivos. Use suas forças para superar os próprios desafios e deixe de lado as comparações com a potência dos demais.

Por outro lado, esse Aspecto despertará em você a força *da/o maga/o*, uma força descomunal e pulsante que, se usada positivamente, funcionará como a mão *da/o cirurgiã/ão* que corta para curar.

Ao direcionar favoravelmente a energia que se encontrará disponível, você marcará esse momento com vitórias que só farão crescer a sua autoconfiança. Você aprenderá a utilizar de modo consciente forças que até então agiam fora do seu comando e a produzir algo positivo na sua vida e na das outras pessoas.

Eclipses em Aspecto com Júpiter

- FORÇA ATUANTE: intuição
- ÁREAS DE ATUAÇÃO: metas, leis, crenças, ideais, justiça, estudos e viagens

A passagem de um Eclipse por Júpiter produzirá um apagão na região em que habitam os seus propósitos, as suas metas mais elevadas e as suas crenças em ideais. Será como se tudo perdesse o sentido durante essa fase. Você poderá ficar *assustada/o* com a direção que tiver tomado e que julgava ser a melhor e verdadeira. O jeito será ir mais a fundo, reavaliar as motivações que se mantinham fechadas em si mesmas e, se você constatar que não darão mais caldo, reorientar sua mente para a busca de novos ideais.

Aliás, se você ficar *desorientada/o*, pare onde está e espere o efeito labirinto passar. É bem possível que haja uma grande perda energética por não ter repousado durante o período de peregrinação. Repostas as energias, você poderá se animar novamente e seguir seu caminho de questionamentos e descobertas.

Você também poderá passar por experiências de injustiça, dando-se conta de que nem sempre a vida é justa, que as pessoas e você *mesma/o* também não são invariavelmente *justas/os*. A dica é evitar julgamentos, não sem deixar de refletir intensamente e reconhecer o que *a/o* motiva a julgar determinada situação daquela maneira para não ter arrependimentos posteriores. Todavia, caso esteja sendo *julgada/o* injustamente, pense se não houve exposição excessiva por efeito da sua vaidade. De todo modo, brigue por seus direitos usando a intuição como ferramenta de luta.

Eclipses em Trânsito com Saturno

· FORÇA ATUANTE: intuição
· ÁREAS DE ATUAÇÃO: responsabilidade, organização, produtividade e trabalho

Quando um Eclipse fizer a Conjunção com Saturno, você terá acesso ao conhecimento das suas mais importantes obrigações espirituais. E, caso não saiba se está cumprindo bem os seus deveres, bastará averiguar a fluidez da sua vida. Todavia, como, em geral, dificilmente estamos em dia com as nossas responsabilidades espirituais, é provável que você se sinta *travada/o* e demore para concluir os seus compromissos. O segredo será entender que promessas não cumpridas no passado apresentarão nesse momento as faturas e, se você não as quitar, maior será o seu saldo devedor. Também será preciso compreender que certos atos são inconscientes, mas, ainda assim, têm um preço a pagar. Dedique-se a saldar suas dívidas reconhecendo-as nos padrões de comportamento repetitivos e que nunca dão bons resultados. A insistência nos erros será uma trava poderosa que impedirá a sua evolução, seja na esfera da matéria, seja na do espírito.

Um grande desafio será aprender a fazer as coisas no "tempo que o tempo tem". Não adiantará ficar *acelerada/o*, pois isso apenas gerará desgaste. Outra coisa que você aprenderá durante a passagem desse Trânsito será que possui uma elevada resistência que você *mesma/o* desconhecia. Saturno é casca-grossa e dirá para você ir em frente, vencendo as barreiras passo a passo e perseverando nas conquistas que decidiu realizar.

Eclipses em Aspecto com Urano

- FORÇA ATUANTE: intuição
- ÁREAS DE ATUAÇÃO: liberdade, mudança e quebra de padrões

Quando um Eclipse se alinhar a Urano, tenha certeza de que esse período deixará a marca da imprevisibilidade da vida. Você aprenderá que é preciso aceitar que nem tudo sai conforme o programado. A dica é ter um plano B, mas, ainda assim, é possível que ele não dê conta das mudanças que chegarão sem avisar.

Primeiramente, você estará *sujeita/o* a acontecimentos inesperados. Depois, você será *tomada/o* por uma rebeldia que não conhecia, um desejo de liberdade que virá do fundo da alma e que provocará rupturas e desordem. Mas, veja bem, sempre que um Eclipse se alinhar com um ponto do seu Mapa Natal, será necessário ir à origem, concentrar-se e resolver as questões desde dentro. Se não fizer assim, não saberá por que rompeu ou provocou uma confusão sem propósito. A intolerância e certas radicalidades sentidas nesse momento virão do lado sombrio do ego e da carência. A exposição excessiva à vaidade somada à fragilidade emocional *a/o* colocarão em posição vulnerável. O segredo será ficar *atenta/o* à intuição e sair de cena antes de ser *atingida/o* pela ansiedade.

O maior aprendizado será descobrir os caminhos que *a/o* direcionam para a conquista da liberdade. O desejo de ser livre surgirá como algo inadiável, e você não resistirá a quebrar a cela onde os seus medos estavam aprisionados.

Eclipses em Aspecto com Netuno

- FORÇA ATUANTE: intuição
- ÁREAS DE ATUAÇÃO: intuição, sensibilidade, imaginação e espiritualidade

Quando um Eclipse se alinhar com Netuno, o misterioso tomará conta da cena e você terá que acolher fatos que não será capaz de entender. Será uma fase psiquicamente mais vulnerável, entretanto com a chance de conhecer a força da sua espiritualidade.

Por haver maior produção psíquica, fique *atenta/o* aos seus sonhos. Muito material inconsciente será processado e forças ocultas se manifestarão, como intuição e mediunidade. Não será de estranhar que, depois de atravessar um período em que um Eclipse se conecta com Netuno, você venha a ingressar em trabalho espiritual que passará a fazer parte da sua vida. De outra maneira, você poderá começar uma terapia *impulsionada/o* pelas manifestações do seu inconsciente, passando a lidar melhor com sua vida interior.

Em geral, essa será uma época caótica, de muita incerteza e melancolia. A bem da verdade, nada de novo será criado. Você conhecerá a dimensão de sentimentos que estavam abaixo da superfície do seu oceano psíquico, semelhante a um iceberg. Tristezas inexplicáveis, angústias que não tenham relação com nenhum fato objetivo serão apenas a ponta dele.

Eclipses em Aspecto com Plutão

- FORÇA ATUANTE: intuição
- ÁREAS DE ATUAÇÃO: profundidade emocional, transformações, regeneração e revelações

Semelhante à explosão de um vulcão, a passagem de um Eclipse por Plutão provocará a erupção de forças ocultas vindas das regiões mais profundas e sombrias do seu psiquismo. Poderes misteriosos, como o da transmutação e o da cura, ficarão disponíveis para que você possa usá-los quando for necessário.

A potência representada por Plutão será bastante similar à dos Eclipses. A ocultação de um dos dois Luminares não só lhes retirará a luz, mas igualmente revelará o poder do oculto. Onde há luz, há sombra, e esse será um dos grandes aprendizados obtidos quando você conhecer mais a fundo as forças sombrias que estarão intensificadas por esse Trânsito.

Plutão comanda o reino dos medos, da angústia e dos sentimentos que fogem ao controle da consciência. Ele é o senhor da morte e do renascimento. Quando um Astro encoberto se alinhar com Plutão, os receios mais profundos e escondidos emergirão trazendo mensagens desse mundo assustador. Será uma oportunidade sem igual para acolher seus medos e trabalhar para dominá-los.

Eclipses em Aspecto com o Ascendente e o Descendente

- FORÇA ATUANTE: intuição
- ÁREAS DE ATUAÇÃO: autonomia, autoconfiança, bem-estar físico, saúde, afetividade e parcerias

O que estará em jogo quando um Eclipse atravessar a linha do horizonte será, ao mesmo tempo, a prática da sua autonomia e a arte de saber se relacionar. Nessa fase os desgastes causados pela manutenção do equilíbrio dessa balança aparecerão. Você conhecerá o preço a ser pago pela forma como cuida tanto de si quanto do outro. Sem dúvida, será muito trabalhoso manter essa balança estável.

É possível que você se sinta *esquecida/o*, que haja falta de atenção por parte dos outros e que, igualmente, você esteja em falta com pessoas próximas, suas parcerias e seu relacionamento amoroso.

A obscuridade trazida ao campo das relações e à capacidade de andar pelas próprias pernas não servirá apenas para que reconheça as carências, mas para que possa tornar o seu relacionamento consigo *mesma/o* e com os outros muito mais profundo.

Outro tema importante que deverá ser considerado nesse Trânsito será o conhecimento da sua fragilidade física e, igualmente, a *da/o parceira/o*. Não será por acaso que os cuidados deverão ser dispensados para restaurar as forças de *ambas/os*. Se *uma/um das/dos duas/dois* adoecer, *a/o outra/o* deverá acolher e cuidar. Mais uma vez, o Eclipse anunciará a descoberta de forças curativas, intuitivas e altamente regeneradoras.

Eclipses em Aspecto com o Meio e o Fundo do Céu

- FORÇA ATUANTE: intuição
- ÁREAS DE ATUAÇÃO: profissional, carreira, vocação, projetos para o futuro, relações familiares e casa

Como *uma/um mergulhadora/mergulhador* que vasculha os abismos oceânicos na busca de embarcações desaparecidas, um Eclipse com a linha do meridiano provocará a descoberta de histórias que naufragaram e se recolheram nas profundezas das suas memórias. Mais do que nunca, você desejará se aprofundar nos acontecimentos que você desconhecia, principalmente aqueles que envolveram a história dos seus ancestrais. Na medida em que não será fácil fazer as conexões que revelam o que de fato aconteceu, você precisará de recursos mais potentes para alcançar a compreensão desejada. Nesse sentido, uma boa terapia poderá dar conta do recado.

Como um Eclipse atua nos eixos bipolares, as mesmas buscas ocorrerão em relação aos seus projetos profissionais. O importante será que não haja exposição excessiva para não se sobrecarregar de responsabilidades. Sempre na presença de um Trânsito importante de um Eclipse será aconselhável que você saia de cena para lidar com o que vier à tona na sua intimidade. Partilhe as sombras apenas com quem você tenha um relacionamento de muita confiança e entrega.

Eclipses em Aspecto com os Nodos Lunares Norte e Sul

- FORÇA ATUANTE: intuição
- ÁREAS DE ATUAÇÃO: espiritualidade, passado e caminho de evolução

A passagem de um Eclipse pelos Nodos Lunares significará que você fará resgates importantes que *a/o* conduzirão a um desenvolvimento espiritual significativo. Os acontecimentos desse período trarão o sentimento de estar vivendo algo conhecido, mas que você não conseguirá identificar exatamente de onde ou quando os experimentou. Algumas correntes espirituais entendem essas vivências como um resgate cármico, ou seja, a liberação de um passado anterior a esta existência. Seja por causa das vidas passadas, seja devido ao passado desta vida, certamente haverá um acerto de contas. Você despertará o que estava adormecido na sua memória e fará conexões que trarão sentido para muita coisa que anteriormente não conseguia explicar. Os acontecimentos dessa época farão uma correção na rota do seu destino.

Um dos grandes aprendizados proporcionados por esse Aspecto será o de que, em certos âmbitos da sua vida, o melhor a fazer será não lutar contra o destino, e sim acolhê-lo, afirmá-lo e ser *grata/o* ao que tiver sido traçado para você nesta vida.

Eclipses em Aspecto com a Roda da Fortuna

- FORÇA ATUANTE: intuição
- ÁREAS DE ATUAÇÃO: boa sorte, fluidez

A grande mensagem do Trânsito de um Eclipse com a Roda da Fortuna será que você deverá deixar a superfície, mergulhar nas águas profundas do seu inconsciente e descobrir que, na escuridão, você poderá contar com a sua estrela. Entretanto, nas regiões iluminadas pela razão, os ventos da boa sorte não soprarão a seu favor.

A Roda da Fortuna simboliza o bom fluxo das energias e dos acontecimentos. Na passagem do Eclipse, aquilo que normalmente é fácil, exigirá esforço extra. A dica é usar a intuição para desobstruir seus caminhos e liberar as energias viciadas para que sejam renovadas.

As forças regenerativas agirão como um farol na escuridão, iluminando o tesouro ao qual você não tinha acesso. Ao chegar na mina que abriga as energias valiosas, você compreenderá que são elas as estrelas que brilharão no seu universo interior. Aí, sim, você poderá dizer que é uma pessoa de sorte.

Eclipses em Aspecto com Quíron

- FORÇA ATUANTE: intuição
- ÁREAS DE ATUAÇÃO: saúde e autoconhecimento

A passagem de um Eclipse por Quíron poderá anunciar algum tipo de desequilíbrio físico, mental ou espiritual que você desconhecia. Sempre que Quíron estiver envolvido em um Trânsito, será preciso falar de saúde, de cura e, principalmente, das dores que levam à procura de alívio para o sofrimento. A bem da verdade, será bom que você conheça a origem dos seus sintomas e das suas dores. Ao fazer um contato mais profundo com o que traz sofrimento, você também conhecerá o caminho da sua regeneração.

Pouco se sabe do que um organismo é capaz, tanto no que diz respeito à sua vulnerabilidade quanto ao seu poder de curar. A força simbolizada pela ocultação da luz em um Eclipse atuará sobre Quíron revelando um percurso terapêutico bem diferente daqueles que são do seu conhecimento. Será preciso abrir a alma, seguir a intuição e acolher o que então se revelar. Mas não se esqueça de que é a dor que revelará a fórmula que fará de você *uma/um verdadeira/o feiticeira/o* na arte de curar.

Eclipses em Aspecto com Lilith

· FORÇA ATUANTE: intuição
· ÁREAS DE ATUAÇÃO: sexualidade, desejo, insubordinação e emoções profundas

Os significados atribuídos aos Eclipses se aproximam muito da simbologia de Lilith. O que há em comum entre eles são a ocultação da luz e a presença do cenário sombrio. O alinhamento de um Eclipse com a Lua Negra *a/o* levará a tomar conhecimento de que suas repressões podem ser muito mais profundas e intensas do que imaginava. O fato é que você estará *sujeita/o* a viver rejeições, desamparo ou separações por não estar *conecta-da/o* com o seu verdadeiro desejo. As rupturas servirão para *libertá-la/o* das manipulações, da condição de dependência emocional e, em alguns casos, de relações abusivas. A vulnerabilidade de se deixar seduzir por alguém ou por uma situação que possa pôr em risco a sua liberdade terá na carência emocional a maior aliada.

O que você desenvolverá a partir dessas experiências será saber dizer "não" e respeitar e fazer respeitar as suas vontades mais íntimas, tornando-as suas companheiras de viagem e, mais do que qualquer coisa, sem depender de alguém para ser feliz.

Planetas Retrógrados

A retrogradação acontece com todos os Planetas, excetuando os Luminares Sol e Lua (que não são propriamente Planetas), e é um movimento aparente, posto que é observado sob o ponto de vista da Terra. É como se o Planeta em questão estivesse "andando para trás", na direção oposta à do seu movimento natural.

Na Antiguidade, quando ainda não se compreendia a lógica do Sistema Solar, em que o Sol ocupa o centro e, em torno dele, todos os Planetas orbitam, parecia então, em alguns momentos, que caminhavam em sentido contrário ao da órbita, e foi um assunto que dividiu opiniões e estruturas foram criadas para dar conta dessa realidade.

Entretanto, ainda que hoje saibamos que um Planeta não anda para trás e que, na verdade, trata-se de um movimento aparente, é importante lembrar que fazemos Astrologia considerando o ponto de vista *da/o observadora/ observador* que, no caso, somos nós, aqui na Terra.

Diferente de algumas análises e explicações fatalistas encontradas atualmente, penso que os Planetas Retrógrados no Mapa Natal, por exemplo, não representam nenhum monstro. São apenas um portal de oportunidade para a reflexão e a revisão de questões e pendências relacionadas com a temática-chave de determinado Planeta. No caso de Mercúrio, para exemplificar, tem-se revisões relacionadas à comunicação, à linguagem, ao aprendizado e ao convívio com as pessoas.

Por se tratar de um movimento associado ao passado, o movimento retrógrado dos Planetas é muito utilizado no estudo da Astrologia Cármica, que parte do princípio de que cada *uma/um* traz consigo uma bagagem vinda de períodos e experiências passadas, vividas em outros tempos ou vidas. Portanto, quando falamos de retrogradação, estamos nos referindo a um passado que carece de atenção. Para aqueles que não trabalham com o conceito de carma, é possível pensar em experiências passadas desta própria vida.

De forma geral, quando um Planeta em Trânsito no Céu entra em movimento retrógrado, *todas/os* estamos *sujeitas/os* a fazer reflexões e um ajuste de contas com a forma como temos vivido, experimentado e agido diante dos assuntos relacionados ao simbolismo desse Astro.

Quando Mercúrio entra em retrogradação, o que deverá ser revisto e sujeito a reflexões é o modo como nós nos comunicamos, o que temos dito, nossos acordos, nossas verdades e nossas mentiras. Se for Vênus, devemos fazer reflexões e acertar as contas com nossas carências, nossos relacionamentos, nossa sexualidade e nossa autoestima, recuperando o que ficou para trás e que poderia nos atrapalhar nesse momento. Se o Planeta em questão for Marte, iremos lidar com temas associados aos desafios vividos, a derrotas que ainda não digerimos, vitórias que devem ser revistas, conflitos que precisam de ajustes. No caso dos Planetas lentos, as questões envolvidas na interpretação estão ligadas aos movimentos sociais e coletivos.

No caso de haver um trânsito de um Planeta retrógrado com um do seu Mapa de Nascimento, também este ficará sujeito à revisões, reparações, idas e vindas de experiências que serão oportunidades para mexer no que precisa ser vivido, ajeitado, recuperado para que, finalmente, você possa seguir adiante com uma bagagem de experiências passadas e presentes extremamente úteis para o seu futuro.

Agradecimentos

Agradeço ao meu editor Guilherme Samora pelo acolhimento sem limites da minha escrita. Ao Guilherme Francini pela sensibilidade com que tratou a identidade visual deste projeto.

Ao Leo Jaime, meu grande amigo e apaixonado pela astrologia, pela orelha deste livro. À colaboração de Julie Marie Safadi, Kim Bins, Luana Pereira e Isis Lino que me acompanharam ao longo desse período de criação.

Às minhas filhas Luna e Mel por acreditarem nas minhas escolhas nesta existência. À minha família de origem que sempre me apoiou.

À minha professora Emma Costet de Mascheville por ter me iniciado na prática de conversar com as estrelas.

Às minhas alunas e alunos, pois, sem *elas/es,* não teria nem começado a transformar essa paixão em uma prática profissional.

Por fim, agradeço ao firmamento por me proporcionar uma bússola para me orientar e orientar tantas pessoas na arte de viver.

À memória de Eduardo Rozenthal,
que viajou para as estrelas.

Este livro, composto na fonte Fairfield,
foi impresso em papel Pólen Soft 70 g/m² na Edigráfica.
Rio de Janeiro, abril de 2021.